نشر قطره

سلسله انتشارات ـ ۱۶۷۳

رمان ـ داستان خارجی ـ ۱۴۶

این کتاب ترجمه‌ای است از:

The Schopenhauer Cure

Irvin D. Yalom

سرشناسه:	یالوم، اروین د، ۱۹۳۱ - م	Yalom, Irvin D
عنوان و نام پدیدآور:	درمان شوپنهاور/ اروین د. یالوم؛ ترجمه‌ی سپیده حبیب	
مشخصات ناشر:	تهران: نشر قطره، ۱۳۹۱	
مشخصات ظاهری:	۵۵۲ ص	
فروست:	سلسله انتشارات - ۱۶۷۳. رمان - داستان خارجی - ۱۴۶	
شابک:	۹۷۸-۶۰۰-۱۱۹-۶۱۹-۵	
وضعیت فهرست‌نویسی:	فیپا	
یادداشت:	عنوان اصلی: The Schopenhauer Cure: a novel, c 2005	
موضوع:	شوپنهاور، آرتور، ۱۷۸۸-۱۸۶۰ م - داستان	
موضوع:	داستان‌های آمریکایی - قرن ۲۰ م	
موضوع:	روان‌درمانی گروهی - داستان	
شناسه‌ی افزوده:	حبیب، سپیده، ۱۳۴۹ - ، مترجم	
رده‌بندی کنگره:	PS ۳۵۷۳ / ۷ الف ۴ د ۱۳۹۱	
رده‌بندی دیویی:	۸۱۳/۵۴	
شماره‌ی کتاب‌شناسی ملی:	۲۹۰۱۵۰۲	

شابک: ۹۷۸-۶۰۰-۱۱۹-۶۱۹-۵ ISBN: 978-600-119-619-5

درمان شوپنهاور

اروین د. یالوم

مترجم

سپیده حبیب

نشر قطره

درمان شوپنهاور

اروین د. یالوم

مترجم: سپیده حبیب

صفحه‌آرا: ژیلا پی‌سخن

طراح جلد: محسن توحیدیان

چاپ پانزدهم: ۱۳۹۷

چاپ: صبا

صحافی: خلیج فارس

تیراژ: ۲۰۰۰ نسخه

بهاء: ۴۲۰۰۰ تومان

خیابان دکتر فاطمی، خیابان شیخلر (ششم)، کوچه‌ی بنفشه، پلاک ۸

تلفن: ۳-۵۱ ۳۳ ۹۷ ۸۸

دورنگار: ۹۶ ۸۹ ۹۶ ۸۸

کد پستی: ۱۴۱۵۶۷۳۳۱۳

---

www.nashreghatreh.com

info@nashreghatreh.com

nashr.ghatreh@yahoo.com

Printed in the Islamic Republic of Iran

فهرست

«آمیزه‌ی یالوم از فلسفه، آموزگاری، روان‌پزشکی و ادبیات، رمانی سرشار از اندیشه‌های نو، جذاب و دلنشین ساخته است.»

سن‌فرانسیسکو کرونیکل

«یالوم بافتی تردستانه پدید آورده: تارهایی از زندگینامه‌ی پرآشوب شوپنهاور را به دفاعیه‌های فلسفی از اپیکتتوس تا نیچه و نیز به جلسات بی‌وقفه‌ی روان‌درمانی گره زده است.»

سیاتل تایمز

«داستانی درباره‌ی آخرین سال یک درمان گروهی و مناظره‌ای تکان‌دهنده درباره‌ی پایان زندگی که به زیبایی آراسته شده است.»

نقدنامه‌ی کرکاس

«*درمان شوپنهاور* ارزش و محدودیت‌های درمان و نیز نقاط تلاقی فلسفه و روان‌شناسی را بررسی می‌کند.»

واشنگتن پست

«شورمندی یالوم مسری‌ست و چیره‌دستی‌اش در ارائه‌ی خوانشی روشن و بی‌ابهام از اندیشه‌ها و نظریات پیچیده، او را به ناب‌ترین شکل ممکن، محبوب خوانندگانش کرده است. او دقیقاً می‌داند چطور می‌شود داستان را جذاب و پرکشش تعریف کرد.»

لوس‌آنجلس تایمز

«دقیق و موشکاف. یالوم کتاب‌هایش را اغلب "رمان‌های آموزشی"

می‌نامد و به همین دلیل بازآفرینی یک گروه‌درمانی از سوی او کـاملاً توجیه‌پذیر است.»

هفته‌نامه‌ی ناشران

«این کتاب به شکلی نوین و تأثیرگذار به کاوش در مسـئله‌ی فقـدان، اشتیاق جنسی و معنا می‌پردازد.»

مجله‌ی لایبرری

«نخستین رمان گروه‌درمانی جهـان بـه معنـی واقعـی کلمـه، داسـتان مسحورکننده‌ی دو مرد در جست‌وجوی معنا.»

گرینزبورو نیوز اند ریکورد

به جمع یاران دیرینم که مرا با دوستی‌شان مورد لطف قرار می‌دهند، در کاستی‌ها و فقدان‌های بی‌امان زندگی با من سهیمند و هم‌چنان با آنچه از درایت و حیات فکری‌شان نثارم می‌کنند، به من قوت قلب می‌دهند: رابرت برجر، ماری بیلمز، مارتل برایانت، داگفین فولسدال، جوزف فرانک، ون هاروی، جولیوس کاپلان، هربرت کوتس، مورتون لیبرمن، والتر ساکل، سل اسپیرو و لری زارف.

یادداشت مترجم

اکنون که شش سال از انتشار نخستین ترجمه‌ام از نوشته‌های دکتر اروین یالوم روان‌پزشک می‌گذرد، دیگر دغدغه‌ای برای شناساندن این نویسنده و سبک نوشتاری‌اش به خواننده‌ی فارسی‌زبان ندارم. با این حال یالوم چنان با خوانندگانش همدل است که اگر این نخستین کتابی باشد که از او در دست گرفته باشید، باز هم شیفته‌تان می‌کند و وامی‌داردتان که خود برای شناختنش پیشقدم شوید. یادداشت کوتاهی که به قلم نویسنده در پایان کتاب حاضر آمده، فرایند شکل‌گیری این داستان را به زیبایی توصیف کرده است. فقط می‌ماند توضیح کوتاهی درباره‌ی ترجمه‌ی کتاب. یالوم معتقد است گروه‌درمانی از تصاویر پراعوجاجی که رسانه‌ها از این شیوه‌ی مؤثر درمان به مخاطبانشان نشان داده‌اند، آسیب فراوان دیده است و یکی از اهداف مهم او از نوشتن این

رمان، ارائه‌ی تصویری درست، دقیق و واقعی از جلسات یک گروه‌درمانی معتبر است. هنگام مطالعه‌ی متن اصلی کتاب در جایگاه یک روان‌پزشک به این نتیجه رسیدم که نویسنده کاملاً به این هدف دست یافته است و من نیز در جایگاه مترجم وظیفه دارم فضای صریح، صمیمی و زنده‌ی این جلسات را با امانت‌داری برای خواننده‌ام به تصویر بکشم. این شد که تصمیم گرفتم گفت‌وگوهای صریح و روان جلسات گروه‌درمانی را به زبان محاوره ترجمه کنم. تنها تجربه‌ام در این زمینه، بخش‌هایی از یکی از داستان‌های کتاب *مامان و معنی زندگی* بود که اتفاقاً آن هم به گروه‌درمانی می‌پرداخت و بازخوردهای خوبی که از مخاطبان گرفته بودم، جسارتم را بیشتر کرد. اینکه تصمیمم تا چه حد درست بوده، چقدر مرا به هدفم نزدیک کرده و آیا در نگارش زبان شکسته موفق بوده‌ام یا نه، چیزی‌ست که مشتاقانه منتظرم از مخاطبانم بشنوم.

سپیده حبیب

تابستان ۹۱

قدردانی

این کتاب دوران آبستنی درازی داشته است و در طول این زمان، من مدیون کمک بسیاری کسان بوده‌ام. مدیون ویراستارانی که در این آمیزه‌ی غریب داستان، زندگینامه‌ی روان‌شناختی و تعلیم روان‌درمانی یاری‌ام کردند: مارجری برامان (ستون حمایت و راهنمایی در هارپرکالینز)، کنت کارول و ویراستاران خارق‌العاده‌ی خانگی‌ام: پسرم بن و همسرم مریلین. مدیون بسیاری از دوستان و همکارانم که بخش‌هایی از کتاب یا تمامی آن را خواندند و پیشنهاداتی دادند: ون و مارگارت هاروی، والتر سماکل، روتلن جاسلسن، کارولین زارف، ماری بیلمز، جولیوس کاپلان، اسکات وود، هرب کوتس، راجر والش، سل اسپیرو، ژان رز، هلن بلو، دیوید اسپیگل. مدیون اعضای گروه حمایتی متشکل از همکاران درمانگرم که دوستی و تحمل استوارشان را در طول این پروژه نثارم

کردند. مدیون نماینده‌ی ادبی شگفت‌انگیز و پراستعدادم، سندی دایکسترا، که علاوه بر سایر کمک‌هایش، عنوان کتاب هم پیشنهاد اوست (همان کاری که برای کتاب قبلی یعنی هنر *درمان* هم کرده بود) و مدیون دستیار پژوهشی‌ام جری دوران.

بیشتر مکاتبات باقیمانده از شوپنهاور یا ترجمه نشده و یا با ناشیگری و بدسلیقگی به انگلیسی برگردانده شده است. سپاس من نثار دستیاران پژوهشی آلمانی‌ام، مارکوس بورگین و فلیکس رویتر، برای خدمات ترجمه و پژوهش کتابخانه‌ای اعجاب‌آورشان. والتر ساکل راهنمایی هوشمندانه و استثنایی خود را نثارم کرد و در ترجمه‌ی بسیاری از کلمات قصار شوپنهاور به انگلیسی که در ابتدای هر فصل آمده یاری‌ام داد تا نثر قدرتمند و شفاف شوپنهاور پژواک بهتری بیابد.

هر نفسی که فرو می‌بریم، مرگی را که مدام به ما دست‌اندازی می‌کند، پس می‌زند... . در نهایت این مرگ است که باید پیروز شود زیرا از هنگام تولد، بخشی از سرنوشت ما شده و فقط مدت کوتاهی پیش از بلعیدن طعمه‌اش، با آن بازی می‌کند. با این همه، ما تا آنجا که ممکن است، با علاقه‌ی فراوان و دلواپسی زیاد به زندگی ادامه می‌دهیم، همان‌جور که تا آنجا که ممکن است طولانی‌تر در یک حباب صابون می‌دمیم تا بزرگتر شود، گرچه با قطعیتی تمام می‌دانیم که خواهد ترکید.

فصل ۱

جولیوس[1] به اندازه‌ی دیگران بلد بود درباره‌ی زندگی و مرگ موعظه کند. با رواقیونی که می‌گفتند: «ما به محض تولد مردن آغاز می‌کنیم» و با اپیکور که می‌گفت: «آنجا که من هستم، مرگ نیست و

---

1. Julius

آنجا که مرگ هست، من نیستم. پس ترس از مرگ چرا؟» هم‌عقیده بود. در جایگاه یک طبیب و یک روان‌پزشک، این جور دلداری‌ها را در گوش محتضران زمزمه کرده بود.

با اینکه باور داشت این تأملات موقرانه و غمناک برای بیمارانش مفید است، هرگز تصور نمی‌کرد برای خودش هم کاربرد داشته باشد. دست‌کم تا آن لحظه‌ی هولناک چهار هفته پیش که زندگی‌اش را برای همیشه دگرگون کرد.

لحظه‌ای در معاینات پزشکی معمول سالیانه. پزشک داخلی‌اش، هرب کاتس ـ یک دوست قدیمی و هم‌دوره‌ی دانشکده‌ی پزشکی ــ تازه معاینه‌اش را تمام کرده بود و مثل همیشه به جولیوس گفت لباسش را بپوشد و از اتاق معاینه نزد او بیاید تا گزارش را بشنود.

هرب پشت میزش نشست و پرونده‌ی جولیوس را زیرورو کرد. «در کل به‌عنوان یک مرد شصت‌وپنج‌ساله‌ی بدترکیب اوضاعت حسابی روبه‌راهه. پروستات داره یه کم بزرگ می‌شه، ولی مال منم همین جوره. آزمایشات خونی، کلسترول و چربی‌ها تنظیم شده‌اند: داروها و رژیم غذایی‌ات کارشون رو خوب انجام داده‌اند. این نسخه‌ی لیپیتور[1]ت در کنار دویدن، کلسترولت رو به اندازه‌ی کافی پایین آورده. پس می‌تونی به خودت یه زنگ تفریح بدی، گهگاه یه تخم‌مرغ بخور. من یکشنبه‌ها صبح دوتا باهم می‌خورم. این هم نسخه‌ی سین‌تیروئید[2]. دوزش رو یه کم بالا می‌برم. غده‌ی تیروئیدت داره یواش یواش تعطیل می‌شه. سلول‌های به‌دردخور تیروئید دارن می‌میرن و جاشونو به بافت همبند می‌دن. همون جور

---

1. Lipitor
2. Synthyroid

که می‌دونی، این وضع کاملاً خوش‌خیمه. برای همه‌مون اتفاق می‌افته؛ خودم هم داروی تیروئید می‌خورم.

«آره، جولیوس، هیچ عضو ما از دست پیری فرار نمی‌کنه. علاوه بر تیروئیدت، غضروف زانوت هم داره ساییده می‌شه، پیازهای مو هم دارن می‌میرن و مهره‌های کمری فوقانی‌ات هم اون جور که قبلاً بودن، نیستن. دیگه اینکه، یکپارچگی پوستت هم به‌وضوح از دست رفته. سلول‌های سطحی پوستت عمرشون رو کردن. به این کراتوز[1]های روی گونه‌ها نگاه کن. این ضایعات مسطح قهوه‌ای رو می‌گم.» یک آینه‌ی کوچک به دست جولیوس داد تا خودش را در آن ببیند. «از بار قبلی که دیدمت، خیلی بیشتر شده‌اند. چقدر وقت رو توی آفتاب می‌گذرونی؟ اون جور که خواسته بودم، کلاه لبه‌پهن سرت می‌ذاری؟ ازت می‌خوام براشون به یه متخصص پوست مراجعه کنی. باب کینگ کارش خوبه. توی همین ساختمون بغلیه. این هم شماره تلفنش. می‌شناسی‌اش؟»

جولیوس سری تکان داد.

«می‌تونه اون بدقواره‌هاشو با یه قطره نیتروژن مایع بسوزونه. ماه پیش چندتا از صورت من برداشت. چیز مهمی نیست: پنج تا ده دقیقه طول می‌کشه. این روزا خیلی از متخصصای داخلی خودشون این کارو می‌کنن. علاوه بر اینا، یه ضایعه پشتت هست که می‌خوام اونو ببینه: تو نمی‌تونی ببینیش؛ درست پایین کناره‌ی بیرونی کتف راستته. ظاهرش با بقیه فرق می‌کنه: رنگ و پراکندگی رنگدانه‌هاش متفاوته، کناره‌هاش هم واضح نیست. ممکنه هیچی نباشه ولی بذاریم اون نظر بده. باشه رفیق؟»

---

۱. زائده‌ی سخت یا شاخی روی پوست بدن ـ م.

«ممکنه هیچی نباشه ولی بذاریم اون نظر بده.» جولیوس فشار روانی و تظاهر به بی‌خیالی را در صدای هرب حس کرد. اشتباه نمی‌کرد؛ وقتی یک دکتر عبارت «رنگ و پراکندگی رنگدانه‌هاش متفاوته، کناره‌هاش هم واضح نیست» را در صحبت با دکتر دیگری به‌کار می‌برَد، شکی نیست که دلیلی برای هشدار داشته است. این رمز امکان وجود ملانوم[1] بود و حالا که جولیوس به عقب برمی‌گشت، آن عبارت را، آن لحظه‌ی غریب و نامتعارف را به‌عنوان لحظه‌ای می‌دید که زندگی بی‌غم و آسوده به پایان رسید و مرگ ـ دشمن تا آن زمان نامرئی ـ با تمامی واقعیت هراس‌انگیزش جسمیت یافت. مرگ آمده بود که بماند، دیگر از کنارش نمی‌رفت و همه‌ی وحشتی که در پی‌اش آمد، پی‌نوشت‌هایی قابل‌پیش‌بینی بود.

باب کینگ ـ مانند بسیاری از پزشکان سن‌فرانسیسکو ـ سال‌ها پیش بیمار جولیوس بود. جولیوس برای سی‌سال بر جامعه‌ی روان‌پزشکی فرمانروایی می‌کرد. در مقامش به‌عنوان استاد دانشگاه کالیفرنیا، انبوهی از دانشجویان را آموزش داده بود و پنج سال پیش، رئیس انجمن روان‌پزشکی امریکا شده بود.

به چه شهرت داشت؟ بدون ذره‌ای اغراق دکترها بود. درمانگری که آخرین مشکل‌گشای همه بود، جادوگری زبردست و توانا که برای کمک به بیمار هرآنچه از دستش برمی‌آمد، انجام می‌داد. و به همین دلیل بود که باب کینگ ده سال پیش برای درمان اعتیاد طولانی‌مدتش به ویکودین[2] (داروی انتخابی پزشکان معتاد چون به‌راحتی در دسترس است) از جولیوس مشورت خواسته بود.

---

۱. یکی از انواع سرطان پوست ـ م.

2. Vicodin

آن موقع کینگ در وضعیت بدی بود. نیازش به ویکودین بیش از حد بالا رفته بود: زندگی زناشوییِ‌اش به مخاطره افتاده بود، حرفه‌اش صدمه دیده بود و مجبور بود هرشب برای خواب از این ماده استفاده کند.

باب سعی کرده بود وارد درمان شود ولی همه‌ی درها به رویش بسته بود. همه‌ی درمانگرانی که از آن‌ها مشاوره خواسته بود، اصرار داشتند به یک برنامه‌ی نوتوانی پزشکان بیمار وارد شود، برنامه‌ای که باب در برابرش مقاومت می‌کرد چون از اینکه حریم خصوصی‌اش با ورود به یک درمان گروهی متشکل از پزشکان معتاد صدمه ببیند، بیزار بود. درمانگران تسلیم نمی‌شدند. اگر حاضر می‌شدند پزشک معتاد شاغلی را بدون استفاده از برنامه‌های نوتوانی رسمی درمان کنند، خود را در معرض مجازات‌های شورای پزشکی یا شکایات خصوصی قرار می‌دادند (مثلاً اگر پزشک بیمار در قضاوت درمانی بیمارش مرتکب خطا می‌شد).

پیش از ترک حرفه و درخواست مرخصی برای رفتن به یک شهر دیگر برای دریافت درمان به‌صورت ناشناس، به‌عنوان آخرین چاره به جولیوس متوسل شد؛ او هم خطر را پذیرفت و به باب کینگ اعتماد کرد تا به‌تنهایی ویکودین را ترک کند. و با اینکه درمان دشوار بود ـ همان‌طور که در مورد همه‌ی معتادان همین جور است ـ جولیوس باب را به‌مدت سه‌سال و بدون کمک‌گرفتن از برنامه‌ی نوتوانی درمان کرد. و این یکی از آن رازهایی بود که هر روان‌پزشکی دارد: یک موفقیت درمانی که به‌هیچ‌وجه نمی‌شود از آن حرف زد یا مطلبی درباره‌اش منتشر کرد.

جولیوس بعد از بیرون آمدن از مطب متخصص داخلی، در ماشینش نشست. قلبش آن قدر محکم می‌زد که انگار ماشین را

می‌لرزاند. نفس عمیقی کشید تا بر وحشت فزاینده‌اش چیره شود، بعد یکی دیگر و یکی دیگر؛ تلفن همراهش را درآورد و با دستان لرزان به باب کینگ تلفن زد و یک وقت اضطراری گرفت.

صبح روز بعد، باب همین جور که داشت با یک ذره‌بین بزرگ پشت جولیوس را وارسی می‌کرد گفت: «ازش خوشم نمی‌یاد. بیا، می‌خوام خودت هم نگاهش کنی؛ با دو تا آینه می‌شه این کارو کرد.»

باب او را روبه‌روی آینه‌ی دیواری نشاند و یک آینه‌ی دستی بزرگ را به طرف خال گرفت. جولیوس از درون آینه نگاهی به متخصص پوست انداخت: موطلایی، سرخ‌وسفید با عینک شیشه‌کلفتی که بر بینی درازش نشسته بود: یادش آمد باب گفته بود در کودکی، بچه‌های دیگر مسخره‌اش می‌کردند و او را «دماغ خیاری» صدا می‌زدند. در این ده سال زیاد فرق نکرده بود. هول و عجول به نظر می‌آمد، درست مثل همان موقعی که بیمار جولیوس بود و همیشه هن‌هن‌کنان و نفس‌زنان چند دقیقه دیر می‌رسید. هروقت باب با عجله وارد مطب می‌شد آن ترجیع‌بند خرگوش سفید به ذهن خطور می‌کرد که: «دیرم شده، دیرم شده، برای یه قرار مهم دیرم شده». کمی چاق شده بود ولی به اندازه‌ی قبل کوتاه بود. درست شبیه یک متخصص پوست. کی تا حالا یک متخصص پوست بلندقد دیده؟ بعد جولیوس به چشمانش نگاه کرد ـ اوه، اوه، چشمانش دلواپسند ـ مردمک‌ها گشاده شده‌اند.

جولیوس از آینه به جایی نگاه کرد که باب داشت با یک مداد پاک‌کن‌دار نشان می‌داد: «اینجاست. این خال مسطح زیر شانه‌ی راست، پایین کتف. می‌بینی‌اش؟»

جولیوس سری تکان داد.

باب در حالی که خط‌کش کوچکی کنارش می‌گذاشت، ادامه داد: «کمی کوچکتر از یک سانتی‌متره. مطمئنم قانون کلی ABCD درماتولوژی[1] رو از دوره‌ی دانشکده‌ی پزشکی یادته.»

جولیوس حرفش را قطع کرد: «من علامت‌های اختصاری درماتولوژی رو از دانشکده‌ی پزشکی یادم نیست. فکر کن با یه غیرحرفه‌ای طرفی.»

«خیلی خب. ABCD. A برای Asymmetry (عدم تقارن): اینجا رو ببین.» مداد را روی بخش‌هایی از ضایعه حرکت داد. «مثل بقیه‌ی اینا کاملاً گرد نیست: اینو ببین و اینو.» به دو خال کوچک مجاور اشاره کرد.

جولیوس سعی کرد با یک نفس عمیق از فشار روانی‌اش کم کند.

«B برای Borders (کناره‌ها): حالا اینجا رو نگاه کن. می‌دونم دیدنش سخته.» باب دوباره به ضایعه‌ی پایین کتف اشاره کرد. «ببین کناره‌های فوقانی چقدر واضحه، ولی کناره‌ی داخلی‌اش نامشخصه و در پوست اطرافش محو شده. C برای Coloration (رنگ). اینجا، این طرفش قهوه‌ای روشنه. اگه با ذره‌بین بزرگش کنم، یه نقطه‌ی قرمز می‌بینم، چند تا سیاه و حتا شاید چند تا خاکستری. D برای Diameter (قطر)؛ همون جور که گفتم شاید هفت‌هشت میلی‌متر. این اندازه‌ی خوبیه، ولی نمی‌تونیم بگیم چند وقته اینجاست، منظورم اینه که نمی‌شه سرعت رشدش رو حدس زد. هرب کاتس می‌گه در معاینه‌ی سال پیش اینجا نبوده. و بالاخره، زیر ذره‌بین شکی نیست که مرکزش زخمی‌یه.»

---

۱. بخشی از دانش پزشکی مرتبط با بیماری‌های پوست ـ م.

آینه را پایین آورد و گفت: «پیراهنت رو بپوش جولیوس.» کینگ بعد از آنکه بیمارش دکمه‌های پیراهنش را بست، روی یک چهارپایه‌ی کوچک در اتاق معاینه نشست و شروع کرد: «خب، جولیوس، می‌دونی علم در این مورد چی می‌گه. قضیه جدیه.»

جولیوس جواب داد: «ببین باب، می‌دونم رابطه‌ی قبلی‌مون کار رو برات سخت می‌کنه، ولی لطفاً از من نخواه کار تو رو انجام بدم. فکر نکن من چیزی در این باره می‌دونم. یادت باشه که وضعیت روانی من در حال حاضر، وحشتیه که داره به سمت یه حمله‌ی پانیک[1] می‌ره. می‌خوام تو مسئولیت رو به عهده بگیری، کاملاً با من صریح باشی و مراقبم باشی. درست همون کاری که من برای تو کردم. و باب، به من نگاه کن! وقتی این‌طوری نگاهت رو می‌دزدی، بیشتر منو می‌ترسونی.»

«درسته، متأسفم.» مستقیم به چشمانش نگاه کرد. «تو خیلی خوب از من مراقبت کردی. من هم همین کارو برات می‌کنم.» صدایش را صاف کرد، «خب، ظن قوی بالینی من اینه که این ضایعه یک ملانومه.»

متوجه یکه‌خوردن جولیوس شد و اضافه کرد: «ولی تشخیص به‌تنهایی اطلاعات کمی در اختیارت می‌ذاره. اغلب ـ یادت باشه ـ *اغلب* ملانوم‌ها به‌راحتی درمان می‌شن، با این حال بعضی‌هاشون چموشند. لازمه یه‌چیزایی از آسیب‌شناس بشنویم: اینکه قطعاً ملانومه یا نه؟ اگه هست، چقدر عمیقه؟ پخش شده یا نه؟ پس اولین قدم نمونه‌برداری و بردن نمونه برای آسیب‌شناسه.

«به محض اینکه کارمون تموم شد، من با یه جراح عمومی

---

۱. حمله‌ی هراس ـ م.

تماس می‌گیرم تا ضایعه رو کاملاً برداره. در تمام مدت عمل هم کنار دستش خواهم بود. بعد آسیب‌شناس بررسی فروزن سکشن[۱] نمونه را در جا انجام می‌ده؛ اگه منفی باشه که عالیه: کار ما تموم می‌شه. اگه مثبت باشه، اگه ملانوم باشه، بیشتر غدد لنفاوی مشکوک رو برمی‌داریم و اگه لازم باشه، غدد لنفاوی نواحی دیگه رو هم برمی‌داریم. نیازی به بستری نیست: همه‌ی کار در یک مرکز جراحی سرپایی انجام می‌شه. مطمئنم که نیازی به پیوند پوست نیست و حداکثر یه روز کاری رو از دست می‌دی. ولی تا چند روز در ناحیه‌ی عمل احساس ناراحتی می‌کنی. تا نتیجه‌ی نمونه‌برداری معلوم نشه، چیز بیشتری نمی‌تونم بگم. همون جور که خواستی، من ازت مراقبت خواهم کرد. به قضاوتم اطمینان کن؛ تا حالا صدها مورد اینچنینی دیده‌ام. خب؟ پرستارم امروز باهات تماس می‌گیره و جزئیات زمان و مکان جراحی و دستورات قبل از عمل رو بهت می‌ده. باشه؟»

جولیوس سر تکان داد. هردو برخاستند.

باب گفت: «متأسفم. دلم می‌خواست می‌تونستم تو رو از همه‌ی این کارا معاف کنم، ولی نمی‌تونم.» پوشه‌ای از مطالب خواندنی به او داد. «می‌دونم شاید به اینا نیازی نداشته باشی، ولی همیشه اینا رو بین مریضایی با موقعیت تو پخش می‌کنم. بستگی به آدمش داره: اطلاعات بیشتر بعضی‌ها رو آروم می‌کنه، بعضی‌ها هم ترجیح می‌دن چیزی ندونن و به محض بیرون رفتن از مطب، همه رو می‌ریزن

---

۱. frozen section: شیوه‌ای که اغلب در تومورشناسی کاربرد دارد و به بررسی میکروسکوپی سریع نمونه‌ی آسیب‌شناسی می‌پردازد تا اطلاعات لازم را به‌سرعت و در حین عمل در اختیار جراح قرار دهد ـ م.

دور. امیدوارم بعد از جراحی، حرفای امیدبخش‌تری برات داشته باشم.»

ولی چیز امیدبخش‌تری در کار نبود: خبرهای بعدی بدتر هم بود. سه روز بعد از انجام نمونه‌برداری، ملاقات دیگری داشتند. باب در حالی که گزارش نهایی آسیب‌شناس را در دست داشت، گفت: «می‌خوای بخونی‌اش؟» وقتی دید جولیوس سرش را به علامت نفی تکان می‌دهد، با مرور دوباره‌ی گزارش، این‌طور آغاز کرد: «خب، پس بذار پیش بریم. از اول بگم: اوضاع خوب نیست. حرف آخرش اینه که ضایعه ملانومه و چند تا... ام... مشخصه‌ی قابل توجه داره: عمیقه، عمقی حدود چهار میلی‌متر داره، زخمیه و پنج غده‌ی لنفاوی هم مثبتند.»

«خب یعنی چی؟ هی باب، این جوری حرف نزن. "قابل توجه"، چهار میلی‌متر، زخمی، پنج غده؟ روراست باش. طوری با من حرف بزن که انگار یه غیرحرفه‌ای‌ام.»

«اینا یعنی خبر بد. ملانوم بزرگیه و در غدد لنفاوی هم پخش شده. خطر اصلی در این حالت دست‌اندازی به جاهای دورتره، ولی تا سی‌تی اسکن نکنیم ـ برای فردا ساعت هشت برات وقت گرفته‌ام ـ اینو نمی‌فهمیم.»

دو روز بعد صحبتشان را ادامه دادند. باب گزارش داد جواب سی‌تی اسکن منفی بوده: شواهدی برای دست‌اندازی ملانوم به سایر قسمت‌های بدن وجود نداشت. این اولین خبر خوش بود. «ولی جولیوس، با این حال، با یه ملانوم خطرناک روبه‌روییم.»

صدای جولیوس گرفت: «چقدر خطرناک؟ داریم از چی حرف می‌زنیم؟ درصد زنده موندن چقدره؟»

«می‌دونی که جواب ما به این سؤال بر اساس آماره. برای هرکس

متفاوته. ولی برای یه ملانوم زخمی با عمق چهار میلی‌متر و پنج غده‌ی درگیر، جداول آماری احتمال پنج‌سال زنده موندن رو کمتر از بیست‌وپنج درصد تخمین می‌زنه.»

جولیوس چند لحظه با گردن خمیده، قلبی که در سینه می‌کوبید و چشمان پراشک بی‌حرف نشست و بعد گفت: «ادامه بده. همین طور روراست بمون. باید بدونم چی به مریضام بگم. روند بیماری‌ام چطور خواهد بود؟ قراره چه اتفاقی بیفته؟»

«غیرممکنه بتونم در این مورد دقیق صحبت کنم چون تا زمانی که ملانوم در جای دیگری از بدن عود نکنه، برات هیچ اتفاقی نمی‌افته. بعد از عود، به‌خصوص اگه متاستاز داده باشه، روند بیماری می‌تونه سریع باشه، شاید چند هفته یا چند ماه. همون جور که در مورد مریضای خودت هم صادقه، گفتنش سخته، ولی دلیلی نداره امید واهی بیشتر از یک سال خوب رو بهت بدم.»

جولیوس با گردن خمیده، آهسته سری تکان داد.

«خانواده‌ت کجان جولیوس؟ بهتر نبود یه نفر رو با خودت می‌آوردی؟»

«فکر کنم می‌دونی همسرم ده‌سال پیش فوت کرده. پسرم در ساحل شرقیه و دخترم در سانتا باربارا. هنوز چیزی به اونا نگفتم؛ دلیلی ندیدم بیخود زندگی‌شونو به هم بریزم. از اینا گذشته، من معمولاً در تنهایی بهتر با مشکلاتم کنار می‌یام، ولی مطمئنم که دخترم به محض اینکه بدونه، می‌یاد.»

«جولیوس، خیلی متأسفم که باید همه‌ی اینا رو بهت می‌گفتم. بذار صحبتم رو با یه خبر خوب کوچولو تموم کنم. مطالعات پروپیمونی همین حالا داره انجام می‌شه: شاید یه دوجین آزمایشگاه در این کشور و خارج از اینجا به‌شدت در این زمینه فعالیت

می‌کنن. شیوع ملانوم به‌دلایل ناشناخته زیاد شده، در ده‌سال گذشته تقریباً دوبرابر شده و یکی از موضوعات داغ برای تحقیقه. بعید نیست که کشف مهمی در آینده‌ی نزدیک اتفاق بیفته.»

***

جولیوس یک هفته را در بهت و حیرت گذراند. دخترش، اِولین، یک پروفسور ادبیات کلاسیک، کلاس‌هایش را تعطیل کرد و بلافاصله به‌نزدش آمد و چند روزی را با او گذراند. جولیوس صحبت مفصلی با او، پسرش، خواهر و برادرش و دوستان نزدیکش داشت. اغلب ساعت سه صبح نفس‌زنان و با فریاد وحشت از خواب می‌پرید. همه‌ی جلسات درمان فردی و گروهی‌اش را برای دو هفته لغو کرد و ساعت‌ها فکر کرد که به بیمارانش چه بگوید و چطور موضوع را عنوان کند.

آینه به او می‌گفت شبیه مردی نیست که به آخر زندگی‌اش رسیده باشد. سه مایل دویدن روزانه، بدنش را جوان و لاغر و در عین حال عضلانی بدون حتا یک گرم چربی نگه داشته بود. اطراف چشم‌ها و دهانش، چند چروک دیده می‌شد. زیاد نه: پدرش هنگام مرگ همین چند چروک را هم نداشت. چشمانش سبز بود؛ جولیوس همیشه به آن‌ها افتخار می‌کرد. چشمانی نافذ و بی‌ریا. چشمانی که می‌شد به آن‌ها اعتماد کرد، چشمانی که می‌توانست هر نگاه خیره‌ای را تاب بیاورد. چشمانی جوان، چشمان جولیوس شانزده‌ساله. مردی رو به مرگ و مردی شانزه‌ساله از ورای چند دهه به یکدیگر خیره شده بودند.

به لب‌هایش نگاه کرد. لب‌هایی گوشتالو و دوست‌داشتنی. لب‌هایی که حتا حالا در اوج نومیدی، می‌توانست به تبسمی گرم باز شود. موهای مجعد و زبرش، پرپشت و سیاه بود و فقط

خط ریشش کمی به خاکستری می‌زد. وقتی نوجوان بود، در برانکس[1] نزد سلمانی پیر ضدیهودی با موهای سفید و صورت سرخ می‌رفت که مغازه‌ی کوچکش پایین خیابان، بین مغازه‌ی آب‌نبات‌فروشی مِیر و قصابی موریس بود و همیشه لعنت‌کنان با یک شانه‌ی فلزی، به جان موهای زبر و خشن او می‌افتاد و با قیچی کوتاهشان می‌کرد. و حالا مِیر، موریس و سلمانی همگی مرده‌اند و جولیوس شانزده‌ساله‌ی کوچولو هم به فهرست مرگ فراخوانده شده است.

یک روز عصر در کتابخانه‌ی دانشکده‌ی پزشکی سعی کرد با مطالعه‌ی مقالات مرتبط با ملانوم، بر مشکل چیره شود، ولی این کار، کوششی عبث از کار درآمد. بدتر از عبث: همه‌چیز را وحشتناک‌تر کرد. وقتی ماهیت سهمگین بیماری‌اش را با تمام وجود درک کرد، تصورش از ملانوم به صورت موجود سیری‌ناپذیری درآمد که پیچک‌های سیاهش را هرچه عمیق‌تر در گوشت او فرو می‌بَرَد. چقدر تکان‌دهنده بود که ناگهان دریافته بود دیگر اشرف مخلوقات نیست. به‌جایش فقط یک میزبان بود، منبع تغذیه بود، غذا برای موجودی پرفعالیت که سلول‌های پرولعش با سرعتی سرگیجه‌آور تقسیم می‌شوند، ارگانیسمی که با حملات رعدآسا، پروتوپلاسم سلول‌های مجاور را تصاحب می‌کند و شکی نیست که هم‌اکنون خوشه‌های سلولی‌اش آماده‌ی رهسپار شدن به جریان خونند تا در اندام‌های دورتر مثلاً زمین حاصل‌خیز، خوش‌دست و نرم کبد یا مرتع پرعلف و مرطوب ریه‌هایش سکنا گزینند.

جولیوس خواندن را کنار گذاشت. یک هفته گذشته بود و زمان

---

1. Bronx

آن بود که دست از پرت‌اندیشی بردارد. وقتش بود که با آنچه حقیقتاً در حال روی دادن بود، رودررو شود. به خودش گفت جولیوس بنشین. بنشین و به مرگ فکر کن. چشمانش را بست.

اندیشید پس بالاخره مرگ بر صحنه حاضر شد. ولی عجب ورود مبتذلی به صحنه: پرده به‌دست یک متخصص پوست خپل با دماغ خیاری، ذره‌بین در دست، با لباس سفید بیمارستان و حروف سرمه‌ای نامش بر جیب روی سینه، بالا رفت.

و صحنه‌ی پایانی چه خواهد بود؟ به احتمال خیلی زیاد، به همان اندازه مبتذل که مقدر بود. لباس صحنه همان پیراهن خواب راه‌راه چروک یانکی‌های نیویورکی با شماره‌ی ۵ دی‌مجیو بر پشتش. آرایش صحنه: همان تخت‌خواب بزرگی که سی‌سال بر آن خوابیده بود با لباس‌های مچاله بر صندلی کنار تخت و توده‌ای از رمان‌های نخوانده که نمی‌دانند هرگز نوبتشان نخواهد رسید. یک صحنه‌ی پایانی مأیوس‌کننده و پر از آه و ناله. جولیوس اندیشید قطعاً ماجراهای پرافتخار زندگی‌اش لایق چیزی بیشتر بود... ولی چه چیز بیشتری؟

صحنه‌ای را به خاطر آورد که چند ماه پیش در تعطیلاتی که به هاوایی رفته بود، شاهدش بود. کاملاً اتفاقی در حین پیاده‌روی، به یک خلوتگاه بزرگ بودایی برخورده بود و زن جوانی را دیده بود که در مارپیچ مدوری که با سنگ‌های کوچک گدازه‌ای ساخته شده بود، راه می‌رفت. وقتی به مرکز مارپیچ رسید، ایستاد و بی‌حرکت ماند و در همان حالت ایستاده، به مراقبه‌ای طولانی فرو رفت. واکنش بی‌اختیار جولیوس به این جور عبادت‌های مذهبی با اغماض همراه نبود: واکنشی میان ریشخند و اشمئزاز.

ولی حالا که به آن زن جوان در حال مراقبه می‌اندیشید،

احساسات ملایم‌تری داشت: طغیان احساس همدردی با او و همه‌ی همتایان انسانی‌اش که قربانی آن پیچش هوسبازانه‌ی تکامل بودند که خودآگاهی را به ارمغان آورد ولی ابزار روان‌شناختی مورد نیاز را برای کنار آمدن با درد هستی فانی فراهم نکرد. در نتیجه در طول سال‌ها، قرن‌ها و هزاره‌ها، انکارهایی موقت برای فانی بودنمان دست و پا کردیم. آیا هیچ‌یک از ما هرگز توانسته‌ایم بر جست‌وجویمان برای یافتن نیرویی والاتر در کسی که بتوانیم با او درآمیزیم و تا ابد زندگی کنیم، برای یافتن کتاب راهنمایی مناسب، برای یافتن نشانه‌ای از الگویی بزرگ‌تر برای عبادات و آیین‌ها، نقطه‌ی پایانی بگذاریم؟

و حالا، زمانی که جولیوس نامش را در فهرست مرگ می‌دید، فکر می‌کرد شاید یک مراسم کوچک چیز بدی هم نباشد. از این فکر جا خورد چرا که همه‌ی عمر مخالف مراسم بود و این فکر با آن مخالفت دیرین به‌هیچ‌وجه همخوانی نداشت.

ولی جولیوس متوجه شد اکنون که مرگ در کنارش ایستاده، از شور و حرارت افتاده است. شاید فقط *تحمیلی بودن* مراسم را دوست نداشت. شاید می‌شد برای مراسم خصوصی مختصر و خلاق، نام خوبی یافت. توصیف روزنامه‌ها از رفتار آتش‌نشانان در نقطه‌ی صفر[1] نیویورک او را تحت تأثیر قرار داده بود: هر بار که بازمانده‌ی جسد تازه‌کشف‌شده‌ای به سطح زمین آورده می‌شد، از کار دست می‌کشیدند، می‌ایستادند و کلاهشان را به احترام مرده

---

۱. به‌معنای نزدیک‌ترین نقطه‌ی سطح زمین به انفجار یا مکانی که بیشترین صدمه را در زلزله، اپیدمی یا فجایع گوناگون متحمل شده است. در اینجا منظور مرکز تجارت جهانی یا برج‌های دوقلوی نیویورک است که در حادثه‌ی یازده سپتامبر با خاک یکسان شد ـ م.

برمی‌داشتند. در احترام به مردگان هیچ چیز بدی وجود ندارد... نه، احترام به مرده نه، بلکه احترام به زندگی فردی که از دست رفته است. یا شاید چیزی بیشتر از احترام مطرح بود، چیزی بیش از طلب آمرزش؟ آیا رفتار و مراسم آتش‌نشانان، نشانه‌ی همبستگی و پیوند نبود؟ نشانه‌ای از به رسمیت شناختن رابطه و همبستگی‌شان با هر قربانی؟

جولیوس چند روز بعد از آن ملاقات سرنوشت‌ساز با متخصص پوستش، هنگام حضور در گروه حمایتی همکاران روان‌درمانگرش، شخصاً طعم یک همبستگی را چشیده بود. وقتی جولیوس خبر تشخیص ملانوم را فاش کرد، همکاران پزشکش یکه خوردند. بعد از تشویق او به صحبت، هریک از اعضای گروه، غافلگیری و تأسف خود را ابراز کردند. نه جولیوس و نه دیگران نتوانستند حرف دیگری بزنند. چند بار کسانی خواستند صحبت کنند، ولی نشد و بعد انگار همگی به توافقی غیرکلامی رسیدند که نیازی به کلمات نیست. بیست دقیقه‌ی آخر همگی در سکوت نشستند. چنین سکوت‌های طولانی در گروه تقریباً همیشه ناراحت‌کننده‌ست، ولی این یکی متفاوت و آرامش‌بخش بود. جولیوس خجالت می‌کشید حتا نزد خودش اعتراف کند که نوعی «تقدس» در این سکوت بود. بعد این‌طور به نظرش آمد که اعضای گروه نه فقط اندوه خود را نشان دادند، بلکه انگار کلاه‌هایشان را هم برداشته بودند، خبردار ایستاده بودند و در احترام به زندگی او به هم پیوسته بودند.

جولیوس اندیشید شاید این راهی بود برای احترام به زندگی خودشان. ما غیر از این چه داریم؟ غیر از لحظات اعجاب‌آور و مقدس حدفاصل میان بودن و خودآگاهی؟ اگر قرار است چیزی شایسته‌ی احترام و تقدس باشد، باید همین باشد: موهبت گرانبهای

هستی ناب. زیستن در نومیدی به دلیل فانی بودن زندگی یا به این دلیل که زندگی هدف یا مقصود درونی والاتری ندارد، ناسپاسی نابخردانه‌ای‌ست. چرا این همه عشق صرف یک خیال شود آن هم درحالی‌که عشق بسیار کمی بر زمین حکمفرماست؟ بهتر است راه حل اسپینوزا[1] و آینشتاین[2] را بپذیریم: فقط سر خم کنیم، برای قوانین و راز و رمز ظریف طبیعت کلاه از سر برگیریم و سپس دنبال زندگی‌مان برویم.

این افکار برای جولیوس تازه نبود: همیشه می‌دانست آگاهی محدود، کرانمند و ناپایدار است. ولی فرق است میان دانستن و *دانستن*. و حضور مرگ بر صحنه او را به دانستن واقعی نزدیک‌تر کرد. نه اینکه خردمندتر شده باشد: مسئله فقط این بود که حذف پرت‌اندیشی‌ها ـ جاه‌طلبی، اشتیاق جنسی، پول، شهرت، تحسین، محبوبیت ـ ژرف‌بینی ناب‌تری به او بخشیده بود. آیا حقیقت بودا هم همین وارستگی نبود؟ شاید بود، ولی او شیوه‌ی یونانی‌ها را ترجیح می‌داد: اعتدال در همه‌چیز. اگر هرگز کت‌ها را در نیاوریم و به بازی نپیوندیم، بخش زیادی از نمایش زندگی را از دست خواهیم داد. چرا پیش از پایان به سوی در خروج بشتابیم؟

***

چند روز بعد، وقتی جولیوس آرامش بیشتری احساس کرد و موج‌های هراس کاستی گرفت، افکارش به آینده معطوف شد. باب کینگ گفته بود: «یک سال خوب، تضمینی وجود نداره، ولی دلیلی

---

۱. باروخ اسپینوزا (۱۶۷۷ ـ ۱۶۳۲) فیلسوف هلندی که یکی از تأثیرگذارترین شخصیت‌ها بر فلسفه‌ی غرب به‌شمار می‌رود و ارزش کارهایش را سال‌ها پس از مرگش شناختند ـ م.

۲. آلبرت آینشتاین (۱۹۵۵-۱۸۷۹) فیزیکدان آلمانی‌تبار که با اثبات نظریه‌ی عمومی نسبیت، انقلابی در فیزیک پدید آورد و به همین دلیل او را پدر فیزیک مدرن می‌دانند ـ م.

هم نداره که امید دست‌کم یک سال سلامتی رو بهت ندم.» ولی این سال را چطور بگذراند؟ از یک چیز مطمئن بود و آن اینکه مصمم بود نگذارد این یک سال خوب، با ماتم گرفتن برای اینکه یک‌سال بیشتر وقت ندارد، به یک سال بد تبدیل شود.

یک شب که نمی‌توانست بخوابد و سخت به آرامش نیاز داشت، با بی‌قراری به کتابخانه‌اش پناه برد و شروع کرد به خواندن جسته‌گریخته‌ی کتاب‌ها. نتوانست در رشته‌ی خودش چیزی بیابد که با موقعیت او ارتباطی هرچند دورادور برقرار کند، چیزی در این باره که چطور باید زندگی کرد یا معنایی در روزهای باقیمانده از زندگی فرد یافت. ولی ناگهان چشمش افتاد به نسخه‌ای مستعمل و تاخورده از کتاب چنین گفت زرتشت نیچه. جولیوس این کتاب را خوب می‌شناخت: دهه‌ها پیش، برای نوشتن مقاله‌ای درباره‌ی تأثیر عظیم ولی اذعان‌نشده‌ی نیچه بر فروید، آن را به دقت از اول تا آخر خوانده بود. جولیوس فکر کرد زرتشت کتاب دلیرانه‌ای‌ست که بیش از هر کتاب دیگری، تقدیس و بزرگداشت زندگی را می‌آموزاند. بله، شاید جواز آرامش اینجا باشد. بیش از آن مضطرب بود که منظم پیش برود، پس بی‌حساب ورق زد و خطوطی را که قبلاً مشخص کرده بود، خواند.

«هر "چنان بود" را به صورت "من آن را چنین خواستم" بازآفریدن: این است آنچه من نجات می‌نامم.»

جولیوس کلمات نیچه را این‌طور معنا می‌کرد که باید زندگی‌اش را برگزیند: باید آن را زندگی کند به جای آنکه با آن زنده باشد. به عبارت دیگر، باید سرنوشتش را دوست بدارد. و بالاتر از همه، پرسش تکرارشونده‌ی زرتشت است در این باره که آیا می‌خواهیم دقیقاً همان زندگی زیسته‌مان را بارها و بارها و تا ابد زندگی کنیم؟

آزمون فکری غریبی‌ست: با این حال هرچه بیشتر به آن می‌اندیشید، بیشتر راهنمایی‌اش می‌کرد: پیام نیچه به ما این بود که چنان زندگی کنیم که مشتاق تکرار ابدی همان زندگی باشیم.

به ورق زدن ادامه داد تا به دو عبارتی رسید که با رنگ صورتی شب‌نما مشخصشان کرده بود: «به‌تمامی بزی.» «بهنگام بمیر.»

این‌ها درست به هدف زدند. هستی‌تان را به‌تمامی زندگی کنید؛ و بعد از آن بمیرید. هیچ زندگی نازیسته‌ای پشت سر باقی نگذارید. جولیوس بیشتر اوقات گفته‌های نیچه را به آزمون رورشاخ[1] تشبیه می‌کرد؛ این گفته‌ها آن‌قدر دیدگاه متضاد عرضه می‌کند که وضعیت روانی خواننده تعیین می‌کند چه برداشتی از آن‌ها داشته باشد. اکنون او با وضعیت روانی کاملاً متفاوتی این جملات را می‌خواند. حضور مرگ، او را به خوانشی متفاوت و روشنگر وامی‌داشت: همین طور که صفحه به صفحه پیش می‌رفت، شواهدی از پیوندهای مرتبط با وحدت وجود در آن می‌دید که قبلاً متوجه‌شان نشده بود. با اینکه زرتشت تنهایی پرشکوه شبانه را بسیار می‌ستود، با اینکه نیازمند تنهایی بود تا اندیشه‌های بزرگش را در آن بزاید، بی‌چون‌وچرا خود را متعهد به دوست داشتن و شاد کردن دیگران می‌دید، متعهد به یاری تمام‌وکمال دیگران در مسیر تعالی، متعهد به سهیم کردن دیگران در پختگی و فرزانگی خویش. *سهیم کردن دیگران در پختگی و فرزانگی*: این درست به هدف می‌زد.

جولیوس زرتشت را به آرامگاهش بازگرداند، در تاریکی نشست و خیره به نور ماشین‌های در حال عبور از پل گلدن گیت، به

---

۱. Rorschach test: از انواع آزمون‌های شخصیت‌سنجی فرافکن که از ده کارت حاوی لکه‌های جوهر استاندارد به‌عنوان محرک برای تداعی‌ها استفاده می‌شود ـ م.

سخنان نیچه اندیشید. بعد از چند دقیقه به «نتیجه رسید»: دقیقاً می‌دانست چه باید بکند و این سال آخر را چطور بگذراند. *همان جور زندگی خواهد کرد که سال گذشته، سال قبل‌تر و قبل‌تر زندگی* کرده بود. او عاشق روان‌درمانگری بود؛ عاشق ارتباط برقرار کردن و کمک به دیگران برای زنده کردن چیزی در آن‌ها. شاید حرفه‌اش نوعی والایش[1] ارتباط ازدست‌رفته با همسرش بود؛ شاید نیازمند تحسین، تصدیق و قدردانی کسانی بود که یاری‌شان کرده بود. ولی حتا اگر انگیزه‌های پنهان و ناشناخته هم در کار بود، باز او سپاسگزار حرفه‌اش بود. خدا حفظش کند!

***

جولیوس سلانه‌سلانه به‌سوی قفسه‌ی دیواری حاوی پرونده‌هایش رفت و کشویی را بیرون کشید مملو از پرونده و جلسات ضبط‌شده‌ی بیمارانی که مدت‌ها پیش آن‌ها را دیده بود. با نام بیماران آغاز کرد: هر پرونده یادبودی از نمایش سرگذشت حزن‌انگیز و تکان‌دهنده‌ی یک انسان بود که یک‌بار در همین اتاق به‌روی صحنه رفته بود. همین طور که پرونده‌ها را ورق می‌زد، بیشتر چهره‌ها پیش چشمش ظاهر می‌شدند. بعضی‌ها محو شده بودند ولی یکی‌دو پاراگراف از یادداشت‌ها، تصویر ذهنی چهره‌شان را بازسازی می‌کرد. تعداد کمی کاملاً از یاد رفته بودند: چهره‌ها و داستان‌هایشان برای همیشه گم شده بود.

برای جولیوس هم مثل اغلب روان‌درمانگران مشکل بود خود را

---

۱. sublimation: یکی از سازکارهای روانی بالغانه که در آن هدف تکانه حفظ می‌شود و فرد به احساسات خود آگاه است ولی آن‌ها را متوجه هدف یا شخص مهمی می‌کند تا ارضای معتدل آن از لحاظ اجتماعی مقبول و امکان‌پذیر باشد ـ م.

از حملات بی‌امان به رشته‌اش محفوظ بدارد. حمله از جهت‌های مختلف صورت می‌گرفت: از سوی شرکت‌های داروسازی و مراقبت‌های بهداشتی که بانی انجام مطالعات سطحی برای اعتبارسنجی اثر داروها و درمان‌های کوتاه‌مدت‌تر بودند؛ از سوی رسانه‌ها که هرگز از ریشخند درمانگران خسته نمی‌شدند؛ از سوی رفتاردرمانگران؛ از سوی سخنرانانی که مثل بازاریاب‌ها انگیزه‌ی شنوندگان را در نظر می‌گرفتند؛ از سوی انبوه درمانگران نیو ایج[1] و فرقه‌هایی که همگی بر سر دل و ذهن افراد مشکل‌دار با یکدیگر مسابقه می‌دادند. و البته تردیدهای درونی هم مطرح بود: کشف‌های خارق‌العاده مولکولی و عصبی‌زیست‌شناختی که با کثرت روزافزون منتشر می‌شد و باعث می‌شد حتا مجرب‌ترین روان‌درمانگران به اعتبار کارشان شک کنند.

جولیوس از این حملات در امان نبود و اغلب به تردید درباره‌ی اثربخشی درمان فکر می‌کرد و در بیشتر موارد هم به آرامش می‌رسید و به خود قوت قلب می‌داد. *البته* که او روان‌درمانگر قابل و تأثیرگذاری بود. *البته* که چیزی باارزش به بیشتر و حتا شاید همه‌ی مراجعانش پیشکش می‌کرد.

با این همه، جوانه‌ی تردید بر نشان دادن حضور خود اصرار داشت: *آیا حقیقتاً، راستی راستی به درد بیمارانت می‌خوری؟ شاید فقط یاد گرفته‌ای بیمارانی را دست‌چین کنی که اگر به حال خودشان رها شوند هم حالشان بهتر می‌شود.*

نه. این‌طور نیست! مگر این من نبودم که همیشه سراغ

---

۱. new age: وابسته به جنبش فرهنگی دهه‌ی هشتاد که با هدف ایجاد آرامش روانی، بر معنویات، گیاه‌خواری، طب گیاهی و مانند این‌ها تأکید می‌کرد ـ م.

چالش‌های بزرگ می‌رفتم؟

هوم، به آخر خط رسیده‌ای! آخرین باری که واقعاً از توانایی‌های معمولت یا فراتر گذاشتی مثلاً یک بیمار مرزی پرسروصدا یا یک اسکیزوفرنیک به‌شدت آشفته یا یک دوقطبی را به درمان جلب کردی، کی بود؟

جولیوس همین طور که پرونده‌های قدیمی را ورق می‌زد، متوجه شد که چقدر اطلاعات پسادرمانی از بیمارانش در اختیار دارد: از پی‌گیری‌های گاه و بی‌گاه یا دیدارهای «میزان‌کننده»ی درمان گرفته تا برخوردهای اتفاقی با بیماران یا پیغام‌هایی که از طریق بیماران جدید برایش می‌فرستادند. ولی با همه‌ی این‌ها، آیا دگرگونی پایداری در آنان ایجاد کرده بود؟ شاید نتایجش موقتی بوده‌اند. شاید بسیاری از بیمارانی که در درمانشان موفق بوده، دچار عود شده‌اند و با حسن نیت محض، این موضوع را از او مخفی نگه داشته‌اند.

او متوجه شکست‌هایش هم بود: همیشه به خود گفته بود کسانی که آماده‌ی نجات از نوع پیشرفته‌ی او نبودند، زیادی عامی بودند. به خودش گفت صبر کن، دست نگه دار جولیوس. از کجا می‌دونی آن درمان‌ها *واقعاً* شکست خورده‌اند؟ شکست‌های *دائمی*؟ تو هیچ‌وقت دوباره آن‌ها را ندیده‌ای. همه می‌دانیم افراد زیادی هستند که نتیجه‌ی درمان بر آن‌ها دیر نمایان می‌شود.

چشمش به پرونده‌ی قطور فیلیپ اسلیت[1] افتاد. به خود گفت: دنبال شکست می‌گردی؟ *ایناهاش*. یکی از آن شکست‌های حسابی لیگ برتر. فیلیپ اسلیت. بیش از بیست‌سال گذشته بود، ولی تصویر

---

1. Philip Slate

فیلیپ اسلیت کاملاً در ذهنش واضح بود. موهای قهوه‌ای روشنش که صاف به عقب شانه می‌کرد، بینی باریک و موزونش، آن استخوان‌های برجسته‌ی گونه که نشان از نبوغ داشت و آن چشمان سبز پرشور که دریای کارائیب را به یادش می‌آورد. به خاطر داشت که هرچه مربوط به جلسات فیلیپ می‌شد، برای او ناخوشایند بود. به جز یک چیز: لذت نگاه به آن چهره.

فیلیپ اسلیت چنان از خودبیگانه بود که هرگز فکر نگاه به درون هم به مخیله‌اش خطور نمی‌کرد و ترجیح می‌داد بر سطح زندگی سُر بخورد. به دلیل چهره‌ی زیبایش، داوطلب برای این کار هم کم نداشت. جولیوس همین طور که پرونده‌ی فیلیپ را ورق می‌زد، سرش را تکان می‌داد: جلساتی که سه‌سال طول کشید، همه‌ی آن ارتباط و حمایت و مراقبت و همه‌ی آن تعبیرها بدون نجوایی از پیشرفت. شگفت‌آور است! شاید او آن روان‌درمانگری که خودش فکر می‌کرد، نبود.

به خود گفت، دست نگه دار! فوری نتیجه‌گیری نکن. اگر فیلیپ هیچ‌چیز از درمان عایدش نشده بود، چرا سه‌سال ادامه‌اش داد؟ چرا آن همه پول را برای هیچ هزینه کرد؟ و خدا می‌داند که فیلیپ از پول خرج کردن بیزار بود. شاید آن جلسات فیلیپ را متحول کرده بود. شاید او هم یکی از *آن* افراد دیرشکوفا بود، یکی از آن بیمارانی که نیاز به زمان داشتند تا خوراکی را که درمانگر نثارشان کرده بود، هضم کنند، یکی از آن‌هایی که چیزهای به‌دردخوری از درمانگر را ذخیره می‌کنند، به خانه می‌برند تا مثل استخوان بعدها در تنهایی به نیش بکشند. جولیوس بیمارانی را می‌شناخت که چنان اهل رقابت بودند که بهبودشان را پنهان نگه می‌داشتند فقط به این دلیل که نمی‌خواستند خشنودی (و قدرت) توانایی کمک به آن‌ها را به

درمانگر پیشکش کنند.

حالا این فیلیپ اسلیت بود که به ذهنش وارد شده بود و جولیوس نمی‌توانست بیرون براندش. به درون نقب زده بود و ریشه دوانده بود. درست مثل ملانوم. شکستش در درمان فیلیپ، به نماد و مظهر همه‌ی شکست‌هایش در روان‌درمانی بدل شده بود. چیزی عجیب و منحصربه‌فرد درباره‌ی فیلیپ اسلیت وجود داشت. آن همه قدرت را از کجا به‌دست آورده بود؟ جولیوس پرونده‌ی او را گشود و شروع کرد به خواندن نخستین یادداشتش که بیست‌وپنج‌سال پیش نوشته بود.

فیلیپ اسلیت: ۱۱ دسامبر ۱۹۸۰

۲۶ ساله، مرد مجرد سفیدپوست شیمی‌دانی که در دوپونت ـ شرکتی که آفت‌کش‌های جدید می‌سازد ـ کار می‌کند، بسیار خوش‌قیافه که شلخته لباس پوشیده ولی ظاهری شاهانه و رسمی دارد، خشک و مبادی‌آداب، بدون کوچکترین حرکتی نشسته، بدون کمترین ابراز احساسات، کاملاً جدی، بدون ذره‌ای شوخ‌طبعی، بدون لبخند یا نیشخند، انگار مشغول انجام وظیفه‌ست، بدون کمترین مهارت اجتماعی یا چیزی شبیه به آن. از سوی پزشک داخلی‌اش، دکتر وود فرستاده شده است.

مشکل اصلی: *«بر خلاف اراده‌ام به‌سوی وسوسه‌های جنسی کشیده می‌شوم.»*

چرا حالا؟ «کارد به استخوان رسیده»، مورد هفته‌ی پیش را بی‌فکر و طوطی‌وار تعریف کرد:

برای یک ملاقات کاری با هواپیما به شیکاگو رفتم، از هواپیما پیاده شدم، به نزدیک‌ترین تلفن حمله کردم و فهرست زنان آشنا را که آن بعدازظهر در شیکاگو بودند، بیرون کشیدم. بخت یارم نبود! همه آن روز مشغول بودند. البته که کار داشتند: عصر جمعه بود. می‌دانستم قرار است به شیکاگو بیایم؛ می‌توانستم چند روز یا حتا چند هفته پیش به آن‌ها تلفن کنم. بعد از آنکه آخرین شماره‌ی دفترچه تلفنم را گرفتم، گوشی را سر جایش گذاشتم و به خودم گفتم: «خدا را شکر، حالا می‌توانم برای خودم مطالعه کنم و شب یک خواب راحت داشته باشم و این چیزی‌ست که در تمام این مدت واقعاً می‌خواستم انجام دهم.»

بیمار می‌گوید این عبارت، این پارادوکس ـ «این چیزی‌ست که در تمام این مدت واقعاً می‌خواستم انجام دهم» ـ همه‌ی آن هفته ذهنش را به خود مشغول کرده بود و انگیزه‌ی اصلی‌اش برای مراجعه بود. می‌گوید: «این چیزی‌ست که می‌خواهم درمان بر آن متمرکز شود. دکتر هرتسفلد[1] به من بگویید اگر این چیزی‌ست که من می‌خواهم ـ مطالعه و یک خواب راحت شبانه ـ چرا نمی‌توانم به آن برسم؟ چرا همین کار را نمی‌کنم؟»

کم‌کم جزئیات بیشتری از کار با فیلیپ اسلیت به ذهنش سرازیر شد. فیلیپ از لحاظ عقل و هوشمندی او را شیفته‌ی خود کرده بود. هنگام نخستین ملاقاتشان، جولیوس در حال نوشتن مقاله‌ای درباره‌ی روان‌درمانی و اراده بود و پرسش فیلیپ ـ *چرا نمی‌توانم همان کاری را بکنم که واقعاً می‌خواهم؟* ـ آغاز خیره‌کننده‌ای برای این مقاله بود. و بیش از هرچیز، به یاد تغییرناپذیری غیرمعمول فیلیپ

---

1. Dr. Hertzfeld

افتاد: بعد از سه‌سال به نظر می‌آمد کمترین تغییری نکرده و کماکان این نیروی جنسی‌ست که او را به جلو می‌راند.

از فیلیپ اسلیت چه خبری دارد؟ از وقتی ناگهان بیست‌ودوسال پیش درمان را رها کرد، حتا یک کلمه هم از او نشنیده است. باز جولیوس از خود پرسید آیا بی‌آنکه خود بداند، به حال فیلیپ مفید بوده یا نه. ناگهان حس کرد باید پاسخ این پرسش را پیدا کند؛ انگار مسئله‌ی مرگ و زندگی مطرح بود. به سمت تلفن رفت و شماره‌ی راهنمای تلفن شهری را گرفت.

شور و خلسه در عمل جفت‌گیری. همین! این جوهر حقیقی و محور همه‌چیز، هدف و مقصود همه‌ی هستی‌ست.

فصل ۲

«سلام، آقای فیلیپ اسلیت؟»

«بله، خودم هستم.»

«من دکتر هرتسفلد هستم. جولیوس هرتسفلد.»

«جولیوس هرتسفلد؟»

«صدایی از گذشته‌ی شما.»

«گذشته‌ی دور. گذشته‌ی ماقبل تاریخ. جولیوس هرتسفلد. باورم نمی‌شه: باید چقدر؟... دست‌کم بیست سال گذشته باشه. و دلیل این تماس چیه؟»

«خُب، فیلیپ، برای صورتحسابت تماس گرفته‌ام. فکر نمی‌کنم

هزینه‌ی جلسه‌ی آخرمون رو کامل پرداخته باشی.»

«چی؟ جلسه‌ی آخر؟ ولی من مطمئنم که...»

«شوخی کردم، فیلیپ. متأسفم، بعضی چیزها هیچ‌وقت عوض نمی‌شن: پیرمرد هنوز سرحال و غیرقابل‌کنترله. سعی می‌کنم جدی باشم. کوتاهترین توضیح رو برای علت تماسم می‌دم. به دلیل بیماری و مشکلات جسمی به فکر بازنشستگی افتاده‌ام. در روند این تصمیم، میل مقاومت‌ناپذیری در من ایجاد شده که با بعضی بیماران سابقم ملاقات کنم: فقط برای پیگیری، برای اینکه کنجکاوی خودم رو برطرف کنم. اگر بخوای بعداً توضیحات بیشتری می‌دم. و... سؤالم از تو اینه: آیا دلت می‌خواد جلسه‌ای با من داشته باشی؟ یک‌ساعتی باهم حرف بزنیم؟ درمانمون رو با هم مرور کنیم و از آنچه برات اتفاق افتاده، برام بگی؟ این برای من جالب و روشنگر خواهد بود. کسی چه می‌دونه؟ شاید برای تو هم همین جور باشه.»

«ام... یک‌ساعت. البته. چرا که نه؟ فکر نمی‌کنم هزینه‌ای در کار باشه؟»

«نه، مگر اینکه تو بخوای از من هزینه‌ای بگیری، چون این منم که از تو وقت می‌خوام، فیلیپ. اواخر همین هفته چطوره؟ مثلاً جمعه عصر؟»

«جمعه؟ خوبه. قبوله. از ساعت یک بعدازظهر یک‌ساعت برات وقت می‌ذارم. من برای خدماتی که می‌دم پول دریافت نمی‌کنم، ولی اجازه بده این بار جلسه در دفتر من باشه ـ من در خیابان یونیون هستم ـ پلاک چهار ـ سه ـ یک. نزدیک فرانکلین. واحد دفتر من رو در تابلوی راهنمای ساختمان پیدا می‌کنی: به نام دکتر اسلیت ثبت شده. حالا من هم یک روان‌درمانگرم.»

بدن جولیوس بعد از گذاشتن گوشی مورمور می‌شد. صندلی

گردانش را به حرکت درآورد و گردن کشید تا نگاهی به پل گلدن گیت بیندازد. بعد از آن تماس لازم بود چیز زیبایی ببیند. و چیزی گرم را در دستانش حس کند. پیپ ساخته‌شده از کف دریا را از بالکان سوبرانی پر کرد، کبریت زد و دود را به درون مکید.

فکر کرد اوه خدای من، این مزه‌ی خاکی توتون لاتاکیا با این بوی عسلی تندوتیزش، شبیه هیچ چیز دیگری در دنیا نیست. برایش سخت بود باور کند این همه سال از آن دور بوده است. در خواب و خیال فرو رفت و به روزی فکر کرد که دخانیات را ترک کرده بود. باید درست بعد از مراجعه به دندانپزشکش بوده باشد، دکتر دنبوئر[1] پیر که همسایه‌ی دیواربه‌دیوارش بود و بیست‌سال پیش فوت کرد. بیست‌سال: چطور ممکنه؟ جولیوس هنوز می‌توانست صورت دراز هلندی و عینک دورطلایی‌اش را به‌وضوح ببیند. دکتر دنبوئر پیر بیست سال است که زیر خاک است. و او، جولیوس، هنوز روی خاک. فعلاً.

دکتر دنبوئر سرش را به‌آرامی تکان داد: «این تاول روی سقف دهانت به نظر نگران‌کننده می‌یاد. باید نمونه‌برداری کنیم.» و با اینکه نتیجه‌ی نمونه‌برداری منفی بود، توجه جولیوس را به خود جلب کرد چون همان هفته به مراسم خاکسپاری آل رفته بود: همبازی قدیمی و سیگاری تنیسش که از سرطان ریه فوت کرده بود. و همان موقع در حال خواندن کتاب *فروید، زندگی و مرگ*[2] نوشته‌ی دکتر ماکس شور[3]، پزشک فروید بود: روایتی زنده و گویا از سرطان ناشی از سیگار برگ فروید که آهسته آهسته سقف دهان، فک و در نهایت همه‌ی زندگی او را بلعید. شور به فروید قول داد هروقت

1. Dr. Denboer
2. *Freud, Living and Dying*
3. Max Schur

زمانش برسد، برای مرگ به فروید کمک کند و وقتی سرانجام فروید گفت درد چنان شدید است که ادامه دادن معنا ندارد، شور نشان داد قولش قول است و یک دوز کشنده‌ی مرفین به او تزریق کرد. به *این* می‌گویند دکتر. این روزها کجا می‌شود یک دکتر شور پیدا کرد؟

بیش از بیست سال زندگی بدون تنباکو و نیز بدون تخم‌مرغ یا پنیر یا هر نوع چربی حیوانی. پرهیزی سالم و شادمانه. تا آن معاینه‌ی لعنتی. حالا همه‌چیز مجاز است: دخانیات، بستنی، گوشت دنده با استخوان، تخم‌مرغ، پنیر... همه‌چیز. دیگر این مسائل چه اهمیتی دارد؟ دیگر چه فرقی می‌کند؟ یک سال دیگر جولیوس هرتسفلد در خاک حل می‌شود، مولکول‌هایش پراکنده می‌شوند و در انتظار مأموریت بعدی می‌مانند. و دیر یا زود، در چند میلیون سال بعد، همه‌ی منظومه‌ی شمسی ویران می‌شود.

جولیوس که حس کرد پرده‌ی نومیدی در حال فرو افتادن است، به‌سرعت ذهن خود را منحرف کرد و توجهش را به تماس تلفنی با فیلیپ اسلیت معطوف کرد. فیلیپ درمانگر شده؟ چطور چنین چیزی ممکن است؟ آنچه از فیلیپ به یاد داشت، فردی سرد و بی‌روح، بی‌محبت و بی‌اعتنا به دیگران بود و بر اساس همین تماس تلفنی، هنوز هم همان بود. جولیوس پکی به پیپش زد و در سکوت با تعجب سر تکان داد و پرونده‌ی فیلیپ را باز کرد و ادامه‌ی یادداشت نخستین جلسه‌شان را از نظر گذراند.

بیماری فعلی: *از سیزده‌سالگی از لحاظ جنسی پرفعالیت بوده، خودارضایی وسواسی‌جبری در طول نوجوانی تا امروز، گاهی چهارپنج‌بار در روز؛ درگیری ذهنی وسواسی و مداوم با سکس،*

خودارضایی می‌کند تا آرام شود. بخش بزرگی از زندگی صرف وسواس جنسی شده؛ خودش می‌گوید: «در مدت زمانی که برای شکار زن‌ها هدر دادم، می‌توانستم در فلسفه، زبان ماندارین چینی و فیزیک فضایی دکترا بگیرم.»

روابط: *تنهایی را دوست دارد. با سگش در یک آپارتمان کوچک زندگی می‌کند. هیچ دوست مردی ندارد. صفر. و فاقد هرگونه رابطه با آشنایان سابق دبیرستان، کالج و دانشکده. به‌طرز غیر معمولی منزوی‌ست. هرگز رابطه‌ای درازمدت با زنی نداشته است: گاهی شده که یک زن را برای یک ماه هم دیده و معمولاً زن است که رابطه را تمام می‌کند: طالب تنوع و روابط تازه‌ست و در دوازده ماه گذشته با نود زن رابطه داشته است.*

بعدازظهر دلخواهش: *زود از خانه بیرون بزند، زنی را شکار کند و هرچه زودتر رهایش کند، ترجیحاً بدون آنکه مجبور شود به شام میهمانش کند، ولی معمولاً آخرش مجبور می‌شود سیرش کند. مسئله‌ی مهم این است که تا آنجا که ممکن است برای مطالعه‌ی قبل از خواب وقت باقی بماند. نه تلویزیون و نه تماشای فیلم؛ زندگی اجتماعی و ورزشی هم در کار نیست. تنها تفریحش مطالعه و موسیقی کلاسیک است. خواننده‌ی پرولع آثار کلاسیک، تاریخ و فلسفه‌ست: نه داستان تخیلی و نه هیچ موضوع معاصری برایش جالب نیست. دوست دارد درباره‌ی علائق فعلی‌اش: زنو و آریستارخوس[۱] حرف بزند.*

---

۱. دو تن از فیلسوفان یونان باستان ـ م.

سابقه‌ی قبلی: *در کانکتیکات بزرگ شده، تک‌فرزند، طبقه‌ی اقتصادی ـ اجتماعی متوسط رو به بالا. پدر بانکدار در یک بانک سرمایه‌گذاری که وقتی فیلیپ سیزده‌ساله بود، خودکشی کرده است. هیچ‌چیز درباره‌ی شرایط یا دلایلی که به خودکشی پدرش منجر شده، نمی‌داند، به‌طرز مبهمی فکر می‌کند بازخواست‌ها و عیبجویی‌های مداوم مادر ناراحتش کرده است. فراموشی کامل نسبت به دوران کودکی: از چند سال اول زندگی‌اش خاطره‌ی چندانی ندارد و هیچ‌چیز از مراسم خاکسپاری پدر یادش نیست. مادر وقتی او بیست‌وچهارساله بوده، دوباره ازدواج کرده است. در مدرسه منزوی بوده، به‌شکلی افراطی خود را در درس غرق می‌کرده، هرگز دوست صمیمی نداشته و از وقتی در ۱۷ سالگی دانشجوی دانشگاه ییل شده، با خانواده قطع رابطه کرده است. یک تا دو بار در سال با مادرش تلفنی حرف می‌زند. هرگز ناپدری‌اش را ندیده است.*

حرفه: یک شیمی‌دان موفق: *برای دوپونت آفت‌کش‌های جدیدی می‌سازد که ماده‌ی اصلی‌شان هورمونی‌ست. یک کار سختگیرانه‌ی هشت صبح تا پنج عصر، هیچ علاقه‌ای به رشته‌اش ندارد، اخیراً این کار دلش را زده است. در تحقیقات مربوط به رشته‌اش خود را به‌روز نگه می‌دارد ولی هرگز در ساعت غیرکاری به آن‌ها نمی‌پردازد. درآمد بالا به‌علاوه‌ی امتیاز پرارزش خرید و فروش سهام. مال‌اندوز و محتکر است: از جدول‌بندی دارایی‌ها و مدیریت سرمایه‌گذاری‌هایش لذت می‌برد و ساعت ناهار را تنها می‌گذراند تا بتواند هم‌زمان بازار سهام را هم بررسی و مطالعه کند.*

برداشت بالینی: اسکیزوئید، دچار وسواس جنسی، خیلی سرد و دیرآشنا: *حاضر نشد به من نگاه کند ـ حتا یک‌بار هم نگاهمان با هم*

تلاقی نکرد ـ هیچ مسئله‌ی شخصی و خصوصی میانمان حس نکردم، از روابط بین‌فردی چیزی نمی‌داند، به سؤال اینجا و اکنونی‌ام درباره‌ی برداشت اولیه‌اش از من، با نگاهی از سر بهت و سردرگمی پاسخ داد، طوری که انگار دارم به زبان کاتالونیایی یا سواحلی حرف می‌زنم. عصبی به نظر می‌آمد و من با او راحت نبودم. مطلقاً شوخ‌طبعی در کارش نیست. صفر. بسیار باهوش، کلمات را درست و واضح تلفظ می‌کند ولی در حرف زدن خسیس است: مجبورم می‌کند سخت کار کنم. به‌شدت نگران هزینه‌ی درمان است (با اینکه به‌راحتی از عهده‌اش برمی‌آید). درخواست تخفیف حق‌الزحمه را داشت که من نپذیرفتم. به نظر می‌آمد از اینکه چند دقیقه دیرتر شروع کردم و نگفتم که این چند دقیقه را در پایان جلسه جبران می‌کنیم، راضی نیست. دو بار پرسید دقیقاً چقدر قبل از جلسه‌ی بعدی باید برای لغو جلسه خبر بدهد تا هزینه‌ی جلسه از او دریافت نشود.

جولیوس در حالی که پرونده را می‌بست، فکر کرد: *حالا بیست‌وپنج‌سال بعد، فیلیپ درمانگر شده است. می‌شود آدمی نامناسب‌تر از او را برای این کار در دنیا پیدا کرد؟ به نظر نمی‌آید فرق زیادی کرده باشد: هنوز اثری از شوخ‌طبعی در او نیست، هنوز با پول درگیر است (شاید نباید آن شوخی را درباره‌ی صورتحساب با او می‌کردم). روان‌درمانگر بدون شوخ‌طبعی؟ و این قدر سرد و نچسب. و آن درخواست عصبی‌اش برای ملاقات در دفتر او.* جولیوس دوباره مورمورش شد.

زندگی چیز رقت‌آوری‌ست. من تصمیم گرفته‌ام همه‌ی عمرم را صرف تفکر درباره‌ی آن کنم.

فصل ۳

خیابان یونیون آفتابگیر و دلباز بود. صدای به‌هم‌خوردن کارد و چنگال‌ها و همهمه‌ی گپ‌های هنگام ناهار از میزهای چیده‌شده در پیاده‌روی رستوران‌های پرگو، بتلنات، اگزوتیک پیتزا و پری به گوش می‌رسید. بادکنک‌های سبزآبی و صورتی‌بنفشی که یکشنبه‌بازار خیابانی را تبلیغ می‌کردند، به پارکومترها بسته شده بود. ولی از آنجایی که جولیوس داشت به سمت دفتر فیلیپ می‌رفت، به نگاه گذرایی به مشتریان رستوران یا دکه‌های کنار خیابان که ته‌مانده‌ی لباس‌های تابستانی را روی هم تلنبار کرده بودند، بسنده کرد. جلو ویترین هیچ کدام از فروشگاه‌های مورد علاقه‌اش هم معطل نکرد: نه عتیقه‌فروشی ژاپنی موریتا، نه مغازه‌ی تبتی‌ها و نه

حتا مغازه‌ی گنجینه‌ی آسیایی با سقف خوش‌رنگ سفالی قرن هجدهمی‌اش و نقش فوق‌العاده‌ی زنی جنگجو که به‌ندرت توانسته بود از کنارش بگذرد و تحسینش نکند.

به مرگ هم فکر نمی‌کرد. معماهای مرتبط با فیلیپ اسلیت همه‌ی آن افکار دلهره‌آور را دور کرده بود. اول از همه معمای خاطره و اینکه چرا به این راحتی می‌تواند چهره‌ی فیلیپ را با وضوح و دقتی توجیه‌ناپذیر به یاد بیاورد. چهره، نام و داستان فیلیپ، همه‌ی این سال‌ها کجا پنهان شده بود؟ به‌سختی می‌توانست ذهنش را بر این واقعیت متمرکز کند که خاطره‌ی همه‌ی تجربیاتش با فیلیپ، محتوای عصبی‌شیمیایی بخشی از قشر مغزش شده بود. انگار فیلیپ در شبکه‌ی ظریف «فیلیپ» متشکل از سلول‌های عصبی مرتبط با هم ساکن شده بود و هرگاه به‌وسیله‌ی پیام‌رسان عصبی درست تحریک می‌شد، به کار می‌افتاد و تصویری از فیلیپ را بر پرده‌ای شبح‌مانند در قشر بینایی مغزش می‌انداخت. فکر اینکه مغزش مأوای یک روبات آپاراتچی میکروسکوپی باشد، کمی ترسناک بود.

ولی کنجکاوی‌برانگیزتر، این معما بود که چرا تصمیم گرفته فیلیپ را دوباره ببیند. از بین آن همه بیمار قدیمی، چرا خواسته فیلیپ را از انبار ژرف خاطره بیرون بکشد؟ آیا فقط به این دلیل که درمان او به‌طرز غم‌انگیزی ناموفق بود؟ قطعاً باید چیزی بیش از این مطرح باشد. بیماران بسیاری بودند که جولیوس کمکی به آنان نکرده بود. ولی نام و چهره‌ی بیشتر این موارد ناموفق درمانی از میان رفته بود بی‌آنکه ردی از خود بر جای گذاشته باشد. شاید به این دلیل که بیشتر آن‌ها، خیلی زود درمان را کنار گذاشته بودند؛ ناکامی درباره‌ی فیلیپ از این نظر غیرمعمول بود که درمان را دنبال

می‌کرد. پناه بر خدا، چطور هم دنبال می‌کرد! در طول سه‌سال درمان بی‌نتیجه حتا یک جلسه هم غیبت نکرد. هرگز دیر نکرد، حتا یک دقیقه: حیف بود وقتی را که برایش پول می‌داد، هدر دهد. و بعد، یک‌روز، بی‌آنکه از قبل هشداری داده باشد، در پایان یک جلسه، خیلی ساده و قاطعانه اعلام کرد این جلسه‌ی آخرش بوده است.

حتا وقتی فیلیپ درمان را تمام کرد، جولیوس او را به چشم بیماری می‌دید که قابل درمان است؛ ولی آن موقع، دچار این خطا بود که فکر می‌کرد همه قابل درمانند. چرا موفق نشد؟ فیلیپ در کار بر روی مشکلش جدی بود؛ زیرک و اهل چالش بود و هوشش را به‌کار می‌گرفت. ولی اصلاً دوست‌داشتنی نبود. جولیوس به‌ندرت بیماری را می‌پذیرفت که دوستش نداشته باشد، ولی می‌دانست دوست نداشتن فیلیپ، وجه شخصی و خصوصی نداشت: هیچ‌کس قادر به دوست داشتن او نبود. در همه‌ی عمرش یک دوست نداشت.

با اینکه شاید از فیلیپ خوشش نمی‌آمد، ولی *عاشق* معمای هوشمندانه‌ای بود که فیلیپ مطرح می‌کرد. مشکل اصلی‌اش («چرا نمی‌توانم همان کاری را بکنم که واقعاً می‌خواهم؟»)، نمونه‌ی جذابی از فلج اراده بود. بااینکه درمان احتمالاً برای فیلیپ مفید نبود، ولی نوشتن را به‌طرز اعجاب‌آوری برای جولیوس تسهیل کرد و بسیاری از ایده‌های برخاسته از جلسات درمان، راهشان را به مقاله‌ی مشهور او به‌نام «روان‌درمانگر و اراده» و به کتابش با عنوان *آرزو، اراده و عمل* باز کردند. این فکر از ذهنش گذشت که شاید او از فیلیپ سوءاستفاده کرده بود. شاید حالا با افزایش توانایی‌اش در برقراری ارتباط، بتواند خودش را از احساس گناه خلاص کند و آنچه را که قبلاً نتوانسته بود انجام دهد، به نتیجه برساند.

پلاک چهار ـ سه ـ یک در خیابان یونیون، یک ساختمان دوطبقه‌ی محقر با نمای سیمانی بود. جولیوس نام فیلیپ را بر تابلو راهنما در راهرو ورودی دید: «فیلیپ اسلیت، دکترای مشاوره‌ی فلسفی» مشاوره‌ی فلسفی؟ این دیگه چیه؟ جولیوس با خشم فکر کرد لابد بعد از این، سلمانی‌ها هم روان‌درمانی پیرایشی را تبلیغ می‌کنند و سبزی‌فروشی‌ها، مشاوره‌ی سبزیجاتی می‌دهند. از پله‌ها بالا رفت و زنگ زد.

قفل در با صدایی باز شد و جولیوس به اتاق انتظار کوچکی با دیوارهای لخت وارد شد که فقط با یک کاناپه‌ی دونفره‌ی سیاه غیرجذاب مبله شده بود. چند قدم آن طرف‌تر، فیلیپ در درگاه دفترش ایستاده بود و بی‌آنکه به سمت او بیاید، به داخل دعوتش کرد. حتا دستش را برای دست دادن دراز نکرد.

جولیوس ظاهر فیلیپ را با آنچه در حافظه‌اش مانده بود، مقایسه کرد. کاملاً مطابقت داشت. در طول این بیست‌وپنج‌سال تغییر زیادی نکرده بود جز چند چین کم‌عمق اطراف چشم‌ها و کمی آویختگی غبغب. موهای قهوه‌ای روشنش را هنوز به عقب شانه می‌کرد و آن چشمان سبز، هم‌چنان آتشین بود و هم‌چنان از نگاه بیننده، گریزان. یادش آمد در طول سال‌های درمان، چقدر کم پیش آمده بود که نگاهشان با هم تلاقی کند. فیلیپ او را به یاد یکی از آن بچه‌های به‌شدت خودکفای کلاس می‌انداخت که صاف می‌نشست و هیچ یادداشتی برنمی‌داشت آن هم وقتی که بقیه و خود او، سخت مشغول نوشتن هر نکته‌ای بودند که به نظر می‌آمد ممکن است در امتحان بیاید.

اثاثیه‌ی دفتر فیلیپ ـ یک میز ساییده‌ی درهم برهم، دو صندلی لنگه به لنگه که ناراحت به نظر می‌آمدند و دیواری که فقط با یک

مدرک تحصیلی آراسته شده بود ـ یکی از آن متلک‌های مربوط به آدم‌های صرفه‌جو را نوک زبان جولیوس آورد، ولی از آن گذشت، بر صندلی‌ای که فیلیپ نشان داده بود، نشست، میزانش کرد و منتظر شد فیلیپ شروع کند.

«خُب، از آخرین باری که یکدیگر رو دیدیم، خیلی گذشته. زمانی واقعاً طولانی.» فیلیپ با لحنی رسمی و تخصصی حرف می‌زد و هیچ نشانه‌ای از دلواپسی برای برعهده گرفتن مسئولیت مصاحبه و جابه‌جا شدن نقشش با درمانگر قدیمی‌اش در او نبود.

«بیست‌ودو سال. تازگی نگاهی به یادداشت‌هام انداخته‌ام.»

«و چرا حالا، دکتر هرتسفلد؟»

«این یعنی گپ خودمونی‌مون به این زودی تمام شد؟» جولیوس خودش را سرزنش کرد: نه، نه! تمومش کن! به یاد آورد که ذره‌ای شوخ‌طبعی در فیلیپ نیست.

به نظر نمی‌آمد این جمله فیلیپ را پریشان کرده باشد. «فنون اولیه‌ی مصاحبه، دکتر هرتسفلد. شما با روال اون آشنایید. اول چارچوب رو مشخص کنید. ما مکان و زمان رو از قبل تعیین کرده‌ایم: من جلسه‌ای شصت‌دقیقه‌ای به این کار اختصاص داده‌ام که اتفاقاً مثل جلسات روان‌درمانی، پنجاه‌دقیقه‌ای نیست، تکلیف هزینه رو هم که روشن کرده‌ایم. پس قدم بعدی تعیین قصد و اهدافه. دکتر هرتسفلد، من دارم سعی می‌کنم در خدمت شما باشم تا این جلسه تا حد ممکن براتون مفید باشه.»

«بسیار خوب، فیلیپ. ممنونم. سؤال "چرا حالا؟"ی تو هیچ‌وقت سؤال بدی نیست و من همیشه از اون استفاده می‌کنم. جلسه رو بر هدفش متمرکز می‌کنه. ما رو درست می‌بره سر اصل مطلب. همون طور که تلفنی گفتم، بعضی مشکلات جسمی، یعنی مشکلات

مزاجی جدی باعث شده به گذشته نگاه کنم، بعضی چیزها رو سبک‌سنگین کنم و به ارزیابی کارم با بیمارانم بنشینم. شاید هم مربوط به سن باشه: یه‌جور جمع‌بندی. فکر می‌کنم وقتی شصت‌وپنج‌ساله بشی، می‌فهمی چرا.»

«مجبورم به صحبت شما درباره‌ی این جمع‌بندی بیشتر بپردازم. دلیل درخواست‌تون برای دیدن دوباره‌ی من یا هرکدوم از مراجعانتون برام روشن نیست و هرگز چنین تمایلی رو تجربه نکرده‌ام. مراجعان من هزینه‌ای پرداخت می‌کنن و در مقابل از من مشاوره‌ی تخصصی می‌گیرن. ارتباط ما همینجا تموم می‌شه. وقتی از هم جدا می‌شیم، اونا حس می‌کنن تأثیر خوبی پذیرفته‌ان و من حس می‌کنم همه‌ی چیزی رو که باید، در اختیارشون گذاشته‌ام. حتا نمی‌تونم تصور کنم که بخوام دوباره در آینده ببینمشون. ولی به هر حال در اختیار شما هستم. از کجا شروع کنیم؟»

یکی از ویژگی‌های جولیوس این بود که کمتر می‌شد در مصاحبه‌هایش احتیاط به خرج دهد. این یکی از نقاط قدرتش بود: مردم او را به عنوان کسی می‌شناختند که مستقیم به هدف می‌زند و به او از این لحاظ اعتماد داشتند. اما امروز به‌زور جلو خودش را گرفت. از خشونت کلام و تشرزنی فیلیپ جا خورده بود ولی او به اینجا نیامده بود که فیلیپ را نصیحت کند. آنچه جولیوس در پی‌اش بود، دیدگاه صریح فیلیپ نسبت به کار درمانی‌شان بود، پس هرچه کمتر از افکارش می‌گفت، بهتر بود. اگر جولیوس از یأسش، جست‌وجویش برای معنا و علاقه‌اش به داشتن نقشی بادوام و پایدار در زندگی فیلیپ می‌گفت، ممکن بود فیلیپ از روی حسن نیت، فقط تأیید و تصدیقی را که او می‌خواست نثارش کند. یا از روی کله‌شقی، درست مسیر عکس را پیش بگیرد.

«خُب، اجازه بده اول از اینکه خواسته‌م رو قبول کردی و حاضر شدی من رو ببینی، تشکر کنم. چیزایی که می‌خوام، ایناست: اول، نگاهت نسبت به کاری که با هم داشته‌ایم ـ اینکه کجا کمکت کرده و کجا مفید نبوده ـ و دومی که می‌دونم درخواست بزرگیه، اینه که خیلی دلم می‌خواد اطلاعات کاملی درباره‌ی زندگی‌ت از بعد از آخرین دیدارمون در اختیارم بذاری. من همیشه دوست داشته‌ام آخر داستان‌ها رو بشنوم.»

حتا اگر فیلیپ از این درخواست غافلگیر شده بود، نشانه‌ای بروز نداد، فقط چند لحظه در حالی که نوک انگشتان دو دستش را به هم چسبانده بود و چشمانش را بسته بود، در سکوت نشست. بعد با آهنگی به‌دقت میزان‌شده شروع به صحبت کرد. «داستان هنوز به آخر نرسیده: در واقع، زندگی من در چند سال اخیر اون قدر تغییر کرده که حس می‌کنم داستان تازه شروع شده. ولی با رعایت دقیق ترتیب وقوع رویدادها و از درمانم شروع می‌کنم. به‌طور کلی باید بگم درمانم با شما کاملاً ناموفق بود. یک شکست زمان‌بر و پرهزینه. فکر می‌کنم کارم رو به‌عنوان یک بیمار خوب انجام دادم. تا جایی که یادمه، همکاری‌م کامل بود، سخت کار می‌کردم، مراجعه‌ی منظمی داشتم، صورتحساب‌هام رو پرداخت می‌کردم، رؤیاهام رو به خاطر می‌سپردم و هر راهی رو که شما نشون می‌دادین، می‌رفتم. موافقین؟»

«با اینکه در درمان همکاری می‌کردی؟ البته. حتا بیشتر از اینا. به‌عنوان یه بیمار متعهد به درمان، توی ذهنم مونده‌ای.»

فیلیپ در حالی که به سقف می‌نگریست، سری تکان داد و ادامه داد: «تا جایی که یادمه، سه‌سال تمام شما رو می‌دیدم. و در بیشتر این مدت، هفته‌ای دو جلسه داشتیم. این زمان زیادیه: حدوداً

دویست ساعت. حدود بیست هزار دلار.»

جولیوس تقریباً از جا جهید. هروقت بیماری جمله‌ای شبیه به این می‌گفت، با این جواب واکنش نشان می‌داد که: «یک قطره در دلو آب.» و بعد اشاره می‌کرد مسائلی که در درمان به آن‌ها اشاره شده چنان در بیشتر عمر بیمار مشکل‌ساز بوده که نمی‌توان انتظار داشت به‌سرعت حل شوند. اغلب تجربه‌ی شخصی‌اش را هم به آن می‌افزود: اینکه نخستین دوره‌ی درمانش، یعنی روانکاوی‌اش در حین دوره‌ی آموزش، پنج جلسه در هفته به مدت سه‌سال ادامه داشته: یعنی بیش از هفتصد ساعت. ولی فیلیپ در حال حاضر بیمارش نبود و او آنجا نبود که فیلیپ را به درمان یا هیچ‌چیز دیگری ترغیب کند. او آنجا بود که گوش کند. پس جلو زبانش را گرفت و سکوت کرد.

فیلیپ ادامه داد: «وقتی درمان رو با شما شروع کردم، در حضیض زندگی‌م بودم؛ یا بهتره بگم در پایین‌ترین قسمت نمودار زندگی‌م. شیمی‌دان بودم و در پی یافتن راه‌های تازه برای کشتن حشرات؛ این حرفه کلافه‌م کرده بود، از زندگی‌م کلافه بودم، از همه‌چیز کلافه بودم جز خواندن فلسفه و تفکر درباره‌ی معماهای بزرگ تاریخی. ولی دلیل مراجعه‌ام به شما، رفتار جنسی‌م بود. حتماً یادتونه؟»

جولیوس سری به تأیید تکان داد.

«کنترلی بر اون نداشتم... وقتی به خودم و زندگی خودم توی اون دوره فکر می‌کنم، چندشم می‌شه.»

جولیوس هنگام استفاده‌ی فیلیپ از واژه‌ی نزدیکی، جلو لبخندش را گرفت: حالا پارادوکس غریب فیلیپ را به یاد می‌آورد که در عین غوطه‌وری در شهوت، از به‌کارگیری این واژه‌ها پرهیز می‌کرد.

فیلیپ ادامه داد: «فقط توی اون دوره‌ی کوتاه بود که می‌تونستم تمام‌وکمال و متعادل زندگی کنم: این زمانی بود که می‌تونستم با اذهان بزرگ گذشته ارتباط برقرار کنم.»

«علاقه‌ت به آریستارخوس و زنو رو یادم هست.»

«بله، این دو و بسیاری دیگر از اون موقع تا حالا؛ ولی دوره‌های خلاصی، دوره‌های بدون افکار وسواسی‌جبری، خیلی کوتاه بود. حالا دیگه آزاد شده‌ام. حالا دیگه مدام در قلمرویی والاتر ساکنم. ولی اجازه بدین به مرور درمانم با شما ادامه بدم. این اولین درخواست‌تون بود. این‌طور نیست؟»

جولیوس سری تکان داد.

«یادمه که خیلی به درمانمون دلبسته شده بودم. اون هم شده بود یه رفتار جبری دیگه، ولی متأسفانه جایگزین اجباری‌گری جنسی نشد بلکه صرفاً همراهش شد. یادم می‌یاد با اشتیاق در انتظار هر جلسه بودم و آخر هر جلسه برام نومیدی به همراه داشت. به یاد آوردن همه‌ی اونچه با هم انجام می‌دادیم، سخته: فکر می‌کنم سعی می‌کردیم رفتار جبری من رو از چشم‌انداز تاریخچه‌ی زندگی‌ام درک کنیم. بفهمیمش: مدام سعی می‌کردیم بفهمیمش. با این حال به همه‌ی راه‌حل‌ها شک داشتم. هیچ نظریه‌ای چندان مستدل یا مستند نبود و بدتر از این، حتا یکی از اونا هم نبود که کمترین تأثیری بر رفتار جبری‌م بذاره.

«و واقعاً پای یه *رفتار جبری* در میون بود. این رو می‌دونستم. و می‌دونستم باید درجا متوقفش کنم. زمان زیادی ازم گرفت ولی در نهایت متوجه شدم شما نمی‌دونین چطور به من کمک کنین و اعتقادم رو به کاری که با هم می‌کردیم، از دست دادم. یادم هست شما وقت بیش از اندازه‌ای رو صرف بررسی رابطه‌ی من با دیگران

و خصوصاً با خودتون می‌کردین. این همیشه برام بی‌معنی بود. اون موقع بی‌معنی بود. حالا هم هست. همین جور که زمان می‌گذشت، ملاقات با شما آزاردهنده می‌شد، ادامه‌ی بررسی رابطه‌مون آزارم می‌داد، تظاهر به اینکه واقعیه یا همیشگیه یا چیزیه غیر از چیزی که واقعاً بود: در واقع چیزی نبود جز *خرید خدمات*.» فیلیپ مکثی کرد و در حالی که کف دستانش را رو به بالا گرفته بود، نگاهی به جولیوس انداخت، انگار که بگوید: «خودتون خواستین صریح باشم: بفرمایید.»

جولیوس مبهوت شده بود. صدای فرد دیگری به جای او جواب داد: «بسیار خب، به این می‌گن صراحت. ممنون فیلیپ. حالا باقی داستانت. از اون موقع تا حالا چه اتفاقاتی برات افتاده؟»

فیلیپ کف هر دو دست را به هم چسباند، چانه را بر نوک انگشتان گذاشت و به سقف خیره شد تا حواسش را جمع کند و ادامه داد: «خب، بذارین ببینم. با کار شروع می‌کنم. مهارتم در تولید مواد هورمونی مهارکننده‌ی تولید مثل حشرات، نتایج مهمی برای شرکت به همراه داشت و حقوقم بالا رفت. ولی شیمی به‌شدت دلم رو زده بود. سی‌سالگی‌م هم‌زمان شد با سررسید یکی از حساب‌های امانی پدرم که به من تعلق گرفت. درست مثل اینکه آزادی رو به من پیشکش کرده باشن. اون قدر پول داشتم که چند سال از پس خرج زندگی‌م بر بیام پس اشتراکم رو با مجلات شیمی لغو کردم، از فشار کار خلاص شدم و توجهم رو به چیزی معطوف کردم که واقعاً توی زندگی می‌خواستم: طلب فرزانگی.

«هنوز بدبخت و مضطرب بودم و هنوز نیروی جنسی بود که کنترلم رو در دست داشت. روان‌درمانگران دیگری رو هم امتحان کردم، ولی هیچ‌کدوم بیش از شما کمکم نکردن. درمانگری که

همدوره‌ی یونگ بود، نظر داد که من به چیزی بیش از درمان روان‌شناختی احتیاج دارم. گفت برای معتادی مثل من، بیشترین امید رهایی، در یک تحول روحی نهفته. توصیه‌ی اون من رو به‌سوی فلسفه‌ی دینی ـ به‌خصوص عقاید و رسوم رایج در خاور دور ـ هدایت کرد چون فقط اونا در نظرم معنی داشت. سایر نظام‌های دینی نتونسته بودن به پرسش‌های بنیادین فلسفی بپردازن و به‌جای اون، از خدا به‌مثابه شیوه‌ای برای پرهیز از تحلیل حقیقی فلسفی استفاده کرده بودن. حتا چند هفته رو در خلوتگاهای مراقبه گذروندم. خالی از جاذبه هم نبود. وسواس رو متوقف نکرد، ولی دست‌کم این احساس رو داشتم که چیزی مهم در جریانه؛ و این منم که هنوز آمادگی‌ش رو ندارم.

«این وسط، به‌جز میان‌پرده‌های پرهیز اجباری که توی خلوتگاهای هندوها می‌گذشت، من به شکار جنسی ادامه می‌دادم و حتا اونجا هم راه‌هایی برای این کار پیدا می‌کردم. شنیدین که می‌گن: "فقط یک‌بار می‌تونی برای اولین بار با یه دختر رابطه داشته باشی."؟» فیلیپ چانه را از نوک انگشتان بلند کرد و رو کرد به جولیوس.

«این جمله‌ی آخر رو محض شوخی گفتم دکتر هرتسفلد. یادمه یه‌بار گفتین عجیبه که توی همه‌ی ساعتایی که با هم گذروندیم، من حتا یه لطیفه هم براتون نگفتم.»

جولیوس که حالا دیگر در حال و هوای خنده نبود، به‌زور لبانش را به لبخندی باز کرد گرچه متوجه شد این لطیفه‌ی کوتاه را زمانی خودش برای فیلیپ گفته بود. جولیوس فیلیپ را عروسک متحرکی تصور کرد که کوک بزرگی از بالای سرش بیرون زده است. وقتش است که دوباره کوکش کنم: «بعد چی شد؟»

فیلیپ خیره به سقف ادامه داد: «بعد یه روز تصمیم خیلی مهمی گرفتم. از اونجایی که هیچ درمانگری نتونست به هیچ طریقی کمکم کنه و ببخشید دکتر هرتسفلد، این شما رو هم شامل می‌شه...»

جولیوس حرفش را قطع کرد: «دارم یواش یواش این نکته‌ی خاص رو می‌فهمم» و به‌سرعت اضافه کرد: «نیازی به عذرخواهی نیست. تو فقط داری سؤال من رو با صراحت جواب می‌دی.»

«ببخشید، نمی‌خواستم روی این مطلب انگشت بذارم... از اونجایی که روان‌درمانی اثری بر من نداشت، تصمیم گرفتم خودم، خودم رو درمان کنم: یه دوره‌ی کتاب‌درمانی، هضم و دریافت اندیشه‌های خردمندترین مردانی که تاکنون زیسته‌اند. پس شروع کردم به مطالعه‌ی روشمند همه‌ی مجموعه‌های فلسفی و از فلسفه‌ی یونانی پیش از سقراط شروع کردم و به پوپر[۱]، راولز[۲] و کواین[۳] رسیدم. بعد از یک‌سال مطالعه، رفتار جبری‌ام بهتر نشده بود ولی به تصمیم‌های مهمی رسیده بودم: اینکه در مسیر درستی بودم و اینکه فلسفه منزل و مأوای منه. این قدم بزرگی بود: یادمه چقدر من و شما در این باره صحبت کرده بودیم که انگار من در هیچ کجای دنیا در خانه و کاشانه‌ی خودم نیستم.»

جولیوس سری به تأیید تکان داد: «بله، من هم این رو به خاطر دارم.»

---

۱. Popper: کارل پوپر (۱۹۹۴-۱۹۰۲) فیلسوف اتریشی ـ بریتانیایی، استاد دانشکده‌ی اقتصاد لندن و یکی از بزرگ‌ترین فیلسوفان علم قرن بیستم ـ م.

۲. Rawls: جان راولز (۲۰۰۲-۱۹۲۱) فیلسوف امریکایی و از چهره‌های برجسته‌ی فلسفه‌ی اخلاقی و سیاسی ـ م.

۳. Quine: ویلارد ون اُرمن کواین (۲۰۰۰-۱۹۰۸) فیلسوف امریکایی و استاد دانشگاه هاروارد ـ م.

«تصمیم گرفتم حالا که می‌خوام سال‌های زیادی رو به مطالعه‌ی فلسفه اختصاص بدم، شاید بهتر باشه اون رو به حرفه‌ام بدل کنم. پولم تا ابد دوام نمی‌یاره. بنابراین دوره‌ی دکتری فلسفه رو توی دانشگاه کلمبیا شروع کردم. خوب از عهده‌اش برآمدم، رساله‌ی به‌دردخور و کارآمدی نوشتم و پنج سال بعد دکترای فلسفه داشتم. به تدریس رو آوردم و دو سال نگذشته بود که به فلسفه‌ی کاربردی یا اون جور که من دلم می‌خواد بنامَمش "فلسفه‌ی بالینی" علاقه‌مند شدم. و این علاقه من رو به اونچه امروز هستم، رسوند.»

«هنوز درباره‌ی بهبودی‌ت چیزی برام نگفته‌ای.»

«خب توی دانشگاه کلمبیا، حین مطالعه، رابطه با یک درمانگر رو شروع کردم، یک درمانگر بی‌نقص، روان‌درمانگری که چیزی رو پیشکشم کرد که هیچ‌کس نتونسته بود به من بده.»

«توی نیویورک، هان؟ اسمش چی بود؟ توی کلمبیا؟ با چه انستیتویی کار می‌کرد؟»

«اسمش آرتور...» فیلیپ مکثی کرد و با ردی از لبخند بر لبانش به جولیوس نگریست.

«آرتور؟»

«بله، آرتور شوپنهاور، روان‌درمانگر من.»

«شوپنهاور؟ دستم انداخته‌ای فیلیپ.»

«هیچ‌وقت این قدر جدی نبوده‌ام.»

«چیز زیادی درباره‌ی شوپنهاور نمی‌دونم: فقط همون کلیشه‌ی رایج درباره‌ی بدبینی محزون و دلگیرش. تا حالا نشنیده‌ام که اسمش در زمینه‌ی روان‌درمانی برده شده باشه. چطور تونست کمکت کند؟ چه...؟»

«اصلاً دلم نمی‌خواد صحبت‌تون رو قطع کنم، دکتر هرتسفلد،

ولی مراجع بعدی‌ام از راه می‌رسه و دلم نمی‌خواد تأخیر داشته باشم: این عادتم هنوز عوض نشده. لطفاً کارت‌تون رو به من بدین. در وقت دیگه‌ای بیشتر درباره‌ش براتون می‌گم. اون تنها درمانگری بود که به داد من رسید. غلو نمی‌کنم اگه بگم زندگی‌م رو مدیون نبوغ آرتور شوپنهاورم.»

بااستعداد، هم‌چون تیراندازی‌ست که هدفی را می‌زنَد که دیگران قادر به زدنش نیستند؛ نابغه، هم‌چون تیراندازی‌ست که هدفی را می‌زنَد که دیگران قادر به دیدنش نیستند.

فصل ۴

سال ۱۷۸۷: نابغه: آغازی طوفانی و شروعی گمراه‌کننده

آغاز طوفانی: نابغه هنوز فقط ده‌سانتی‌متر طول داشت که طوفان آغاز شد. در سپتامبر سال ۱۷۸۷ دریای آمنیونی[1] که او را در خود جای داده بود، به تلاطم درآمد، به پس و پیش راندش و پیوست

---

۱. پرده‌ای که جنین را در خود جای می‌دهد و جنین در مایعی به همین نام درون این پرده در داخل رحم شناور است ـ م.

شکننده‌ی او را با ساحل رحم تهدید کرد. آب دریا بوی خشم و ترس می‌داد. ترشی فراق و نومیدی او را در خود گرفت. آن روزهای شیرین و مطبوع شناوری برای همیشه از دست رفته بود. سیناپس[۱]های عصبی ظریفش، بی مکانی برای بازگشت و بی امیدی به تسکین، به‌کار افتاده بودند و به هر طرف پیام می‌فرستادند.

خردسالی بهترین زمان آموزش است. آرتور شوپنهاور این درس‌های نخستینش را هرگز فراموش نکرد.

شروع گمراه‌کننده (یا چگونه آرتور شوپنهاور تقریباً به یک مرد انگلیسی بدل شد): آرتوررر. آرتوررر، آرتوررر. هاینریش فلوریو شوپنهاور هر هجا را با زبان می‌کشید. آرتور: یک نام خوب، نامی محشر برای رئیس آینده‌ی تجارتخانه‌ی بزرگ شوپنهاور.

سال ۱۷۸۷ بود و همسر جوانش، یوهانا، دوماهه باردار بود که هاینریش شوپنهاور تصمیم گرفت اگر فرزندش پسر باشد، او را آرتور بنامد. مردی آبرومند و محترم هم‌چون هاینریش، هیچ‌چیز را بر کار مقدم نمی‌دانست. همان‌طور که مسئولیت تجارتخانه‌ی بزرگ شوپنهاور از پیشینیانش به او رسیده بود، او نیز آن را به پسرش منتقل می‌کرد. زمانه‌ی پرمخاطره‌ای بود ولی هاینریش اطمینان داشت پسر هنوز به‌دنیانیامده‌اش، تجارتخانه را به‌سوی قرن نوزدهم راهی خواهد کرد. آرتور نامی بی‌عیب‌ونقص برای این مقام بود. نامی که در تمامی زبان‌های اصلی اروپایی یک‌جور تلفظ می‌شد،

---

۱. محل تماس دو سلول عصبی که انتقال پیام عصبی در آن رخ می‌دهد به این ترتیب که موادی از رشته‌ی بلند و انتهایی (اکسون) سلول اول ترشح می‌شود و بر گیرنده‌های موجود بر رشته‌های کوتاه (دندریت‌ها)ی سلول دوم می‌نشیند و پیام به همین شکل از سلولی به سلول دیگر منتقل می‌شود ـ م.

نامی که موقرانه مرزها را درمی‌نوردید. ولی از همه مهم‌تر اینکه نامی انگلیسی بود!

پیشینیان هاینریش، برای قرن‌ها تجارتخانه‌ی شوپنهاور را با پشتکار و کامیابی گردانده بودند. پدربزرگ هاینریش یک‌بار میزبان کاترین کبیر، امپراتور روسیه شده بود و برای اطمینان از آسایش او، دستور داده بود براندی بر کف اقامتگاه میهمانان بریزند و شعله‌ورش کنند تا اتاق‌ها بی‌رطوبت و خوشبو شود. فردریک، شاه پروس[1]، به دیدن پدر هاینریش آمده بود و ساعت‌ها وقت گذاشته بود تا او را متقاعد کند شرکت را از شهر دانزیک[2] به پروس منتقل کند و موفق نشده بود. و اکنون ریاست و کارگزاری تجارتخانه‌ی بزرگ شوپنهاور به هاینریش رسیده بود، کسی که معتقد بود یک شوپنهاور با نام آرتور، این تجارتخانه را به‌سوی آینده‌ای درخشان رهنمون خواهد کرد.

تجارتخانه‌ی شوپنهاور که در کار تجارت غله، الوار و قهوه بود از مدت‌ها پیش، یکی از تجارتخانه‌های اصلی شهر دانزیک به‌شمار می‌آمد، شهری تاریخی از شهرهای عضو اتحادیه‌ی هانس[3] که سال‌ها تجارت حوزه‌ی بالتیک را زیر سلطه‌ی خود داشت. ولی روزگار دشواری برای این شهر آزاد باشکوه فرا رسیده بود. با تهدید پروس از غرب و روسیه از شرق و با یک لهستان ضعیف‌شده، دیگر نمی‌شد استقلال و اقتدار دانزیک را تضمین کرد و هاینریش شوپنهاور یقین داشت روزگار آزادی و ثبات تجاری دانزیک به سر

---

۱. نام کشوری که سرزمین‌هایش، بخش شرقی آلمان و بخش غربی لهستان امروزی را شامل می‌شد ـ م.

۲. نام آلمانی شهر گدانسک Gdansk در لهستان ـ م.

۳. Hanseatic: پیمان تجاری در اروپای شمالی که از قرن سیزدهم تا هفدهم برقرار بود ـ م.

آمده است. بریتانیا صخره‌ی اطمینان بود. آینده متعلق به بریتانیا بود. تجارتخانه و خانواده‌ی شوپنهاور در بریتانیا پناهگاهی ایمن می‌یافت. نه، چیزی بیش از پناهگاه ایمن، می‌توانست رونق یابد و شکوفا شود اگر رئیس آینده‌اش، در بریتانیا به‌دنیا می‌آمد و نامی انگلیسی می‌داشت. هِر آرتوررر شوپنهاور، نه، مستر آرتوررر شوپنهاور: یک شهروند بریتانیایی رئیس تجارتخانه باشد: این بود جواز ورود به آینده.

پس بدون کمترین اعتنا به مخالفت‌های همسر باردار نوجوانش که عاجزانه می‌خواست هنگام تولد نخستین فرزند، از حضور آرامش‌بخش مادرش برخوردار باشد، سفری طولانی به بریتانیا را برنامه‌ریزی کرد در حالی که همسر را هم به‌دنبال خود می‌کشید. یوهانای جوان، مبهوت و منزجر، جز اطاعت از اراده‌ی انعطاف‌ناپذیر و مصمم شوهر، چاره‌ای نداشت. با این حال، یوهانا پس از جایگیر شدن در لندن، روحیه‌ی شادابش را بازیافت و گیرایی و دلربایی‌اش، اعیان لندن را مسحور کرد. در یادداشت‌های سفرش نوشت که دوستان تازه‌ی انگلیسی مهربانش، به او اطمینان خاطر داده‌اند که خیلی زود در مرکز توجه بیشتر قرار خواهد گرفت.

این مهربانی و توجه به‌وضوح برای هاینریش ترشرو و اخمو زیادی بود چون حسادت دلواپسانه‌اش در مدت کوتاهی بالا گرفت و به سرآسیمگی بدل شد. در حالی که نمی‌توانست نفسش را در سینه نگه دارد و حس می‌کرد فشار، قفسه‌ی سینه‌اش را از هم می‌شکافد، حس کرد باید کاری کند. و در نتیجه، با تغییر برنامه‌اش، ناگهان لندن را ترک کرد و همسر معترضش را هم که اکنون دیگر شش‌ماهه باردار بود، خواه‌ناخواه به‌دنبال خود کشید و در بحبوحه‌ی

یکی از سخت‌ترین زمستان‌های قرن، به دانزیک برگشت. سال‌ها بعد یوهانا احساسش را زمانی که ناگهان از لندن بیرون کشیده شد، این گونه توصیف می‌کند: «هیچ‌کس کمکم نکرد، باید در تنهایی بر اندوه خود چیره می‌شدم. این مرد از این سو تا آن سوی اروپا، مرا به‌دنبال خود می‌کشید تا از پس اضطراب خودش برآید.»

پس این گونه بود صحنه‌ی طوفانی دوران جنینی نابغه: ازدواجی بی‌عشق، مادری وحشت‌زده و معترض، پدری حسود و دو سفر سخت و طاقت‌فرسا در عرض اروپای زمستانی.

زندگی شاد ممکن نیست؛ بهتر آنکه فرد به حیاتی قهرمانانه دست یابد.

فصل ۵

جولیوس دفتر فیلیپ را هاج‌وواج و مبهوت ترک کرد. نرده‌ها را چسبید، لرزان از پله‌ها پایین آمد و سراسیمه و تلوتلوخوران خود را به آفتاب رساند. جلو ساختمان فیلیپ ایستاد و کوشید تصمیم بگیرد که به چپ بپیچد یا راست. آزادی در یک بعدازظهر بی‌برنامه، بیش از آنکه شادی بیاورد، سرگشتگی آورده بود. جولیوس همیشه تمرکز داشت. وقتی مشغول مریض دیدن نبود، برنامه‌ها و فعالیت‌های مهم دیگر ـ نوشتن، تدریس، تنیس، تحقیق ـ توجهش را به خود معطوف می‌کرد. ولی امروز هیچ‌چیز مهم به نظر نمی‌آمد. حتا شک کرد که چیزی هرگز مهم بوده باشد، شاید این ذهن او بود که بوالهوسانه و بی‌دلیل به برنامه‌ها رنگ اهمیت می‌زد و بعد تردستانه

ردپای خود را پاک می‌کرد. امروز از ترفند همه‌ی زندگی‌اش پرده برداشته است. امروز هیچ کار مهمی ندارد؛ پس سلانه‌سلانه و بی‌هدف در خیابان یونیون پایین رفت.

نزدیک به انتهای بخش تجاری خیابان درست بعد از خیابان فیلمور، پیرزنی که با واکر راه می‌رفت، تلق‌تلق‌کنان به‌سوی او می‌آمد. اندیشید: *پناه بر خدا، چه منظره‌ای!* اول رویش را برگرداند، بعد برگشت تا سیاهه‌ای دقیق از آنچه می‌دید، تهیه کند. لباس‌های پیرزن ـ چند لایه ژاکت پشمی که پالتویی ضخیم آن‌ها را می‌پوشاند ـ در آن هوای آفتابی غیرعادی و مضحک می‌نمود. لپ‌های سمورمانندش به‌شدت تکان می‌خورد، حتماً برای اینکه دندان‌های مصنوعی را در جای خود نگه دارد. ولی بدتر از همه، برآمدگی بزرگ گوشتی کنار یکی از سوراخ‌های بینی‌اش بود: زگیل گوشتی صورتی و نیمه‌شفافی به اندازه‌ی یک حبه‌ی انگور که چند موی سیخ‌سیخ دراز بر آن روییده بود.

از فکر جولیوس گذشت: *پیرزن خرفت!* ولی بلافاصله اصلاحش کرد: «شاید از من پیرتر نباشد. در واقع او آینده‌ی من است: زگیل، واکر، صندلی چرخ‌دار.» وقتی پیرزن نزدیک‌تر شد، شنید که زیرلبی می‌گوید: «حالا ببینیم این مغازه‌ها چی دارن. چی مثلاً؟ چی پیدا می‌کنم؟»

جولیوس جواب داد: «نظری ندارم خانم، من همین طوری دارم قدم می‌زنم.»

«با شما نبودم.»

«من کس دیگه‌ای رو اینجا نمی‌بینم.»

«این دلیل نمی‌شه که من با شما بودم.»

«اگه با من نبودین، با کی بودین؟» جولیوس دستانش را سایه‌ی

چشمانش کرد انگار که دارد بالا و پایین خیابان خالی را برانداز می‌کند.

پیرزن همان‌طور که تلق‌تلق‌کنان با واکر از کنارش می‌گذشت، زیرلبی گفت: «چه کاره‌ای تو؟ امان از این معتادای ولگرد...»

جولیوس یک لحظه خشکش زد. نگاهی به دوروبرش انداخت تا مطمئن شود کسی شاهد این گفت‌وگو نبوده است. اندیشید خدایا دیوونه شده‌ام: چه غلطی دارم می‌کنم؟ خوبه که امروز عصر مریض ندارم. وقت‌گذرانی با فیلیپ اسلیت بدون شک برای مزاجم خوب نیست.

جولیوس به‌سوی بوی مست‌کننده‌ای که از استارباکز بیرون می‌زد، کشیده شد و به این نتیجه رسید که کفاره‌ی گذراندن یک‌ساعت با فیلیپ، یک اسپرسوی دوبل است. بر یکی از صندلی‌های کنار پنجره نشست و به تماشای رهگذران پرداخت. نه داخل و نه خارج از کافه، هیچ سری با موهای خاکستری دیده نمی‌شد. او در شصت‌وپنج‌سالگی پیرترین آدم آن دوروبر بود، پیرترین پیرها؛ و داشت از درون به‌سرعت پیرتر هم می‌شد چون ملانوم داشت به تهاجم خاموشش ادامه می‌داد.

دو فروشنده‌ی خوش‌برو‌روی پشت پیشخوان از آن دخترهایی بودند که هرگز به او نگاه هم نمی‌کردند چه برسد که بگویند: «سلام، چند وقتی بود این طرفا پیدات نشده بود. چطوری؟» چنین اتفاقی نمی‌افتاد. مسیر خطی زندگی شوخی‌بردار و بازگشت‌پذیر نبود.

بسه. دلسوزی برای خودت بسه. جوابش به اهل نق و ناله این بود که: راهی بیابید برای نگاه کردن به بیرون از خود، از خودتان فراتر روید. بله، راهش این بود: راهی بیابد که این موقعیت را به

طلا تبدیل کند. چرا درباره‌اش ننویسد؟ مثلاً به‌صورت دفترچه‌ی خاطرات شخصی. یا چیزی که بیشتر به چشم بیاید ـ چی مثلاً؟ ـ مثلاً مقاله‌ای برای *مجله‌ی انجمن روان‌پزشکی امریکا* با عنوان «روان‌پزشک رویاروی با مرگ». یا شاید چیزی انتفاعی‌تر برای مجله‌ی *ساندی تایمز*. می‌توانست این کار را بکند. اصلاً چرا یک کتاب ننویسد؟ چیزی مثل *خودزندگینامه‌ی یک مرگ*. بدک نیست! گاهی وقتی یک عنوان جنجال‌برانگیز انتخاب می‌کنی، کتاب خودش نوشته می‌شود. جولیوس یک اسپرسو سفارش داد، قلمش را درآورد و تای پاکت کاغذی‌ای را که روی زمین پیدا کرده بود، باز کرد. به محض اینکه با خطی ناخوانا نوشتن آغاز کرد، ریشه‌های حقیرانه‌ی کتاب قدرتمندش، لبخندی ملایم بر لبانش آورد.

جمعه، ۲ نوامبر ۱۹۹۰[۱]*. ر.ا.م (روز اکتشاف مرگ) + ۱۶*

شکی وجود ندارد: گشتن به دنبال فیلیپ اسلیت فکر خوبی نبود. فکر اینکه بتوانم چیزی از او بیرون بکشم، اشتباه بود. فکر دیدارش اشتباه بود. دیگر هرگز نباید تکرارش کرد. فیلیپ روان‌درمانگر بشود؟ باورکردنی نیست: درمانگری بدون همدلی، حساسیت، محبت و مراقبت. تلفنی به او گفتم که مشکل مزاجی دارم و این مشکل یکی از دلایلی‌ست که باعث شده بخواهم او را ببینم. ولی حتا یک پرسش شخصی در این‌باره از من نکرد. اینکه حالم چطور است. حتا با من دست هم نداد. سرد و بی‌احساس. غیرانسانی. از من ده فوت فاصله گرفته بود. من سه‌سال خودم را برای این مرد کشتم. هرچه می‌توانستم برایش کردم. بهترین درمان ممکن را پیشکشش کردم. مردک ناسپاس.

---

۱. این تاریخ باید ۲۰۰۵ باشد چون ۲۵ سال از تشکیل پرونده‌ی فیلیپ (۱۹۸۰) گذشته است ـ م.

اوه بله، می‌دانم در جوابم چه می‌گوید. دقیقاً می‌توانم صدای بی‌روحش را بشنوم: «من و شما تعاملی انتفاعی با هم داشتیم: من به شما پول می‌دادم و شما خدمات تخصصی می‌دادید. من هزینه‌ی هر ساعت مشاوره‌ی شما را درجا پرداخت می‌کردم. معامله تمام شده. حسابمان صاف است؛ من هیچ‌چیز بدهکار نیستم.»

بعد اضافه می‌کرد: «کمتر از هیچ‌چیز دکتر هرتسفلد، بهترین بخش معامله از آن شما بود. شما همه‌ی حق‌الزحمه‌تان را دریافت کردید و من در مقابل، به هیچ‌چیز باارزشی دست نیافتم.»

بدترین بخش ماجرا این است که حق با اوست. او چیزی به من بدهکار نیست. من همیشه به خود می‌بالم که انتخاب روان‌درمانی، انتخاب یک زندگی سراسر خدمت است. خدمتی که با عشق پیشکش می‌شود. من ادعایی نسبت به او ندارم. چرا باید از او چیزی انتظار داشته باشم؟ و در هر حال، او آن چیزی را که من در اشتیاقش هستم، ندارد که بدهد.

«ندارد که بدهد»: این جمله‌ای‌ست که خدا می‌داند چند بار به چند بیمار درباره‌ی شوهران یا همسران یا پدرانشان گفته‌ام. ولی با همه‌ی این‌ها خودم دست از فیلیپ ـ این مرد سنگدل، بی‌احساس و نابخشنده ـ برنمی‌دارم. نکند قرار است قصیده‌ای درباره‌ی تعهداتی که بیماران سال‌ها بعد در برابر درمانگرانشان دارند، بنویسم؟

و اصلاً چرا این موضوع این قدر مهم است؟ و چرا از میان همه‌ی بیمارانم، این یکی را برای تماس انتخاب کرده‌ام؟ هنوز نمی‌دانم. نشانه‌ای در یادداشت‌هایی که درباره‌اش داشتم، یافتم: این احساس که انگار دارم با شبح جوان خودم حرف می‌زنم. شاید چیزی بیش از رد پای فیلیپ در من هست، در من که در نوجوانی و دهه‌ی بیست و سی زندگی‌ام زیر تازیانه‌ی هورمون‌هایم بودم. فکر می‌کردم می‌دانم فیلیپ دارد چه

می‌کشد، فکر می‌کردم شیوه‌ای درونی برای شفای او در اختیار دارم. آیا به همین دلیل بود که تا آن اندازه در درمانش کوشیدم؟ چرا توجه و انرژی‌ای که او از من می‌گرفت، بیش از آنی بود که جمعاً برای همه‌ی بیمارانم می‌گذاشتم؟ در دوره‌ی کاری هر روان‌درمانگری، همیشه بیماری هست که میزان نامتناسبی از انرژی و توجه درمانگر را از آن خود می‌کند: فیلیپ در آن سه‌سال همین فرد برای من بود.

جولیوس آن روز عصر به خانه‌ای سرد و تاریک بازگشت. پسرش، لری، سه‌روز گذشته را با او گذرانده بود ولی آن روز صبح به بالتیمور، جایی که در آن به پژوهش عصبی‌زیست‌شناختی در جانز هاپکینز می‌پرداخت، برگشته بود. جولیوس کم‌وبیش با رفتن لری نفس راحتی کشید: حالت پرتشویش چهره و تلاش‌های محبت‌آمیز ولی ناشیانه‌اش برای دلداری پدر، بیش از آرامش، غم و اندوه با خود آورده بود. گوشی را برداشت تا به مارتی، یکی از همکارانش در گروه حامی، تلفن کند ولی آن قدر دلمرده و نومید بود که پشیمان شد و به‌جای آن، کامپیوترش را روشن کرد تا یادداشت‌هایی را که ناخوانا بر روی پاکت مچاله‌ی استارباکز نوشته بود، وارد کند. عبارت «ایمیل داری» به پیشوازش آمد و با شگفتی متوجه شد پیغامی از فیلیپ دارد. مشتاقانه آن را گشود:

امروز آخر بحثمان، از شوپنهاور و اینکه فلسفه‌اش چطور کمکم کرده، پرسیدید. همین طور گفتید که شاید بخواهید درباره‌اش بیشتر بدانید. به نظرم آمد شاید سخنرانی‌ام در کوستال کالج، دوشنبه‌ی آینده، ساعت ۷ عصر (خیابان فولتون، شماره ۳۴۰، تویون هال[۱])

---

۱. خوابگاه دانشجویان سال دومی در دانشگاه استنفورد ـ م.

برایتان جالب باشد. سیر تحول در فلسفه‌ی اروپایی را تدریس می‌کنم و دوشنبه قرار است مرور کوتاهی بر شوپنهاور داشته باشم (باید دوهزار سال را در دوازده هفته بگنجانم). شاید بتوانیم بعد از سخنرانی کمی گپ بزنیم. فیلیپ اسلیت

جولیوس بی‌درنگ به فیلیپ ایمیل زد: ممنون. *خواهم آمد.* دفتر قرارهایش را گشود و برای دوشنبه آینده با مداد نوشت: «فولتون، شماره ۳۴۰، تویون هال، ساعت ۷ عصر.»

***

جولیوس دوشنبه‌ها از ساعت چهارونیم تا شش یک گروه‌درمانی را سرپرستی می‌کرد. آن روز در فکر بود که آیا راجع به تشخیصش برای گروه صحبت کند یا نه. با اینکه تصمیم گرفته بود برای بیمارانی که تحت درمان فردی بودند، این توضیح را تا بازیابی تعادلش به تعویق بیندازد، برخورد با درمان گروهی مسئله‌ی متفاوتی بود: اعضای گروه اغلب بر او تمرکز می‌کردند و احتمال اینکه کسی متوجه تغییری در خلق‌وخوی او شود و درباره‌اش نظر دهد، بیشتر بود.

ولی نگرانی‌اش بی‌اساس بود. اعضای گروه بهانه‌اش برای ابتلا به آنفلوآنزا و لغو دو جلسه‌ی قبلی را پذیرفته بودند و می‌کوشیدند دو هفته‌ای را که از زندگی همدیگر جا مانده‌اند، جبران کنند. استوارت، یک متخصص اطفال چاق و خپل که همیشه حواسش پرت بود طوری که انگار عجله دارد تا به بیمار بعدی‌اش برسد، ناراحت بود و از گروه برای صحبت زمان خواست. این غیرمعمول‌ترین اتفاقی بود که ممکن بود رخ دهد؛ در این یک‌سالی که استوارت به گروه پیوسته بود، به‌ندرت تقاضای کمک داشت. از

اول هم به زور وارد گروه شده بود: همسرش با ایمیل به او اطلاع داده بود که اگر وارد درمان نشود و تغییر قابل توجهی در خود ندهد، او را ترک خواهد کرد. و افزوده بود به این دلیل ایمیل را برای مطلع کردنش انتخاب کرده که استوارت به ارتباط الکترونیک بیشتر اهمیت می‌دهد تا حرفی که مستقیم به او زده شود. در هفته‌ی گذشته همسرش قدم دیگری برداشته بود و اتاق‌خوابشان را ترک کرده بود؛ و بیشتر جلسه به کمک به استوارت برای بیان احساساتش درباره‌ی کناره‌گیری همسر گذشت.

جولیوس عاشق این گروه بود. اغلب پیش می‌آمد که شهامت اعضای آن نفس را در سینه‌اش حبس می‌کرد چون مدام موانعی را کنار می‌زدند و خطرات بزرگی را به جان می‌خریدند. جلسه‌ی امروز هم مستثنا نبود. همه استوارت را برای تمایل به آشکار کردن آسیب‌پذیری‌اش حمایت کردند و زمان به سرعت گذشت. در پایان جلسه، حال جولیوس خیلی بهتر بود. چنان مسحور رویدادهای جلسه شده بود که برای یک‌ساعت‌ونیم نومیدی‌اش را فراموش کرده بود. این مسئله برایش غیرمعمول نبود. همه‌ی گروه‌درمانگرها از شفابخشی ذاتی فضای گروه آگاهند. بارها شده بود که جولیوس با تشویش و دلواپسی جلسه را آغاز کرده بود و با حال بسیار بهتری آن را به پایان برده بود با اینکه به‌هیچ‌وجه به هیچ‌یک از مسائل شخصی‌اش اشاره نکرده بود.

زمان بسیار کمی داشت تا عصرانه‌ای در وی بی سوشی[1] که به مطبش نزدیک بود، بخورد. مرتب به آنجا سر می‌زد و تا روی صندلی نشست، با خوش‌آمد پرسروصدای مارک، سرآشپز سوشی،

---

1 . We Be Sushi

روبه‌رو شد. وقتی تنها بود، همیشه ترجیح می‌داد کنار پیشخوان بنشیند: او هم مثل همه‌ی بیمارانش از اینکه تنها سر میز یک رستوران بنشیند، معذب بود.

جولیوس غذای معمولش را سفارش داد: *کالیفرنیا رول*[1]، مارماهی کباب‌شده و چند جور ماکی[2] بدون گوشت. سوشی خیلی دوست داشت ولی از ترس ابتلا به انگل از خوردن ماهی خام به‌دقت پرهیز می‌کرد. این جنگ همیشگی علیه غارتگران دنیای بیرونی حالا به شوخی می‌مانست! چه طنزآمیز است که سرانجام معلوم شد کار، کار یک غارتگر درونی‌ست. به جهنم؛ جولیوس احتیاط را کنار گذاشت و کمی سوشی اهی[3] به آشپز متعجب سفارش داد. پیش از آنکه با عجله به‌سوی تویون هال و نخستین دیدارش با آرتور شوپنهاور برود، غذایش را با لذت زیاد فرو داد.

---

۱. از سبک‌های رایج سوشی در امریکا حاوی خیار، گوشت خرچنگ و آووکادو ـ م.

۲. ماکی (رول) نوعی از سوشی که انواع مخصوص گیاهخواران آن، محتویات متفاوتی از جمله انواع جوانه، تخم‌مرغ، ترب ژاپنی و تربچه دارد ـ م.

۳. ahi sushi: اهی، ماهی تن باله‌زرد است که برای سوشی ـ غذایی ژاپنی حاوی برنج پخته‌شده در سرکه و ماهی خام ـ از آن استفاده می‌شود ـ م.

بنیان‌های استوار جهان‌بینی ما و در نتیجه ژرف یا سطحی بودنش در سال‌های کودکی شکل می‌گیرد. چنین دیدگاهی بعدها پیچیده‌تر، مفصل‌تر و کامل‌تر می‌شود ولی بنیانش تغییر نمی‌کند.

فصل ۶

خانه‌ی ماما و پاپا شوپنهاور

هاینریش شوپنهاور چه جور آدمی بود؟ خشن، عبوس، خوددار، انعطاف‌ناپذیر، متکبر. داستان می‌گوید در سال ۱۷۸۳، پنج‌سال پیش از تولد آرتور، دانزیک به‌دست پروسی‌ها محاصره شد و غذا و خوراک دام کمیاب. خانواده‌ی شوپنهاور مجبور شد یک ژنرال دشمن را در ملک ییلاقی‌اش جای دهد. افسر پروسی برای پاداش، تأمین علوفه‌ی اسب‌های هاینریش را پذیرفت. پاسخ هاینریش؟ «انبار اصطبل من پر است آقا و هروقت ذخیره‌ی غذا تمام شد،

اسب‌هایم را خواهم کشت.»

و یوهانا مادر آرتور چه؟ عاشق‌پیشه، جذاب، رؤیایی، سرزنده، عشوه‌گر. بااینکه همه‌ی شهر وصلت هاینریش و یوهانا را در سال ۱۷۸۷، رویدادی باشکوه می‌دانستند، این ازدواج به‌طرز اندوهباری ناجور از کار درآمد. خانواده‌ی یوهانا، تروازنر[1]ها به طبقه‌ی متوسط تعلق داشتند و همیشه برای شوپنهاورهای والامقام، احترامی توأم با ترس قائل بودند. در نتیجه وقتی هاینریش در سی‌وهشت‌سالگی به خواستگاری یوهانای هفده‌ساله آمد، تروازنرها از شادی در پوست خود نمی‌گنجیدند و یوهانا هم به انتخاب والدینش گردن نهاد.

آیا یوهانا ازدواجش را یک اشتباه تلقی می‌کرد؟ نوشته‌های چندین سال بعدش را بخوانید که به زنان جوان هنگام رویارویی با تصمیم ازدواج هشدار می‌دهد: «جلال و شکوه، رتبه و مقام، لقب و عنوان، برای قلب یک دختر جوان نیروهایی زیاده وسوسه‌کننده و دلفریبند و زنان را در دام گره‌زدن رشته‌ی ازدواج می‌افکنند... گامی نادرست که باید به تاوان آن، همه‌ی عمر به رنج دشوارترین مکافات‌ها تن دهند.»

«به تاوان آن، همه‌ی عمر به رنج دشوارترین مکافات‌ها تن دهند»: واژه‌های قدرتمند مادر آرتور. در دفتر خاطرات روزانه‌اش اعتراف می‌کند که پیش از آنکه هاینریش به خواستگاری‌اش بیاید، معشوق جوانی داشته که سرنوشت از او گرفته و در حال و هوای تسلیم در برابر سرنوشت، پیشنهاد ازدواج هاینریش را پذیرفته است. آیا قدرت انتخاب داشت؟ به احتمال خیلی زیاد، نه. این

1. Troisener

ازدواج مصلحتی مرسوم قرن هجدهمی به‌وسیله‌ی خانواده‌ی او و با احتساب ملک و دارایی و رتبه و مقام ترتیب داده شده بود. آیا عشقی در میان بود؟ میان یوهانا و هاینریش شوپنهاور حرفی از عشق نبود. هرگز. یوهانا بعدها در خاطراتش نوشت: «دیگر بیش از آنچه او می‌خواهد، به عشق آتشین تظاهر نمی‌کنم.» در خانه‌ی آن‌ها عشق سرشار نسبت به دیگران هم یافت نمی‌شد: نه برای آرتور شوپنهاور نوجوان، نه برای خواهر کوچکترش، آدل، که نُه‌سال بعد به‌دنیا آمد.

عشق میان والدین، موجب عشق و مهربانی نسبت به فرزندان می‌شود. گاهی داستان‌هایی می‌شنویم درباره‌ی والدینی که عشق فراوانشان نسبت به یکدیگر، همه‌ی عشق موجود در خانه را می‌بلعد و تنها عشقی نیم‌سوز و نه‌چندان آتشین برای بچه‌ها بر جای می‌گذارد. ولی این نگاه اقتصادی دودوتا چهارتا به عشق بی‌معناست. عکس آن صحیح است: فرد هرچه بیشتر عاشق باشد، رفتاری محبت‌آمیزتر نسبت به فرزندان و به همه در پیش می‌گیرد.

کودکی عاری از عشق آرتور، اثرات جدی بر آینده‌اش گذاشت. اعتماد نخستینی که لازمه‌ی عشق به دیگران و باور داشتن عشق دیگران نسبت به خود و یا عشق به زندگی‌ست، در کودکانی که از عشق مادر محرومند، شکل نمی‌گیرد. آن‌ها در بزرگسالی با دیگران احساس غریبی می‌کنند و به درون خود می‌گریزند و زندگی‌شان به رابطه‌ای خصمانه و رقابت با دیگران می‌گذرد. این است دورنمای روان‌شناختی‌ای که جهان‌بینی آرتور در نهایت از آن تأثیر گرفت.

وقتی به ریزه‌کاری‌های زندگی می‌نگریم، همه‌چیز چقدر مضحک به نظر می‌آید. مثل قطره‌ی آبی که زیر میکروسکوپ بگذاریم: یک قطره‌ی واحد مملو است از موجودات ذره‌بینی تک‌یاخته‌ای. چقدر به جنب‌وجوش مشتاقانه‌ی این موجودات و ستیزشان با یکدیگر می‌خندیم. این فعالیت وحشتناک چه آنجا و چه در مدت زمان کوتاه زندگی بشری، وضعیتی مضحک پدید می‌آورد.

فصل ۷

پنج دقیقه به ساعت هفت مانده بود که جولیوس خاکستر پیپ کف دریایی‌اش را تکاند و به تالار سخنرانی وارد شد. بر صندلی‌ای سمت راهرو در ردیف پنجم نشست و سالن را از نظر گذراند: از در ورودی تا سکوی سخنرانی بیست ردیف صندلی وجود داشت. بیشتر این دویست صندلی خالی بود؛ حدود سی‌تا از آن‌ها شکسته بود و با نوار پلاستیکی زردی پوشانده شده بود. دو مرد بی‌خانمان

با توده‌ی روزنامه‌هایشان روی صندلی‌های ردیف آخر پهن شده بودند. حدود سی صندلی را دانشجویان ژولیده‌ای اشغال کرده بودند که در سرتاسر تالار به‌جز سه ردیف اول که خالی مانده بود، پراکنده بودند.

جولیوس اندیشید درست مثل یک گروه درمانی که هیچ‌کس دلش نمی‌خواهد نزدیک سرپرست گروه بنشیند. حتا در گروهی که همان روز داشت، دو صندلی مجاورش برای کسانی که دیر می‌رسیدند، خالی مانده بود و او به شوخی گفته بود انگار نشستن روی صندلی کناری او، مجازات کسانی‌ست که تأخیر دارند. جولیوس به دیدگاه گروه‌درمانی درباره‌ی جای نشستن افراد فکر کرد؛ اینکه وابسته‌ترین فرد گروه، صندلی سمت راست سرپرست را اشغال می‌کند در حالی که بدبین‌ترین اعضا درست در نقطه‌ی مقابل می‌نشینند؛ ولی در تجربه‌ی او، تنها قانونی که کاملاً می‌شد روی آن حساب کرد، همین اکراه افراد برای نشستن بر صندلی مجاور سرپرست بود.

همه‌ی ساختمان‌های کوستال کالج کالیفرنیا مثل تویون هال، فرسوده و مخروبه بود چون کارش را ابتدا به‌صورت آموزشگاه شبانه‌ی بازرگانی آغاز کرده بود، بعد گسترش یافت و در مدت کوتاهی به‌عنوان یک مدرسه‌ی عالی به اوج شهرتش رسید و اکنون به‌وضوح دوران افولش را طی می‌کرد. هنگامی که جولیوس قدم‌زنان از محله‌های بدنام می‌گذشت و به سوی محل سخنرانی می‌آمد، متوجه شد نمی‌تواند میان دانشجویان ژولیده و بی‌خانمان‌های در حال رفت‌وآمد در آن حوالی فرق بگذارد. کدام مدرس می‌توانست در چنین شرایطی از افت روحیه در امان بماند؟ جولیوس کم‌کم متوجه می‌شد چرا فیلیپ می‌خواست حرفه‌اش را

عوض کند و به کار بالینی روی بیاورد.

نگاهی به ساعتش انداخت. دقیقاً هفت بود و درست در همین لحظه فیلیپ وارد تالار شد در حالی که یونیفرم حرفه‌ای یعنی شلوار خاکی‌رنگ، پیراهن شطرنجی و کت مخمل کبریتی خرمایی با وصله‌های روی آرنج به تن داشت. یادداشت‌های مربوط به سخنرانی‌اش را از کیف چرمی کهنه ولی قشنگی بیرون کشید و بی‌آنکه نگاه چندانی به شنوندگانش بیندازد، شروع کرد:

درس بررسی فلسفه‌ی غرب، جلسه‌ی هجدهم: آرتور شوپنهاور. امشب متفاوت با جلسات قبلی پیش می‌روم و غیرمستقیم به طعمه‌ام نزدیک می‌شوم. خواهش می‌کنم که اگر سخنانم ناپیوسته و بی‌ربط به نظر آمد، صبر داشته باشید، چون قول می‌دهم سریع و به‌موقع به موضوع اصلی برگردم. اجازه دهید توجهمان را به ظهور افراد بزرگ تاریخ معطوف کنیم.

فیلیپ در جست‌وجوی تکان سری به نشانه‌ی درک مطلب، حاضران را از نظر گذراند و چون آنچه می‌خواست نیافت، یکی از دانشجویانی را که در کمترین فاصله به او نشسته بود، با انگشت اشاره به جلو تخته‌سیاه فراخواند. بعد سه کلمه‌ی ن ــ ا ــ پ ـ ی ـ و ـ س ـ ت ـ ه، ص ـ ب ـ ر و ظ ــ ه ــ و ــ ر را هجی کرد و دانشجو هم فرمانبردارانه آن‌ها را بر تخته‌سیاه نوشت. دانشجو می‌خواست به صندلی‌اش برگردد ولی فیلیپ به ردیف اول اشاره کرد و دستور داد همانجا بنشیند.

اول از ظهور افراد بزرگ آغاز می‌کنیم؛ به من اعتماد کنید: هدفم از آغاز با چنین شیوه‌ی تازه‌ای به‌موقع معلوم می‌شود. موتسارت را

در نظر بیاورید وقتی دربار سلطنتی وین را با اجرای بی‌نقصش با هارپسی کورد[۱] در سن نُه‌سالگی حیرت‌زده کرد. یا (*با ته‌رنگی از لبخند*) اگر موتسارت تار آشنایی را در ذهن شما به ارتعاش درنمی‌آورد، چیزی آشناتر را در نظر بیاورید: بیتل‌ها را که در نوزده‌سالگی قطعاتشان را برای تماشاگران در لیورپول می‌نواختند.

از ظهورهای مبهوت‌کننده‌ی دیگر، می‌توان از ظهور خارق‌العاده‌ی یوهان فیشته[۲] نام برد (*اینجا اشاره‌ای به دانشجو تا ف ـ ی ـ ش ـ ت ـ ه را بر تخته‌سیاه بنویسد.*) هیچ‌کدام از شما نامش را از سخنرانی قبلی‌ام یادتان هست که درباره‌ی فیلسوفان آرمانگرای بزرگ آلمانی حرف زدم که در اواخر قرن هجدهم و اوائل قرن نوزدهم از کانت[۳] پیروی کردند: هگل[۴]، شلینگ[5] و فیشته؟ از این میان، زندگی فیشته و ظهورش از همه چشمگیرتر بود زیرا زندگی‌اش را در کسوت یک غازچران فقیر بی‌سواد در رامِنو[۶] آغاز کرد، دهکده‌ای کوچک در آلمان که تنها مایه‌ی شهرتش موعظه‌های یکشنبه‌ی کشیشش بود.

خُب، یکی از این یکشنبه‌ها، اشراف‌زاده‌ی ثروتمندی به دهکده رسید ولی دیرتر از آن بود که بتواند موعظه را بشنود. همان‌طور که نومیدانه بیرون کلیسا ایستاده بود، یک روستایی سالخورده به او نزدیک شد و گفت دلسرد نشود چون غازچران جوان، یوهان، می‌تواند همه‌ی موعظه را دوباره برایش تکرار کند. روستایی، یوهان را فراخواند و او نیز حقیقتاً همه‌ی سخنرانی را کلمه به کلمه تکرار

---

۱. نوعی آلت موسیقی شبیه پیانو ـ م.

2. Johann Fichte
3. Kant
4. Hegel
5. Schelling
6. Ramenau

کرد. بارون چنان تحت تأثیر حافظه‌ی مبهوت‌کننده‌ی غازچران قرار گرفت که هزینه‌ی تحصیل یوهان را پذیرفت و ترتیبی داد که بتواند به پفورتا[1] وارد شود، مدرسه‌ی شبانه‌روزی بلندآوازه‌ای که بعدها بسیاری از اندیشمندان ممتاز آلمان، از جمله موضوع جلسه‌ی بعد ما یعنی فریدریش نیچه در آن درس خواندند.

یوهان در مدرسه و بعدها در دانشگاه سرآمد همه بود، ولی وقتی حامی‌اش درگذشت، دیگر امکانی برای تأمین هزینه‌ها نداشت و معلم خصوصی خانه‌ای در آلمان شد و موظف شد فلسفه‌ی کانت را ـ که خودش تا آن زمان نخوانده بود ـ به مردی جوان بیاموزد. خیلی زود مسحور نوشته‌های زیبای کانت...

فیلیپ ناگهان نگاهش را از نوشته‌ها برداشت و به بررسی حاضران پرداخت. از آنجا که برق به‌جا آوردن و شناخت در هیچ چشمی ندید، با صدایی حاکی از ناخشنودی به طرف تخته‌سیاه رفت و نوشت ک ـ ا ـ ن ـ ت:

آهای، کسی خونه نیست؟ کانت، امانوئل کانت، کانت، کانت، یادتان می‌آید؟ هفته‌ی پیش دوساعت صرفش کردیم؟ کانت در کنار افلاطون بزرگ‌ترین فیلسوف جهان. به شما قول می‌دهم: کانت در امتحان نهایی خواهد آمد. آها! همین را می‌خواستید... شور حیات، حرکت و یکی دو چشم باز می‌بینم. یک قلم روی کاغذ آمد.

کجا بودم؟ اوه، بله. غازچران. بعدتر به فیشته پیشنهاد شد که در ورشو معلم‌سرخانه شود و وقتی بی‌پول و تهیدست و با پای پیاده به آنجا رسید، کار از او دریغ شد. از آنجا که فقط چندصد مایل با

---

1. Pforta

کونیشسبرک[1]، شهر کانت فاصله داشت، تصمیم گرفت این مسافت را هم طی کند و شخصاً به دیدار استاد نائل شود. بعد از دو ماه به کونیشسبرک رسید و با جرئت و تهور تمام در زد ولی اجازه‌ی شرفیابی نیافت. کانت موجودی با خلق‌وخوی خاص بود و تمایلی به دیدار غریبه‌ها نداشت. هفته‌ی پیش از نظم برنامه‌هایش برایتان گفتم: چنان دقیق بود که اهالی شهر می‌توانستند با دیدن او که برای پیاده‌روی روزانه می‌رفت، ساعت‌هایشان را تنظیم کنند.

فیشته تصور کرد چون معرفی‌نامه نداشته، از ورودش جلوگیری کرده‌اند و تصمیم گرفت خودش توصیه‌ای برای شرفیابی‌اش بنویسد. با انفجار خارق‌العاده‌ای از انرژی خلاقه، نخستین دست‌نوشته‌اش را که به *نقد همه‌ی مکاشفات*[2] مشهور شد، به نگارش درآورد و در آن، از دیدگاه‌های کانت درباره‌ی اخلاقیات و وظیفه‌ی تفسیر دینی استفاده کرد. کانت بسیار تحت تأثیر قرار گرفت و نه‌فقط پذیرفت با فیشته دیدار کند، بلکه او را برای چاپ و انتشار این نوشته تشویق کرد.

به دلیل رویدادی ناگوار و عجیب ـ احتمالاً تمهید بازاریابی ناشر ـ *نقد* بدون نام‌ونشان نویسنده چاپ شد. کار چنان درخشان بود که منتقدان و خوانندگان معمولی، به اشتباه آن را کتاب جدید خود کانت دانستند. در نهایت، کانت مجبور شد در یک بیانیه‌ی عمومی اعلام کند نویسنده‌ی این کتاب فوق‌العاده، نه او، بلکه مرد جوان بااستعدادی به‌نام فیشته‌ست. تحسین کانت آینده‌ی فیشته را در فلسفه تضمین کرد و یک‌سال و اندی

1. Königsberg
2. *Critique of all Revelation*

بعد، استادی دانشگاه یانا[1] به او اعطا شد.

«این» فیلیپ نگاهش را از یادداشت‌هایش بالا آورد و با چهره‌ای ازخودبی‌خود و اشتیاقی خجولانه، هوا را فرو داد: «این همان چیزی‌ست که من یک ظهور می‌نامم!» هیچ دانشجویی به بالا نگاه نکرد یا نشانه‌ای از توجه به ابراز خجولانه و زودگذر اشتیاق در فیلیپ نشان نداد. اگر هم فیلیپ از بی‌توجهی و عدم حساسیت حاضران دلسرد شد، چیزی بروز نداد و بدون کمترین پریشانی صحبتش را پی گرفت:

و حالا چیزی نزدیک‌تر به خودتان را در نظر بیاورید: ظهور ورزشکاران. چه کسی می‌تواند ظهور کریس اِوِرت[2]، تریسی آوستین[3] یا مایکل چانگ[4] را که در پانزده یا شانزده‌سالگی قهرمان مسابقات حرفه‌ای تنیس شدند، از یاد ببرد؟ یا اعجوبه‌های نوجوان شطرنج یعنی بابی فیشر[5] یا پل مرفی[6] را؟ یا خوزه رائول کاپابلانکا[7] را در نظر بگیرید که در سن یازده‌سالگی مسابقات قهرمانی شطرنج را در کوبا برد.

و بالاخره می‌خواهم به یک ظهور ادبی اشاره کنم: درخشان‌ترین ظهور ادبی همه‌ی دوران‌ها، مردی که در بیست‌وچندسالگی‌اش با رمانی فوق‌العاده و باشکوه، بر صحنه‌ی ادبیات جلوه‌گر شد...

---

۱. Jena : شهری در آلمان ـ م.

2. Chris Evert
3. Tracy Austin
4. Michael Chang
5. Bobby Fischer
6. Paul Morphy
7. José Raoul Capablanca

فیلیپ در اینجا مکثی کرد تا تعلیقی ایجاد کند و با چهره‌ای که از اعتمادبه‌نفس می‌درخشید، نگاهش را بالا آورد. معلوم بود که از آنچه انجام می‌دهد، مطمئن است. جولیوس با ناباوری تماشا می‌کرد. فیلیپ انتظار داشت چه ببیند؟ اینکه دانشجویان بر لبه‌ی صندلی‌هایشان وول بخورند و با کنجکاوی زمزمه کنند «کی بود این اعجوبه‌ی ادبی؟»؟

جولیوس بر صندلی ردیف پنجم، سری گرداند و تالار را برانداز کرد: همه‌جا چشمانی بی‌حال و بی‌نور دید و دانشجویانی که روی صندلی‌هایشان وا رفته بودند و مشغول خط‌خطی، مطالعه‌ی روزنامه‌ها و حل جدول کلمات متقاطع بودند. سمت چپ، یک دانشجو روی دو صندلی دراز شده و خوابیده بود. سمت راست، در ردیف جلویی او، دو پسر همدیگر را کنار می‌زدند تا از روی سر هم بتوانند انتهای سالن را دید بزنند. جولیوس به‌رغم کنجکاوی برنگشت تا نگاهشان را دنبال کند ـ احتمالاً به دامن زنی زل زده بودند ـ و توجهش را دوباره به فیلیپ معطوف کرد که با صدایی یکنواخت ادامه داد:

و این اعجوبه که بود؟ نامش توماس مان[1] بود. وقتی همسن شما، بله، همسن شما بود، شروع کرد به نوشتن یک شاهکار، رمانی باشکوه با عنوان *بودنبروک‌ها*[2] که وقتی فقط بیست‌وشش سالش بود، منتشر شد. توماس مان که امیدوارم و دعا می‌کنم بشناسیدش، همین

---

۱. Thomas Mann: (۱۸۷۵-۱۹۵۵) نویسنده، منتقد اجتماعی و مقاله‌نویس آلمانی که در نوشته‌هایش از عقاید گوته، نیچه و شوپنهاور استفاده می‌کرد ـ م.

2 . *Buddenbrooks*

جور ادامه داد تا به چهره‌ای برجسته و بلندمرتبه در دنیای ادبی قرن بیستم بدل شد و جایزه‌ی نوبل ادبیات را از آن خود کرد. (*در اینجا فیلیپ م ـ ا ـ ن و بودنبروک‌ها را بر تخته‌سیاهش نوشت.*) *بودنبروک‌ها* که در سال ۱۹۰۱ منتشر شد، زندگی یک خانواده، یک خانواده‌ی شهری آلمانی را در طول چهار نسل دنبال می‌کند با همه‌ی نوسان‌های مرتبط با چرخه‌ی زندگی‌شان.

حالا این‌ها چه ربطی به فلسفه و موضوع اصلی سخنرانی امروز دارد؟ همان جور که قبلاً گفتم کمی از موضوع پرت شده‌ام ولی فقط برای آنکه بتوانم با شور و حرارت بیشتری به اصل مطلب بازگردم.

جولیوس خش‌خش و صدای پایی در تالار شنید. دو چشم‌چران جلو جولیوس با سروصدای زیاد وسائلشان را جمع کردند و از تالار بیرون رفتند. دو دانشجوی در آغوش هم در انتهای ردیف از هم فاصله گرفته بودند و حتا دانشجویی که وظیفه‌ی نوشتن بر تخته‌سیاه را داشت، ناپدید شده بود.

فیلیپ ادامه داد:

چشمگیرترین قطعات *بودنبروک‌ها* از نظر من، مربوط به انتهای رمان و قسمتی‌ست که قهرمان داستان، توماس بودنبروک، بزرگ خاندان بودنبروک در آستانه‌ی مرگ قرار می‌گیرد. انسان مبهوت می‌مانَد که چطور نویسنده‌ای در اوائل دهه‌ی بیست زندگی‌اش، درباره‌ی مسائل مرتبط با پایان زندگی، چنین بصیرت و چنین ظرافت طبعی دارد. (*فیلیپ کتاب تاخورده و مستعملی در دست داشت و لبخند کمرنگی بر لبانش بازی می‌کرد.*) خواندن این صفحات را به

همه‌ی کسانی که به مرگ فکر می‌کنند، توصیه می‌کنم.

صدای کبریت زدن دو دانشجو برای گیراندن سیگارشان حین خارج شدن از تالار به گوش جولیوس رسید.

وقتی مرگ به سراغ توماس بودنبروک آمد، احساس سرگشتگی می‌کرد و یأس بر او چیره بود. هیچ‌یک از نظام‌های عقیدتی‌اش تسکین و آرامشی فراهم نمی‌کرد: نه دیدگاه‌های مذهبی‌اش که از مدت‌ها پیش نتوانسته بودند نیازهای ماورای طبیعی او را ارضا کنند و نه تمایلات شک‌گرایانه و مادی‌گرایانه‌ی داروینی‌اش. به‌قول مان هیچ‌چیز قادر به پیشکش «یک‌ساعت آرامش به انسان محتضر نشسته در برابر چشمان نافذ مرگ» نیست.

در اینجا باز فیلیپ به بالا نگاه کرد. «آنچه پس از این روی داد، اهمیت فراوانی دارد و از همینجاست که نزدیک شدن به موضوع تعیین‌شده‌ی سخنرانی امشب را آغاز می‌کنم.»

درست در اوج نومیدی، توماس بودنبروک این بخت را یافت که یک کتاب فلسفه‌ی کم‌بها و بدصحافی‌شده را که سال‌ها پیش از یک دست‌دوم‌فروشی خریده بود، از کتابخانه‌اش بیرون بکشد. شروع کرد به خواندنش و بی‌درنگ آرام شد. در شگفت مانده بود که چطور به‌قول مان: «یک ذهن برتر قادر است این رویداد مضحک ظالمانه را که زندگی نامیده می‌شود، تحت تأثیر و نفوذ خود نگه دارد.»

شفافیت خارق‌العاده‌ی بینشی که در این کتاب فلسفی بود، مرد

محتضر را شیفته‌ی خود کرد و ساعت‌ها گذشت بی‌آنکه سرش را از روی آنچه می‌خواند بلند کند. بعد به فصلی رسید با عنوان «در باب مرگ و رابطه‌اش با نامیرایی شخصی ما» و با کلمات آن از خودبی‌خود شد، جوری می‌خواند که انگار برای زنده ماندن می‌خوانَد. وقتی کتاب به پایان رسید، توماس بودنبروک دگرگون شده بود، به مردی بدل شده بود که انگار آسایش و آرامشی را که از او گریخته بود، دوباره یافته است.

مرد محتضر چه کشف کرده بود؟ (*در این لحظه لحن فیلیپ ناگهان پندآمیز شد.*) حالا خوب گوش کنید جولیوس هرتسفلد، چون ممکن است برای امتحان نهایی زندگی به دردتان بخورد... .

جولیوس از اینکه در یک سخنرانی عمومی مستقیم مورد خطاب قرار گرفته بود، جا خورد و روی صندلی‌اش راست نشست. با نگرانی دوروبرش را از نظر گذراند و با حیرت متوجه شد که سالن خالی‌ست: همه حتا آن دو بی‌خانمان آنجا را ترک کرده بودند.

ولی فیلیپ بی‌آنکه از ناپدید شدن شنوندگانش مشوش شود، با خونسردی ادامه داد:

یک پاراگراف از *بودنبروک‌ها* را می‌خوانم. (*یک نسخه‌ی مستعمل از کتاب را گشود.*) تکلیف شما خواندن رمان است، به‌خصوص بخش نهم را با دقت بیشتر بخوانید. برایتان بسیار باارزش خواهد بود: خیلی باارزش‌تر از کوشش برای بیرون کشیدن معنا از یادآوری بیماران سال‌های دور.

«آیا امید داشتم که در پسرم به زندگی ادامه دهم؟ در شخصیتی بسیار نزارتر، ضعیف‌تر و بزدل‌تر از شخصیت خودم؟ چه حماقت کودکانه و جاهلانه‌ای! پسرم چه کاری برای من از دستش برمی‌آید؟

وقتی مُردم، کجا خواهم بود؟ آه، بسیار روشن است. در درون کسانی که حتا یک‌بار گفته‌اند یا می‌گویند "من": ولی به‌خصوص در درون آن‌هایی که پرمایه‌تر، مقتدرتر و شادتر می‌گویند!... آیا هرگز از زندگی بیزار بوده‌ام؟ زندگی ناب، نیرومند و بی‌امان؟ حماقت و برداشتی نادرست! بیزار بوده‌ام اما از خودم که نتوانسته‌ام چنین زندگی‌ای را تاب آورم. همه‌ی شما را دوست دارم، دعایتان می‌کنم و خیلی زود، از بریدن بندهای باریکی که مرا به شما پیوسته‌است، دست برمی‌دارم؛ به‌زودی آنچه در من شما را دوست دارد، آزاد خواهد شد و در درون شما و با شما خواهد بود: در درون شما و با شما.»

فیلیپ کتاب را بست و به یادداشت‌هایش بازگشت.

حال که بود نویسنده‌ی کتابی که توماس بودنبروک را این گونه متحول کرد؟ مان نام او را فاش نمی‌کند ولی چهل سال بعد رساله‌ی فوق‌العاده‌ای نوشت و در آن تصریح کرد که آرتور شوپنهاور نویسنده‌ی آن کتاب بوده است. بعد مان ادامه می‌دهد که چطور در سن بیست‌وسه‌سالگی برای نخستین بار لذت بزرگ خواندن شوپنهاور را تجربه کرده است. او مسحور طنین واژه‌های شوپنهاور شد که این گونه توصیفشان می‌کند: «این وضوح یکپارچه و کامل، این فرهیختگی، بیان و زبانی چنین نیرومند، آراستگی و پیراستگی این‌چنینی، این تناسب بی‌خطا، این درخشش پراحساس و این دشواری باشکوه و سبکبال، با هیچ‌کس در تاریخ فلسفه‌ی آلمان قابل قیاس نیست»؛ و نیز مسحور جوهر اندیشه‌های او شد که به توصیف مان «پرشور و نفس‌گیر است و با تضادهای پرآشوب میان غریزه و عقل و شورمندی و رستگاری بازی می‌کند». مان همانجا اذعان کرده کشف شوپنهاور چنان تجربه‌ی ارزشمندی برایش بوده

که نمی‌توانسته است آن را برای خود نگاه دارد و بی‌درنگ به‌شیوه‌ای خلاقانه، این فیلسوف را به قهرمان رنجور داستانش معرفی کرده است.

و نه فقط توماس مان، بلکه بسیاری از اذهان بزرگ به دین خود نسبت به شوپنهاور اعتراف کرده‌اند. تولستوی، شوپنهاور را «نابغه‌ای به‌تمام‌معنی در میان ابنای بشر» خوانده است. برای ریشارد واگنر او «هدیه‌ای از بهشت» بوده است. نیچه گفته بعد از خرید نسخه‌ای مستعمل از کتاب شوپنهاور از یک دست‌دوم‌فروشی در لایپزیک، دیگر زندگی‌اش مثل سابق نبوده و به‌قول خودش «اجازه دادم آن نابغه‌ی پویا و غم‌زده روی ذهنم کار کند.» شوپنهاور چهره‌ی روشنفکری دنیای غرب را برای همیشه عوض کرد و بدون او، ما فروید، نیچه، هاردی[۱]، ویتگنشتاین[۲]، بکت[۳]، ایبسن[۴] و کنراد[5] بسیار متفاوت‌تر و ضعیف‌تری داشتیم.

فیلیپ یک ساعت جیبی بیرون کشید، لحظه‌ای بر آن تأمل کرد و بعد با وقار گفت:

---

۱. Hardy : تامس هاردی (۱۹۲۸-۱۸۴۰) نویسنده و شاعر ناتورالیست بریتانیایی ـ م.

۲. Wittgenstein : لودویگ یوزف یوهان ویتگنشتاین (۱۹۵۱-۱۸۸۹) فیلسوف اتریشی ـ بریتانیایی که بر فلسفه‌ی ریاضیات، ذهن و زبان کار کرد ـ م.

۳. Beckett : ساموئل بکت (۱۹۸۹-۱۹۰۶) داستان‌نویس، نمایش‌نامه‌نویس و کارگردان ایرلندی که از جمله آثارش به در *انتظار گودو* می‌توان اشاره کرد ـ م.

۴. Ibsen : انریک ایبسن (۱۹۰۶-۱۸۲۸) نمایش‌نامه‌نویس، شاعر و کارگردان نروژی که از پایه‌گذاران مدرنیسم در تئاتر است و از آثارش می‌توان به *دشمن مردم*، *خانه‌ی عروسک* و *هدا گابلر* اشاره کرد ـ م.

۵ . Conrad: جوزف کنراد (۱۹۲۴-۱۸۵۷) نویسنده‌ی لهستانی که به انگلیسی می‌نوشت و از بزرگ‌ترین رمان‌نویسان به زبان انگلیسی است. ـ م.

اینجا معرفی من از شوپنهاور به پایان می‌رسد. فلسفه‌ی او از چنان وسعت و ژرفایی برخوردار است که هر چکیده‌ی کوتاهی را به چالش می‌کشد. با این حال، می‌خواستم کنجکاوی شما را برانگیزم با این امید که فصل شصت‌صفحه‌ای کتابتان را در این مورد با دقت مطالعه کنید. ترجیح می‌دهم بیست‌دقیقه‌ی آخر این جلسه را به پرسش‌های حاضران و بحث و گفت‌وگو اختصاص دهم. آیا حاضران پرسشی دارند، دکتر هرتسفلد؟

جولیوس که از لحن فیلیپ عصبی شده بود، دوباره سالن خالی را از نظر گذراند و بعد به‌آرامی گفت: «فیلیپ، نمی‌دانم متوجه هستی که مخاطبانت سالن را ترک کرده‌اند یا نه؟»

«کدام مخاطب؟ آن‌ها؟ آن‌هایی که بهشان می‌گویند دانشجو؟» فیلیپ مچش را به شیوه‌ای تحقیرآمیز حرکت داد تا نشان دهد آن‌ها مورد توجه او نیستند، نه آمدنشان و نه رفتنشان کمترین اهمیتی برای او ندارد. «دکتر هرتسفلد، امروز شما مخاطب من بودید. من فقط برای شما این سخنرانی را برگزار کردم.» فیلیپ این را جوری گفت که انگار صحبت با کسی که سی فوت دورتر در یک تالار خالی و برهوت نشسته، اصلاً ناراحت‌کننده نیست.

«بسیار خوب، قبول. ولی چرا من مخاطب امروز تو بودم؟»

«درباره‌اش فکر کنید دکتر هرتسفلد...»

«ترجیح می‌دم جولیوس صدام کنی. اگر من تو رو فیلیپ صدا می‌زنم و فکر می‌کنم از نظر تو ایرادی نداره، پس درستش اینه که تو هم من رو جولیوس بنامی. آه، همان آشناپنداری قدیمی که مدام تکرار می‌شه: خوب یادم هست که خیلی خیلی وقت پیش هم همین را به تو می‌گفتم: "لطفاً من رو جولیوس صدا کن. ما غریبه نیستیم."»

«من عادت ندارم اسم کوچک مراجعانم را به‌کار ببرم چون من مشاور تخصصی آن‌ها هستم و نه دوستشان. ولی حالا که شما این‌طور می‌خواهید، از این به بعد جولیوس خواهید بود. از اول شروع می‌کنم. پرسیدید که چرا شما تنها مخاطب مورد نظر من بودید. پاسخم این است که من فقط دارم درخواست شما را برای کمک اجابت می‌کنم. درباره‌اش فکر کنید جولیوس، شما با درخواست یک مصاحبه به دیدار من آمدید و درخواست‌های دیگری در دل این درخواست نهفته بود.»

«واقعاً؟»

«بله. بگذارید موضوع را باز کنم. اول اینکه لحنتان گویای یک وضعیت فوری و اضطراری بود. برایتان خیلی مهم بود که مرا ببینید. روشن است که این درخواست برخاسته از یک کنجکاوی ساده درباره‌ی حال و احوال من نبود. نه، شما چیز دیگری می‌خواستید. اشاره کردید که سلامتی‌تان به مخاطره افتاده و در یک مرد شصت‌وپنج‌ساله، این یعنی شما باید با مرگتان رودررو شده باشید. بنابراین فقط می‌توانم این‌طور تصور کنم که شما ترسیده‌اید و در جست‌وجوی نوعی تسلی و دلداری هستید.»

«پاسخ تلویحی و غیرمستقیمیه، فیلیپ.»

«غیرمستقیم‌تر از درخواست شما نیست، جولیوس.»

«حق با توئه! ولی تا جایی که یادمه هیچ‌وقت از ابهام و عدم صراحت خوشت نمی‌اومد.»

«ولی حالا با آن مشکلی ندارم. شما درخواست کمک کردید و برای اجابت آن، شما را به مردی معرفی کردم که بیش از هرکس دیگری می‌تواند برایتان مفید باشد.»

«پس هدفت از توصیف بودنبروک محتضر توماس مان که از

طریق شوپنهاور آرامش یافت، تسکین من بود؟»

«دقیقاً. و فقط به‌عنوان مزه‌ای اشتهاآور، نمونه‌ای از آنچه در پی خواهد آمد را پیشکشتان کردم. چیزهای زیادی هست که به عنوان راهنمایتان به‌سوی شوپنهاور می‌توانم پیشکشتان کنم و می‌خواهم پیشنهادی به شما بکنم.»

«پیشنهاد؟ فیلیپ، داری همین جور غافلگیرم می‌کنی. کنجکاوی‌م حسابی برانگیخته شده.»

«من دوره‌ام را در یک برنامه‌ی آموزشی مشاوره به پایان رسانده‌ام و همه‌ی آنچه برای دریافت مجوز رسمی مشاوره لازم است را دارم به‌جز دویست‌ساعت دیگر نظارت و سرپرستی تخصصی یک استاد راهنما. می‌توانم به کارم به عنوان یک فیلسوف بالینی ادامه دهم ـ این رشته در این ایالت به رسمیت شناخته نشده ـ ولی مجوز مشاوره امتیازهای زیادی برایم خواهم آورد از جمله اینکه می‌توانم خودم را بیمه‌ی مسئولیت کنم و تبلیغات مؤثرتری برای کارم ترتیب دهم. من بر خلاف شوپنهاور، نه منبع مستقلی برای حمایت مالی در اختیار دارم و نه از حمایت دانشگاهی مطمئنی برخوردارم: با چشم خودتان بی‌علاقگی به فلسفه را در پخمه‌هایی که در این خوکدانی درس می‌خوانند، دیدید.»

«فیلیپ، چرا ما باید این جوری سر هم داد بزنیم؟ سخنرانی تمام شده. می‌شه بیایی و بنشینی تا باقی بحث رو غیررسمی‌تر پی بگیریم؟»

«البته.» فیلیپ یادداشت‌هایش را جمع کرد، آن‌ها را در کیفش جا داد و روی یک صندلی در ردیف جلو لم داد. با اینکه حالا نزدیک‌تر بودند، هنوز چهار ردیف صندلی از هم جدایشان می‌کرد و فیلیپ مجبور بود گردنش را به‌طرز ناجوری به‌سمت جولیوس برگرداند.

حالا جولیوس با صدای آهسته‌تری پرسید: «درست فهمیدم که داری پیشنهاد یک دادوستد رو می‌دی: من سرپرست و استاد راهنمای تو بشم و تو به من درباره‌ی شوپنهاور بیاموزی؟»

«درست درسته!» فیلیپ سرش را به‌سوی او برگرداند ولی نه آن قدر که ارتباط چشمی برقرار کند.

«و تو حسابی درباره‌ی جزئیات دقیق قرارومدار ما فکر کرده‌ای؟»

«من خیلی درباره‌اش فکر کرده‌ام. در واقع، دکتر هرتسفلد...»

«جولیوس.»

«بله، بله، جولیوس. می‌خواستم بگویم چندین هفته بود که داشتم به تماس با شما فکر می‌کردم تا بلکه برنامه‌ی نظارت و سرپرستی را جور کنم ولی مدام و بیشتر به دلایل مالی این کار را عقب می‌انداختم. به همین دلیل هم از هم‌زمانی جالب تماس شما یکه خوردم. در مورد جزئیات برنامه هم پیشنهاد می‌کنم ملاقات‌هایی هفتگی داشته باشیم و جلسه‌مان را نصف کنیم: نیمی از وقت صرف توصیه‌های کارشناسانه‌ی شما درباره‌ی بیماران من شود و نیم دیگر، من راهنمای شما باشم برای شناخت شوپنهاور.»

جولیوس چشمانش را بست و به فکر فرورفت.

فیلیپ دوسه دقیقه صبر کرد و بعد گفت: «نظرتان درباره‌ی پیشنهادم چیست؟ با اینکه مطمئنم هیچ دانشجویی نخواهد آمد، طبق برنامه‌ای که برایم تنظیم کرده‌اند، بعد از سخنرانی، باید به ساختمان مدیریت بروم چون ساعت کاری‌ام محسوب می‌شود.»

«خب فیلیپ، این پیشنهادی نیست که هرروز به آدم بدن. نیاز به زمان بیشتری دارم تا درباره‌ش فکر کنم. اجازه بده همین هفته ملاقاتی داشته باشیم. من چهارشنبه‌ها عصر تعطیلم. ساعت چهار

برات مناسبه؟»

فیلیپ سری به علامت موافقت تکان داد. «چهارشنبه ساعت سه کارم تمام می‌شود. ملاقاتمان در دفتر من باشد؟»

«نه، فیلیپ. مطب من. در خانه‌ام: خیابان پاسیفیک، شماره‌ی دویست‌وچهل‌ونه. نزدیک مطب قبلی‌ست. بیا این کارتم.»

گزیده‌ای از خاطرات روزانه‌ی جولیوس

پیشنهاد فیلیپ درباره‌ی تاخت زدن سرپرستی با تدریس خصوصی بعد از سخنرانی‌اش، مرا میخکوب کرد. آدم چقدر سریع به میدان تأثیرگذاری آشنای فرد دیگر بازمی‌گردد! درست مثل خاطرات وابسته به مکان در رؤیاها که آشنایی اسرارآمیز منظره به یاد شما می‌آورَد که همان صحنه را قبلاً در رؤیاهای دیگری دیده‌اید. ماری‌جوآنا هم همین جور است: بعد از چند پک ناگهان خود را در مکانی آشنا می‌بینی در حال فکر کردن به افکاری آشنا که فقط در وضعیتی که تحت تأثیر ماری‌جوآنا هستی وجود دارد.

با فیلیپ هم همین جور است. کافی‌ست زمان کوتاهی در حضورش باشی و ناگهان: خاطرات دوری که از او دارم به‌علاوه‌ی وضعیت روانی عجیب‌وغریب ناشی‌ازفیلیپ در یک آن دوباره ظاهر می‌شود. چقدر خودبزرگ‌بین و چقدر متکبر است. چقدر نسبت به دیگران بی‌محبت است. ولی با وجود این، چیزی در او، چیزی نیرومند که نمی‌دانم چیست مرا به‌سوی او می‌کشد. تیزهوشی‌اش؟ غرور و آخرت‌اندیشی در کنار ساده‌دلی غیرمعمولش؟ و عجیب است که بعد از بیست‌ودوسال اصلاً عوض نشده. نه، این درست نیست! از اجباری‌گری جنسی‌اش رها شده، حالا بیشتر در سطوح والاتری که همیشه آرزویش را داشت، زندگی می‌کند. ولی بازی‌دهندگی‌اش هنوز سر جایش است، آن هم این قدر

واضح و آشکار، و اصلاً متوجه نیست که چقدر همه‌چیز روشن است، فکر می‌کند باید پیشنهادش را در هوا بقاپم، فکر می‌کند باید دویست ساعت از وقتم را به او بدهم تا در مقابل به من شوپنهاور یاد بدهد و چنان گستاخانه این پیشنهاد را عرضه می‌کند که انگار این من بوده‌ام که چنین چیزی از او خواسته‌ام و به آن نیاز دارم. انکار نمی‌کنم که علاقه‌ی کمی به شناخت شوپنهاور دارم، ولی گذراندن دویست‌ساعت با فیلیپ برای آموختن درباره‌ی شوپنهاور در حال حاضر، پایین‌ترین رده را در فهرست خواسته‌هایم به خود اختصاص می‌دهد. و اگر آن بخشی که درباره‌ی بودنبروک محتضر خواند، نمونه‌ای‌ست از آنچه قرار است شوپنهاور به من پیشکش کند، در این صورت برایم جذابیتی ندارد. اندیشه‌ی پیوستن دوباره به یگانگی مطلق بدون آنکه چیزی از من و خاطراتم و خودآگاهی منحصربه‌فردم باقی بماند، بی‌روح‌ترین دلداری ممکن است. نه، در واقع اصلاً دلداری نیست.

و چه‌چیز فیلیپ را به‌سوی من می‌کشانَد؟ این پرسش دیگری‌ست. شوخی آن روزش درباره‌ی بیست‌هزار دلاری که در درمانش با من هدر داده: شاید هنوز انتظار دارد دارایی‌اش را بازگرداند.

سرپرستی فیلیپ؟ از او یک روان‌درمانگر مشروع و حلال ساختن؟ این از آن دردسرهاست. آیا می‌خواهم ضامن او باشم؟ آیا دلم می‌خواهد دعای خیرم را شامل حالش کنم در حالی که باور ندارم یک فرد پر از نفرت و کینه (که او باشد) می‌تواند به رشد فرد دیگری کمک کند؟

مذهب همه‌چیز را همسو با خود دارد: وحی، پیش‌گویی‌های پیامبرانه، حفاظت از حکومت، برترین شکوه و شهرت... و افزون بر این‌ها، این امتیاز گرانبها را که آموزه‌هایش را در دوران حساس کودکی در ذهن حک کند، جایی که به اندیشه‌هایی ذاتی و سرشتی بدل می‌شوند.

فصل ۸

روزهای خوش کودکی

یوهانا در دفتر خاطراتش نوشته که بعد از تولد آرتور در فوریه‌ی ۱۷۸۸، او نیز مانند همه‌ی مادران جوان، از بازی با «عروسک تازه»اش لذت می‌برده است. ولی عروسک‌های تازه خیلی زود کهنه می‌شوند و این اسباب‌بازی در عرض چند ماه دل یوهانا را زد و او به ملال و انزوا در دانزیک فرو رفت. چیزی تازه در

یوهانا سر برمی‌داشت: حسی مبهم در این باره که مادری تقدیر واقعی او نبوده، اینکه آینده‌ی دیگری در انتظار اوست. به‌ویژه تابستان‌هایش در ملک ییلاقی شوپنهاورها بسیار دشوار می‌گذشت. با اینکه هاینریش همراه با یک کشیش آخر هفته‌ها به او می‌پیوست، یوهانا باقی وقت را تنها با آرتور و خدمتکارانش می‌گذراند. هاینریش به‌دلیل حسادت شدید، همسرش را از پذیرایی از همسایگان یا بیرون رفتن از خانه به هر دلیلی منع می‌کرد.

وقتی آرتور پنج‌ساله بود، خانواده با مشکل بزرگی روبه‌رو شد. پروس، دانزیک را به خاک خود پیوست و کمی پیش از آنکه سپاهیان در حال پیشروی پروس به فرماندهی همان ژنرالی که هاینریش سال‌ها پیش مغرورانه به او تاخته بود، سر برسند، همه‌ی خاندان شوپنهاور به هامبورگ گریخت. در آنجا، در سال ۱۷۹۷ و در شهری غریب، یوهانا فرزند دومش، آدل را به‌دنیا آورد و حس گرفتاری و سرخوردگی بیش از پیش بر او چیره شد.

هاینریش، یوهانا، آرتور، آدل - پدر، مادر، پسر، دختر - هرچهارتا پایبند یکدیگر و هم‌زمان جدا از یکدیگر بودند.

آرتور برای هاینریش، نوچه‌ای بود که مقدر شده بود سرپرست آینده‌ی تجارتخانه‌ی شوپنهاور شود. هاینریش یک پدر سنتی از نوع شوپنهاوری بود؛ به تجارت مشغول بود و به پسر فکر نمی‌کرد، می‌خواست اول از آب و گل درآید و وظایف پدرانه‌ی خود را مربوط به زمانی می‌دانست که کودکی آرتور به پایان برسد.

و همسرش چه؟ نقشه‌ی هاینریش برای او چه بود؟ او وسیله‌ی تولید مثل و گهواره‌ی خانواده‌ی شوپنهاور بود. چون سرزندگی‌اش خطرناک بود، باید مهار می‌شد، حفاظت می‌شد و محدود و محبوس می‌ماند.

و یوهانا؟ او چه احساسی داشت؟ حس در دام افتادن! همسر و تأمین‌کننده‌ی روزی‌اش، هاینریش، اشتباه مهلک زندگی‌اش بود: زندانبان ناشاد و تخلیه‌کننده‌ی عبوس نشاط و سرزندگی‌اش. و پسرش آرتور؟ آیا او هم بخشی از دام و مُهری بر تابوت او نبود؟ یوهانا در جایگاه زنی باهوش و بااستعداد، میلی به بیان خویش و خودشکوفایی داشت و این میل با سرعتی بسیار زیاد در حال رشد بود، و آرتور را پاداشی ناکافی در برابر فداکاری و ازخودگذشتگی خود می‌دانست.

و دختر کوچکش؟ آدل که هاینریش توجه چندانی به او نداشت، نقشی فرعی در نمایش خانواده ایفا می‌کرد و سرنوشتش این بود که همه‌ی عمر، منشی و نسخه‌بردار یوهانا شوپنهاور باقی بماند.

به این ترتیب هریک از شوپنهاورها راه جداگانه‌ی خویش را می‌رفتند.

شوپنهاور پدر، شانزده‌سال بعد از تولد آرتور، خسته از اضطراب و نومیدی به‌سوی مرگ خویش گام برداشت یعنی از پنجره‌ی بالایی انبار تجارتخانه‌ی شوپنهاور بالا رفت و به درون آب‌های یخ‌زده‌ی آبراه هامبورگ پرید.

شوپنهاور مادر، که با پرش هاینریش، او هم از دام زناشویی پریده بود، گل‌ولای هامبورگ را از کفش‌هایش تکاند و مثل باد راهی وایمار شد، جایی که خیلی زود یکی از سرزنده‌ترین سالن‌های ادبی آلمان را پدید آورد. آنجا به یکی از دوستان نزدیک گوته و دیگر ادیبان برجسته بدل شد و تعداد زیادی رمان پرفروش عاشقانه نوشت که بسیاری از آن‌ها درباره‌ی زنانی بود که به ازدواجی ناخواسته تن داده بودند ولی از بارداری سر باز می‌زدند و هم‌چنان در آرزوی عشق بودند.

و آرتــور نوجــوان؟ آرتــور شــوپنهاور قــرار بــود بــه یکــی از فرزانه‌ترین مردان روی زمـین بـدل شـود؛ و یکـی از نومیـدترین و بیزارترین‌ها از زندگی، کسی که در سن پنجاه‌وپنج‌سالگی نوشت:

اگر می‌توانستیم پیش‌نگری کنیم، می‌دیـدیم مـواقعی هسـت کـه کودکان، زندانیان بی‌گناهی به نظر می‌آیند که نه به مـرگ، بلکـه بـه زندگی محکومند گرچـه کـاملاً نسـبت بـه معنـای مجـازات خـود ناآگاهند. با این همه، هر انسانی دلش می‌خواهد بـه پیـری برسـد... برهه‌ای از زندگی که درباره‌اش می‌شود گفت: «امروز روز بدی‌ست و هرروز هم بدتر می‌شود، تا آنکه بدترین‌ها روی دهد.»

بی‌شمار ستاره‌ی تابناک در فضای بیکران هست که چندین کره‌ی فروزان به گرد هریک در گردشند، با مرکزی داغ و پرحرارت که پوسته‌ای سخت و سرد احاطه‌شان کرده و لایه‌ای کپک بر آن پوسته، زندگی و موجوداتی آگاه به‌وجود آورده است: این است حقیقت دنیا.

فصل ۹

خانه‌ی وسیع جولیوس در پاسیفیک هایتز، بسیار بزرگ‌تر از آن بود که اکنون استطاعت خریدش را داشته باشد: او یکی از آن میلیونرهای خوش‌اقبال سن‌فرانسیسکو بود که سی‌سال پیش بخت یارش شده بود تا خانه‌ای ـ هر خانه‌ای ـ بخرد. این ارثیه‌ی سی‌هزاردلاری همسرش میریام بود که این خرید را ممکن کرد و برخلاف سرمایه‌گذاری‌های دیگر جولیوس و میریام، ارزش این خانه به‌سرعت بالا رفته بود. جولیوس پس از درگذشت میریام به

فکر فروش خانه افتاده بود ـ برای یک نفر زیادی بزرگ بود ـ ولی به‌جای این کار، مطبش را به طبقه‌ی اول خانه منتقل کرده بود.

چهار پله بالاتر از کف خیابان، پاگردی بود با فواره‌ای پوشیده با کاشی‌های آبی. بعد از آن، پله‌های سمت چپ به مطب جولیوس می‌رسید و پله‌های سمت راست که تعدادشان بیشتر بود به خانه‌اش راه داشت. فیلیپ درست به‌موقع رسید. جولیوس دم در به استقبال او آمد، تا مطب همراهی‌اش کرد و او را به‌سمت صندلی چرمی قهوه‌ای متمایل به قرمزی راهنمایی کرد.

«چای یا قهوه؟»

ولی فیلیپ بعد از نشستن، بی نگاهی به دوروبر و بدون اعتنا به تعارف جولیوس گفت: «من منتظر شنیدن تصمیم شما درباره‌ی سرپرستی هستم.»

«آه، باز هم یک‌راست رفتی سر اصل مطلب. دوره‌ی سختی رو با این تصمیم گذروندم. کلی سؤال. چیزی در درخواست تو هست ـ نوعی تضاد عمیق ـ که حسابی گیجم کرده.»

«حتماً می‌خواهید بدانید چرا بعد از اون همه نارضایتی از شما به‌عنوان روان‌درمانگر، می‌خوام شما سرپرستی کارم رو بر عهده بگیرید؟»

«دقیقاً. روشن‌تر بگم تو مدعی هستی درمان ما یک شکست عظیم بود، هدر دادن سه‌سال وقت و مقدار زیادی پول.»

فیلیپ بی‌درنگ پاسخ داد: «در واقع، تضادی در کار نیست. می‌شود درمانگر و استاد راهنمای لایق و کارآمدی بود و در درمان یک بیمار خاص هم شکست خورد. تحقیقات نشون می‌ده روان‌درمانی، توسط هرکسی که انجام شود، در یک‌سوم موارد ناموفقه. به‌علاوه، شکی نیست که من هم با یکدندگی و

انعطاف‌ناپذیری‌م نقش مهمی در این شکست داشته‌ام. تنها خطای شما این بود که نوع نادرستی از درمان را برای من انتخاب کردید و برای مدتی طولانی هم همان شیوه رو ادامه دادید. ولی من از تلاش و حتا علاقه‌ی شما در کمک به خودم غافل نیستم.»

«خوبه، حرفت منطقیه فیلیپ. ولی این هم‌چنان یعنی درخواست سرپرستی از درمانگری که در درمان هیچ‌چیز به تو نداده. اگه من بودم، چنین کاری نمی‌کردم: یک نفر دیگه رو پیدا می‌کردم. احساس من اینه که مسئله‌ی دیگری هم هست، چیزی که هنوز ازش حرف نزده‌ای.»

«شاید باید تا حدودی حرفم رو پس بگیرم. این‌طور نیست که من هیچ‌چیز از درمان شما دریافت نکرده باشم. شما دو جمله گفتید که در ذهنم موند و شاید نقشی کلیدی در بهبودم داشت.»

جولیوس یک لحظه مورد هجوم این فکر قرار گرفت که لازم است وارد جزئیات شود یا نه. نکند فیلیپ فکر کرده ممکن است علاقه‌ای به پیشنهادش نداشته باشم؟ یعنی این قدر بچه است؟ بالاخره تسلیم شد و گفت: «و آن دو جمله چه بود؟»

«خُب، اولی خیلی مهم به نظر نمی‌یاد ولی مؤثر بود. داشتم از یکی از آن بعدازظهرهای معمولم براتون می‌گفتم، می‌دونین که، همان بلند کردن یک زن، بردنش برای شام، یادمه نظرتون رو درباره‌ی اون روز عصرم پرسیدم و اینکه آیا از نظر شما نفرت‌انگیز و غیراخلاقی بوده.»

«یادم نیست چی جواب دادم.»

«گفتید از نظر شما نه نفرت‌انگیز بوده و نه غیراخلاقی، فقط خسته‌کننده بوده. این جواب من رو تکون داد و باعث شد فکر کنم دارم به یه زندگی ملال‌آور و تکراری ادامه می‌دم.»

«آها، جالبه. پس این یکی از اون جمله‌ها بود. و اون یکی؟»

«داشتیم درباره‌ی نوشته‌ی روی سنگ قبر حرف می‌زدیم. یادم نیست چرا، ولی یادمه شما بودین که این سؤال رو مطرح کردید که چه نوشته‌ای برای خودم انتخاب می‌کنم...»

«احتمالش زیاده. هروقت حس می‌کنم درمان به بن‌بست رسیده و یه مداخله‌ی تکان‌دهنده لازم داره، از این سؤال استفاده می‌کنم. و...؟»

«خُب شما گفتید شاید باید روی سنگ قبرم این جمله را حک کنم که "کسی که خیلی کر..." و بعد اضافه کردید این جمله می‌تونه نوشته‌ی خوبی برای سنگ قبر سگم هم باشه: این جوری می‌تونم برای خودم و سگم یه سنگ سفارش بدم.»

«حرف خیلی تند و محکمی بوده. من واقعاً این قدر تلخ و خشن بودم؟»

«اینکه جمله‌تون خشن بوده یا نه، ربطی به ماجرا ندارد. مهم مؤثر بودن و دوام تأثیرشه. خیلی بعد، شاید ده‌سال بعد، ازش سود بردم.»

«مداخلات با اثر تأخیری! همیشه حدس می‌زدم خیلی مهم‌تر از آنند که به نظر می‌یاد. همیشه دلم می‌خواست مطالعه‌ای در این زمینه انجام بدم. ولی برای اینکه به هدف امروزمان برگردیم بگو ببینم چرا نخواستی در ملاقات قبلی‌مون به اینا اشاره کنی و اعتراف کنی که من به‌طریقی برات مفید بوده‌ام حتا اگر این فایده خیلی مختصر بوده؟»

«جولیوس، مطمئن نیستم ربطی میان این مسئله و موضوع امروز ببینم: اینکه آیا مایلید سرپرست و استاد راهنمای روان‌درمانی من باشید یا نه؟ و اجازه می‌دین در مقابل، مشاور شوپنهاوری شما باشم؟»

«این واقعیت که تو ربطش رو نمی‌بینی، این دو رو بیشتر به هم مربوط می‌کنه. فیلیپ، من نمی‌خوام سیاست به خرج بدهم. روراست بگم: من مطمئن نیستم تو آمادگی‌های اولیه‌ی لازم رو برای روان‌درمانگر شدن داشته باشی و به همین دلیل شک دارم سرپرستی و نظارت معنی داشته باشه.»

فیلیپ بدون نشانی از ناراحتی گفت: «می‌گین "آمادگی ندارم"؟ توضیح بدین لطفاً.»

«خُب بذار این جوری بگم. من همیشه روان‌درمانی رو بیش از آنکه یه حرفه بدونم، یک رسالت برای خدمت به دیگران دونسته‌ام: روان‌درمانگری شیوه‌ی زندگی مردمانی‌ست که به دیگران اهمیت می‌دن و به اونا محبت دارن. من محبت لازم رو در تو نمی‌بینم. درمانگر خوب دلش می‌خواد از رنج دیگران کم کنه، دلش می‌خواد دیگران رشد کنن. ولی چیزی که من در تو می‌بینم، فقط خوار دیدن دیگران و تحقیر اوناست: ببین نسبت به دانشجویانت چه نگاهی داری و چطور بهشون اهانت می‌کنی. روان‌درمانگران باید با بیمارانشون ارتباط برقرار کنند ولی تو کمترین اهمیتی به احساس دیگران نمی‌دی. ما دو نفر رو در نظر بگیر. می‌گی بر اساس صحبت تلفنی‌مون به این نتیجه رسیده‌ای که من به بیماری مهلکی دچار شده‌ام. ولی حتا یک کلمه برای تسکین و همدردی با من به زبان نیاوردی.»

«واقعاً فایده‌ای داشت که زیرلبی چند کلمه‌ی پوچ و بی‌معنی از سر همدردی می‌گفتم؟ من بیش از اینا به شما پیشکش کردم. یک سخنرانی کامل براتون ترتیب دادم.»

«اینو حالا می‌فهمم. ولی همه‌چیز خیلی تلویحی و غیرمستقیم بود، فیلیپ. احساسی که در من ایجاد کرد این بود که بیش از آنکه

به من محبت شود، مورد تعلیم قرار گرفته‌ام. از نگاه من بهتر بود ـ خیلی بهتر بود ـ که صریح می‌بودی و چند کلمه از ته دل برام می‌نوشتی. منظورم نوشته‌ای ماندگار نیست، شاید فقط پرسشی ساده درباره‌ی حال و روزم یا خدایا! اینکه خیلی ساده بگی "متأسفم که می‌شنوم داری می‌میری." واقعاً چنین کاری این قدر سخت بود؟»

«این چیزی نبود که اگه خودم بیمار بودم، می‌خواستم. بیشتر دلم می‌خواست، ابزار، اندیشه و بصیرتی به من داده بشه که شوپنهاور در رویارویی با مرگ پیشکش می‌کرد: و این همون چیزیه که من به شما دادم.»

«فیلیپ، حتا حالا هم به خودت زحمت نمی‌دی که ببینی حدست در این باره که من به یک بیماری مهلک دچارم، درسته یا نه.»

«یعنی اشتباه کرده‌ام؟»

«سعی کن، فیلیپ. بپرس، حرف بزن، اذیتت نمی‌کنه.»

«شما گفتین مشکلات مزاجی مهم. می‌شه بیشتر توضیح بدین؟»

«شروع خوبی بود، فیلیپ. یک سؤال باز همیشه بهترین انتخابه.» جولیوس مکثی کرد تا افکارش را مرتب کند و ببیند تا کجا می‌خواهد موضوع را برای فیلیپ آشکار کند. «خُب، همین تازگی‌ها متوجه شده‌ام که به نوعی سرطان پوست به نام ملانوم بدخیم دچارم که زندگی‌ام رو خیلی جدی تهدید می‌کنه، گرچه دکترها اطمینان داده‌اند که در یک‌سال آینده سلامتی‌ام تغییر چندانی نمی‌کنه.»

فیلیپ جواب داد: «حالا بیش از پیش حس می‌کنم بینش شوپنهاوری‌ای که در سخنرانی‌م به شما پیشکش کردم، به دردتون می‌خوره. یادمه در حین درمانمون یک‌بار گفتین زندگی "وضعیتی

موقتی‌ست با راه‌حلی دائمی" : این کاملاً شوپنهاوریه.»

«فیلیپ، اون رو از سر شوخی گفته بودم.»

«خُب من و شما خوب می‌دونیم که مرشد شما، زیگموند فروید درباره‌ی شوخی چی گفته، مگه نه؟ نظر من به قوت خود باقیه: خرد شوپنهاور چیزای زیادی برای شما داره.»

«من سرپرست تو نیستم، فیلیپ، هنوز در این باره تصمیم نگرفته‌ام، ولی می‌خوام اولین درس روان‌درمانی رو مجانی بهت بدم: *آنچه حقیقتاً در روان‌درمانی اهمیت دارد، نه اندیشه‌ها، نه بینش و نه ابزار رسیدن به این‌هاست.* اگر در پایان درمان از بیماران درباره‌ی فرایند کار بپرسی، چی از درمان به‌یادشون مونده؟ قطعاً نه اندیشه‌ها، بلکه همیشه و همیشه نوع ارتباط رو به خاطر دارن. به‌ندرت ممکنه بینش مهمی رو که درمانگر به اونا پیشکش کرده، به یاد بیارن، ولی معمولاً از ارتباط فردی‌شون با درمانگر با مهربانی و محبت یاد می‌کنن. و می‌خوام خطر کنم و حدس بزنم که این حتا درباره‌ی تو هم صادقه. چرا این قدر خوب به یادت مونده‌ام و آنچه بینمون گذشته، اون قدر ارزش داشته که حالا بعد از این همه سال، برای سرپرستی به سراغ من آمده‌ای؟ به خاطر اون اشارات و نظرات من ـ هرقدر هم که برانگیزاننده بوده باشند ـ نیست، نه، من معتقدم به دلیل نوعی پیوند عاطفیه که با من حس می‌کردی. معتقدم شاید احساسات عمیقی نسبت به من داشتی و چون رابطه‌ی ما دشوار ولی در عین حال معنی‌دار بوده، حالا دوباره به سراغ من آمده‌ای با این امید که به نوعی در آغوش کشیده بشی و پذیرفته بشی.»

«از هر نظر غلطه، دکتر هرتسفلد...»

«آره، آره، اون قدر غلطه که یک اشاره‌ی ساده به پیوند و آغوش،

باعث عقب‌نشینی دوباره‌ت به القاب رسمی شد.»

«از هر نظر غلطه، جولیوس. اول اینکه می‌خوام درباره‌ی این خطا که فکر می‌کنین دیدگاه شما نسبت به واقعیت، واقعیه ـ قضیه‌ای طبیعی res naturalis ست ـ و رسالت شما اینه که این دیدگاه و بینش رو به دیگران تحمیل کنین، هشدار بدم. شما برای ارتباط ارزش قائلین و طالب اون هستین و این تصور نادرست رو دارین که همه باید همین جور باشن و اگر من ادعای دیگه‌ای داشته باشم، حتماً دارم اشتیاقم به ارتباط رو در خودم سرکوب می‌کنم.

فیلیپ ادامه داد: «خیلی محتمله که رویکردی فلسفی برای کسی مثل من مقبول‌تر باشه. حقیقت اینه: من و شما از اساس با هم متفاوتیم. من هرگز از همراهی دیگران لذت نبرده‌ام. چرندگویی‌هاشون، تلاش‌های حقیرانه و موقتی‌شون و زندگی‌های بی‌هدفشون، همه‌وهمه مایه‌ی دردسرمه و مانع ارتباط و پیوند من با معدود ارواح بزرگ دنیا که حرف مهمی برای گفتن دارن.»

«پس چرا تصمیم گرفته‌ای روان‌درمانگر بشی؟ چرا در کنار همون ارواح بزرگ دنیا باقی نمی‌مونی؟ چرا خودت رو درگیر کمک‌رسانی به این زندگی‌های بی‌هدف می‌کنی؟»

«اگه مثل شوپنهاور، ارثیه‌ای داشتم که با اون زندگی‌م رو بگذرونم، به شما اطمینان می‌دم امروز اینجا نبودم. این یک نیاز صرفاً مالیه. هزینه‌های تحصیلی، حساب بانکی‌م رو خالی کرده، تدریس، دستمزد خیلی کمی داره و کالج در حال ورشکستگیه و شک دارم جای دیگه‌ای استخدامم کنن. کافیه چند مراجع در هفته داشته باشم تا خرجم دربیاد: من زندگی مقتصدانه‌ای دارم، چیزی نمی‌خوام جز آزادی برای پی‌گیری آنچه حقیقتاً برام مهمه: مطالعه، تفکر، مراقبه، موسیقی، شطرنج و قدم زدن با سگم، راگبی.»

«تو هنوز جواب سؤال من رو نداده‌ای: چرا سراغ من اومدی در حالی که معلومه شیوه‌ی کار من با چیزی که تو در کار در پی‌اش هستی، متفاوته؟ و به اون حدس من هم جواب نداده‌ای که چیزی در رابطه‌ی گذشته‌ی ما، تو رو به‌سوی من کشونده.»

«جواب ندادم چون خارج از بحث ماست. ولی چون براتون مهمه، به حدستون فکر خواهم کرد. تصور نکنین که وجود نیازهای بین‌فردی اساسی را زیر سؤال می‌برم. خود شوپنهاور گفته که دوپایان ـ اصطلاح خودش ـ نیاز دارند برای گرم شدن دور آتش حلقه زنند و گرد هم آیند. ولی هشدار می‌ده که زیادی گرد هم آمدن و به هم چسبیدن، نباید باعث یکی‌شدنشون بشه. او جوجه‌تیغی‌ها رو خیلی دوست داشت: اونا هم برای گرم شدن دور هم جمع می‌شن ولی از تیغ‌هاشون برای جدا ماندن از هم استفاده می‌کنن. اون برای جداماندنش ارزش بسیار زیادی قائل بود و برای شادی به هیچ‌چیز بیرون از خودش وابسته نبود. و در این قضیه تنها نبود؛ مردان بزرگ دیگری مانند مونتنی هم همین شیوه‌ی تفکر اون رو داشتن.

فیلیپ ادامه داد: «من هم از دوپایان می‌ترسم و با این نگرش او موافقم که انسان شاد کسی‌ست که بتونه از بیشتر همراهانش پرهیز کنه. چطور ممکنه با من موافق نباشین که موجود دوپا بر روی کره‌ی زمین چه جهنمی برپا کرده؟ شوپنهاور معتقد بود "Homo homini lupus": *انسان برای انسان دیگر گرگ است*؛ شک ندارم که سارتر کتاب *بن‌بست*[1] رو از اون الهام گرفته.»

«همه‌ی اینا که گفتی، درست فیلیپ. ولی تو هم داری نظر من

---

1. *No Exit*

رو تأیید می‌کنی: اینکه تو آمادگی لازم رو برای روان‌درمانگر شدن نداری. دیدگاه تو جایی برای دوستی باقی نمی‌ذاره.»

«هربار که خواستم به کسی نزدیک بشم، از خودم دورتر شدم. من در بزرگسالی هیچ دوستی نداشته‌ام و هرگز هم نخواسته‌ام داشته باشم. شاید یادتون باشه که تک‌فرزند بودم با مادری بی‌اعتنا و پدری مغموم که در نهایت خودکشی کرد. اگر بخوام روراست باشم، باید بگم هرگز کسی رو ندیده‌ام که چیزی جالب به من عرضه کنه. و دلیلش این نیست که دنبالش نگشتم. هربار سعی کردم با کسی طرح دوستی بریزم، به همون نتیجه‌ی شوپنهاور رسیدم که گفت فقط فلک‌زدگانی بدبخت دیدم: مردانی با هوش محدود، نهاد بد و طبع پست. منظورم انسان‌های زنده‌اند، نه متفکران بزرگ گذشته.»

«فیلیپ، تو با من هم ملاقات داشتی.»

«اون یه رابطه‌ی تخصصی بود. من درباره‌ی روابط اجتماعی حرف می‌زنم.»

«این حالات در رفتار تو پیداست. با حالت تحقیرآمیزت و نبود مهارت اجتماعی که ناشی از همین تحقیر دیگرانه، چطور ممکنه بتونی با دیگران به شیوه‌ای درست ارتباط برقرار کنی؟»

«در این مورد با شما مخالف نیستم. موافقم که باید بر روی مهارت‌های اجتماعی کار کنم. شوپنهاور می‌گفت کمی صمیمیت و رفتار دوستانه، بازی دادن مردمان را ممکن می‌کنه، همون جور که اگه بخوایم با موم کار کنیم، باید اون رو گرم کنیم.»

جولیوس در حالی که سر تکان می‌داد، از جا برخاست. فنجانی قهوه برای خود ریخت و شروع کرد به قدم زدن. «کار با موم، فقط یک تشبیه بد نیست؛ بدترین و افتضاح‌ترین استعاره‌ایه که تا حالا

برای روان‌درمانی شنیده‌ام؛ واقعاً بدترینشه. تو داری با تمام قدرت حمله می‌کنی. ضمناً داری هیچ محبوبیتی برای دوست و درمانگرت، آرتور شوپنهاور پیش من باقی نمی‌ذاری.»

جولیوس دوباره نشست، جرعه‌ای از قهوه‌اش نوشید و گفت: «پیشنهاد قهوه‌م رو تکرار نمی‌کنم چون مطمئنم نمی‌خوای هیچ کار دیگه‌ای بکنی جز اینکه جواب سؤالت رو درباره‌ی سرپرستی بگیری. انگار خیلی برات مهمه فیلیپ، برای همین دلرحم می‌شم و می‌رم سر اصل مطلب. تصمیمم درباره‌ی سرپرستی اینه که...»

فیلیپ که در تمام طول صحبت، نگاهش را می‌دزدید، برای نخستین بار مستقیم به جولیوس خیره شد.

«تو ذهن قوی و دقیقی داری، فیلیپ. دانش زیادی هم داری. شاید راهی پیدا کنی که به کمک روان‌درمانی، دانشت رو مهار کنی و به کار بگیری. شاید در نهایت بتونی کارای بزرگی انجام بدی. امیدوارم این‌طور باشه. *ولی تو برای روان‌درمانگر شدن آمادگی نداری.* آمادگی دریافت سرپرستی رو هم نداری. باید روی مهارت‌های بین‌فردی، حساسیت و میزان آگاهی‌ت کار کرد، کار زیادی هم لازمه. ولی من دلم می‌خواد برات مفید باشم. یک‌بار شکست خوردم و حالا این دومین بخت منه. می‌تونی من رو حامی خودت تصور کنی، فیلیپ؟»

«اجازه بدین این پرسش رو زمانی پاسخ بدم که پیشنهادی رو که انگار در صدد طرحش هستین، شنیده باشم.»

«پناه بر خدا! بسیار خوب، بفرمایید: من، جولیوس هرتسفلد موافقت می‌کنم سرپرستی فیلیپ اسلیت را بپذیرم *فقط و فقط* در صورتی که او پیش از آن، شش ماه را به‌عنوان بیمار در گروه‌درمانی من بگذراند.»

فیلیپ برای یک لحظه جا خورد. پاسخ جولیوس را پیش‌بینی نکرده بود. «جدی نمی‌گین.»

«هرگز این قدر جدی نبوده‌ام.»

«من دارم به شما می‌گم که بعد از اون همه سال دست‌وپا زدن در گنداب، در نهایت زندگی‌م رو سروسامون داده‌ام. دارم می‌گم می‌خوام از راه روان‌درمانگری امرار معاش کنم و برای این کار نیاز به یه سرپرست دارم: این تنها چیزیه که می‌خوام. به‌جاش شما چیزی رو به من پیشکش می‌کنین که نمی‌خوام و از پسش هم بر نمی‌یام.»

«تکرار می‌کنم که تو برای دریافت سرپرستی آمادگی نداری، برای درمانگر شدن هم آماده نیستی، ولی فکر می‌کنم این گروه‌درمانی می‌تونه در جهت رفع این نقایص عمل کنه. شرط من اینه: اول، یک دوره‌ی گروه‌درمانی و بعد ـ فقط بعد از اون ـ سرپرستی‌ت رو به عهده می‌گیرم.»

«هزینه‌ی گروه‌درمانی‌تون چقدره؟»

«زیاد بالا نیست. هفتاد دلار برای یک جلسه‌ی نود دقیقه‌ای. و ضمناً اگر غیبت کنی هم باید هزینه‌ی جلسه‌ت رو بپردازی.»

«چند بیمار در گروهن؟»

«سعی می‌کنم تعداد رو حدود هفت نفر نگه دارم.»

«هفت تا هفتاد دلار: می‌شه چهارصدونود دلار. برای یک‌ساعت‌ونیم. معامله‌ی پرسود جالبیه. و هدف گروه‌درمانی چیه؟ شیوه‌ی برگزاری‌ش؟»

«هدف؟ پس تا حالا داشتیم چی می‌گفتیم؟ ببین، فیلیپ، روراست بگم: چطور می‌تونی یک روان‌درمانگر بشی وقتی نمی‌دونی بین تو و دیگران چی می‌گذره؟»

«نه، نه. *آن* هدف را متوجه شدم. سؤالم کمی مبهم و سرسری بود. من هیچ آموزشی برای گروه‌درمانی ندیده‌ام و منظورم این بود که درباره‌ی نحوه‌ی کارکردش روشن بشم. اینکه زندگی و مشکلات دیگران رو دسته‌جمعی و یکجا بشنوم، چه سودی به حال من داره؟ همسُرایی درباره‌ی بدبختی، حس رقت و انزجار در من ایجاد می‌کنه، گرچه همون جور که شوپنهاور گفته درک اینکه دیگران بیش از تو رنج می‌کشند، همیشه لذت‌بخشه.»

«اوه، می‌خوای با موضوع آشناتر بشی. این درخواست موجهیه. من برای هر بیماری که می‌خواد وارد گروه بشه، توضیحاتی می‌دم تا با گروه‌درمانی آشنا بشه. هر درمانگری باید این کار رو بکنه. پس اجازه بده چرب‌زبانی‌م رو شروع کنم. اول اینکه رویکرد من، دقیقاً و صرفاً بین‌فردیه و فرض رو بر این می‌ذارم که هریک از اعضا به این دلیل در گروه هستند که در برقراری روابط دیرپا مشکلاتی داشته‌اند...»

«ولی این حقیقت نداره. من نه می‌خوام و نه نیازی دارم...»

«می‌دونم. می‌دونم. در این یکی با من راه بیا. من فقط گفتم فرض رو بر این می‌گذارم که این مشکلات بین‌فردی وجود دارن: این فرض منه چه تو موافق باشی و چه نباشی. پس می‌تونم خیلی روشن بگم که هدفم در درمان گروهی اینه که به هر عضو گروه کمک کنم *تا جایی که ممکنه متوجه بشه چطور با اعضای دیگر گروه از جمله درمانگر ارتباط برقرار می‌کنه*. تمرکزم رو بر اینجا و اکنون می‌گذارم: این برای تو که می‌خوای درمانگر ماهری بشی، یک درک و دریافت ضروریه، فیلیپ. به عبارت دیگه، گروه با تاریخچه‌ی فرد کاری نداره: ما بر *اکنون* تمرکز می‌کنیم: هیچ نیازی به بررسی عمیق گذشته‌ی هریک از اعضا وجود نداره. ما بر لحظه‌ی جاری در گروه

تمرکز می‌کنیم؛ و نیز بر *اینجا*: آنچه اعضا درباره‌ی به هم خوردن روابط دیگه‌شون می‌گن رو فراموش می‌کنیم. من فرض رو بر این می‌گذارم که اعضای گروه همان رفتاری رو در گروه از خود نشون می‌دن که در زندگی اجتماعی‌شون مشکل آفریده. و فرض دیگرم اینه که در نهایت آنچه در روابط درون گروهی آموخته‌اند، به روابط بیرونی تعمیم خواهند داد. روشنه؟ اگر بخوای می‌تونم مطالب خواندنی در اختیارت بگذارم.»

«روشنه. قوانین اصلی گروه چیه؟»

«اول، رازداری: با هیچ‌کس درباره‌ی هیچ‌یک از اعضای گروه حرف نمی‌زنی. دوم: تلاش می‌کنی خودت را در گروه افشا کنی و در بیان برداشت‌ها و احساساتی که نسبت به اعضای دیگه داری، صادق باشی. سوم، همه‌چیز باید در درون گروه پیش بره. اگر تماسی بیرون از گروه بین اعضا برقرار بشه، باید به درون گروه آورده بشه و درباره‌ش بحث بشه.»

«و این تنها راهیه که شما برای سرپرستی من در نظر دارین؟»

«دقیقاً. می‌خوای آموزشت را بر عهده بگیرم؟ خُب، پیش‌نیازش اینه.»

فیلیپ با چشمان بسته در حالی که پیشانی را به دستان به‌هم‌قفل‌شده‌اش تکیه داده بود، در سکوت نشست. بعد چشمانش را گشود و گفت: «فقط در صورتی پیشنهادتون رو می‌پذیرم که جلسات گروه‌درمانی رو به‌عنوان جلسات سرپرستی‌تون به‌حساب بیارین و بپذیرین.»

«این نوعی تحریفه، فیلیپ. می‌تونی تصور کنی این کار من رو توی چه مخمصه‌ی اخلاقی‌ای قرار می‌ده؟»

«شما می‌تونین تصور کنین پیشنهادتون من رو توی چه

مخمصه‌ای قرار می‌ده؟ بازگرداندن توجهم به روابطم با دیگران اون هم درست در زمانی که دلم نمی‌خواد هیچ‌کس معنای خاصی برام داشته باشه. به‌علاوه، مگر خودتون نگفتین بهبود مهارت‌های اجتماعی، از من درمانگر بهتری می‌سازه؟»

جولیوس برخاست، فنجان قهوه‌اش را در ظرفشویی گذاشت، سری تکان داد و فکر کرد خود را در چه دردسری انداخته، به صندلی‌اش بازگشت، نفسش را آهسته بیرون داد و گفت: «عادلانه‌ست، حاضرم جلسات گروه‌درمانی رو معادل جلسات سرپرستی‌م به حساب بیارم و گواهی‌ش رو امضا کنم.»

«یک نکته‌ی دیگه: درباره‌ی حساب‌وکتاب معامله‌مون حرفی نزدیم: اینکه من هم حاضر شده‌ام سرپرستی شما رو در شناخت شوپنهاور بپذیرم.»

«برای اون کار باید صبر کنیم، فیلیپ. یک نکته‌ی آموزشی دیگه در روان‌درمانی: از روابط دوطرفه با بیماران بپرهیزید: این گونه روابط درمان را مختل می‌کند. منظورم همه گونه رابطه‌ست: عاشقانه، تجاری و حتا رابطه‌ی معلم و شاگردی. در نتیجه من بیشتر ترجیح می‌دم ـ و این برای خود توست ـ که رابطه‌مون رو پاک و روشن نگه دارم. به همین دلیله که پیشنهاد می‌کنم با گروه آغاز کنیم و بعد در آینده، وارد رابطه‌ی سرپرستی و نظارتی بشیم و بعد شاید ـ هیچ قولی نمی‌دم ـ تدریس خصوصی فلسفه رو شروع کنیم. هرچند در حال حاضر اشتیاق چندانی برای مطالعه‌ی شوپنهاور در خودم نمی‌بینم.»

«با این حال می‌شه حق‌التدریسی برای مشاوره‌ی فلسفی آینده‌ام با شما تعیین کنیم.»

«آن مرحله منوط به شرایطی‌ست و راه زیادی تا اون باقیه، فیلیپ.»

«ولی با وجود این دلم می‌خواد حق‌التدریس رو مشخص کنیم.»

«تو هم‌چنان به مبهوت کردن من ادامه می‌دی، فیلیپ. برای چیزای بیخود و به‌دردنخور نگرانی! و برای بدترین چیزا نگران نیستی!»

«این یکی هم روی بقیه. حق‌الزحمه‌ی منصفانه‌ش چقدره؟»

«شیوه‌ی من اینه که از فردی که سرپرستی‌اش رو بر عهده می‌گیرم، همان هزینه‌ی درمان فردی رو دریافت می‌کنم: برای دانشجویانی که تازه شروع کرده‌اند، کمی تخفیف می‌دم.»

فیلیپ سری تکان داد و گفت: «قبول.»

«صبر کن، فیلیپ، می‌خوام مطمئن بشم شنیدی که چی گفتم: اینکه ایده‌ی برنامه‌ی تدریس خصوصی شوپنهاور برام چندان مهم نیست. وقتی این موضوع برای اولین بار بین‌مون پیش کشیده شد، تنها کاری که کردم، ابراز یه علاقه‌ی مختصر بود به این مسئله که چطور شوپنهاور تونسته تا این اندازه به تو کمک کنه ولی تو موضوع رو زیادی جدی گرفتی و فرض رو بر این گذاشتی که قراردادی بین ما رد و بدل شده.»

«من امیدوارم علاقه‌ی شما رو به آثار او بیشتر کنم. اون سخنان ارزشمندی در زمینه‌ی رشته‌ی ما داره. از بسیاری جهات بر فروید پیش‌دستی کرده و فروید نوشته‌های اون رو یکجا به عاریت گرفته بی‌آنکه به این موضوع اعتراف کنه.»

«تعصبی نشون نمی‌دم، ولی تکرار می‌کنم خیلی از چیزایی که درباره‌ی شوپنهاور گفتی، به اشتیاق من برای درک بیشتر آثارش دامن نزد.»

«حتا چیزی که توی سخنرانی‌م درباره‌ی دیدگاهش نسبت به مرگ گفتم؟»

«به‌خصوص همون دیدگاه. اگه دیگه خودآگاهی در کار نباشه، چه تسلایی برام داره؟ یا اینکه ذرات تنم در فضا پخش می‌شه و در نهایت دی.ان.ای من بخشی از موجود زنده‌ی دیگه‌ای رو می‌سازه، دلداری کمی به من می‌ده.»

«دلم می‌خواست رساله‌هایش را در باب مرگ و تباهی‌ناپذیری هستی با هم می‌خوندیم. اگر می‌شد، یقین دارم که...»

«حالا نه، فیلیپ. در این لحظه اون قدر که به زیستن بقیه‌ی زندگی‌م به کامل‌ترین شکل ممکن علاقه‌مندم، به مرگ علاقه ندارم: فعلاً در این نقطه هستم.»

«مرگ ـ گستره‌ای که همه‌ی این علائق را در بر می‌گیره ـ همیشه حضور داره. سقراط به روشنی گفته "برای آنکه بیاموزی خوب زندگی کنی، باید خوب مردن را بیاموزی" یا از سِنِکا نقل شده "هیچ انسانی طعم حقیقی زندگی را نخواهد چشید مگر زمانی که مشتاق و آماده‌ی دست کشیدن از آن باشد."»

«بله، بله، این موعظه‌ها را بلدم و شاید از دیدگاه نظری و انتزاعی حقیقت داشته باشن. و با آمیزش خرد فلسفی با روان‌درمانی هم هیچ مشکلی ندارم. دربست قبولش دارم. و این رو هم می‌دونم که شوپنهاور از جهات زیادی به تو کمک کرده. ولی نه در همه جهت: این امکان وجود داره که به کمی درمان بیشتر نیاز داشته باشی. و اینجاست که گروه‌درمانی به کارت می‌یاد. امیدوارم دوشنبه‌ی آینده، ساعت چهارونیم در نخستین جلسه‌ی گروه‌درمانی‌ت ببینمت.»

دوران کودکی، تنها به این دلیل که فعالیت هولناک دستگاه تناسلی هنوز در خواب است ولی مغز به بالاترین میزان فعالیتش رسیده، دوران بی‌گناهی و شادی‌ست، پردیس زندگانی و بهشت گمشده‌ای که در باقی عمر با حسرت و آرزو به آن می‌نگریم.

فصل ۱۰

شادترین سال‌های زندگی آرتور

وقتی آرتور نه‌ساله شد، پدرش به این نتیجه رسید که باید مدیریت آموزش پسرش را بر عهده گیرد. نخستین گام در این زمینه، بردن آرتور به لوهاور[۱] و سپردن او به خانه‌ی گرگوری دو بلزیمر[۲]، یک شریک تجاری بود. آرتور آنجا باید زبان فرانسه و

1. Le Havre
2. Gregories de Blesimaire

آداب اجتماعی یاد می‌گرفت و آن طور که هاینریش می‌گفت «به درک دنیا نائل می‌شد.»

اخراج از خانه و جدایی از والدین در سن نه‌سالگی؟ چند کودک در دنیا چنین تبعیدی را یک رویداد مصیبت‌بار زندگی قلمداد کرده‌اند؟ ولی آرتور بعدها این دو سال را «شادترین بخش کودکی‌اش تا آن زمان» توصیف کرد.

اتفاق مهمی در لوهاور افتاد: شاید تنها دوره‌ای در زندگی آرتور بود که حس کرد مورد رسیدگی قرار گرفته و از زندگی لذت برده است. تا سال‌ها بعد، خاطره‌ی بلزیمرهای خوش‌مشرب را گرامی می‌داشت، کسانی که با آنان چیزی شبیه عشق مادرانه و پدرانه را تجربه کرد. نامه‌هایی که به والدینش می‌نوشت، پر بود از ستایش آن‌ها تا جایی که مادرش ناچار شد خوبی‌ها و گشاده‌دستی پدرش را به او یادآوری کند. «یادت نرود که چطور پدرت اجازه داد آن فلوت عاج را به بهای یک سکه‌ی طلای فرانسوی بخری.»

در دوران اقامت موقتش در لوهاور، اتفاق مهم دیگری هم افتاد. آرتور یک دوست پیدا کرد: یکی از نادر دوستانی که در تمام عمر داشت. آنتیم[1]، پسر بلزیمر، همسن آرتور بود. دو پسر در لوهاور به هم نزدیک شدند و پس از بازگشت آرتور به هامبورگ چند نامه ردوبدل کردند.

سال‌ها بعد، بار دیگر در قامت مردان جوان بیست‌ساله با هم دیدار کردند و چندین بار در پی ماجراجویی‌های عاشقانه با یکدیگر بیرون رفتند. بعد راه و علائقشان از هم جدا شد. آنتیم به تجارت روی آورد و از زندگی آرتور ناپدید شد تا سی سال بعد که

---

1. Anthime

مکاتبات کوتاهی میانشان ردوبدل شد و آرتور از او در زمینه‌ی مالی مشورت خواست. وقتی آنتیم در برابر مدیریت اوراق بهادار او، درخواست حق‌الزحمه کرد، آرتور ناگهان به این نامه‌نگاری‌ها پایان داد. آن موقع دیگر او به همه ظنین بود و به هیچ‌کس اعتماد نداشت. یکی از کلمات قصار طعنه‌آمیز گراسیان[1] (فیلسوفی اسپانیایی که مورد تحسین پدرش بود) را پشت پاکت نامه‌ی آنتیم نوشت و آن را به کناری نهاد: «از کار دیگری سر در بیاور تا کار خودت سروسامان بگیرد.»

آخرین دیدار آرتور و آنتیم ده سال بعد بود: یک برخورد ناخوشایند که در آن هیچ‌کدام حرف چندانی برای گفتن نداشتند. آرتور دوست قدیمی‌اش را «یک پیرمرد تحمل‌ناپذیر» توصیف کرد و در خاطرات روزانه‌اش نوشت «احساس دو دوست هنگام دیدار بعد از یک عمر دوری، یکی از بزرگ‌ترین سرخوردگی‌های زندگی‌ست.»

اتفاق دیگری هم در مدت اقامت آرتور در لوهاور افتاد: با مرگ آشنا شد. گوتفرید یانیش[2]، یکی از همبازی‌هایش در هامبورگ درگذشت. گرچه آرتور فردی تودار بود و گفته دیگر هرگز بعد از آن به گوتفرید فکر نکرده است، شکی نیست که او هرگز نه همبازی مرده‌اش را حقیقتاً از یاد برد و نه شوک نخستین آشنایی‌اش با مرگ را، زیرا سی سال بعد رؤیایی را در خاطرات روزانه‌اش توصیف کرد: «خود را در سرزمینی دیدم که نمی‌شناختم، گروهی از

---

۱. Gracian: بالتازار گراسیان (۱۶۵۸-۱۶۰۱) راهب یسوعی اسپانیایی و نویسنده سبک باروک بود که نیچه و شوپنهاور نوشته‌های پیشاوجودی (پره‌اگزیستانسیال) او را ستایش و تمجید می‌کردند ـ م.

2. Gottfried Janish

مردم در دشتی ایستاده بودند و در میان آنان، مرد بلندقد و لاغری بود که نمی‌دانم چطور، ولی برایم روشن بود که گوتفرید یانیش است و او به من خوش‌آمد گفت.»

آرتور در تفسیر رؤیا چندان مشکلی نداشت. در آن زمان در بحبوحه‌ی یک همه‌گیری وبا در برلین زندگی می‌کرد. تصویر رؤیا از پیوستن دوباره به گوتفرید فقط یک معنی داشت: هشداری برای نزدیک شدن مرگ. به دنبال آن، آرتور تصمیم گرفت با ترک بی‌درنگ برلین، از مرگ بگریزد. تصمیم گرفت به فرانکفورت برود، جایی که سی سال آخر عمرش را در آن سپری کرد بیشتر به این دلیل که فکر می‌کرد این شهر از وبا در امان است.

برترین خرد آن است که لذت بردن از زمان اکنون را والاترین هدف زندگی قرار دهیم، زیرا این تنها واقعیتی‌ست که وجود دارد و مابقی چیزی نیست جز بازی‌های فکر. ولی می‌شود آن را بزرگ‌ترین بی‌خردی هم نامید زیرا آنچه تنها برای یک لحظه هست و بعد همچون رؤیایی ناپدید می‌شود، هرگز به کوششی جانفرسا نمی‌ارزد.

فصل ۱۱

نخستین جلسه‌ی فیلیپ

فیلیپ برای نخستین جلسه‌ی گروهش، پانزده دقیقه زودتر رسید در حالی که همان لباس‌های دو دیدار پیشین با جولیوس را در بر داشت: پیراهن شطرنجی چروک و رنگ‌وررفته، شلوار خاکی‌رنگ و کت مخمل کبریتی. جولیوس که از بی‌اعتنایی مطلق فیلیپ به

لباس، اثاثیه‌ی دفتر، حضور دانشجویان یا اصولاً همه‌ی کسانی که با آن‌ها در ارتباط بود، در شگفت مانده بود، یک‌بار دیگر در تصمیمش برای دعوت فیلیپ به گروه شک کرد. آیا این تصمیم از قضاوت بالینی‌اش سرچشمه می‌گرفت یا پررویی‌اش که دوباره چهره‌ی زشتش را نشان می‌داد؟

پررویی: گستاخی جسورانه و وقیحانه. *پررویی*: بهترین تعریف برای این واژه داستان معروف پسری‌ست که والدینش را کشت و بعد از دادگاه تقاضای بخشش کرد چون دیگر یتیم حساب می‌شد. بیشتر اوقات وقتی جولیوس به رویکردش در زندگی می‌اندیشید، واژه‌ی *پررویی* به ذهنش خطور می‌کرد. شاید پررویی از همان آغاز به او القا شد، ولی نخستین بار در پاییز پانزده‌سالگی وقتی خانواده‌اش از محله‌ی برانکس به واشنگتن دی.سی. نقل مکان کردند بود که آگاهانه متوجهش شد. پدرش که گرفتار رکود مـی شده بود، خانواده را به خانه‌ی کوچکی در خیابان فراگت در شمال غربی واشنگتن منتقل کرد. هر پرسشی درباره‌ی ماهیت مشکلات مالی پدر ممنوع بود ولی جولیوس همه‌چیز را زیر سر مسابقه‌ی اسب‌دوانی اکوداکت و اسبی به نام «او همه‌چیز است» می‌دانست که پدرش با ویک ویسلو[1]، یکی از رفقایش، شریک بود. ویک مرد مردم‌گریزی بود که همیشه یک دستمال جیبی صورتی در جیب کت اسپرت زردرنگش خودنمایی می‌کرد و همیشه مراقب بود زمانی که مادر جولیوس خانه است، به آنجا نیاید.

کار جدید پدرش، چرخاندن می‌فروشی پسرعمویش بود که در چهل‌وپنج‌سالگی به سبب بیماری قلبی از پا افتاده بود، همان بیماری

1. Vic Vicello

و دشمن نابکاری که نسل مردان یهودی اشکنازی را که با خامه و سرشیر و گوشت‌های پرچربی بزرگ شده بودند، در پنجاه‌سالگی ناتوان می‌کرد یا می‌کشت. پدر از کار جدیدش بیزار بود، ولی دست‌کم می‌توانست با آن خانواده را بچرخاند؛ نه فقط درآمد خوبی داشت، بلکه ساعات طولانی، او را از زمین‌های مسابقه‌ی اسب‌دوانی محلی لورل و پیملیکو[1] دور نگه می‌داشت.

جولیوس در نخستین روز مدرسه در دبیرستان روزولت در سپتامبر سال ۱۹۵۵ تصمیم بسیار مهمی گرفت: خود را دوباره بسازد. در واشنگتن کسی او را نمی‌شناخت، روحی آزاد که گذشته دست و بالش را نمی‌بست. سه‌سال گذشته‌اش در دبیرستان مقدماتی پی.اس. ۱۱۲۶ برانکس چیزی نبود که بشود به آن بالید. شرط‌بندی برایش از سایر فعالیت‌های مدرسه جالب‌تر بود و هر روز عصر را به بولینگ و شرط‌بندی بر سر بازی خود یا رفیقش، مارتی گِلر[2] می‌گذراند که چپ‌دست ماهری بود. علاوه بر این، شرط‌بندی‌های دیگری هم می‌کرد مثلاً شرط‌بندی ده به یک با هرکسی که در بازی بیس‌بال، سه بازیکن را انتخاب کند که روی هم در یک روز توانسته باشند شش ضربه را بگیرند. فرق نمی‌کرد آن هالوها کدام سه نفر را انتخاب کنند ـ منتل، کالین، آرون، ورنون یا استن میوزیال ـ در هر حال، به‌ندرت برنده می‌شدند شاید یک بار در هر بیست تا سی شرط‌بندی. جولیوس همراه پسرهای لات و پرروی هم‌سلیقه‌ی خودش تصویری از یک جنگجوی خشن خیابانی از خود ساخته بود تا کسانی را که ممکن بود از پرداخت مبلغ باخته در قمار طفره روند، مرعوب کند، در کلاس خود را به خنگی می‌زد تا آرامش

1. Laurel and Pimlico
2. Marty Geller

داشته باشد و بارها پیش آمد که عصرها از مدرسه غیبت کرد و به تماشای گشت زدن منتل در زمین اصلی ورزشگاه یانکی رفت.

روزی که او و والدینش به دفتر مدیر فرا خوانده شدند و دفتر شرط‌بندی‌هایش جلو رویشان گذاشته شد ـ دفتری که دو روز دیوانه‌وار دنبالش گشته بود و پیدایش نکرده بود ـ همه‌چیز عوض شد. با اینکه تنبیه‌هایی وضع شد ـ عصرها بیرون رفتن در دو ماه باقیمانده از سال تحصیلی ممنوع، بولینگ ممنوع، رفتن به ورزشگاه یانکی ممنوع، ورزش بعد از مدرسه ممنوع، پول‌توجیبی قطع ـ ولی جولیوس می‌دید حواس پدرش جای دیگری‌ست: او کاملاً مجذوب جزئیات بزهکاری شیرین‌کارانه‌ی سه‌بازیکن ـ شش‌ضربه‌ی جولیوس شده بود. با این همه، جولیوس مدیر را تحسین می‌کرد و این سقوط چنان ندای بیدارگری برایش بود که تلاش کرد خودش را اصلاح کند. ولی دیر شده بود؛ فقط توانست نمراتش را تا «ب» بالا بیاورد. نتوانست طرح دوستی‌های جدید بریزد زیرا در نقش قبلی‌اش گرفتار شده بود و هیچ‌کس نمی‌توانست با جولیوس تازه‌ای که او تصمیم گرفته بود بشود ارتباط برقرار کند.

پیامد این دوره از زندگی‌اش بود که جولیوس بعدها حساسیت ظریفی به پدیده‌ی «گرفتاری در نقش» پیدا کرد: بارها و بارها دیده بود بیماران گروه‌درمانی تغییرات شگرفی می‌کنند ولی سایر اعضای گروه آن‌ها را همانی می‌بینند که قبلاً بوده‌اند. این اتفاق در خانواده‌ها هم می‌افتد. بسیاری از بیماران بهبودیافته‌اش در دیدار والدینشان، ساعات جهنمی‌ای را می‌گذرانند: باید در برابر مکیده شدن به درون همان نقش خانوادگی سابق موضع دفاعی بگیرند و انرژی قابل توجهی صرف کنند تا به والدین و خواهر و برادرانشان بقبولانند که واقعاً تغییر کرده‌اند.

آزمون بزرگ جولیوس برای دوباره ساختن خود با نقل مکان خانواده‌اش امکان‌پذیر شد. جولیوس در آن روز اول مدرسه در واشنگتن دی.سی. ـ یکی از آن روزهای مطبوع آفتابی و تابستانی سپتامبر ـ در حالی که برگ‌های چنار زیر پایش خش‌خش می‌کرد و به دنبال نقشه‌ی استادانه‌ای برای تغییر خودش بود، از آستانه‌ی در ورودی دبیرستان روزولت گذشت. بیرون تالار سخنرانی، اعلامیه‌های تبلیغی نامزدهای نمایندگی کلاس‌ها توجهش را جلب کرد. همان لحظه فکری به ذهن جولیوس رسید و پیش از آنکه حتا محل دستشویی پسرانه را یاد گرفته باشد، نام خود را برای انتخابات به دیوار زده بود.

احتمال رأی آوردن در انتخابات کم بود، کمتر از کم: کمتر از آنکه مثلاً روی بالا آمدن تیم واشنگتن سناتورز کلارک گریفیث[1] خسیس از قعر جدول شرط ببندی. او هیچ‌چیز از دبیرستان روزولت نمی‌دانست و هنوز حتا یکی از همکلاسی‌هایش را هم نمی‌شناخت. آیا همان جولیوس قدیمی برانکس داشت به کارش ادامه می‌داد؟ صد سال! ولی نکته درست همین بود؛ دقیقاً به همین دلیل، جولیوس جدید به درون کار شیرجه زد. بدترین اتفاقی که می‌توانست بیفتد، چه بود؟ اسمش آنجا بود و همه جولیوس هرتسفلد را به‌عنوان یک نیرو می‌شناختند، یک رهبر بالقوه، پسری که می‌شود رویش حساب کرد. هرچه بود این کار را دوست داشت.

البته رقیبانش ممکن بود دستش بیندازند، پشه و ناشناسی بخوانندش که هیچ‌چیز حالی‌اش نیست. جولیوس با در نظر گرفتن

---

۱. کلارک گریفیث (۱۹۵۵-۱۸۶۹) بازیکن و مربی لیگ برتر بیس‌بال امریکا که از سال ۱۹۲۰ تا زمان مرگش مالک تیم واشنگتن سناتورز بود ـ م.

چنین احتمالاتی، خود را برای سخنرانی درباره‌ی توانایی یک تازه‌وارد برای دیدن کمبودها آماده کرد؛ کمبودهایی که از چشم کسانی که به آن‌ها خیلی نزدیک بوده‌اند، پنهان می‌مانَد. استعداد وراجی‌اش خوب بود و زبان‌بازی‌های طولانی برای گول زدن و واداشتن افراد به مسابقه در سالن بولینگ کارآزموده‌اش کرده بود. جولیوس جدید چیزی برای از دست دادن نداشت و بدون ترس به سمت دسته‌ای از دانش‌آموزان رفت و گفت: «سلام، من جولیوسم، بچه‌ی تازه‌وارد محله و امیدوارم در انتخاب نماینده‌ی کلاس از من حمایت کنید. من از سیاست‌های مدرسه چیزی نمی‌دانم ولی می‌دانید، گاهی یک نگاه نو، بهترین نگاه است. به‌علاوه، من کاملاً مستقلم: عضو هیچ دار و دسته‌ای نیستم چون اصلاً کسی را نمی‌شناسم.»

به این ترتیب جولیوس نه‌فقط خود را از نو آفرید، بلکه آن انتخابات لعنتی را هم بُرد. دبیرستان روزولت با تیم فوتبالی که هجده بازی پیاپی را باخته بود و تیم بسکتبالی به همان اندازه نگون‌بخت و فلک‌زده، روحیه‌ای خراب داشت. دو نامزد دیگر بی‌دفاع و آسیب‌پذیر بودند: کاترین شومان، دختر باهوش ولی اطواری و نامحبوب کشیش ریزنقش و درازچهره‌ای بود که دعای قبل از هر جلسه‌ی مدرسه را می‌خواند و ریچارد هایشمن، بازیکن خوش‌قیافه‌ی موسرخ و سفیدپوست خط میانی فوتبال هم دشمنان زیادی داشت. جولیوس رأی قدرتمند مخالفان را از آن خود کرد. به‌علاوه، تقریباً همه‌ی دانش‌آموزان یهودی که سی‌درصد کل دانش‌آموزان را شامل می‌شدند و تا پیش از آن تصویری ضعیف و بی‌اعتنا به سیاست مدرسه از خود نشان داده بودند، بلافاصله با شور و حرارت دورش را گرفتند و غافلگیرش کردند. آن‌ها دوستش

داشتند، عشق یهودیان ترسو، محتاط و آسته برو آسته بیای میسون دیکسون[1] به یهودی پردل‌وجرئت و پرروی نیویورکی.

آن انتخاب نقطه‌ی عطف زندگی جولیوس بود. چنان تشویقی برای چشم‌سفیدی و پررویی‌اش دریافت کرد که هویتش را بر پایه‌ی همین پررویی وقیحانه ساخت. سه انجمن یهودی دبیرستان بر سر او رقابت می‌کردند؛ او را هم پردل‌وجرئت یافته بودند و هم واجد جام مقدس نوجوانی یعنی «شخصیت». بچه‌ها ساعت ناهار در کافه‌تریا دورش جمع می‌شدند و اغلب در حال قدم زدن و دست در دست میریام کی دوست‌داشتنی دیده می‌شد؛ میریام ویراستار روزنامه‌ی مدرسه و یکی از دانش‌آموزانی بود که به‌واسطه‌ی هوش زیادش با کاترین شومان بر سر شاگرد اول شدن و ایراد سخنرانی خداحافظی در مراسم پایان سال تحصیلی رقابت می‌کرد. او و میریام خیلی زود به دوستانی جدانشدنی بدل شدند. او جولیوس را با هنر و ظرافت زیبایی‌شناختی آشنا کرد؛ و جولیوس هرگز نخواست میریام را وادارد که از هیجان زیاد بولینگ یا بیس‌بال لذت ببرد.

بله، پررویی راه درازی با او آمده بود. آن را در درون خود پرورده بود، غرور و افتخار فراوانی با آن کسب کرده بود و بعدها در زندگی، وقتی می‌شنید او را اصیل، تک‌رو و مستقل می‌خوانند و درمانگری می‌شناسند که جرأت پذیرش بیمارانی را دارد که دیگران در درمانشان شکست خورده‌اند، به خود می‌بالید. ولی این پررویی روی تاریکی هم داشت: خودبزرگ‌بینی. جولیوس بارها خبط کرده

---

۱. در امریکا خطی میان پنسیلوانیا و مریلند که ایالت‌های آزاد شمالی را از ایالت‌های جنوبی که برده‌دار بودند، جدا می‌کرد ـ م.

بود و کوشیده بود بیش از آنچه می‌توان انجام داد، انجام دهد: تغییری بیش از آنچه از اساس برای بیمارانش مقدور بود، از آنان می‌خواست؛ بیماران را در دوره‌های درمانی طولانی و در نهایت بی‌پاداش وارد می‌کرد.

حالا این دلسوزی یا سرسختی بالینی صرف بود که باعث شده بود جولیوس فکر کند می‌تواند فیلیپ را اصلاح کند؟ یا پررویی خودبزرگ‌بینانه؟ خودش هم به‌راستی نمی‌دانست. جولیوس همین طور که فیلیپ را به اتاق گروه‌درمانی هدایت می‌کرد، نگاهی طولانی به بیمار بی‌میلش انداخت. فیلیپ با موهای قهوه‌ای روشن و صافی که بدون فرق به عقب شانه شده بود، با پوستی که بر روی گونه‌های برجسته‌اش کشیده شده بود و با چشمان محتاط و قدم‌های سنگین، به محکومی می‌مانست که به‌سوی جوخه‌ی اعدام برده می‌شود.

موجی از دلسوزی سراپای جولیوس را فراگرفت و با نرم‌ترین و آرامش‌بخش‌ترین لحنی که در خود سراغ داشت، فیلیپ را دلداری داد: «می‌دونی فیلیپ، گروه‌های درمانی بی‌نهایت پیچیده‌اند، ولی همگی یک ویژگی کاملاً قابل پیش‌بینی دارند.»

اگر هم جولیوس توقع پرسشی کنجکاوانه درباره‌ی «یک ویژگی کاملاً قابل پیش‌بینی» داشت، در برابر سکوت فیلیپ، نشانه‌ای از نومیدی بروز نداد. در عوض طوری به صحبت ادامه داد که انگار فیلیپ کنجکاوی مناسب را نشان داده است. «و این ویژگی اینه که نخستین جلسه‌ی درمان گروهی بی‌بروبرگرد کمتر از آنچه عضو جدید پیش‌بینی می‌کنه، ناراحت‌کننده و بیشتر از پیش‌بینی او جذابه.»

«من احساس ناراحتی نمی‌کنم، جولیوس.»

«خُب پس حرفم یادت باشه. شاید اگر ناراحتی سراغت اومد، کمکت کنه.»

فیلیپ در راهرو دم در مطب، جایی که چند روز پیش همدیگر را ملاقات کرده بودند، ایستاد ولی جولیوس آرنجش را کشید و او را به‌سوی در بعدی و اتاقی هدایت کرد که سه دیوار آن از زمین تا سقف کتابخانه بود. بر دیوار چهارم سه پنجره با قاب چوبی قرار داشت که به باغی ژاپنی باز می‌شد مزین به چند کاج پنج‌سوزنی کوتاه، دو پشته سنگ‌ریزه و برکه‌ی مصنوعی باریکی به طول پنج پا که ماهی‌های کپور طلایی در آن غوطه می‌خوردند. اثاثیه‌ی اتاق ساده و کاربردی بود شامل یک میز کوچک نزدیک در، هفت صندلی چوبی از جنس چوب نخل که گرد چیده شده بود و دو صندلی ذخیره در گوشه‌ی اتاق.

«بفرمایید. این کتابخانه و اتاق گروه‌درمانی منه. تا دیگران از راه برسن، بذار اصول اولیه‌ی اداره‌ی امور رو برات بگم. دوشنبه‌ها ده‌دقیقه پیش از جلسه‌ی گروه، در جلویی رو باز می‌کنم و اعضا از همون در وارد این اتاق می‌شن. من ساعت چهارونیم وارد اتاق می‌شم و تقریباً بلافاصله شروع می‌کنیم و ساعت شش هم جلسه تمام می‌شه. برای آسان کردن کار حق‌الزحمه و ثبت و حساب و کتابش، هرکس انتهای هر جلسه، هزینه‌اش رو می‌پردازه: یک چک روی میز نزدیک در می‌ذاره. سؤالی هست؟»

فیلیپ به علامت نفی سری تکان داد و در حالی که نفس عمیقی می‌کشید، نگاهی به دوروبر اتاق انداخت. مستقیم به سوی کتاب‌ها رفت، بینی‌اش را به ردیف مجلدهای چرمی نزدیک کرد و با لذتی آشکار نفس دیگری کشید. همانجا ایستاد و با جدیت به مرور عنوان کتاب‌ها پرداخت.

در چند دقیقه‌ی بعدی پنج عضو گروه وارد شدند و هریک پیش از آنکه بنشینند، نگاهی به پشت فیلیپ انداختند. با وجود سروصدای زیادشان موقع ورود، فیلیپ نه سر برگرداند و نه به هیچ شکل دیگری در کار بررسی کتابخانه‌ی جولیوس وقفه انداخت.

جولیوس در طول سی‌وپنج‌سال سرپرستی گروه‌درمانی، ورود افراد زیادی را به گروه دیده بود. روالی قابل پیش‌بینی: عضو جدید آهسته و با دلواپسی وارد می‌شود، برخوردی مؤدبانه و محترمانه با سایر اعضا دارد و اعضا هم به تازه‌وارد خوش‌آمد می‌گویند و خود را معرفی می‌کنند. گاهی گروه‌هایی که تازه تشکیل شده‌اند و به این اشتباه دچارند که منافع گروه با میزان توجهی که هر عضو از درمانگر دریافت می‌کند، نسبت مستقیم دارد، تازه‌واردان را می‌رنجانند ولی گروه‌های جاافتاده به آن‌ها خوش‌آمد می‌گویند: آن‌ها می‌دانند کامل شدن فهرست اعضا بیش از آن که از تأثیر درمان بکاهد، بر آن خواهد افزود.

گهگاه تازه‌واردان به وسط بحث می‌پرند ولی معمولاً در بخش اعظم جلسه‌ی اول ساکتند چون می‌کوشند از قوانین گروه سر در بیاورند و صبر می‌کنند تا یک نفر آن‌ها را به شرکت در بحث دعوت کند. ولی عضو جدیدی این قدر بی‌اعتنا که پشتش را به دیگران کند و اعضای گروه را نادیده بگیرد؟ جولیوس تا حالا چنین چیزی ندیده بود! حتا در گروه بیماران روان‌پریش در بخش روان‌پزشکی.

جولیوس اندیشید قطعاً با دعوت فیلیپ به گروه خبط بزرگی کرده است. لزوم صحبت درباره‌ی سرطانش برای امروز کافی بود. و نگرانی برای فیلیپ بارش را زیادی سنگین می‌کرد.

فیلیپ در چه حال بود؟ آیا ممکن بود خجالت و دلهره بر او

چیره شده باشد؟ بعید بود. نه، احتمالاً داره گند می‌زنه به اصرار من برای ورودش به گروه و داره به‌شیوه‌ی منفعل‌پرخاشگرش، انگشتش را به من و گروه نشان می‌ده! جولیوس اندیشید خدایا، دلم می‌خواد ولش کنم به حال خودش. هیچ کاری نکنم. بگذارم غرق بشه یا شنا کنه. چه کیفی داره تکیه بدی و از حمله‌ی سخت گروه بهش که قطعاً اتفاق می‌افته، لذت ببری.

جولیوس معمولاً قسمت اصلی لطیفه‌ها را از یاد می‌برد ولی حالا یکی را که سال‌ها پیش شنیده بود، به یاد آورد. یک روز صبح پسری به مادرش گفت: «امروز نمی‌خوام برم مدرسه.»

مادر پرسید: «چرا؟»

«به دو دلیل: یکی اینکه از شاگردا بدم می‌یاد و دیگه اینکه اونا از من بدشون می‌یاد.»

مادر جواب داد: «به دو دلیل باید بری مدرسه: اول اینکه چهل‌وپنج سالته و دوم اینکه مدیر مدرسه‌ای.»

بله، او دیگر بزرگ شده بود. و درمانگر گروه بود. و وظیفه داشت اعضای جدید را با گروه آشنا کند و از آن‌ها در برابر دیگران و در برابر خودشان محافظت کند. با اینکه هرگز خودش جلسه را شروع نمی‌کرد و ترجیح می‌داد اعضا را تشویق کند که مسئولیت گرداندن گروه را بر عهده گیرند، امروز چاره‌ای نداشت.

«ساعت چهارو نیمه. وقتشه که شروع کنیم. فیلیپ چرا نمی‌شینی؟» فیلیپ به او رو کرد ولی به طرف صندلی نرفت. جولیوس اندیشید کر شده؟ یا با یک کم‌هوش اجتماعی طرفم؟ فیلیپ تنها پس از آنکه جولیوس با چشمانش یکی از صندلی‌های خالی را نشانش داد، بالاخره نشست.

خطاب به فیلیپ گفت: «این گروه ماست. یکی از اعضا، پم[1]، که در سفری دوماهه‌ست، امروز نمی‌یاد.» بعد رو کرد به گروه: «چند جلسه پیش اشاره کردم که ممکنه عضو جدیدی رو معرفی کنم. من فیلیپ رو هفته‌ی پیش دیدم و قراره امروز شروع کنه.» جولیوس اندیشید البته که امروز شروع می‌کند. عجب حرف گند احمقانه‌ای. همین کافی بود. بیشتر از این نگهت نمی‌دارم. یا غرق شو یا شنا کن.

درست در همین لحظه استوارت از کلینیک کودکان بیمارستان و با همان روپوش سفید کلینیک به داخل اتاق یورش برد و در حالی که زیر لب بابت تأخیرش عذرخواهی می‌کرد، خود را روی یک صندلی پرتاب کرد. بعد همه‌ی گروه به فیلیپ رو کرد و چهار نفر از اعضا خود را معرفی کردند و به او خوش‌آمد گفتند: «من ربه‌کا[2] هستم، تونی[3]، بانی[4]، استوارت[5]. سلام. از دیدنت خوشحالم. خوش آمدی. خوشحالم که اینجایی. احتیاج به خون تازه داشتیم، منظورم داده‌های تازه‌ست.»

تنها عضو باقیمانده، مردی جذاب با سری که پیش از موعد تاس شده بود و حاشیه‌ای از موی قهوه‌ای روشن در دو طرف و اندام درشت یک داور خط فوتبال و تا حدودی بی‌توجه به ظاهر، با لحن ملایم غافلگیرکننده‌ای گفت: «سلام، من گیل[6] هستم، امیدوارم فکر نکنی می‌خوام بهت کم‌محلی کنم، ولی امروز کاملاً اضطراری به وقت گروه نیاز دارم. هیچ‌وقت به اندازه‌ی امروز به گروه احتیاج نداشته‌ام.»

1. Pam
2. Rebecca
3. Tony
4. Bonnie
5. Stuart
6. Gill

فیلیپ پاسخی نداد.

گیل تکرار کرد: «باشه، فیلیپ؟»

فیلیپ جا خورد، چشمانش را درید و سری تکان داد.

گیل به چهره‌های آشنا در گروه رو کرد و گفت: «اتفاقات زیادی افتاده و همه‌چیز امروز صبح بعد از جلسه‌ای که با روان‌پزشک همسرم داشتم، روشن شد. توی این چند هفته‌ی گذشته براتون گفته بودم که درمانگر رز کتابی درباره‌ی سوءاستفاده از کودکان به اون داده که بهش قبولونده در کودکی مورد سوءاستفاده قرار گرفته. درست مثل یک عقیده‌ی راسخ... شماها چی بهش می‌گید؟» مخاطب جمله‌ی آخر جولیوس بود.

فیلیپ ناگهان به میان صحبت پرید و با لهجه‌ای عالی گفت: «ایده فیکس idée fixe»

گیل نگاه گذرایی به فیلیپ انداخت و گفت: «درسته. ممنون» و با نجوا اضافه کرد: «ووه، چه سریع» و دوباره به داستان خودش برگشت. «خُب، رز این ایده فیکس رو داره که در بچگی مورد آزار جنسی پدرش قرار گرفته. از این مسئله هم دست برنمی‌داره. هیچ اتفاق جنسی‌ای به یادش مونده؟ نه. شاهدی داره؟ نه. ولی درمانگرش معتقده چون او افسرده‌ست و از رابطه‌ی جنسی می‌ترسه و دوره‌هایی از وقفه در توجه و عواطف غیرقابل‌کنترل به‌خصوص خشم نسبت به مردان داره، پس حتماً *باید* مورد سوءاستفاده قرار گرفته باشه. پیام اون کتاب لعنتی هم همینه. و درمانگرش روی این کتاب قسم می‌خوره. در نتیجه همون طور که بهتون گفته‌ام ماه‌هاست که به شکل تهوع‌آوری ما درباره‌ی چیز دیگه‌ای حرف نزده‌ایم. درمان همسرم همه‌ی زندگی ما شده. وقت برای هیچ کار دیگه‌ای نداریم. موضوع دیگه‌ای هم برای حرف زدن نداریم.

رابطه‌ی جنسی‌مون تعطیله. هیچی. فراموش کنین. چند هفته پیش ازم خواست به پدرش تلفن کنم ـ خودش باهاش حرف نمی‌زنه ـ و ازش دعوت کنم به جلسه‌ی درمانی اون بره. می‌خواست من هم حضور داشته باشم تا به‌قول خودش ازش "حمایت" کنم.

«من هم تلفن کردم. اون بلافاصله موافقت کرد. دیروز از پورتلند سوار اتوبوس شده بود و امروز صبح در جلسه حاضر شد در حالی که چمدون کهنه‌اش هم همراهش بود چون بعد از جلسه مستقیم باید به ایستگاه اتوبوس برمی‌گشت. اون جلسه یه فاجعه بود. خشونت مطلق. رز تا تونست همه‌ی عقده‌هاشو سر اون خالی کرد. بدون رعایت هیچ مرزی، بدون لحظه‌ای مکث، بدون یک کلمه تشکر از اینکه پیرمرد چندصد مایل رو کوبیده اومده فقط برای اون و این جلسه‌ی نود دقیقه‌ای‌ش. اون رو به همه‌چی متهم کرد.»

ربه‌کا، زنی چهل‌ساله، بلند و باریک و با زیبایی استثنایی که به جلو خم شده بود و مشتاقانه به گیل گوش می‌داد، پرسید: «پدرش چی کار کرد؟»

«مثل یه آدم عاقل رفتار کرد. پیرمرد خیلی خوبیه، هفتاد ساله، مهربون و دوست‌داشتنی. این اولین بار بود که دیدمش. مبهوت‌کننده بود: خدایا! کاش من همچین پدری داشتم. فقط نشست و گوش داد و به رز گفت اگه این همه خشم در خودش داشته، شاید بهترین راه، بیرون ریختنش باشه. فقط به آرامی این اتهام‌های دیوانه‌وار رو رد کرد و حدس زد ـ که به نظر من هم حدس درستیه ـ اون چیزی که رز واقعاً ازش عصبانیه اینه که اون وقتی رز دوازده سالش بوده، خانواده رو ترک کرده. گفت خشمش به‌وسیله‌ی مادرش که ذهن اونو از بچگی مسموم کرده، بارور شده (این کلمه‌ی خودشه آخه کشاورزه). بهش گفت مجبور بوده اونا رو ترک کنه، گفت به دلیل

زندگی با مادرش بدجوری افسرده شده بوده و اگر در اون زندگی می‌موند، تا حالا مرده بود. اینم بگم که من مادر رز رو می‌شناسم، راست می‌گه. خوب گفت.

«خلاصه آخر جلسه خواست تا ایستگاه اتوبوس برسونیمش و قبل از اینکه من بتونم جواب بدم، رز گفت با اون توی یه ماشین احساس امنیت نمی‌کنه. اونم گفت "فهمیدم" و در حالی که چمدونشو دنبال خودش می‌کشید، راهشو گرفت و رفت.

«ده دقیقه بعد من و رز داشتیم تو خیابون مارکت می‌رفتیم که من دیدمش: پیرمردی با موهای سفید که دولا شده بود و چمدونش رو می‌کشید. بارون شروع شده بود و من به خودم گفتم "از این افتضاح‌تر نمی‌شه". دیگه دست خودم نبود و به رز گفتم: "اون برای تو به اینجا اومده ـ برای جلسه‌ی درمانی تو ـ این همه راهو از پورتلند اومده، حالا هم که داره بارون می‌یاد، لعنت به تو! من تا ایستگاه اتوبوس می‌رسونمش". ماشینو زدم کنار و ازش خواستم سوار شه. رز چپ‌چپ نگاهم کرد و گفت: "اگه اون سوار شه، من پیاده می‌شم." منم گفتم: "مهمون من باش" و به استارباکس کنار خیابون اشاره کردم و گفتم اونجا منتظرم باشه، من تا چند دقیقه‌ی دیگه برمی‌گردم. رز پیاده شد و با قدم‌های محکم و عصبانی دور شد. پنج ساعت از اون زمان می‌گذره. اصلاً پاشو به استارباکس نذاشت. منم به پارک گلدن گیت رفتم و از اون موقع تا حالا دارم قدم می‌زنم. دارم فکر می‌کنم که دیگه به خونه برنگردم.»

گیل با گفتن این جمله، فرسوده و بی‌رمق به پشتی صندلی تکیه داد.

اعضا ـ تونی، ربه‌کا، بانی و استوارت ـ یکصدا تأییدش کردند: «عالیه، گیل.» «خیلی به‌موقع‌ست.» «اوه، واقعاً کار بزرگی کردی.»

«اوه، به این می‌گن پیشرفت.» تونی گفت: «نمی‌تونم بگم چقدر خوشحالم که داری از این سلیطه فاصله می‌گیری.» بانی در حالی که دستانش را با حالتی عصبی روی موهای فرفری قهوه‌ای‌اش می‌کشید و عینک بزرگ و ورقلمبیده‌ی زردرنگش را جابه‌جا می‌کرد، گفت: «اگه جای خواب لازم داشتی، من یه اتاق اضافی دارم. نگران نباش، اونجا در امانی.»

جولیوس که از فشاری که گروه می‌آورد، راضی نبود (اعضای زیادی را دیده بود که گروه‌ها را ترک کرده بودند چون از مأیوس کردن گروه شرمنده بودند)، برای نخستین بار مداخله کرد: «داری بازخوردهای نیرومندی می‌گیری، گیل. چه احساسی درباره‌شون داری؟»

«خوبه. حس خوبیه. فقط من... نمی‌خوام کسی رو مأیوس کنم. داره خیلی سریع اتفاق می‌افته: همه‌چیز امروز صبح اتفاق افتاد... عصبی و دودلم... نمی‌دونم دارم چی کار می‌کنم.»

جولیوس گفت: «منظورت اینه که نمی‌خوای فرمان‌های همسرت رو با فرمان‌های گروه جایگزین کنی.»

«آره. فکر کنم همینه. آره، منظورتو می‌فهمم. درسته. ولی حسای مختلفی دارم. واقعاً این تشویقو می‌خوام، با همه‌ی وجود بهش نیاز دارم... بابتش ممنون و خوشحالم... راهنمایی لازم دارم: شاید این نقطه‌ی عطف زندگی‌م باشه. حرف همه رو شنیدم جز جولیوس. و البته عضو جدیدمون، فیلیپ، درست گفتم؟»

فیلیپ سری تکان داد.

گیل گفت: «فیلیپ می‌دونم تو هنوز با وضع من آشنا نیستی» و رو کرد به جولیوس: «ولی تو هستی. نظرت چیه؟ تو فکر می‌کنی باید چی کار کنم؟»

جولیوس بی‌اختیار به خود لرزید با این امید که مشهود نبوده باشد. مثل بیشتر درمانگران او هم از این پرسش بیزار بود: پرسش «لعنت به تو اگر جواب بدی و لعنت به تو اگر جواب ندی!». متوجه شده بود که این پرسش دارد از راه می‌رسد.

«گیل، از جوابم خوشت نخواهد اومد. ولی همینه که هست. من نمی‌تونم به تو بگم چی کار بکنی: این کار تو و تصمیم توئه نه من. یکی از دلایلی که اینجا توی این گروه هستی، اینه که یاد بگیری به قضاوت خودت اعتماد کنی. دلیل دیگه‌ش اینه که همه‌ی اونچه من درباره‌ی رز و زندگی مشترک شما می‌دونم، از طریق تو به من رسیده. و اطلاعاتی که تو می‌دی، خواه‌ناخواه جهت‌دار و مغرضانه‌ست. کاری که من می‌تونم بکنم اینه که به تو یاد بدم چطور بر مخمصه‌ای که توی زندگی دچارش شده‌ای، متمرکز بشی و به خودت کمک کنی. ما نمی‌تونیم رز رو درک کنیم یا اون رو تغییر بدیم؛ این تو هستی ـ احساسات تو و رفتار تو ـ که اینجا اهمیت داره چون این چیزیه که تو می‌تونی تغییرش بدی.»

گروه در سکوت فرو رفت. حق با جولیوس بود؛ گیل از این جواب خوشش نیامد. سایر اعضا هم همین جور.

ربه‌کا که سنجاق موهایش را برداشته بود و پیش از بستن دوباره‌ی آن، داشت موهای بلند سیاهش را تاب می‌داد، سکوت را شکست و رو به فیلیپ گفت: «تو اینجا تازه‌واردی و از ماجراهای پشت این قضیه که بقیه می‌دونیم، خبر نداری. ولی گاهی از دهن بچه‌های تازه‌به‌دنیاآمده...»

فیلیپ ساکت ماند. اصلاً معلوم نبود حرف‌های ربه‌کا را شنیده یا نه.

تونی با لحنی که برای او به‌طرز غیرمعمولی ملایم بود، گفت:

«خُب فیلیپ، نظری در این مورد داری؟» تونی مردی بود سیه‌چرده با زخمگاه‌های عمیق جوش بر گونه‌ها و اندامی موزون و ورزیده که در تی‌شرت سیاه سن‌فرانسیسکو جاینتز و شلوار جین تنگ خیلی خوب به نمایش گذاشته می‌شد.

فیلیپ دست‌به‌سینه، با گردنی خمیده به عقب و نگاهی خیره به سقف گفت: «مشاهداتی دارم و چند توصیه. نیچه یک‌بار گفته تفاوت اصلی انسان و گاو این بود که گاو می‌دونست چطور وجود داشته باشه، چطور بدون بیم ـ یعنی *ترس* ـ در زمان مقدس اکنون، بدون سنگینی بار گذشته و بی‌خبر از وحشت‌های آینده زندگی کنه. ولی ما انسان‌های بدبخت چنان در تسخیر گذشته و آینده‌ایم که فقط می‌تونیم مدت کوتاهی در اکنون پرسه بزنیم. می‌دونین چرا تا این حد در حسرت روزهای طلایی کودکی هستیم؟ نیچه می‌گه چون روزهای کودکی، روزهای بی‌خیالی بوده‌اند، روزهایی *عاری از دلواپسی*، روزهایی که هنوز آوار گذشته‌ها و خاطرات دردناک و محزون بر ما سنگینی نمی‌کرده‌اند. اجازه بدین به یک نکته‌ی حاشیه‌ای هم اشاره کنم: من از یکی از نوشته‌های نیچه نقل قول کردم ولی این اندیشه متعلق به او نیست: اینو هم مثل بسیاری از اندیشه‌هاش، از آثار شوپنهاور غنیمت برده.»

مکثی کرد. سکوت عمیقی بر گروه حاکم بود. جولیوس در صندلی‌اش جابه‌جا شد و اندیشید گندش بزنند، من باید عقلم رو از دست داده باشم که این مرد را به اینجا آورده‌ام. این مزخرف‌ترین و ناجورترین شیوه‌ای‌ست که تا حالا دیده‌ام یک بیمار برای ورودش به گروه انتخاب کرده است.

بانی سکوت را شکست. در حالی که نگاه خیره‌اش را بر او دوخته بود، گفت: «فوق‌العاده‌ست، فیلیپ. همیشه در حسرت

کودکی‌م بوده‌ام، ولی هیچ‌وقت این جوری بهش نگاه نکرده بودم: اینکه کودکی رو طلایی می‌بینیم و احساس رهایی بهمون می‌ده چون اون موقع گذشته‌ای در کار نبوده که بر ما سنگینی کنه. ممنون، یادم می‌مونه.»

گیل گفت: «من هم همین طور. جالب بود. ولی گفتی توصیه‌ای هم برام داری.»

فیلیپ با لحنی یکنواخت، ملایم ولی هم‌چنان بدون تماس چشمی پاسخ داد: «بله، توصیه‌ام اینه: همسر شما یکی از اون کسانیه که قادر نیست در زمان اکنون زندگی کنه چون بار گذشته به‌شدت بر دوشش سنگینی می‌کنه. مثل کشتی در حال غرق شدنه. داره فرو می‌ره. توصیه‌م به شما اینه که از روی عرشه شیرجه بزنین و شروع کنین به شنا کردن. اگه پایین بره، کشش نیرومندی ایجاد می‌کنه، پس اصرار دارم که با بیشترین سرعتی که می‌تونین شنا کنین و دور بشین.»

سکوت. انگار گروه در بهت فرورفته بود.

گیل گفت: «هی، هیچ‌کس قرار نیست تو رو سرزنش کنه. من یه سؤال پرسیدم. تو هم جواب دادی. ممنونم. خیلی. به گروه خوش اومدی. اگه نظر دیگه‌ای هم داری، دلم می‌خواد بشنوم.»

فیلیپ در حالی که هنوز به سقف نگاه می‌کرد، گفت: «اگر این‌طوره بذارین نکته‌ی دیگه‌ای رو هم اضافه کنم. کیرکگور افرادی رو توصیف می‌کنه که در "یأس مضاعف" غرقند یعنی نومیدند ولی چنان گرفتار خودفریبی‌اند که حتا متوجه نمی‌شن نومیدند. شاید شما هم دچار یأس مضاعف باشین. می‌خوام بگم بیشتر رنج من ناشی از کشیده‌شدنم به‌سوی امیالمه، ولی وقتی میلی رو برآورده می‌کنم، لحظه‌ای از رضایت و لذت رو تجربه می‌کنم که خیلی زود

به ملال بدل می‌شه تا زمانی که میل دیگری سر برداره. شوپنهاور این رو خصوصیت همه‌ی انسان‌ها می‌دونست: خواستن، خشنودی گذرا، ملال و خواستن بیشتر.

به شما برمی‌گردم و می‌پرسم آیا هرگز این چرخه‌ی بی‌پایان امیال رو در درون خودتون کشف کرده‌این؟ شاید چنان دلمشغول آرزوهای همسرتون بودین که از آشنایی با امیال خودتون باز موندین. به همین دلیل نبود که همه امروز براتون هلهله کردن؟ به این دلیل که بالاخره امروز حاضر نشدین به‌وسیله‌ی آرزوهای همسرتون توصیف بشین؟ به عبارت دیگه فکر نمی‌کنین کاری که باید روی خودتون انجام بدین، به دلیل دلمشغولی با آرزوهای همسرتون، به تأخیر افتاده یا از مسیر خارج شده؟»

گیل با دهان باز به فیلیپ چشم دوخته بود. «این نکته‌ی عمیقیه. می‌دونم چیزی مهم و عمیق در گفته‌هات هست ـ در این مسئله‌ی یأس مضاعف ـ ولی درست متوجه نمی‌شم.»

حالا همه‌ی چشم‌ها به فیلیپ بود که هم‌چنان فقط به سقف نگاه می‌کرد. ربه‌کا که حالا کار سنجاق‌زدن دوباره‌ی موهایش را تمام کرده بود، گفت: «فیلیپ، منظورت اینه که کار شخصی گیل واقعاً شروع نمی‌شه مگر زمانی که خودش رو از دست زنش آزاد کنه؟»

تونی گفت: «یا اینکه درگیری با همسرش نذاشته بفهمه چه بلایی سر خودش اومده؟ به جهنم، من می‌دونم که این درباره‌ی خودم و ارتباطی که با کارم دارم، صادقه. این هفته داشتم فکر می‌کردم اون قدر با خجالت از نجار بودن، کارگری، درآمد پایین و احساس حقارت درگیرم که هیچ‌وقت نرسیده‌ام به چیزای اصلی‌ای که باید درگیرشون باشم، فکر کنم.»

جولیوس مثل دیگران با بهت تشنه‌ی هر کلمه‌ای بود که از دهان

فیلیپ بیرون می‌آمد. میل به رقابت را حس می‌کرد ولی با یادآوری اینکه اهداف گروه در حال تأمین شدن است، آن را فرو می‌نشاند. به خودش می‌گفت *خونسرد باش جولیوس، گروه به تو احتیاج داره؛ اونا تو رو به‌خاطر فیلیپ رها نمی‌کنن. اتفاقی که اینجا داره می‌افته، فوق‌العاده‌ست؛ اونا دارن عضو جدید رو در خود هضم می‌کنن و همچنین برای کارهای بعدی برنامه می‌ریزن.*

نقشه کشیده بود که امروز درباره‌ی بیماری‌اش با گروه حرف بزند. حس می‌کرد حالا که به فیلیپ گفته به ملانوم مبتلاست، برای پرهیز از اینکه بقیه فکر کنند رابطه‌ی خاصی با او دارد، مجبور است موضوع را با همه‌ی گروه در میان بگذارد. ولی جلو کارش را گرفته بودند. اول اضطرار گیل و بعد شیفتگی گروه به فیلیپ. نگاهی به ساعت انداخت. ده دقیقه از وقت باقی مانده بود. برای مطرح کردن این موضوع کافی نبود. جولیوس به این نتیجه رسید که قطعاً جلسه‌ی بعد را با خبر بد شروع خواهد کرد. ساکت ماند و اجازه داد عقربه‌های ساعت پیش بروند.

پادشاهان، تاج‌ها و نشان‌های پادشاهی‌شان و قهرمانان، جنگ‌افزارهایشان را اینجا جا گذاشته‌اند. ولی ارواح بزرگ عظمت‌شان را همیشه همراه دارند: درخشندگی‌شان از درون به بیرون می‌طراویده و شکوه‌شان را مدیون اشیای بیرونی نبوده‌اند.

آرتور شوپنهاور در شانزده‌سالگی در کلیسای وست‌مینیستر

فصل ۱۲

سال ۱۷۹۹: آرتور درباره‌ی انتخاب و دیگر مایه‌های وحشت دنیوی می‌آموزد

وقتی آرتور یازده‌ساله از لوهاور بازگشت، پدرش او را در مدرسه‌ای خصوصی نام‌نویسی کرد که امتیاز ویژه‌اش، تربیت و آموزش تاجران آینده بود. آنجا آنچه را که تاجران خوب باید می‌آموختند، یاد گرفت: محاسبه‌ی پول‌های رایج، نوشتن نامه‌های

اداری و تجاری به همه‌ی زبان‌های اصلی اروپایی، شناختن راه‌های ترابری، مراکز تجاری، محصولات کشاورزی و موضوعات جذاب دیگر. ولی آرتور مجذوب نشد؛ او علاقه‌ای به این نوع از دانش نداشت، طرح هیچ دوستی نزدیکی را در مدرسه نریخت و هر روز که می‌گذشت به نقشه‌ی پدر برای آینده‌اش بی‌میل‌تر می‌شد: هفت سال شاگردی برای اداره‌ی یک تجارت متنفذ محلی.

آرتور چه می‌خواست؟ نمی‌خواست تاجر باشد: از این ایده بیزار بود. او در آرزوی یک زندگی عالمانه بود. با اینکه بسیاری دیگر از همشاگردی‌هایش هم از دوره‌ی طولانی آموزش دل خوشی نداشتند، رشته‌ی اعتراض‌های آرتور سر درازی داشت. به‌رغم نصیحت‌های مؤکد والدینش ـ مادر در یکی از نامه‌هایش به او دستور می‌دهد «همه‌ی این کتاب‌ها و نویسندگان را برای مدتی کنار بگذار... تو پانزده‌ساله‌ای و تا همین حالا هم بهترین‌های نویسندگان آلمانی، فرانسوی و تا حدودی انگلیسی را خوانده‌ای» ــ همه‌ی اوقات فراغت را به مطالعه‌ی ادبیات و فلسفه می‌پرداخت.

علائق آرتور، مایه‌ی عذاب پدرش هاینریش بود. مدیر مدرسه‌ی آرتور به او گفته بود پسرش اشتیاق فراوانی به فلسفه دارد و به شکلی استثنایی شایسته‌ی یک زندگی عالمانه‌ست و در صورتی که به دبیرستانی منتقل شود که او را برای دانشگاه آماده کند، بسیار موفق خواهد بود. شاید هاینریش قلباً به صحت گفته‌ی مدیر باور داشت؛ سیری‌ناپذیری آرتور نسبت به همه‌ی آثار فلسفی، تاریخی و ادبی موجود در کتابخانه‌ی مفصل شوپنهاور کاملاً آشکار بود.

هاینریش چه باید می‌کرد؟ جانشینی‌اش و نیز آینده‌ی وظیفه‌ی راسخ خانوادگی همه‌ی نیاکانش برای حفظ تبار شوپنهاور به خطر افتاده بود. به‌علاوه، از دورنمای امرار معاش یک شوپنهاور مذکر با

درآمد محدود یک دانشمند بر خود می‌لرزید.

هاینریش اول از طریق کلیسا یک مستمری دائمی برای پسرش در نظر گرفت، ولی هزینه‌اش کمرشکن بود؛ اوضاع تجارت خوب نبود و هاینریش باید آینده‌ی مالی همسر و دخترش را هم تضمین می‌کرد.

بعد آرام‌آرام راه حل دیگری ـ راه حلی کم‌وبیش شیطانی ـ در ذهنش شکل گرفت. او در دوره‌هایی در برابر درخواست‌های یوهانا برای یک سفر اروپایی طولانی مقاومت کرده بود. در این دوره‌های دشوار، وضعیت سیاسی بین‌المللی چنان ناپایدار بود که امنیت شهرهای اتحادیه‌ی هانس مورد تهدید قرار می‌گرفت و لازم بود تمام توجهش را به تجارت معطوف کند. ولی به دلیل خستگی و آرزویش برای رهایی از بار مسئولیت‌های تجاری، مقاومتش در برابر درخواست یوهانا متزلزل شده بود. کم‌کم نقشه‌ای در ذهنش شکل گرفت که دو هدف را تأمین می‌کرد؛ هم خرسندی همسرش را به همراه داشت و هم معضل آینده‌ی آرتور را حل می‌کرد.

نقشه‌اش این بود که به پسر پانزده‌ساله‌اش پیشنهاد یک انتخاب را بدهد. گفت: «باید انتخاب کنی: یا پدر و مادرت را در یک سفر یکساله‌ی دور اروپا همراهی کنی و یا دانشمندی پیشه کنی. یا باید قول بدهی از همان روزی که از سفر برمی‌گردی، دوره‌ی شاگردی در زمینه‌ی تجارت را آغاز کنی یا از این سفر چشم‌پوشی کنی، در هامبورگ بمانی و بلافاصله به یک دوره‌ی آموزشی کلاسیک منتقل شوی که تو را برای یک زندگی آکادمیک آماده می‌کند.»

پسر پانزده‌ساله‌ای را تصور کنید که با تصمیمی این‌چنین دگرگون‌کننده‌ی زندگی مواجه باشد. شاید هاینریش همیشه فضل‌فروش در حال ارائه‌ی نوعی رهنمود اگزیستانسیال بوده است. شاید می‌خواسته به پسرش بیاموزد گزینه‌ها آدمی را محدود می‌کنند

و در برابر هر «آری»، باید «نه»ای باشد. (در حقیقت سال‌ها بعد آرتور نوشت «آنکه همه‌چیز بشود، نمی‌تواند چیزی شود.»)

شاید هاینریش داشته طعم چشم‌پوشی را به پسرش می‌چشانده به این معنا که اگر آرتور نمی‌توانست از لذت سفر چشم بپوشد، چطور می‌توانست از خود انتظار داشته باشد از لذت‌های دنیوی صرف نظر کند و زندگی مفلسانه‌ی یک دانشمند را پیشه کند؟

شاید هم نگاهمان به هاینریش زیادی خیرخواهانه‌ست. به نظر می‌رسد این پیشنهاد ریاکارانه بوده زیرا او می‌دانست که آرتور از سفر چشم‌پوشی نمی‌کند، نمی‌تواند بکند. هیچ پانزده‌ساله‌ای در سال ۱۸۰۳ نمی‌توانست از این پیشنهاد بگذرد. چنین سفری در آن زمان رویدادی پرارزش بود که یک بار در زندگی و فقط برای عده‌ی ممتاز معدودی پیش می‌آمد. پیش از رواج عکاسی، مکان‌های برون‌مرزی را تنها از طریق طرح‌ها، نقاشی‌ها و سفرنامه‌ها (ژانری که اتفاقاً بعدها به طرز درخشانی مورد استفاده‌ی یوهانا شوپنهاور قرار گرفت) می‌شناختند.

آیا آرتور حس می‌کرد دارد روحش را می‌فروشد؟ آیا این تصمیم مایه‌ی شکنجه و عذابش بود؟ تاریخ در این باره خاموش است. فقط می‌دانیم او در سال ۱۸۰۳، در پانزده‌سالگی، همراه پدر، مادر و یک خدمتکار راهی سفری پانزده‌ماهه به سراسر اروپای غربی و بریتانیای کبیر شد. خواهر شش‌ساله‌اش، آدل را به خویشاوندی در هامبورگ سپردند.

آرتور اندیشه‌های زیادی را در سفرنامه‌اش ـ که به حکم والدینش به زبان کشوری که از آن دیدار می‌کردند، نوشته می‌شد ـ به قلم آورده است. استعداد زبان‌شناختی‌اش شگفت‌انگیز بود؛ آرتور پانزده‌ساله، بر زبان‌های آلمانی، فرانسوی و انگلیسی به‌خوبی مسلط

بود و ایتالیایی و اسپانیایی را هم در حد کاربردی می‌دانست. در نهایت هم بر تعداد زیادی از زبان‌های باستانی و مدرن تسلط یافت و آن طور که بازدیدکنندگان از کتابخانه‌اش اشاره کرده‌اند، عادت داشت هر کتابی را به زبان همان کتاب حاشیه‌نویسی کند.

سفرنامه‌ی آرتور به ظرافت بر علائق و ویژگی‌هایی دلالت دارد که بعدها ساختار شخصیتی ماندگار او را شکل دادند. یکی از معانی درونی قدرتمند این سفرنامه، شیفتگی‌اش نسبت به مایه‌های وحشت بشری‌ست. آرتور منظره‌ی میخکوب‌کننده‌ی گدایان گرسنگی‌کشیده در وست‌فالیا (شمال غربی آلمان)، انبوهی از مردم که با هراس از جنگ قریب‌الوقوع می‌گریزند (لشگرکشی‌های ناپلئون در حال تکوین بود)، دزدها، جیب‌برها، جماعت مست در لندن، دسته‌های غارتگر در پویتیه[1]، گیوتین‌هایی که در پاریس به تماشای عموم گذاشته شده و شش هزار برده‌ی پاروزن رنجور و ازکارافتاده در تولون را که دیگر قادر به کار بر دریا نیستند و در وضعیتی شبیه به باغ وحش در ناوزندان‌های محصور در خشکی برای تمام عمر به هم زنجیر شده‌اند، با جزئیاتی دقیق و ظریف وصف کرده است. و دژ مارسی را که زمانی مرد نقاب‌آهنی در آن جای داده شده بود و موزه‌ی مرگ سیاه را ـ جایی که نامه‌ها پیش از عبور از بخش‌های در قرنطینه‌ی شهر باید در خمره‌های سرکه‌ی داغ فرو برده می‌شد ـ شرح داده است. و در لیون قدم زدن بی‌اعتنای مردم در همانجایی که پدران و برادرانشان هنگام انقلاب فرانسه کشته شده بودند، نظرش را جلب کرده است.

آرتور در یک مدرسه‌ی شبانه‌روزی در ویمبلدون، جایی که لرد

---

1. Poitiers

نلسون[1] زمانی شاگرد آن بوده، انگلیسی‌اش را کامل کرد و در مراسم اعدام در ملأ عام و نیز شلاق‌زدن دریانوردان حاضر شد، از بیمارستان‌ها و تیمارستان‌ها بازدید کرد و به‌تنهایی در میان محله‌های فقیرنشین و پرجمعیت لندن قدم زد.

بودا در جوانی در قصر پدرش زندگی می‌کرد، جایی که عوام‌الناس را از او پنهان می‌کردند. تنها زمانی که برای نخستین بار از کاخ پدر بیرون آمد، سه وحشت اصلی زندگی را شناخت: یک فرد بیمار، یک پیرمرد ازکارافتاده و یک جسد. کشف ماهیت مصیبت‌بار و هولناک هستی بود که بودا را به چشم‌پوشی از دنیا و جست‌وجو برای رهایی از رنج همگانی رهنمون کرد.

مشاهده‌ی نخستین منظره‌های رنج و درد بشری، بر زندگی و آثار آرتور شوپنهاور هم تأثیری عمیق گذاشت. شباهت تجربه‌اش با بودا را فراموش نکرد و سال‌ها بعد درباره‌ی سفرش نوشت: «در هفده‌سالگی، بی‌آنکه از آموزه‌های مدرسه چیزی اندوخته باشم، مصیبت و اندوه زندگی مرا به خود جلب کرد، درست مانند بودای جوان هنگامی که بیماری، درد، پیری و مرگ را دید.»

آرتور در هیچ دوره‌ای مذهبی نبود؛ ایمان چندانی نداشت ولی در نوجوانی به ایمان گرایش داشت و آرزو می‌کرد از وحشت هستی و زندگانی‌ای که کسی به مشاهده‌ی آن ننشسته، بگریزد. به وجود خدا اعتقاد داشت ولی این اعتقاد با سفری به قلبِ مایه‌های وحشت تمدن اروپایی، مورد آزمون سختی قرار گرفت.

---

۱. لرد نلسون (۱۸۰۵-۱۷۵۸) افسر پرچم در نیروی دریایی سلطنتی بریتانیا که در جنگ‌های ناپلئون بارها زخمی شد و مرگش در نبرد ترافالگار از او یک قهرمان ساخت. ستون نلسون در میدان ترافالگار لندن به یادبود او ساخته شده است ـ م.

بیشتر انسان‌ها، هنگامی که در پایان عمر به پس پشت می‌نگرند، درمی‌یابند چقدر ناپایدار زیسته‌اند. وقتی می‌بینند آنچه گذاشته‌اند از دستشان برود بی‌آنکه قدرش را بدانند یا لذتش را ببرند، همان زندگی‌شان بوده، شگفت‌زده خواهند شد. و چنین انسانی فریب‌خورده از امید، رقصان به‌سوی بازوان مرگ می‌رود.

فصل ۱۳

دردسر بچه‌گربه داشتن اینه
که اون بالاخره گربه می‌شه.
دردسر بچه‌گربه داشتن اینه
که اون بالاخره گربه می‌شه.

جولیوس تکان محکمی به سرش داد تا این شعر مزاحم را از ذهن براند و در بستر نشست و چشمانش را گشود. ساعت، شش صبح بود، یک هفته بعد، روز جلسه‌ی بعدی گروه بود و آن قطعه

شعر اگدن نش[1] (شاعر امریکایی) که در ذهنش پیچ‌وتاب می‌خورد، موزیک متن شب دیگری بود که به خوابی ناکافی و نه چندان رضایت‌بخش گذشته بود.

گرچه همه قبول دارند که زندگی یعنی فقدان پشت فقدان، کمتر کسی می‌داند یکی از بدترین فقدان‌هایی که در دهه‌های پایانی عمر انتظارمان را می‌کشد، فقدان یک خواب خوب شبانه‌ست. جولیوس این درس را خوب یاد گرفته بود. یک شب معمولی‌اش عبارت بود از چرت‌های سبک که تقریباً هیچ‌وقت به قلمرو ژرف و آرامش‌بخش امواج دلتا وارد نمی‌شد، خوابی که چنان به‌وسیله‌ی بیداری‌های مکرر از هم می‌گسیخت که اغلب از به بستر رفتن می‌ترسید. مثل بیشتر بی‌خواب‌ها، او هم صبح‌ها در حالی برمی‌خاست که حس می‌کرد خیلی کمتر از میزان واقعی خوابیده یا حتا همه‌ی شب را بیدار بوده است. گاهی فقط در صورتی مطمئن می‌شد خوابش برده که افکار شبانه‌اش را به‌دقت مرور می‌کرد و متوجه می‌شد هرگز نمی‌توانسته در عالم بیداری به چنین چیزهای بی‌ربط و عجیب و غریبی بیندیشد آن هم در مدتی به این درازی.

ولی امروز صبح اصلاً نمی‌دانست چقدر خوابیده و کاملاً گیج بود. ترجیع‌بند بچه‌گربه ـ گربه باید از قلمرو رؤیا آمده باشد، ولی تکلیف سایر افکار شبانه‌اش معلوم نبود، نه وضوح و هدفمندی هوشیاری تمام‌وکمال را داشت و نه تلون پرپیچ‌وخم افکار متعلق به رؤیا را.

جولیوس از همان دستوری پیروی کرد که برای تسهیل به یاد آوردن تخیلات شبانه، تصاویر پیش از خواب و رؤیاها به بیمارانش

---

1. Ogden Nash

می‌داد: در بستر نشست و با چشمان بسته آن قطعه شعر را مرور کرد. شعر خطاب به کسانی‌ست که بچه‌گربه‌ها را دوست دارند، ولی به بالغ شدن و گربه‌شدنشان علاقه‌ای ندارند. ولی این به او چه ربطی داشت؟ او بچه‌گربه‌ها و گربه‌ها را به یک اندازه دوست داشت، عاشق دو گربه‌ی بالغی بود که در مغازه‌ی پدرش بودند، همین طور عاشق بچه‌های آن‌ها و بچه‌های بچه‌هایشان و نمی‌توانست بفهمد چرا این شعر آن هم به شکلی این چنین مزاحم در ذهنش جا خوش کرده است.

دوباره که فکر کرد، به این نتیجه رسید که شاید شعر یادآوری خشنی‌ست از اینکه چطور همه‌ی عمر، به باوری غلط چسبیده بوده: اینکه همه‌ی آنچه به جولیوس هرتسفلد مربوط است ـ کامیابی، مقام، افتخار ـ حرکتی مارپیچ و رو به بالا دارد و زندگی همواره بهتر و بهتر می‌شود. البته حالا متوجه شده بود عکسش صحیح است: عصر طلایی همان ابتدا از راه رسیده بود، شروعی معصومانه و بچه‌گربه‌وار سرشار از بازیگوشی، قایم‌باشک، پرچم‌بازی، قلعه‌سازی با قوطی‌های خالی لیکور مغازه‌ی پدر، زمانی تهی از احساس گناه، تزویر، دانش یا وظیفه که بهترین دوره‌ی زندگی بود و هرچه روزها و سال‌های بیشتری گذشت، شعله‌ی این آتش کم‌سوتر شد و هستی بیرحم و خشن‌تر. بدترینش هم برای آخر گذاشته شده است. به یاد حرف‌های جلسه‌ی پیش فیلیپ درباره‌ی کودکی افتاد. شکی وجود ندارد: در این قسمت حق با نیچه و شوپنهاور بوده است.

جولیوس با اندوه سر تکان داد. حقیقت داشت که هرگز واقعاً طعم لحظه را نچشیده بود، هرگز اکنون را درک نکرده بود، هرگز به خود نگفته بود: «همین، این لحظه، امروز: این همان چیزی‌ست که

می‌خواهم! این‌هاست که به روزهای خوش گذشته بدل می‌شود. بگذار در همین لحظه بمانم، بگذار در همینجا ریشه بدوانم.» نه، او همیشه باور داشت خوش‌طعم‌ترین شکار زندگی را هنوز نیافته و همیشه چشم‌انتظار آینده بود: زمانی که پیرتر، زیرک‌تر، بزرگ‌تر و ثروتمندتر شود. و بعد آشوب از راه رسید، همه‌چیز زیر و رو شد، فروپاشی ناگهانی و فاجعه‌بار نگاه آرمان‌گرایانه به آینده و آغاز حسرتی بی‌تابانه برای آنچه قبلاً بوده است.

این واژگونگی کی اتفاق افتاد؟ کی حسرت گذشته جایگزین نوید طلایی فردا شد؟ در دوره‌ی کالج نبود که جولیوس همه‌چیز را طلیعه (و یا مانع) دستیابی به آن جایزه‌ی بزرگ می‌دید: ورود به دانشکده‌ی پزشکی. در دانشکده‌ی پزشکی هم نبود، جایی که در سال‌های نخست، آرزو داشت سر کلاس حاضر نشود و به جای آن، مثل دانشجویان دوره‌ی بالینی به بخش‌ها سر بزنند؛ آن هم با روپوش سفید و گوشی پزشکی در جیب یا دور گردن هم‌چون شال گردنی پولادی ـ لاستیکی. در دوره‌ی بالینی و سال‌های سوم و چهارم پزشکی هم نبود، زمانی که بالاخره جایگاهش را در بخش‌های بیمارستانی یافته بود. آن موقع هم در حسرت خبرگی و تجربه‌ی بیشتر بود: مهم بودن، تصمیم‌های حیاتی بالینی گرفتن، زندگی‌ها را نجات دادن، لباس آبی دستیار جراح را پوشیدن و یک‌وری تخت بیمار را در طول راهروی بیمارستان هل دادن تا اتاق عمل برای جراحی اورژانس تروما. حتا وقتی دستیار ارشد

روان‌پزشکی شده بود، به پشت پرده‌ی شمن‌گرایی[1] سرک می‌کشید و در برابر محدودیت‌ها و عدم قطعیت رشته‌ای که برگزیده بود، مبهوت می‌ماند.

شکی نبود که بی‌میلی مزمن و مصرانه‌ی جولیوس به درک و دریافت اکنون، به زندگی مشترکش صدمه زده بود. با آنکه از همان لحظه‌ای که در کلاس دهم چشمش به میریام افتاده بود، عاشقش شده بود، هم‌زمان او را مانعی می‌دید در برابر توده‌ی زنانی که حس می‌کرد حق دارد از وجودشان لذت ببرد. هرگز به‌طور کامل نپذیرفته بود دوران جفت‌یابی‌اش به پایان رسیده یا از آزادی‌اش برای پیروی از شهوت کمی کاسته شده است. در آغاز دوره‌ی کارورزی متوجه شد بخش استراحت کارکنان بیمارستان، درست مجاور خوابگاه دانشکده‌ی پرستاری‌ست که پر بود از پرستاران جوانِ خواستنی که دکترها را می‌پرستیدند.

این واژگونگی باید بعد از مرگ میریام اتفاق افتاده باشد. در این ده‌سالی که حادثه‌ی رانندگی، میریام را از او گرفته بود، بیش از زمان زنده بودنش، گرامی‌اش داشته بود. جولیوس گاهی که فکر می‌کرد چطور دوران شادی و سرور لطیفی که با میریام داشت ـ آن لحظات اوج حماسه‌ی زندگی ـ آمده و گذشته بی‌آنکه او تمام‌وکمال دریابدشان، آهی از سر نومیدی می‌کشید. حتا حالا بعد از گذشت یک دهه، هنوز نمی‌توانست نامش را به‌سرعت بر زبان بیاورد بی‌آنکه بعد از هر هجا درنگی کند. نیز می‌دانست که هرگز هیچ زن

---

۱. اصطلاحی مورد استفاده در متون مردم‌شناسی، تاریخی و نیز متون غیرتخصصی برای اشاره به تمرین‌هایی جادویی ـ مذهبی که فرد به کمک آن‌ها به سطح متفاوتی از هوشیاری دست می‌یابد تا با دنیای ارواح مرتبط شود ـ م.

دیگری واقعاً برای او اهمیت نداشته است. چند زن موقتاً تنهایی‌اش را تاراندند، ولی چیزی نگذشت که هم او و هم آن‌ها دریافتند که هرگز جای میریام را نخواهند گرفت. اخیراً تنهایی‌اش با حلقه‌ی بزرگی از دوستان مرد که بعضی متعلق به گروه حمایتی روان‌پزشکی‌اش بودند و نیز به‌وسیله‌ی دو فرزندش تخفیف یافته بود. در چند سال اخیر، همه‌ی تعطیلاتش را در خانواده و با دو فرزند و پنج نوه‌اش گذرانده بود.

ولی همه‌ی این افکار و یادآوری‌ها، پیش‌درآمدها و فیلم‌های کوتاه شبانه‌ای بیش نبود: نمای اصلی این یادآوری شبانه، تمرینی بود برای سخنرانی‌ای که قرار بود امروز عصر برای اعضای گروه ایراد کند.

تا همین حالا موضوع سرطانش را با بسیاری از دوستان و بیمارانی که تحت درمان فردی‌اش بودند، در میان گذاشته بود، ولی عجیب بود که دلمشغولی دردناکی با «ظاهر شدن» در گروه داشت. جولیوس اندیشید این باید مربوط به عشقی باشد که او نسبت به گروهِ درمانی‌اش حس می‌کرد. در طول این بیست‌وپنج‌سال، مشتاقانه به استقبال تک‌تک جلساتش رفته بود. گروه چیزی بیش از جمع چند نفر بود؛ زندگی خودش را داشت و شخصیتی پایدار. بااینکه هیچ‌یک از اعضای اولیه، دیگر در گروه نبودند (البته به‌جز خودش)، گروه یک «خود» استوار و پابرجا داشت، فرهنگی اصیل (یا به‌اصطلاح مجموعه‌ی منحصربه‌فردی از «هنجارها» و قوانین نانوشته) که جاوید و همیشگی به نظر می‌آمد. هیچ‌یک از اعضا نمی‌توانست هنجارهای گروه را برشمارد، ولی در اینکه فلان رفتار، مناسب یا نامتناسب با گروه است، توافق داشتند.

گروه بیش از هریک از وقایع هفته، انرژی می‌طلبید و جولیوس

کوشش بسیاری کرده بود تا آن را شناور نگه دارد. کشتی نظرکرده‌ی قدیمی و پرارزشی که فوجی از مردمان رنج‌کشیده را به بندرگاه‌هایی امن‌تر و شادتر منتقل کرده بود. چه تعداد؟ خب، از آنجا که متوسط حضور افراد در گروه دو تا سه‌سال بود، جولیوس حدس می‌زد این کشتی، دست کم یکصد مسافر داشته است. گاه خاطره‌ای از اعضای ازدست‌رفته ـ برشی از یک گفت‌وگو، تصویر گذرایی از یک چهره یا یک حادثه ـ از ذهن جولیوس می‌گذشت. وقتی می‌دید این باریکه‌های خاطره، تنها بازمانده‌ی آن اوقات پرشور و گرانبها و رویدادهای سرزنده و سرشار از نیرو و معنا هستند، غمگین می‌شد.

سال‌ها پیش جولیوس به تجربه‌ی ضبط ویدئویی گروه و پخش دوباره‌ی بعضی بخش‌ها و مکالمه‌های دشوار در جلسه‌ی بعد، دست زده بود. این نوارهای قدیمی دیگر با دستگاه‌های ویدئویی امروزی همخوانی نداشتند. گاهی دلش می‌خواست آن‌ها را از انبار زیرزمین بیرون بکشد، به اَشکال جدید تبدیلشان کند و بیماران ازدست‌رفته را دوباره به زندگی برگرداند. ولی هرگز این کار را نکرد؛ تاب رویارویی با ماهیت واهی و گول‌زننده‌ی زندگی را نداشت: اینکه زندگی بر صفحه‌ی نوار بدرخشد و لحظه‌ی اکنون و هر لحظه‌ای که از راه می‌رسد، به‌سرعت در پوچی موجک‌های الکترومغناطیسی رنگ ببازد.

گروه‌ها برای شکل‌گیری ثبات و اعتماد، نیازمند زمانند. اغلب پیش می‌آید که یک گروه تازه‌شکل‌گرفته، اعضایی را که به دلیل نبود انگیزه یا توانایی قادر نیستند وظیفه‌ی گروه (یعنی تعامل با سایر اعضا و تحلیل آن تعامل) را به انجام رسانند، به‌شدت تحت فشار قرار می‌دهد. بعد ممکن است گروه هفته‌ها درگیر تعارضی

ناآرام برای دستیابی اعضا به جایگاه قدرت، محوریت و تأثیرگذاری شود ولی در نهایت، وقتی اعتماد شکل می‌گیرد، جو درمانی و آشتی‌دهنده حکمفرما می‌شود. همکارش، اسکات، یک‌بار گروه را به پلی تشبیه کرد که در جنگ ساخته شده است. مرحله‌ی سازندگی تلفات زیادی دارد (کسانی که گروه را ترک می‌کنند) ولی وقتی پل ساخته شد، افراد زیادی (اعضای اولیه‌ای که در گروه می‌مانند و همه‌ی کسانی که پس از آن به گروه می‌پیوندند) را به جایی بهتر رهنمون می‌کند.

جولیوس مقالات تخصصی زیادی نوشته بود درباره‌ی وجوه مختلف کمک گرفتن بیماران از گروه‌های درمانی، ولی همیشه در یافتن زبان وصف‌کننده‌ی این عنصر حیاتی مشکل داشت: جو درمانی گروه. در یک مقاله آن را به درمان طبی ضایعات شدید پوستی تشبیه کرد که بیمار را در وان‌های تسکین‌دهنده حاوی بلغور جودوسر[1] فرو می‌برند.

یکی از مهم‌ترین فواید جانبی هدایت یک گروه ـ واقعیتی که هرگز در نوشته‌های تخصصی به آن اشاره نمی‌شود ـ این است که یک گروه مقتدر اغلب درمانگر را هم در کنار بیماران شفا می‌دهد و درمان می‌کند. بااینکه جولیوس اغلب بعد از هر جلسه احساس آرامش و تسکین را تجربه می‌کرد، هرگز درباره‌ی ساز کار دقیق آن مطمئن نبود. آیا نتیجه‌ی فراموش کردن خود برای نود دقیقه بود یا حاصل انجام عمل نوع‌دوستانه‌ی درمان یا لذت بردن از خبرگی و مهارت خود، احساس غرور نسبت به توانایی‌های خود و برخورداری از توجه و احترام دیگران؟ همه‌ی این‌ها با هم؟

---

۱. درمانی که برای کاهش خارش شدید بعضی ضایعات پوستی کاربرد دارد ـ م.

جولیوس کوشش برای دقیق بودن را کنار گذاشته بود و در این چند سال همان توصیف خودمانی فرو رفتن در آب‌های شفابخش گروه را پذیرفته بود.

اعلام ابتلا به ملانوم در گروه، برایش عملی بسیار مهم بود. اندیشید روراستی با خانواده، دوستان و همه‌ی جماعت پشت صحنه یک‌چیز است و افشاگری شخصی برای تماشاگران اصلی‌اش ـ آن گروه منتخبی که او برایشان درمانگر، طبیب، کشیش و شمن بوده ـ یک چیز دیگر. این گامی برگشت‌ناپذیر بود، پذیرش اینکه ازکارافتاده شده، اعترافی آشکار به اینکه زندگی‌اش دیگر مارپیچی رو به بالا و به‌سوی آینده‌ای والاتر و درخشان‌تر نیست.

جولیوس به عضو غایب گروه، پم، که در سفر بود و تا یک ماه دیگر برنمی‌گشت، خیلی فکر کرده بود. متأسف بود که امروز هنگام افشاگری‌اش حضور نخواهد داشت. پم عضو کلیدی گروه بود و همیشه حضوری آرامش‌دهنده و شفابخش برای دیگران و نیز برای او داشت. و از این واقعیت که گروه نتوانسته از بابت خشم شدید و تفکر وسواس‌گونه‌ی او نسبت به شوهر و معشوق سابقش کمکی به او کند، شرمنده بود تا جایی که پم با نومیدی و در پی دریافت کمک، برای مراقبه به خلوتگاهی بودایی در هند رفته بود.

و به این ترتیب، جولیوس در حال دست‌وپنجه نرم کردن با این احساسات، ساعت چهار و نیم بعد از ظهر آن روز، وارد اتاق گروه شد. اعضا پیش از او آمده بودند و در حال مطالعه‌ی برگه‌های کاغذی بودند که با ورود جولیوس به سرعت برق پنهان شد.

اندیشید عجیب است. مگر دیر کرده بود؟ نگاه سریعی به ساعت مچی‌اش انداخت. نه، درست چهاروسی دقیقه بود. اهمیتی به این موضوع نداد و نطق ازپیش‌تدارک‌دیده‌اش را آغاز کرد.

«خب، اجازه بدین شروع کنیم. همون‌جور که می‌دونین من عادت ندارم جلسه رو خودم شروع کنم، ولی امروز استثناست چون موضوعی هست که لازمه از قفسه‌ی سینه‌ام بیرون بریزم، چیزی که گفتنش برام سخته. پس گوش کنین.

حدود یک ماه پیش متوجه شدم به یک نوع جدی - بی‌رودربایستی چیزی بیش از جدی - در واقع به نوع مهلکی از سرطان پوست یعنی ملانوم بدخیم مبتلا شده‌ام. فکر می‌کردم از سلامت خوبی برخوردارم؛ ولی این مسئله در معاینات دوره‌ای اخیرم مشخص شد... .»

جولیوس مکث کرد. یک جای کار ایراد داشت: حالت چهره و زبان بدن اعضا درست نبود. وضعیت بدنی‌شان نادرست بود. باید به سمت او برمی‌گشتند؛ باید توجهشان به او می‌بود؛ ولی هیچ‌کس رویش کاملاً به او نبود، هیچ‌کس با او تماس چشمی نداشت، چشمان همه از او می‌گریخت و تمرکز نداشت به‌جز چشمان ربه‌کا که یواشکی مشغول مطالعه‌ی برگه‌ی کاغذ روی دامنش بود.

جولیوس پرسید: «چه خبره؟ حسم اینه که انگار با هیچ‌کس ارتباط برقرار نمی‌کنم. به نظر می‌یاد امروز همه‌ی شما دلمشغولی دیگه‌ای دارین. و ربه‌کا، اون چیه داری می‌خونی؟»

ربه‌کا بی‌درنگ کاغذ را تا کرد و در کیف دستی‌اش فرو برد و نگاهش را از جولیوس دزدید. همه ساکت نشستند تا اینکه تونی سکوت را شکست.

«خب من باید حرف بزنم. نمی‌تونم به‌جای ربه‌کا حرف بزنم ولی از طرف خودم می‌تونم. مشکل من این بود که وقتی داشتی حرف می‌زدی، از قبل می‌دونستم می‌خوای راجع به... وضع سلامتی‌ت بگی. برای همین نگاه کردن به تو و تظاهر به اینکه دارم

چیز تازه‌ای می‌شنوم برایم سخت بود. و در عین حال نمی‌تونستم حرفت را قطع کنم و بگم که می‌دونم چی می‌خوای بگی.»

«چطور؟ منظورت چیه که می‌دونستی من می‌خوام چی بگم؟ امروز اینجا چه خبره؟»

گیل گفت: «متأسفم جولیوس، بذار من توضیح بدم. منظورم اینه که از یک جهت این منم که باید سرزنش بشم. بعد از جلسه‌ی پیش، من هنوز سردرگم بودم و نمی‌دونستم آیا به خونه برگردم یا نه یا کی این کارو بکنم یا شب کجا بخوابم. کلی به تک‌تک اعضا اصرار کردم که با من به کافه بیان و اونجا جلسه رو ادامه بدیم.»

جولیوس با ریشخند و در حالی که انگار دارد با حرکت دستش ارکستری را رهبری می‌کند، گفت: «راستی؟ و بعد چی شد؟»

«خب، فیلیپ به ما گفت که جریان چیه. می‌دونی... منظورم درباره‌ی وضع سلامتی‌ت و درباره‌ی میلوم بدخیم...»

فیلیپ به آرامی صحبتش را قطع کرد که: «ملانوم»

گیل نگاهی به کاغذی که در دست داشت، انداخت. «درسته، ملانوم. ممنون فیلیپ. حواست به من باشه. من قاطی کرده‌ام.»

فیلیپ گفت: «میلوم مولتیپل یک جور سرطان استخوانه. ملانوم یک جور سرطان پوسته، یاد ملانین بیفت، رنگدانه‌ای که رنگ پوست رو تعیین می‌کنه...»

جولیوس حرفش را قطع کرد و در حالی که با حرکت دست، گیل یا فیلیپ را به توضیح دادن دعوت می‌کرد، گفت: «پس این کاغذها...»

گیل برگه‌ی خودش را به طرف جولیوس دراز کرد و او عنوان "ملانوم بدخیم" را بالای آن دید: «فیلیپ اطلاعات مربوط به وضعیت تو رو دانلود کرده و خلاصه‌ای ازش تهیه کرده و همین

چند دقیقه پیش که وارد اتاق شدیم، اونو به ما داد.»

جولیوس گیج و سراسیمه به پشتی صندلی تکیه داد. «من... ام... نمی‌دونم چطور بگم... حس می‌کنم پیشدستی کرده‌اید، حس می‌کنم یه داستان خیلی مهم داشتم که براتون بگم و خبر دست اولم لو رفته، داستان زندگی یا... شاید داستان مرگ خودم لو رفته.» بعد برگشت و در حالی که مستقیم با فیلیپ حرف می‌زد، گفت: «هیچ فکر کردی که ممکنه من چه احساسی پیدا کنم؟»

فیلیپ خونسرد و بی‌اعتنا ماند، نه جواب داد و نه نگاهی به جولیوس انداخت.

ربه‌کا که گیره‌ی موهایش را برداشته بود، موهای بلند مشکی‌اش را رها کرده بود و دوباره بالای سرش جمع کرده بود، گفت: «این عادلانه نیست، جولیوس. تقصیر اون نیست. اولاً فیلیپ اصلاً دلش نمی‌خواست بعد از جلسه به کافه بیاد. گفت اجتماعی نیست و گفت که باید خودش رو برای کلاسش آماده کنه. ما مجبور شدیم عملاً به زور به اونجا بکشونیمش.»

گیل باقی صحبت را پی گرفت: «راست می‌گه. ما بیشتر درباره‌ی من و همسرم و اینکه «اون شب باید کجا بخوابم، حرف زدیم. بعد همه‌مون از فیلیپ پرسیدیم چی شده که درمان رو شروع کرده که البته خیلی طبیعیه ـ از همه‌ی اعضای جدید این سؤالو می‌کنیم ـ و او از تماس تلفنی‌ت گفت که بیماری‌ت علتش بوده. این خبر ما رو مبهوت کرد و نتونستیم ازش بگذریم و اصرار کردیم هرچی می‌دونه برامون بگه. حالا که فکر می‌کنم، نمی‌دونم چطور می‌تونست نگه.»

ربه‌کا اضافه کرد: «فیلیپ حتا پرسید آیا برای گروه حلاله که بدون تو دور هم جمع بشه؟»

جولیوس پرسید: «حلال؟ فیلیپ چنین حرفی زد؟»

ربه‌کا گفت: «خب، نه، فکر کنم *حلال* اصطلاح من بود، نـه اون. ولی معنی حرفش همین بود و من بهش گفتم ما اغلب بعد از گروه، یه جلسه در کافه داریم و تو هم هیچ‌وقت اعتراضـی نکـرده‌ای جـز اینکه اصرار داری هر کسی رو که اونجا نبوده در جریان جلسه قرار بدیم تا رازی در بین نباشه.»

خوب شد ربه‌کا و گیل این فرصـت را بـه جولیـوس دادنـد کـه خود را آرام کند. ذهنش از منفی‌بافی به جوش آمده بود: *این مـردک ناسپاس، این حرامزاده‌ی آدم‌فروش. من دارم سعی می‌کنم کـاری بـراش بکنم و این چیزیه که در مقابل دریافت می‌کنم: هیچ‌کار خـوبی بـی‌اجـر نمی‌مونه. و می‌تونم تصور کنم چقدر کم درباره‌ی خودش و اینکـه چـرا تحت درمان من بوده، به گـروه گفتـه... شـرط مـی‌بنـدم خیلـی راحـت فراموش کرده به گروه بگه که با حدود هزار تـا زن رابطـه داشـته بـدون اینکه ذره‌ای محبت یا علاقه نسبت به حتا یکی‌شون حس کرده باشه.*

ولی همه‌ی این افکار را نزد خود نگه داشت و با مـرور وقـایعی که بعد از آخرین جلسه پیش آمده بود، آرام آرام کینـه را از ذهـنش زدود. متوجه شد *البته* که گروه برای شرکت فیلیپ در جلسه‌ی بعـد از گروه، اصرار زیادی به او کرده‌اند و فیلیپ در نهایت مجبور شـده با آن‌ها برود: در واقع اشتباه او بود که درباره‌ی این گردهمـایی‌هـای دوره‌ای گروه چیزی به فیلیپ نگفته بود. و *البته* کـه اعضـا دربـاره‌ی علت شروع درمان از او سؤال کرده‌اند: حق با گیل بود. گروه هرگـز فراموش نمی‌کرد این پرسش را از عضو تازه بپرسد و *البته* که فیلیپ مجبور بود داستان تاریخچه و سپس قرارداد درمـانی غیرمعمولشـان را آشکار کنـد. چـه انتخـاب دیگـری داشـت؟ از آنجـا کـه توزیـع اطلاعات درباره‌ی ملانوم بدخیم، ایـده‌ی خـود فیلیـپ بـود، شـکی

وجود نداشت که این شیوه‌ی خودشیرینی‌اش نزد گروه بود.

جولیوس حس می‌کرد از درون می‌لرزد و نمی‌توانست لبخندی به لب بیاورد، ولی خودش را جمع و جور کرد و ادامه داد. «خب، همه‌ی سعی‌ام رو می‌کنم تا در این باره حرف بزنم. ربه‌کا، اجازه بده یه نگاه درست و حسابی به اون صفحه بندازم.» جولیوس به‌سرعت برگه را از نظر گذراند. «این اطلاعات پزشکی دقیق به نظر می‌یان پس تکرارشون نمی‌کنم، فقط شما رو در تجربه‌ی خودم شریک می‌کنم. ماجرا این جوری شروع شد که دکترم یه خال غیرعادی روی پشتم دید و نمونه‌برداری تأیید کرد از نوع ملانوم بدخیمه. برای همین بود که جلسه‌ی گروه رو لغو کردم: یکی دو هفته‌ای منقلب بودم، واقعاً سخت گذشت تا تونستم هضمش کنم.» صدایش لرزید. «همون جوری که می‌بینین هنوزم سخته.» مکثی کرد، نفس عمیقی کشید و ادامه داد: «دکترها نمی‌تونن آینده‌م رو پیش‌بینی کنن، ولی مهم اینه که با اطمینان می‌گن دست‌کم یه سال با وضع مزاجی خوب پیش رو دارم. پس این گروه برای دوازده ماه دیگه روال معمول خودش رو داره. نه، صبر کنین، بذارین این‌طوری بگم: تا جایی که وضع مزاجی‌م اجازه بده، به خودم قول می‌دم که جلساتمون رو تا یه سال دیگه ادامه بدم، یعنی تا زمانی که این گروه‌درمانی به پایان برسه. ناشیگری‌م رو ببخشید، ولی تمرینی در این مورد نداشته‌ام.»

بانی پرسید: «جولیوس، واقعاً مهلکه؟ اطلاعات اینترنتی فیلیپ می‌گه... همه‌ی این آمارها به مرحله‌بندی بر اساس میزان پیشرفت ملانوم بستگی داره.»

«پرسش صریحی‌ست و پاسخ صریحش هم "بله"ست: قطعاً مهلکه. احتمال اینکه در آینده از پا درم بیاره، زیاده. می‌دونم سؤالی

نبود که بشه به آسونی پرسید و از صراحتت ممنونم، بانی، چون من هم مثل بیشتر آدم‌هایی که بیماری مهمی دارن، از کسانی که موضوع رو لفت می‌دن، بیزارم. این کار فقط منو می‌ترسونه و باعث می‌شه احساس تنهایی کنم. باید به واقعیت جدیدم عادت کنم. دوستش ندارم ولی واقعیت اینه که زندگی‌م به عنوان یک آدم سالم بی‌خیال ـ این جور زندگی‌م ـ داره به آخر می‌رسه.»

ربه‌کا پرسید: «دارم به چیزی فکر می‌کنم که فیلیپ هفته‌ی پیش به گیل گفت. نمی‌دونم به دردت می‌خوره یا نه، جولیوس؟ مطمئن نیستم اینجا توی گروه عنوان شد یا توی کافه... ولی درباره‌ی تعریف خودت یا زندگی خودت به‌وسیله‌ی دلبستگی‌هات بود. درست می‌گم، فیلیپ؟»

فیلیپ با لحنی موقر و با پرهیز از تماس چشمی گفت: «وقتی هفته‌ی پیش با گیل حرف می‌زدم، اشاره کردم که هرچی دلبستگی‌های فرد بیشتر باشه، زندگی کمرشکن‌تر می‌شه و رنجی که فرد موقع جدایی از این دلبستگی‌ها باید تحمل کنه هم بیشتر می‌شه. شوپنهاور و بودایی‌ها هر دو معتقدن فرد باید خود رو از دلبستگی‌هاش جدا کنه و...»

جولیوس صحبتش را قطع کرد: «فکر نمی‌کنم این به درد من بخوره و به‌علاوه، مطمئن نیستم این همون مسیری باشه که قراره این جلسه طی کنه.» متوجه نگاه سریع معنی‌داری شد که بین ربه‌کا و گیل ردوبدل شد ولی ادامه داد: «من درست از نقطه‌ی مقابل به موضوع نگاه می‌کنم: دلبستگی‌ها و فراوانی‌شون، اجزای ضروری یک زندگی تمام‌عیارن و پرهیز از دلبستگی‌ها به دلیل رنجی که همراه می‌یارن، رهنمودی قطعی برای نیمه‌کاره زیستنه. منظورم این نیست که رشته‌ی کلامت رو ببرم، ربه‌کا، ولی فکر می‌کنم اگه به

واکنش‌های تو و واکنش‌های بقیه به خبری که من دادم، برگردیم، بیشتر ممکنه به نتیجه برسیم. روشنه که خبردار شدن از سرطان من، باید احساسات نیرومندی رو برانگیخته باشه. من مدت درازیه که خیلی از شماها رو می‌شناسم.» جولیوس دست از حرف زدن برداشت و نگاهی به بیمارانش انداخت.

تونی که در صندلی‌اش فرو رفته بود، حرکتی به خود داد. «خب، وقتی کمی پیش گفتی چیزی که باید برای ما مهم باشه، اینه که تا کی می‌تونی این گروهو سرپرستی کنی، شوکه شدم: حتا من که همیشه به پوست‌کلفتی متهم شده‌ام، از این حرف به شدت ناراحت شدم. انکار نمی‌کنم که این مسئله از ذهنم گذشت، ولی جولیوس، چیزی که بیشتر از همه مایه‌ی غصه‌مه، اینه که این ماجرا برای تو چه معنایی داره... منظورم اینه که، بذار روراست باشیم، تو خیلی... یعنی... *واقعاً* برام مهمی، کمکم کردی با بدترین شرایط کنار بیام . . می‌خوام بگم کاری هست که بتونم برات بکنم؟ باید خیلی برات وحشتناک بوده باشه.»

گیل گفت: «حرف منم همینه» و باقی اعضا (به‌جز فیلیپ) هم با او همصدا شدند.

«جواب این سؤال رو می‌دم تونی، ولی اول می‌خوام بگم چقدر تحت تأثیر قرار گرفتم؛ یکی‌دوسال پیش، برات ممکن نبود که این قدر صریح باشی و این قدر سخاوتمندانه به دیگران فکر کنی. ولی جواب سؤالت اینه که خیلی وحشتناک بود. احساساتم اوج و فرود داره. یکی‌دو هفته‌ی اول وقتی جلسه‌ی گروهو لغو کردم، از پا افتاده بودم. یکسره با دوستانم و همه‌ی شبکه‌ی حمایتی اطرافم حرف می‌زدم. حالا در این لحظه، بهترم. به همه‌چیز عادت می‌کنی، حتا به بیماری کشنده. دیشب این ترجیع‌بند مدام در ذهنم تکرار می‌شد که:

“زندگی یعنی فقدان پشت فقدان”.»

جولیوس مکث کرد. کسی حرفی نزد. همه به کف اتاق خیره شده بودند. جولیوس اضافه کرد: «دلم می‌خواد راحت باهاش برخورد کنم... درباره‌ی همه‌چیزش حرف بزنم... ملاحظه‌ی چیزی رو نخواهم کرد... ولی الآن فکر می‌کنم حرفم رو زده‌ام و نیازی نمی‌بینم همه‌ی جلسه به من اختصاص داده بشه، مگه اینکه شما سؤال خاصی داشته باشین. می‌خوام بگم الآن انرژی همیشگی‌ام رو برای کار در اینجا دارم. در واقع، برام مهمه که کارمون رو مثل قبل ادامه بدیم.»

بعد از سکوت کوتاهی، بانی گفت: «راستشو بگم، جولیوس، چیزایی هست که بتونم ازشون حرف بزنم، ولی نمی‌دونم... مشکلات من در مقایسه با چیزی که تو داری از سر می‌گذرونی، خیلی بی‌اهمیتند.»

گیل نگاهش را بالا آورد و اضافه کرد: «منم همین جور. مسائل من ـ اینکه یاد بگیرم چطور با زنم حرف بزنم، کنارش بمونم یا بذارم کشتی غرق بشه ـ همه‌ی اینا در مقایسه خیلی پیش‌پاافتاده‌اند.»

فیلیپ این جمله را اشاره‌ای به خودش تلقی کرد و گفت: «اسپینوزا عاشق به‌کارگیری عبارت لاتین sub specie aeternitatis بود یعنی “از دیدگاه ابدیت”. او می‌گفت اگر از دیدگاه ابدیت به وقایع آزاردهنده‌ی روزمره نگاه کنیم، کمتر آشوبنده به نظر خواهند آمد. من معتقدم این مفهوم، ابزار باارزشی در روان‌درمانیه. شاید...» در اینجا فیلیپ برگشت و مستقیماً جولیوس را مخاطب قرار داد: «حتا برای ضربه‌ی جدی‌ای که تو در معرضش قرار گرفته‌ای، مایه‌ی تسلی باشه.»

«متوجه هستم که می‌خوای چیزی به من پیشکش کنی، فیلیپ، و

از این بابت ممنونم. ولی در حال حاضر، ایده‌ی نگاه به زندگی از منظر کیهانی، چاشنی مناسبی برای طب نیست. بگذار بگم چرا. دیشب خوب نخوابیدم و این غصه به دلم افتاد که چرا به‌موقع، قدر چیزهایی رو که داشته‌ام، ندونسته‌ام. وقتی جوان بودم، همیشه زمان حال رو پیش‌درآمدی برای اتفاق بهتری که قرار بود بیفته، می‌دونستم. و بعد، سال‌ها گذشت و ناگهان متوجه شدم دارم برعکس عمل می‌کنم: خودم رو در حسرت گذشته فرو برده‌ام. چیزی که به اندازه‌ی کافی به اون نپرداخته‌ام، گرامی داشتن هر لحظه‌ست، و مشکلی که در راه حل دست شستن از دلبستگی‌های تو هست هم همینه. انگار زندگی رو از اون سر تلسکوپ ببینی.»

گیل گفت: «جولیوس، می‌خوام اینجا از مشاهده‌م بگم: فکر می‌کنم امکان نداره فیلیپ چیزی بگه که تو قبول کنی.»

«مشاهده چیزیه که من همیشه بهش توجه می‌کنم، گیل. ولی این فقط یه نظره. مشاهده‌ش کجا بود؟»

«خب، مشاهده‌ش اینجاست که تو به هیچ‌کدوم از چیزایی که اون بهت پیشکش می‌کنه، احترام نمی‌ذاری.»

ربه‌کا گفت: «من می‌دونم جولیوس در این مورد چی می‌گه، گیل، این هنوز هم یک مشاهده به حساب نمی‌یاد؛ این حدسی در مورد احساسات اونه. چیزی که من مشاهده می‌کنم» رو کرد به جولیوس: «اینه که این اولین باریه که تو و فیلیپ همدیگه رو ـ گرچه باز هم نیمه‌مستقیم ـ مخاطب قرار دادین و تو امروز چندین بار صحبت فیلیپ رو قطع کردی، کاری که تا حالا ندیده‌ام با هیچ‌کس دیگه‌ای بکنی.»

جولیوس پاسخ داد: «احسنت، ربه‌کا، این شد یک مشاهده‌ی بی‌پرده و دقیق.»

تونی گفت: «من اصلاً سر در نمی‌یارم، جولیوس. نمی‌فهمم بین تو و فیلیپ چه خبره؟ راست می‌گه که خیلی غیرمنتظره بهش تلفن کردی؟»

جولیوس چند دقیقه‌ای با گردن خمیده نشست و بعد گفت: «بله، می‌فهمم که براتون خیلی گیج‌کننده‌س. خیلی خوب، شکل بی‌پرده‌ی ماجرا ـ یا بی‌پرده در حدی که حافظه‌ی من اجازه می‌ده ـ از این قراره: بعد از تشخیصی که برای من گذاشته شد، به یک نومیدی درست‌وحسابی فرو رفتم. حس می‌کردم به مرگ محکوم شده‌ام و این مسئله کاملاً منو از پا انداخت. در کنار افکار تیره و تاری که توی ذهنم بود، این سؤال برام پیش اومد که آیا در کارهایی که در زندگی‌م انجام داده‌ام، هیچ معنای ماندگاری بوده یا نه. این سؤال یکی‌دو روز در ذهنم چرخید و چرخید و از اونجایی که زندگی من با کارم گره خورده، شروع کردم به فکر کردن درباره‌ی بیمارانی که در گذشته داشته‌ام. آیا واقعاً تونسته بودم تأثیری ماندگار بر یک زندگی بذارم؟ حس کردم وقتی برای تلف کردن ندارم و این شد که در جا تصمیم گرفتم با بعضی از بیماران قدیمی‌م تماس بگیرم. فیلیپ اولین نفر و تا این لحظه تنها کسیه که سراغش رو گرفتم.»

تونی پرسید: «و چرا فیلیپ رو انتخاب کردی؟»

«این همان سؤال شصت‌وچهار هزار دلاریه یا شاید این کهنه شده باشه و این روزا بهش می‌گن سؤال شصت‌وچهار میلیون دلاری؟ جواب کوتاه اینه که درست نمی‌دونم. خودم هم درباره‌اش زیاد فکر کردم. انتخاب زیرکانه‌ای نبود چون اگه می‌خواستم از ارزش خودم مطمئن بشم، نامزدای بهتر فراوون بود. با اینکه در طول سه‌سال همه‌ی تلاشمو کرده بودم، نتونسته بودم کمکی به

فیلیپ بکنم. شاید امیدوار بودم گزارشی از اثرات تأخیری درمان به من بده: بعضی بیماران چنین چیزهایی رو گزارش می‌کنن. ولی در مورد اون این‌طور نبود. شاید خودآزارانه عمل کرده‌ام و می‌خواسته‌ام خودم رو به دردسر بندازم. شاید بزرگ‌ترین شکستم رو انتخاب کرده‌ام تا بخت دیگه‌ای به خودم بدهم. اعتراف می‌کنم: بی‌رودربایستی نمی‌دونم چه انگیزه‌هایی داشتم. و بعد در حین گفت‌وگویمان فیلیپ گفت حرفه‌اش رو تغییر داده و پرسید تمایل دارم سرپرستی‌اش رو قبول کنم یا نه. فیلیپ» جولیوس رو به فیلیپ کرد: «فکر می‌کنم در این مورد با گروه حرف زده‌ای؟»

«جزئیات ضروری رو براشون گفته‌ام.»

«می‌تونی یه کم مرموزتر حرف بزنی؟»

فیلیپ نگاهش را برگرداند، باقی گروه ناراحت به نظر می‌آمدند و جولیوس بعد از سکوتی طولانی گفت: «برای این طعنه معذرت می‌خوام، فیلیپ، ولی می‌تونی ببینی جوابت منو در چه موقعیتی قرار داده؟»

فیلیپ گفت: «همون جور که گفتم جزئیات ضروری رو براشون توضیح دادم.»

بانی رو به جولیوس کرد: «رک‌وراست بگم. وضع ناخوشایندیه و من نجاتت می‌دم. فکر نمی‌کنم امروز نیازی به جربحث و بگومگو داشته باشی، فکر می‌کنم لازمه مراقبت باشیم. خواهش می‌کنم بگو امروز چه کار می‌تونیم برات بکنیم؟»

«ممنون، بانی، حق با توئه، امروز عصبی‌ام: سؤالت خیلی دوست‌داشتنیه ولی مطمئن نیستم بتونم جواب بدم. می‌خوام یک راز بزرگو بهتون بگم: بارها شده که به‌دلیل مسائل شخصی با احساس بدی وارد این اتاق شده‌ام و با احساسی به مراتب بهتر اون رو ترک

کرده‌ام فقط برای اینکه بخشی از این گروه معرکه بوده‌ام. پس شاید جواب سؤالت همین باشه. بهترین چیز برای من اینه که همه‌ی شما از گروه استفاده کنین و اجازه ندین وضع من، کارمون رو متوقف کنه.»

بعد از سکوتی کوتاه، تونی گفت: «با چیزایی که امروز گذشت، تکلیف سختیه.»

گیل گفت: «درسته، صحبت از هر چیز دیگه‌ای ناجور و ناخوشایند به نظر می‌یاد.»

بانی گفت: «این از اون مواقعیه که جای پم رو خیلی خالی می‌کنم. اون بود که حتا در ناجورترین وضعیت، همیشه می‌دونست چی کار باید بکنه.»

جولیوس گفت: «چه جالب، من هم امروز داشتم به اون فکر می‌کردم.»

ربه‌کا گفت: «این باید تله‌پاتی باشه، درست یه دقیقه قبل پم از ذهن من هم گذشت. اون موقعی که جولیوس داشت از موفقیت‌ها و شکست‌ها حرف می‌زد.» رو کرد به جولیوس: «می‌دونم که پم بچه‌ی محبوب تو در خانواده‌ی ما توی این گروهه ـ و این سؤال نیست ـ کاملاً روشنه. سؤال اینه که در مورد اون هم احساس شکست می‌کنی؟... می‌دونی اون دو ماه مرخصی گرفت که نوع دیگه‌ای از درمان رو امتحان کنه چون ما نتونستیم کمکی بهش بکنیم. این نباید اثر خوبی روی اعتمادبه‌نفس تو گذاشته باشه.»

جولیوس اشاره‌ای به فیلیپ کرد و خطاب به ربه‌کا گفت: «شاید باید براش توضیح بدی.»

ربه‌کا به فیلیپ که به چشمان او نگاه نمی‌کرد، گفت: «پم یک نیروی واقعی در گروه ماست. هم ازدواج و هم رابطه‌ی بعدی‌اش

به جدایی کشیده. اون از هر دو تا مرد رنجیده و روز و شب به اونا فکر می‌کنه. ما همه‌ی تلاشمونو کردیم ولی نتونستیم کمکش کنیم. اون ناچار شد به هند بره و از یک مرشد معروف در یک خلوتگاه مراقبه‌ی بودایی‌ها کمک بخواد.»

فیلیپ واکنشی نشان نداد.

ربه‌کا برگشت و رو کرد به جولیوس: «خب، احساست درباره‌ی رفتن اون چی بود؟»

«می‌دونی، اگه پونزده‌سال پیش بود، خیلی ناراحت می‌شدم ـ نه، بیشتر از این حرفا ـ ممکن بود موضع محکمی در برابرش بگیرم و اصرار داشته باشم که جست‌وجوش برای شکل دیگری از وارستگی، چیزی نیست جز مقاومت در برابر تغییر. ولی حالا عوض شده‌ام. حالا حس می‌کنم به همه‌ی کمکی که می‌تونم بگیرم، نیاز دارم. و متوجه شده‌ام سهیم شدن در اَشکال دیگر رشد ـ حتا با مایه‌های غیرمنطقی ـ اغلب دریچه‌های تازه‌ای رو به روی درمان باز می‌کنه. و امیدوارم این در مورد پم هم صدق کنه.»

فیلیپ گفت: «این یکی شاید نه‌تنها غیرمنطقی نباشه، بلکه بهترین انتخاب برای اون باشه. شوپنهاور به تمرین مراقبه‌ی شرقی و تأکیدش بر پاک کردن ذهن، عبور از خیال‌های باطل و مشاهده از ورای آن‌ها و کاهش درد و رنج به‌وسیله‌ی یادگیری هنرِ رها شدن از دلبستگی‌ها نگاه مثبتی داشت. در واقع او اولین کسی بود که اندیشه‌های شرقی رو به فلسفه‌ی غرب معرفی کرد.»

اظهار نظر فیلیپ خطاب به فرد خاصی نبود و کسی هم واکنشی نشان نداد. شنیدن مدام اسم شوپنهاور، جولیوس را عصبانی می‌کرد ولی وقتی دید چند تن از اعضا سری به نشانه‌ی قدردانی از گفته‌ی فیلیپ تکان دادند، چیزی نگفت.

بعد از سکوتی کوتاه استوارت گفت: «بهتر نیست برگردیم به جایی که چند دقیقه پیش بودیم یعنی اونجا که جولیوس گفت بهترین کار براش اینه که ما کارمون رو در گروه ادامه بدیم؟»

بانی گفت: «موافقم. ولی از کجا شروع کنیم؟ چطوره از پی‌گیری وضعیت تو و همسرت شروع کنیم، استوارت؟ آخرین چیزی که شنیدیم این بود که زنت ایمیل زده و گفته داره به جدایی فکر می‌کنه.»

«اوضاع آرومتره و به وضع قبلی برگشته‌ایم. اون فاصله‌اش رو حفظ می‌کنه، ولی دست کم اوضاع بدتر نشده. بذار ببینیم چه مسئله‌ی دیگه‌ای در گروه انتظارمونو می‌کشه.» استوارت نگاهش را در اتاق گرداند. «دو موضوع به نظرم می‌یاد. گیل، تو و رز چطورین، چه خبر؟ و بانی تو کمی قبل گفتی حرفایی داری ولی به نظرت خیلی جزئی می‌یان.»

گیل که نگاهش را به زیر انداخته بود، گفت: «امروز می‌خوام حرفی نزنم. هفته‌ی پیش خیلی از وقت گروه رو گرفتم. ولی به شکست و تمکین ختم شد. شرمنده‌ام که با همون وضع به خونه برگشته‌ام. همه‌ی اون نصیحتای خوب فیلیپ و همه‌ی شما رو حروم کردم. تو چطور بانی؟»

«مسائل من امروز شبیه سیب‌زمینی‌های کوچیکه.»

جولیوس گفت: «برداشت من از قانون بویل[1] یادت نره. مقدار کمی اضطراب اون قدر پخش می‌شه تا تمام حفره‌ی اضطرابمون رو پر کنه. اضطراب تو همون احساس بدی رو به تو می‌ده که

---

۱. قانونی در فیزیک و شیمی که می‌گوید حجم و فشار گازها در حرارت ثابت، با هم نسبت معکوس دارند ـ م.

اضطراب دیگران با سرچشمه‌های واضح‌تر و فاجعه‌بارتر ایجاد می‌کنه.» نگاهی به ساعتش انداخت. «تقریباً از وقت گذشته‌ایم، ولی می‌خوای موضوع رو باز کنی؟ توی دستور جلسه بگنجونیش؟»

بانی پرسید: «منظورت اینه که می‌خوای هفته‌ی بعد بزدلی‌م رو کنار بذارم؟ خب، فکر بدی نیست. چیزی که می‌خواستم مطرح کنم مربوط می‌شه به زشتی و چاقی و بی‌قوارگی من و زیبایی و... شیکی ربه‌کا و پم. ولی ربه‌کا، تو به‌خصوص احساسات قدیمی ناراحت‌کننده‌ای رو در من زنده می‌کنی: اینکه همیشه دست‌وپاچلفتی و بدقیافه بوده‌ام و هیچ‌وقت انتخاب نشده‌ام.» بانی مکثی کرد و رو کرد به جولیوس. «خب، دیگه به زبون آوردم.»

جولیوس گفت «و در دستور جلسه‌ی بعد قرار گرفت» و به نشانه‌ی پایان جلسه از جا برخاست.

فردی با استعدادهای والا و نادر ذهنی که به حرفه‌ای صرفاً مفید گمارده شود، مانند یک ظرف باارزش تزئین‌شده با زیباترین نقش‌هاست که به‌جای دیگ آشپزخانه استفاده شود.

فصل ۱۴

سال ۱۸۰۷: چطور آرتور شوپنهاور تقریباً یک تاجر شد

سفر بزرگ خانواده‌ی شوپنهاور در سال ۱۸۰۴ پایان یافت و آرتور شانزده‌ساله، گرفته و مغموم، دوره‌ی آموزشی هفت‌ساله‌اش را با سناتور ینیش[1] ـ تاجر پرآوازه‌ی هامبورگی ـ آغاز کرد و به این ترتیب، قولی را که به پدرش داده بود، محترم شمرد. آرتور با پا گذاشتن به درون یک زندگی دوگانه، همه‌ی تکالیف روزانه‌ی دوره‌ی آموزشی‌اش را انجام می‌داد ولی هر لحظه‌ی اوقات فراغتش

1. Senator Jenisch

را مخفیانـه بـه مطالعـه‌ی اندیشـه‌هـای بـزرگ تـاریخ خـردورزی می‌گذراند. با این حال، چنان پدرش را درونـی کـرده بـود کـه ایـن لحظات ربوده‌شده، او را سرشار از پشیمانی می‌کرد.

نُه ماه بعد اتفاق گیج‌کننـده‌ای افتـاد کـه زنـدگی آرتـور را بـرای همیشه تحت تـأثیر قـرار داد. بـا اینکـه هـاینریش شـوپنهاور فقـط شصت‌وپـنج‌سـال داشـت، سـلامتی‌اش بـه سـرعت رو بـه نقصـان می‌رفـت: زردروی، خسـته، افسـرده و حـواس‌پـرت شـد و اغلـب آشناهای قدیمی را نمـی‌شـناخت. در بیسـتم آوریـل ۱۸۰۵ تصـمیم گرفت به‌رغم رنجوری، به فروشگاه بزرگش در هامبورگ سفر کند، آهسته به بالاخانه‌ی انبار غله رفت و خـود را از پنجـره‌ی آنجـا بـه درون آبراه هامبورگ افکند. جسدش را چند ساعت بعد، شـناور در آب‌های یخ‌زده یافتند.

خودکشـی همیشـه ردی از شـوک، احسـاس گنـاه و خشـم در بازماندگان باقی می‌گذارد و آرتور همه‌ی این احساسـات را تجربـه کرد. احساسات پیچیده‌ای را که آرتور باید تجربـه کـرده باشـد، بـه تصور در آورید. عشق به پدر، به سوگ و فقدانی شدید بـدل شـده بود. رنجشی که از پـدر در دل داشـت ـ بعـدها اغلـب از صـدماتی می‌گفت که به‌واسطه‌ی سنگدلی بـیش از انـدازه‌ی پـدرش متحمـل شده بود ـ پشیمانی به بار آورده بود. و امکان فـراهم‌شـده‌ی رهـایی هم باید احساس گناه زیادی برانگیخته باشد: آرتـور بـه ایـن نتیجـه رسیده بود که پدرش برای همیشه راه او را برای فیلسوف شدن سد می‌کرد. این موضوع خواننده را به یاد دو فیلسوف اخلاقی بـزرگ و آزاداندیش دیگر، نیچه و سارتر، می‌اندازد که پدرانشان را خیلی زود از دست داده بودند. اگر پدر نیچه که کشیشی لوتری بود، در دوران کودکی او از دنیا نرفته بود، آیا نیچه می‌توانست به دجال بدل شود؟

و سارتر در خودزندگینامه‌اش می‌گوید از اینکه بار مسئولیت کسب رضایت و تأیید پدر را بر دوش نمی‌کشد، احساس رهایی می‌کند. بخت با دیگرانی مثل کیرکگور و کافکا تا این حد یار نبود: همه‌ی عمر زیر بار قضاوت پدر بودند.

با آنکه آثار آرتور شوپنهاور گستره‌ی عظیمی از آرا، عناوین، بدایع تاریخی و علمی، عقاید و تمایلات را شامل می‌شود، تنها دو قطعه‌ی پرعطوفت شخصی از او بر جای مانده که هر دو درباره‌ی هاینریش شوپنهاور است. در یکی آرتور از احساس غرور نسبت به پدرش می‌گوید که صادقانه پذیرفته بود برای کسب درآمد تجارت می‌کند و صراحت او را با دورویی بسیاری از همکاران فیلسوفش (خصوصاً هگل و فیشته) مقایسه می‌کند که ولع ثروت، قدرت و شهرت دارند و هم‌زمان، تظاهر می‌کنند که در راه انسانیت قدم برمی‌دارند.

او در سن شصت‌سالگی تصمیم گرفت همه‌ی آثارش را به خاطره‌ی پدرش تقدیم کند. بارها متن تقدیم‌نامه‌اش را بازنویسی کرد ولی در نهایت، این تقدیم‌نامه هرگز منتشر نشد. یکی از متن‌ها این جور آغاز می‌شد: «روحی بزرگ و شریف که همه‌ی آنچه هستم و آنچه به دست آورده‌ام را مدیون اویم... بگذار هرآن‌کس که در آثار من، هرگونه مسرت، تسلی و رهنمودی یافته، نام تو را بشنود و بداند اگر هاینریش شوپنهاور چنان مردی نبود که بود، آرتور شوپنهاور صدها بار تباه شده بود و از میان رفته بود.»

از آنجا که هاینریش از هرگونه مهر آشکار نسبت به پسرش بی‌بهره بود، این شدت محبت فرزندی در آرتور هنوز معماست. نامه‌های هاینریش به آرتور سرشار از نکوهش و عیب‌جویی‌ست. برای نمونه: «رقص و سوارکاری، وسیله‌ی امرار معاش برای تاجری

که نامه‌هایش باید خوانده شود و باید خوب نوشته شود، فراهم نمی‌کند. گهگاه می‌بینم حروف بزرگ دستنویس‌هایت هنوز واقعاً زشت و غول‌آساست.» یا «قوز نکن که خیلی زننده‌ست... . اگر در اتاق ناهارخوری چشم کسی به آدم قوزکرده بخورد، فکر می‌کند او خیاط یا پینه‌دوزی‌ست که لباس مبدل پوشیده است.» هاینریش در آخرین نامه‌اش به پسر تعلیم می‌دهد «درباره‌ی استوار راه رفتن و راست نشستن، توصیه می‌کنم از هرکسی که همراهت است، بخواه هروقت این موضوع مهم را فراموش کردی، با ضربه‌ای متوجهت کند. این کاری‌ست که فرزندان شاهزادگان می‌کنند، بهتر است درد زودگذری را تحمل کنند تا آنکه همه‌ی زندگی‌شان پخمه به نظر آیند.»

آرتور پسر پدرش بود و نه فقط از لحاظ جسمانی، که از لحاظ خلق‌وخو هم به او شباهت داشت. وقتی هفده‌ساله بود، مادرش برایش نوشت: «خوب می‌دانم احساس شادی جوانی را چه کم چشیده‌ای و چه استعداد زیادی برای تفکر مالیخولیایی از پدرت به ارث برده‌ای.»

آرتور درستی و صداقت عمیق را هم از پدرش به ارث برده بود و این مسئله در معضلی که پس از مرگ پدر با آن روبه‌رو شد، نقش سرنوشت‌سازی بازی کرد: آیا به‌رغم نفرتی که از دنیای تجارت داشت، باید این دوره‌ی آموزشی را ادامه می‌داد؟ در نهایت تصمیم گرفت همان کاری را بکند که پدرش کرده بود: وفای به عهد.

درباره‌ی تصمیمش چنین نوشت: «به حفظ جایگاهم در کنار حامی تاجرم ادامه دادم، بخشی به این دلیل که سوگ سنگین، توان روحم را در هم شکسته بود و بخشی به این دلیل که عذاب وجدان

نمی‌گذاشت بلافاصله بعد از مرگ پدر، از تصمیم او سرپیچی کنم.»

گرچه آرتور بعد از خودکشی پدرش، دچار سکون شده بود و حس انجام وظیفه در او قوت گرفته بود، مادرش به‌هیچ‌وجه چنین تمایلاتی نداشت. او همه‌ی زندگی‌اش را به سرعت گردباد متحول کرد. در نامه‌ای به آرتور هفده‌ساله نوشت: «شخصیت تو کاملاً با من فرق دارد: تو طبیعتی مردد داری و من زیادی سریع و زیادی مصمم هستم.» بعد از چند ماه بیوگی، خانه‌ی اربابی شوپنهاور را فروخت، کسب‌وکار تاریخی خانواده را برچید و منحل کرد و از هامبورگ رخت بر بست. برای آرتور لاف زد که: «من همیشه هیجان‌انگیزترین گزینه را برمی‌گزینم. انتخاب محل اقامتم را در نظر بگیر: هر زن دیگری به‌جای من بود نزد زادگاه، دوستان و خویشاوندانش برمی‌گشت. من در عوض وایمار را انتخاب کردم که تقریباً برایم ناشناخته بود.»

چرا وایمار؟ یوهانا بلندپرواز بود و در حسرت نزدیک شدن به کانون فرهنگ آلمان می‌سوخت. او که به توانایی‌های اجتماعی‌اش اعتماد کامل داشت، می‌دانست می‌تواند رویدادهای خوبی را باعث شود و در واقع، در عرض چند ماه، زندگی تازه و فوق‌العاده‌ای برای خود آفرید: سرزنده‌ترین سالن وایمار را تأسیس کرد و دوستی نزدیکی را با گوته و بسیاری از نویسندگان و هنرمندان برجسته پی ریخت. خیلی زود حرفه‌اش را ابتدا به‌عنوان یک نویسنده‌ی موفق سفرنامه‌های بازگوکننده‌ی سفر خانواده‌ی شوپنهاور و نیز سفر به جنوب فرانسه آغاز کرد و بعد به اصرار گوته، به داستان روی آورد و یک رشته رمان‌های عاشقانه نوشت. او یکی از نخستین زنان حقیقتاً آزادشده بود و نخستین زن آلمانی بود که توانست با درآمد نویسندگی زندگی‌اش را اداره کند. بعد از یک دهه، یوهانا

شوپنهاور، رمان‌نویس مشهوری شده بود ـ دانیل استیل قرن نوزدهم آلمان ـ و آرتور شوپنهاور را برای دهه‌ها فقط به‌عنوان پسر «یوهانا شوپنهاور» می‌شناختند. آثار کامل یوهانا در اواخر دهه‌ی ۱۸۲۰ در یک دوره‌ی بیست جلدی منتشر شد.

با اینکه تاریخ، یوهانا را (بیشتر بر اساس انتقادهای کوبنده‌ی آرتور از مادرش) زنی خودشیفته و بی‌محبت معرفی کرده، شکی نیست که او و تنها او بود که آرتور را از بردگی آزاد کرد و او را در مسیر فلسفه‌اش به راه انداخت. وسیله‌ی نجات، نامه‌ای سرنوشت‌ساز بود که در آوریل سال ۱۸۰۷، دو سال بعد از خودکشی پدر، به آرتور نوشت.

آرتور عزیزم

لحن جدی و آرام نامه‌ی ۲۸ آوریلت، از ذهن تو به ذهن من جاری شد، بیدارم کرد و نشان داد احتمالاً در مسیر از دست دادن کامل حرفه‌ات گام برمی‌داری! به همین دلیل است که باید هر کاری از دستم می‌آید بکنم تا تو را حفظ کنم؛ من می‌دانم زیستن در زندگانی‌ای که با روح آدمی در تضاد است، یعنی چه؛ و اگر امکانش باشد تو را از چنین چیزی معاف خواهم کرد، پسر عزیزم. اوه، آرتور بسیار عزیزم، چرا صدای من ارزشی چنین کم داشته؟ آنچه تو امروز می‌خواهی، در واقع زمانی پرشورترین آرزوی من بود؛ چه تلاشی کردم تا به‌رغم همه‌ی آنچه بر ضد من بود، محققش کنم... اگر نمی‌خواهی به رده‌ی نافرهیختگان آبرومند بپیوندی، من حقیقتاً نمی‌خواهم راهت را سد کنم، آرتور عزیزم؛ فقط خودت باید راهت را بجویی و برگزینی. من فقط هرکجا و هر طور که بتوانم، اندرز می‌دهم و کمک می‌کنم. نخست بکوش تا با خود به صلح برسی... به خاطر بسپار باید رشته‌ای را انتخاب کنی که درآمد خوبی

را نوید دهد، نه فقط چون این تنها راه زنده ماندن است، بلکه نیز به این دلیل که ارثیه‌ات هرگز آن قدر نخواهد بود که روزگارت را متمولانه بگذرانی. هروقت انتخابت را کردی، به من بگو، ولی این تصمیمی‌ست که باید به تنهایی بگیری... . اگر قدرت و جرئت کافی برای این کار در خودت دیدی، من با کمال میل دستم را به تو خواهم داد. فقط تصور نکن زندگی یک انسان کامل و دانشمند، زندگی لذت‌بخشی‌ست. من اکنون دوروبرم آن را می‌بینم. زندگی‌ای خسته‌کننده، پردردسر و پرکار است؛ تنها لذت پرداختن به آن است که به آن جذابیت می‌بخشد. کسی با آن ثروتمند نمی‌شود؛ با نویسندگی، آنچه برای بقا لازم داری را به دشواری به دست خواهی آورد... . برای چرخاندن زندگی با نویسندگی باید چیزی فوق‌العاده خلق کنی... . اکنون بیش از هر زمان دیگری نیازمند استعدادهای درخشانیم. آرتور، به‌دقت درباره‌اش فکر کن و انتخاب کن، ولی بعد از برگزیدن، مصمم و استوار بمان؛ عزم راسخت را از دست نده، در این صورت است که به سلامت به هدفت خواهی رسید. هرآنچه می‌خواهی برگزین... ولی با اشکی که در چشمانم حلقه زده، التماست می‌کنم: خودت را فریب نده. با خودت جدی و صادق باش. خوشبختی تو در زندگی مانند شادی من در روزهای دور گذشته به قمار گذاشته شده؛ زیرا تنها تو و آدل می‌توانید جایگزین جوانی گمشده‌ی من باشید. نمی‌توانم ناراحتی‌ات را تحمل کنم به‌خصوص اگر قرار باشد با وجود انعطاف‌پذیری فراوانی که دارم، خودم را برای بدبختی تو سرزنش کنم. آرتور عزیز، می‌دانی که از ته دل دوستت دارم و می‌خواهم در همه حال یاورت باشم. پاداش مرا با اعتمادبه‌نفس خودت و با عمل به توصیه‌ام درباره‌ی به نتیجه رساندن انتخابت بعد از تصمیم‌گیری بده.

و مرا با نافرمانی و سرکشی آزار نده. می‌دانی که خیره‌سر و لجوج نیستم. من می‌دانم چطور با بحث و استدلال راه باز کنم و هرگز چیزی از تو نخواهم خواست که نتوانم با دلیل و برهان از آن دفاع و حمایت کنم... .

به امید دیدار آرتور عزیز، نامه‌رسان عجله دارد و انگشتانم درد گرفته است. همه‌ی آنچه می‌فرستم و می‌نویسم را به ذهن بسپار و زود پاسخ بده.

مادرت

ی. شوپنهاور

آرتور در کهنسالی نوشت: «وقتی خواندن این نامه را به پایان بردم، اشک فراوانی ریختم.» در پاسخ نامه، رهایی از دوره‌ی آموزشی را برگزید و یوهانا پاسخ داد: «اگر کس دیگری به‌جای تو بود و بر خلاف عادت، با چنین سرعتی تصمیم می‌گرفت، دلواپس می‌شدم. باید از شتابزدگی بترسم؛ ولی این رویداد در مورد تو به من اطمینان خاطر می‌دهد، آن را نشانه‌ی قدرت درونی‌ترین اشتیاق‌هایت می‌دانم که تو را به حرکت وا می‌دارد.»

یوهانا وقت تلف نکرد؛ حامی تاجر و مدیر شبانه‌روزی آرتور را در جریان قرار داد و گفت که آرتور هامبورگ را ترک می‌کند، سفرش را تدارک دید و ترتیبی داد که در دبیرستانی در گوتا[1] ـ در پنجاه‌کیلومتری خانه‌ی مادرش در وایمار ـ به تحصیل مشغول شود.

زنجیرهای آرتور دیگر پاره شده بود.

---

1. Gotha

دیدن اینکه چطور انسان در کنار زندگی ملموس و غیرانتزاعی، همیشه حیات دومی در عالم معنا دارد، قابل توجه و چشمگیر است... (جایی که) در قلمرو ژرف‌اندیشی آرام، آنچه پیش از آن کاملاً تسخیرش کرده بود و او را به شدت تحت تأثیر قرار داده بود، اینجا سرد و بی‌روح، بی‌رنگ و دور به نظر می‌آید: انسان در اینجا یک تماشاچی و مشاهده‌گر محض است.

فصل ۱۵

پم در هند (۱)

وقتی از سرعت قطار بمبئی به ایگاتپوری کاسته شد تا در روستایی کوچک بایستد، صدای سنج‌های آیینی به گوش پم رسید و باعث شد به‌دقت از پنجره‌ی سیاه و کثیف قطار به بیرون نگاه کند. یک پسر سیاه‌چشم ده‌یازده‌ساله، با اشاره به پنجره‌ی او، در

حالی که یک تکه‌پارچه و سطل آب زردرنگی را بالا گرفته بود، به موازات قطار می‌دوید. از دو هفته پیش که پم به هند رسیده بود، فقط به نشانه‌ی «نه» سر تکان داده بود. نه به راهنماهای مناطق دیدنی، واکسی‌ها، آب‌نارنگی تازه، لباس ساری، کفش‌های تنیس نایکی و تعویض پول. نه به گدایان و نه به دعوت‌های بی‌شمار جنسی که گاه به صراحت بیان می‌شد و گاه محتاطانه با چشمک، بالا بردن ابروها، لیسیدن لب‌ها و حرکت زبان. اندیشید بالاخره یک نفر چیزی را که نیاز دارم به من پیشنهاد کرد. سرش را به‌شدت به نشانه‌ی «آری»، برای شیشه‌پاک‌کن تکان داد و پسرک با لبخند دندان‌نمایی پاسخش را داد. او که از تفقد و تماشاگری پم خوشحال بود، شیشه را با بازارگرمی‌های نمایشی فراوان شست.

با آنکه پم دستمزد سخاوتمندانه‌ای به او داده بود، پسرک به او زل زده بود طوری که مجبور شد کنارش بزند. بعد تکیه داد و صف روستاییان را که به دنبال کاهنی ملبس به شلوار پرچین قرمز روشن و شال زرد در مسیر خیابان غبارآلود پیچ‌وتاب می‌خورد، تماشا کرد. مقصدشان، میانه‌ی میدان شهر و پیکره‌ی بزرگ ایزد گانشا[۱] ساخته‌شده از خمیر کاغذ با بدنی چاق و چله شبیه به بودا و سر فیل بود. همه ـ کاهن، مردانی با لباس‌های سفید درخشان و زنانی با لباس زعفرانی و سبزآبی ـ هریک پیکره‌ی کوچکی از گانشا در دست داشتند. دختران جوان مشت مشت گل می‌افشاندند و پسران نوجوان جفت‌جفت دو طرف چوب‌هایی را گرفته بودند که آتشدان‌هایی فلزی را نگه داشته بود و ابری از بخور از آن‌ها

---

۱. Lord Ganesha: از ایزدان مشهور هندو که ایزد هر آغاز و برطرف‌کننده‌ی موانع و نیز ایزد هنرها، دانش‌ها، هوش و خرد خوانده شده است ـ م.

برمی‌خاست. همگی همراه با صدای به هم خوردن سنج‌ها و غرش طبل‌ها این سرود را می‌خواندند: «گاناپاتی باپا مورایا، پورچیا وارشی لوکاریا.»

پم رو کرد به مردی که با پوستی به رنگ مس روبه‌رویش نشسته بود و داشت چایش را مزمزه می‌کرد و تنها مسافر همراه او در کوپه بود ـ مردی دلچسب و خوش‌سیما که پیراهن و شلوار گشاد سفید کتانی بر تن داشت ـ و پرسید: «ببخشید، ممکن است بگویید این‌ها چه می‌خوانند؟» با شنیدن صدای پم، چای به گلوی مرد پرید و به‌شدت به سرفه افتاد. سؤال پم خوشحالش کرد چون از وقتی قطار از بمبئی راه افتاده بود، بیهوده به دنبال فرصتی بود تا سر صحبت را با زن زیبایی که روبه‌رویش نشسته بود، باز کند. بعد از سرفه‌ای شدید و صاف کردن صدایش پاسخ داد: «معذرت می‌خواهم خانم، فیزیولوژی همیشه به فرمان آدم نیست. مردم امروز اینجا و در سراسر هند می‌خوانند: "گاناپاتی گرامی، خدای مورایا، سال بعد هم دوباره بیا."»

«گاناپاتی؟»

«بله، می‌دانم خیلی گیج‌کننده‌ست. شاید شما او را با نام رایجش، گانشا بشناسید. او نام‌های دیگری هم دارد مثلاً ویگنسوارا، وینایاکا، گاجانانا.»

«و ماجرای این رژه چیست؟»

«آغاز عید ده‌روزه‌ی گانشاست. شاید بخت یارتان باشد و هفته‌ی دیگر در بمبئی باشید تا روز آخر عید، شاهد راه رفتن همه‌ی مردم شهر در اقیانوس و فرو بردن پیکره‌های گانشا در امواجی که به ساحل می‌رسند، باشید.»

«اوه، و این چیه؟ ماه؟ یا خورشید؟» پم به چهار کودکی اشاره

کرد که کره‌ی بزرگ کاغذی زردرنگی را در دست داشتند.

وجای ذوق کرده بود. سؤالات را غنیمت می‌شمرد و امیدوار بود توقف قطار طولانی باشد و این گفت‌وگو همین جور ادامه یابد. از این جور زنان در فیلم‌های امریکایی زیاد دیده بود، ولی تا پیش از آن، بخت آن را نیافته بود که با یکی از آن‌ها همکلام شود. این زن تخیلش را به کار انداخته بود. انگار از حکاکی‌های باستانی کاما سوترا بیرون خرامیده بود. اندیشید: و این برخورد به کجا می‌تواند ختم شود؟ ممکن است یکی از آن وقایع زیرورو کننده‌ی زندگی باشد که مدت‌ها در جست‌وجویش بود؟ او آزاد بود، کارخانه‌ی پوشاکش او را با معیارهای هند ثروتمند کرده بود. نامزد نوجوانش دو سال پیش از سل مرده بود و تا زمانی که والدینش عروس جدیدی را برایش انتخاب کنند، مانعی بر سر راهش وجود نداشت.

«آه، این ماه است که بچه‌ها به دست گرفته‌اند. آن را در گرامیداشت یک افسانه‌ی کهن حمل می‌کنند. اول باید بدانید که خدا گانشا به اشتهای فراوانش شهرت دارد. به شکم بزرگش دقت کنید. یک بار به ضیافتی دعوت شده و شکمش را از نوعی شیرینی بعد از غذا به اسم لادوس انباشته. تا حالا لادوس خورده‌اید؟»

پم سرش را به علامت نفی تکان داد و ترسید مرد یکی از آن‌ها را از کیف‌دستی‌اش درآورَد. یکی از دوستان نزدیکش با خوردن چای در یک چایخانه در هند یرقان گرفته بود، به همین دلیل هشدار پزشکش را خیلی جدی گرفته بود که چیزی جز غذای هتل‌های چهار ستاره نخورد. وقتی دور از هتل بود، تنها به خوراکی‌هایی بسنده می‌کرد که قابل پوست کندن باشند، عمدتاً نارنگی، تخم مرغ آب‌پز سفت‌شده و بادام‌زمینی.

وجای ادامه داد: «مادرم لادوس‌های نارگیلی‌بادامی فوق‌العاده‌ای

می‌پزد. در اصل این شیرینی‌ها گلوله‌های سرخ‌شده‌ی آردند که در شهد هل‌دار فرو برده شده‌اند: به نظر ثقیل و بی‌لطف می‌آید ولی باور کنید مزه‌اش چیزی بیش از جمع مزه‌ی محتویاتش است. ولی برگردیم به خدا گانشا که آن قدر خورده بود که نمی‌توانست درست بایستد. تعادلش را از دست داد، افتاد، شکمش ترکید و همه‌ی لادوس‌ها بیرون ریخت.

«همه‌ی این‌ها در شب اتفاق افتاد و فقط یک شاهد داشت که همان ماه بود و این اتفاق به نظرش خنده‌دار آمد. گانشای خشمگین ماه را نفرین کرد و او را از جهان تبعید کرد. ولی همه‌ی دنیا برای غیبت ماه گریه و زاری کردند، پس خدایان گرد هم آمدند و از ایزد شیوا، پدر گانشا خواستند او را به گذشت ترغیب کند. ماه توبه‌کار هم از رفتار نادرستش عذرخواهی کرد. بالاخره گانشا نفرینش را تعدیل کرد و اعلام کرد ماه باید فقط یک روز در ماه دیده نشود، باقی روزها نیمه‌آشکار باشد و فقط یک روز در ماه اجازه دارد همه‌ی حلقه‌ی نورش را آشکار کند.»

وجای بعد از سکوتی کوتاه اضافه کرد: «و حالا می‌دانید چرا ماه در عیدهای خدا گانشا نقشی ایفا می‌کند.»

«ممنون از توضیحتان.»

«اسم من وجای است، وجای پانده»

«و من پم هستم، پم سوانویل. چه داستان قشنگی، و چه خدای عجیب خنده‌داری: سر فیل و تن بودا. ولی انگار روستاییان اسطوره‌هایشان را خیلی جدی می‌گیرند... آن قدر که انگار واقعی‌اند...»

وجای صحبت پم را به آرامی قطع کرد و در حالی که آویز گردنی بزرگی را که تصویر گانشا بر آن کنده شده بود، از پیراهنش

بیرون می‌کشید، گفت: «نمادهای موجود در پیکرنگاری خدا گانشا جالب است. لطفاً دقت کنید که هر وجه تصویر گانشا معنای جدی و مهمی در خود دارد و نوعی رهنمود زندگی‌ست. سر بزرگ فیل را در نظر بگیرید: به ما می‌گوید بزرگ فکر کنید. و گوش‌های بزرگ؟ بیشتر گوش کنید. چشمان کوچک، دقت و تمرکز را به ذهن می‌آورد و دهان کوچک، کم حرف زدن را. و من رهنمود گانشا را فراموش نمی‌کنم: حتا در این لحظه که با شما حرف می‌زنم، توصیه‌اش را در خاطر دارم و به خود گوشزد می‌کنم که زیاد حرف نزنم. شما باید کمکم کنید و اگر دارم بیش از آنچه شما می‌خواهید بدانید، حرف می‌زنم، به من بگویید.»

«نه، به‌هیچ‌وجه. نظرات‌تان درباره‌ی نمادهای پیکرنگاری برایم بسیار جالب است.»

«موارد فراوان دیگری هم هست؛ بیایید، از نزدیک ببینید: ما هندی‌ها مردمان بسیار جدی‌ای هستیم.» دستش را در کیف چرمی‌ای کرد که بر شانه‌اش بود و یک ذره‌بین بیرون کشید.

پم ذره‌بین را گرفت و خم شد تا گردن‌بند وجای را به‌دقت نگاه کند. رایحه‌ی هل و دارچین و لباس کتان تازه‌اتوشده‌ی او را فرو داد. چطور ممکن بود که این مرد در کوپه‌ی بسته و پرگردوخاک قطار، چنین بوی خوش و پرطراوتی بدهد؟ گفت: «فقط یک عاج دارد.»

«یعنی: خوب را حفظ کنید، بد را دور بیندازید.»

«و آن چیست که در دست گرفته؟ تبر؟»

«برای بریدن همه‌ی تعلقات و دلبستگی‌ها.»

«شبیه تعالیم بوداست.»

«بله، یادتان باشد که بودا از مادر اقیانوس شیوا سر برآورد.»

«و گانشا چیزی هم در دست دیگرش دارد. خوب دیده نمی‌شود. یک ریسمان؟»

«یک طناب که شما را به والاترین اهدافتان نزدیک‌تر کند.»

قطار ناگهان تکانی خورد و به حرکت درآمد.

وجای گفت: «مرکوبمان دوباره زنده شد. به مرکوب گانشا دقت کنید: آنجا زیر پایش.»

پم نزدیک‌تر شد تا از پشت ذره‌بین بهتر ببیند و عطر وجای را محتاطانه فرو داد. «اوه، بله، موش. آن را در همه‌ی پیکره‌ها و نقاشی‌های گانشا دیده‌ام. هیچ‌وقت نفهمیدم چرا یک موش.»

«این از همه‌ی ویژگی‌هایش جالب‌تر است. موش اشتیاق است. فقط در صورتی می‌توانید از آن سواری بگیرید که اختیارش در دست شما باشد. در غیر این صورت، ویرانی به بار می‌آورَد.»

پم ساکت شد. همان‌طور که قطار با سر و صدای زیاد، درختانی لاغر و تنک، گاه چند معبد، گاومیش‌هایی در برکه‌های گل‌آلود و مزارعی را پشت سر می‌گذاشت که خاک سرخشان بعد از هزاران سال کار، بی‌رمق و فرسوده شده بود، پم وجای را از نظر گذراند و موجی از قدردانی و سپاس سراپایش را فرا گرفت. این مرد چقدر غیرخودنمایانه و ملایم او را از کوته‌نظری به در آورده بود و نگذاشته بود به صحبت‌های ناراحت‌کننده و بی‌ربطش درباره‌ی آیین او ادامه دهد. تا حالا کدام مرد با چنین ظرافت و نزاکتی با او برخورد کرده بود؟ ولی نه، به خودش یادآوری کرد که حق مردان نازنین دیگر را زیر پا نگذارد. به گروهش فکر کرد. به تونی که حاضر بود هر کاری برای پم بکند. و همین طور استوارت که می‌توانست گاهی بزرگوار باشد. و جولیوس که انگار عشقش بی‌پایان بود. ولی ظرافت وجای، استثنایی بود، خارق‌العاده بود.

و وجای؟ او هم در خواب و خیال فرو رفته بود و گفت‌وگویش با پم را مرور می‌کرد. به‌شکل غیرعادی‌ای هیجان‌زده بود، قلبش تند می‌زد و می‌کوشید خود را آرام کند. کیف چرمی‌اش را گشود، پاکت سیگار چروک‌خورده‌ای را بیرون کشید، نه برای سیگار کشیدن ـ پاکت خالی بود ـ و به‌علاوه شنیده بود امریکایی‌ها در زمینه‌ی سیگار کشیدن چقدر پیش‌بینی ناپذیرند. فقط می‌خواست روی پاکت سفید و آبی را بخواند که تصویر مردی با کلاه سیلندر بر آن بود و نام تجاری‌اش یعنی «پسینگ شو» با حروف سیاه درشت بر آن نوشته شده بود.

یکی از نخستین معلمان مذهبی‌اش توجه او را به پسینگ شو جلب کرده بود که به معنای نمایش گذراست و نام تجاری سیگاری بود که پدرش می‌کشید و از او خواسته بود مراقبه را با تفکر در این باره آغاز کند که همه‌ی زندگی، یک نمایش گذراست، رودخانه‌ای که همه‌چیز ـ همه‌ی تجربیات، همه‌ی اشتیاق‌ها ـ را با خود می‌بُرد و تنها توجه مستقیم او را بر جای می‌گذارد. وجای بر تصویر رودخانه‌ای جاری مراقبه کرد و به کلمات بی‌صدای جاری در ذهنش ـ آنیتیا، آنیتیا (گذرا) ـ گوش فرا داد. به خود یادآوری کرد همه‌چیز در گذر است؛ همه‌ی زندگی و همه‌ی تجربیات مثل منظره‌ی پنجره‌ی قطارِ در حال عبور می‌گذرد و بازگشتی در کارش نیست. چشمانش را بَست، به تنفس عمیق پرداخت و سرش را به پشتی صندلی‌اش تکیه داد؛ همان‌طور که به بندرگاه مطلوب آرامش پا می‌گذاشت، نبضش آرام گرفت.

پم که وجای را محتاطانه زیر نظر داشت، پاکت سیگار را که به زمین افتاده بود، برداشت، رویه‌اش را خواند و گفت: «پسینگ شو: چه اسم غیرمعمولی برای سیگار است.»

وجای آهسته چشمانش را گشود و گفت: «همان‌طور که گفتم، ما هندی‌ها خیلی جدی هستیم. حتا پاکت سیگارمان هم حاوی پیام‌هایی برای هدایت زندگی‌ست. زندگی یک نمایش گذراست: هروقت گرفتار آشوبی درونی می‌شوم، بر آن مراقبه می‌کنم.»

«یعنی همین کاری که یک دقیقه‌ی پیش کردید؟ امیدوارم من باعث ناراحتی‌تان نشده باشم.»

وجای سرش را به‌نرمی تکان داد و لبخندی زد: «یک‌بار معلمم به من گفت کسی نمی‌تواند دیگری را ناراحت کند. این تنها خود فرد است که قادر است آرامش خود را بر هم زند.» مکثی کرد و متوجه شد که لبریز از اشتیاق است: چنان مشتاق توجه همسفرش بود که تمرین مراقبه‌اش به کنجکاوی محض تبدیل شده بود: همه برای دریافت یک لبخند از این زن دوست‌داشتنی که فقط یک شبح بود، بخشی از نمایش گذرا که خیلی زود از زندگی‌اش بیرون می‌رفت و در عدم ناپدید می‌شد. و با اینکه می‌دانست واژه‌های بعدی، او را از راهش دورتر خواهند کرد، شتابزده به صحبتش ادامه داد.

«چیزی هست که دلم می‌خواهد بگویم: این ملاقات و این گفت‌وگو مدت‌ها برایم گرامی خواهد بود کمی بعد باید از این قطار پیاده شوم و به آشرام[1] بروم. باید ده روز آینده را در سکوت سر کنم و برای کلماتی که اینجا رد و بدل کرده‌ایم و لحظاتی که در آن شریک بوده‌ایم، بی‌نهایت سپاسگزارم. به یاد فیلم‌های امریکایی افتادم که در آن‌ها مرد محکوم به اعدام در زندان اجازه دارد هرآنچه را می‌خواهد به‌عنوان آخرین غذا سفارش بدهد. می‌توانم بگویم که

---

۱. زاویه و عبادتگاه خلوت و آرام مذهب هندو ـ م.

آرزوهایم برای آخرین گفت‌وگو کاملاً برآورده شده است.»

پم فقط سری تکان داد. عجیب بود که هیچ واژه‌ای به ذهنش نمی‌رسید و نمی‌دانست تعارف وجای را چطور پاسخ دهد. «ده روز در یک آشرام؟ منظورتان ایگاتپوری‌ست؟ من هم راهی خلوتگاهی در آنجا هستم.»

«پس ما یک مقصد و یک هدف داریم: آموختن ویپاسانا از مرشد گونکای مشهور. و چیزی هم نمانده: ایستگاه بعدی‌ست.»

«گفتید "ده روز سکوت"؟»

«بله، گونکا همیشه بر سکوت عظیم تأکید دارد: به‌جز گفت‌وگوهای ضروری با کارکنان، شاگردان نباید کلمه‌ای بر زبان آورند. تجربه‌ی مراقبه دارید؟»

پم سری به نشانه‌ی نفی تکان داد. «من یک استاد دانشگاه هستم. ادبیات انگلیسی تدریس می‌کنم و سال گذشته یکی از دانشجویانم، تجربه‌ای شفابخش و دگرگون‌کننده در ایگاتپوری داشت. این دانشجو در سروسامان دادن به خلوتگاه‌های ویپاسانا در ایالات متحده خیلی فعالیت کرد و در حال حاضر مشغول طراحی یک تور امریکایی برای گونکاست.»

«دانشجوی شما امیدوار بوده بتواند هدیه‌ای به معلمش پیشکش کند. او خواسته شما هم این دگرگونی را تجربه کنید؟»

«خب، تقریباً. این‌طور نبود که او حس کند من نیاز دارم چیزی را در خودم تغییر بدهم؛ بیشتر به این شکل بود که آن قدر بهره برده بود که دلش می‌خواست من و دیگران هم همین تجربه را پشت سر بگذاریم.»

«البته. سؤالم را درست بیان نکردم؛ منظورم اصلاً این نبود که شما نیاز به دگرگونی دارید. اشاره‌ی من به شور و شوق دانشجوتان

بود. ولی آیا شما را برای این خلوتگاه آماده کرده است؟»

«آشکارا نه. خودش کاملاً اتفاقی به این خلوتگاه برخورده و گفت بهتر است من هم با ذهنی کاملاً باز به آن وارد شوم. سرتان را طوری تکان می‌دهید که انگار مخالفید.»

«آه، یادتان باشد وقتی هندی‌ها سرشان را به این طرف و آن طرف حرکت می‌دهند، یعنی موافقند و وقتی سرشان را بالا و پایین می‌برند، یعنی مخالفند: درست برعکس عادت امریکایی‌ها.»

«اوه، خدای من. فکر می‌کنم ناخودآگاه متوجه این مطلب شده بودم چون ارتباط من با مردم اینجا لنگ می‌زند. لابد کسانی را که با من صحبت کرده‌اند، حسابی گیج کرده‌ام.»

«نه، نه، بیشتر هندی‌هایی که با غربی‌ها سروکار دارند، با این قضیه کنار آمده‌اند. درباره‌ی توصیه‌ی دانشجوتان، مطمئن نیستم موافق باشم که هیچ نوع آمادگی‌ای لازم ندارید. بگذارید اشاره کنم که اینجا خلوتگاه مبتدی‌ها نیست. سکوت عظیم، مراقبه از ساعت چهار صبح، خواب کم، یک وعده خوراک در روز. رژیم سختی‌ست. باید قوی باشید. آه، قطار آهسته شده. در ایگاتپوری هستیم.»

وجای برخاست، وسائلش را جمع کرد و کیف‌دستی پم را از تاقچه‌ی بالای سرشان پایین آورد. قطار ایستاد. وجای برای پیاده شدن آماده شد و گفت: «تجربه آغاز می‌شود.»

کلمات وجای آرامش چندانی به همراه نیاورد و پم دلواپس‌تر شد. «یعنی ما نمی‌توانیم در طول این خلوت با هم حرف بزنیم؟»

«هیچ نوع ارتباطی، نه نوشتنی، نه به زبان اشاره.»

«ایمیل؟»

وجای لبخند نزد. «سکوت عظیم راه صحیح بهره بردن از

ویپاساناست.» انگار عوض شده بود. پم حس کرد او از حالا در حال دور شدن است.

گفت: «دست‌کم حضور شما به من آرامش می‌دهد. تصور اینکه هر دو با هم در آنجا تنهاییم، کمتر ناراحت‌کننده‌ست.»

وجای بی‌آنکه نگاهش کند، پاسخ داد: «تنها با هم. عبارت به‌جا و مناسبی‌ست.»

پم گفت: «شاید بعد از خلوت دوباره در این قطار همدیگر را ببینیم.»

«نباید به این مسئله فکر کنیم. گونکا به ما یاد خواهد داد که باید تنها در زمان حال زندگی کنیم. دیروز و فردا وجود ندارند. یادگارهای گذشته و آرزوهای آینده فقط ناآرامی و تشویش به همراه می‌آورند. راه رسیدن به تعادل از مشاهده‌ی زمان حال می‌گذرد: باید اجازه دهیم بدون پریشانی در رودخانه‌ی آگاهی‌مان غوطه‌ور شود و پایین رود.» وجای بی‌آنکه نگاهی به پشت سر بیندازد، بند کیفش را بر شانه انداخت، در کوپه را باز کرد و خارج شد.

فقط یک مرد عاقل که به‌وسیله‌ی تکانه‌ی جنسی گیج شده باشد می‌تواند رابطه با موجودی ریزنقش، با شانه‌های کم‌عرض، لگن پهن و پاهای کوتاه را یک رابطه‌ی دلپسند و بی‌نقص بنامد.

آرتور شوپنهاور درباره‌ی زنان

لفاظی‌های بی‌وقفه‌ات و زاری‌ات برای دنیای خرفت و انسان بدبخت، شب‌های بد و رؤیاهای ناخوشایندی برای من به ارمغان می‌آورد... . تک‌تک لحظات ناخوشایند زندگی‌ام را مدیون تو هستم.

نامه‌ای از یوهانا (مادر آرتور) به آرتور شوپنهاور

فصل ۱۶

مهم‌ترین زن زندگی شوپنهاور

مهم‌ترین زن در زندگی آرتور تا آن زمان مادرش، یوهانا بود که با او رابطه‌ای پرعذاب و دوگانه داشت و در نهایت هم فروپاشید.

نامه‌ی یوهانا که آرتور را از ادامه‌ی دوره‌ی آموزشی‌اش معاف کرد، حاوی احساسات مادرانه‌ی تحسین‌برانگیزی بود: دلواپسی‌اش، عشقش و امیدهایش برای او. با این حال همه‌ی این‌ها مستلزم یک شرط بود: اینکه آرتور فاصله‌ی مناسبی را با او حفظ کند. به همین دلیل در نامه‌ی آزادی توصیه کرده بود آرتور از هامبورگ به گوتا نقل مکان کند و نه به خانه‌ی او در وایمار که پنجاه کیلومتر دورتر بود.

تب‌وتاب احساسات پرشور میان این دو، کمی پس از اعلام آزادی آرتور از اعمال شاقه فرو نشست زیرا مدت اقامت آرتور در مدرسه‌ی مقدماتی گوتا خیلی کوتاه بود. پس از گذشت تنها شش ماه، آرتور نوزده‌ساله برای نوشتن شعری رندانه و به‌طرز بی‌رحمانه‌ای ریشخندآمیز درباره‌ی یکی از معلمان اخراج شد و با التماس از مادر خواست اجازه دهد با او زندگی کند و تحصیلاتش را در وایمار ادامه دهد.

این برای یوهانا خوشایند نبود؛ در واقع، فکر زندگی کردن با آرتور هم او را دیوانه می‌کرد. آرتور در طول شش ماه اقامتش در گوتا، چند بار به او سر زده بود و حاصل هر ملاقات، رنجش و ناخشنودی بیشتر یوهانا بود. نامه‌هایی که پس از اخراج آرتور به او نوشت، زننده‌ترین و ناخوشایندترین نامه‌هایی هستند که مادری تاکنون به پسرش نوشته است.

... با خلق‌وخویت آشنا هستم... آزاردهنده و تحمل‌ناپذیر هستی و زندگی با تو برایم سخت است. همه‌ی ویژگی‌های خوبت زیر سایه‌ی تیزهوشی بیش از اندازه‌ات قرار گرفته و به درد هیچ‌کس نمی‌خورد... تو عیب و نقص را در همه‌جا می‌بینی جز در خودت... برای همین هم افراد دوروبرت را می‌رنجانی: هیچ‌کس دلش

نمی‌خواهد با چنین شیوه‌ی زورکی و خشنی پیشرفت کند یا چیزی بیاموزد، آن هم به‌دست فرد پست و ناچیزی مثل تو. هیچ‌کس نمی‌تواند تحمل کند به‌وسیله‌ی فردی که این همه ضعف شخصی از خود نشان می‌دهد، مورد انتقاد قرار بگیرد آن هم به‌شیوه‌ی تحقیرکننده‌ی تو که با لحنی پندآمیز جار می‌زنی چنان و چنان بی‌آنکه کمترین احتمال خطا برای خودت در نظر بگیری.

اگر این ویژگی‌هایت کمرنگ‌تر بود، فقط مضحک بودی ولی با این وضعیت، مزاحم‌ترین و آزاردهنده‌ترینی... . تو هم می‌توانستی مثل هزاران دانش‌آموز دیگر در گوتا زندگی و تحصیل کنی... ولی این را نمی‌خواستی و برای همین هم اخراج شدی... . تو می‌خواهی مثل یک مجله‌ی ادبی زنده زندگی کنی که چیزی نفرت‌انگیز و کسل‌کننده‌ست چون نمی‌شود صفحات این مجله‌ی ادبی را سرسری خواند یا این آشغال را پشت اجاق پرتاب کرد یعنی آن کاری که می‌شود با مجله‌ی چاپ‌شده انجام داد.

بالاخره یوهانا این واقعیت را پذیرفت که نمی‌تواند تا زمانی که آرتور خود را برای دانشگاه آماده می‌کند، از پذیرش او در وایمار سر باز زند ولی دوباره برایش نوشت تا اگر آرتور نکاتی را نفهمیده، متوجهش کند و نگرانی‌هایش را با جزئیات بیشتر بیان کرد.

فکر می‌کنم عاقلانه‌ترین کار این است که خواسته و احساسم درباره‌ی موارد مختلف را صراحتاً برایت بگویم تا از همان ابتدا یکدیگر را درک کنیم. مطمئنم در اینکه شیفته‌ی تو هستم، تردیدی نداری. قبلاً این مسئله را به تو ثابت کرده‌ام و تا وقتی زنده‌ام به این اثبات ادامه خواهم داد. برای آنکه خوشحال باشم، ضروری‌ست بدانم که تو هم خوشحالی ولی لازم نیست شاهد این خوشحالی

باشم. همیشه گفته‌ام که زندگی کردن با تو خیلی سخت است... . هرچه بیشتر می‌شناسمت، این احساسم هم قوی‌تر می‌شود.

این را از تو پنهان نمی‌کنم: تا وقتی همینی، ترجیح می‌دهم هر بهایی که لازم است، بپردازم ولی نزدیک تو نباشم... . آنچه مرا پس می‌راند، نه در دل تو و هستی درونی تو، بلکه در وجه بیرونی توست. در عقاید، قضاوت‌ها و رفتار توست؛ در یک کلام، در دنیای بیرون، چیزی نیست که بر سرش با هم توافق داشته باشیم.

ببین، آرتور عزیزم، هر بار که حتا برای چند روز به دیدار من آمده‌ای، برای هیچ و پوچ صحنه‌های خشنی از تو دیده‌ام و فقط وقتی رفته‌ای، توانسته‌ام نفسی به راحتی بکشم چون حضورت، غرولندهایت درباره‌ی مسائل بدیهی، چهره‌ی عبوست، بدخلقی‌هایت، نظرات عجیب و غریبی که بر زبان می‌آوری... همه و همه افسرده و ناراحتم می‌کند بی‌آنکه بتوانم کمکی در این زمینه‌ها به تو بکنم.

پویه‌شناسی رفتار یوهانا آشکار و روشن است. او به لطف خدا از ازدواجی که می‌ترسید همه‌ی عمر در آن محبوس باشد، گریخته بود. مست از آزادی، سرشار از این فکر بود که دیگر هرگز نمی‌خواهد در برابر هیچ‌کس پاسخگو باشد. زندگی خودش را خواهد کرد، هرکس را که دلش بخواهد به دیدار خواهد پذیرفت، (ولی هرگز دوباره ازدواج نخواهد کرد) و استعدادهای قابل ملاحظه‌ی خویش را کشف خواهد کرد.

دورنمای صرف نظر کردن از آزادی به‌خاطر آرتور برایش قابل تحمل نبود. نه فقط به این دلیل که آرتور به‌نوبه‌ی خود فردی بسیار دشوار و سلطه‌جو بود، بلکه نیز به این دلیل که او پسر زندانبان سابقش بود: تجسم زنده‌ی بسیاری از ویژگی‌های ناخوشایند هاینریش.

و مسئله‌ی پول هم مطرح بود. این موضوع نخستین بار زمانی خود را نشان داد که آرتور در نوزده‌سالگی مادرش را به ولخرجی و اسراف زیاد متهم کرد که می‌توانست میراثی را که قرار بود در بیست‌ویک‌سالگی به او برسد، به خطر بیندازد. یوهانا براق شد و گفت همه می‌دانند او در سالن‌هایش فقط با ساندویچ‌های نان و کره از میهمانان پذیرایی می‌کند و بعد آرتور را به‌شدت مورد انتقاد قرار داد که با رفتن به رستوران‌های گرانقیمت و کلاس‌های اسب‌سواری، بسیار فراتر از میزان دارایی‌اش خرج می‌کند. در نهایت این جربحث‌های مالی بالا گرفت و به میزان تحمل‌ناپذیری رسید.

احساسات یوهانا نسبت به آرتور و نسبت به مادر شدن، در رمان‌هایش نمود یافته‌اند: قهرمان زن داستان‌های یوهانا شوپنهاور همیشه زنی بود که عشق راستینش را به شکلی مصیبت‌بار از دست داده بود و به ازدواجی منطقی از لحاظ مالی، بدون عشق و گاه خشن رضایت داده بود ولی از روی نافرمانی و برای اثبات خویش، حاضر نمی‌شد بچه‌دار شود.

آرتور احساساتش را با هیچ‌کس در میان نمی‌گذاشت و مادرش بعدها همه‌ی نامه‌های او را از بین برد. با وجود این، بعضی تمایلاتش بدیهی و آشکارند. پیوند میان آرتور و مادرش شدید بود و درد فروپاشی و زوال این پیوند، آرتور را همه‌ی عمر گرفتار کرد. یوهانا مادری خارق‌العاده بود: پرنشاط، صریح، زیبا، آزاداندیش، روشنفکر و کتاب‌خوان. تردیدی نیست که او و آرتور درباره‌ی غوطه‌وری آرتور در ادبیات باستانی و مدرن گفت‌وگوهای زیادی داشته‌اند. در واقع، محتمل است که انتخاب مهم آرتور در پانزده‌سالگی برای رفتن به سفر به‌جای آمادگی برای دانشگاه،

به‌دلیل اشتیاقش برای ماندن در کنار مادر بوده باشد.

فقط پس از مرگ پدر بود که حال و هوای رابطه‌ی مادر و پسر عوض شد. امید آرتور برای گرفتن جای پدر در دل مادر، با تصمیم یوهانا به رها کردن او در هامبورگ و رفتن به وایمار، در هم شکست. وقتی مادر او را از قولی که به پدر متوفایش داده بود، آزاد کرد، این امید دوباره زنده شد، ولی وقتی یوهانا او را به‌رغم امکانات آموزشی بسیار بهتر در وایمار، به گوتا فرستاد، این امید دوباره نابود شد. اگر علت رفتارهایش آرزوی پیوستن دوباره به مادر بود، بی‌میلی یوهانا به پذیرایی از او در خانه‌ی جدید و نیز حضور افراد دیگر در زندگی او، باید مأیوس و دلسردش کرده باشد.

عذاب وجدان آرتور برای خودکشی پدرش هم در شادی رهایی‌اش و هم در این ترس ریشه داشت که شاید بی‌علاقگی او به دنیای تجارت، مرگ پدر را تسریع کرده باشد. طولی نکشید که این عذاب وجدان به دفاع بی‌امان از خوشنامی پدر و عیب‌جویی بدخواهانه و ناپسند از رفتار مادر نسبت به پدرش تغییر شکل داد.

سال‌ها بعد نوشت:

زنان را می‌شناسم. آن‌ها ازدواج را فقط سنتی متداول برای تأمین زندگی‌شان می‌دانند. وقتی پدرم به‌شدت بیمار و ضعیف شد، اگر نیک‌خواهی پرمهر یک خدمتکار باوفا نبود که همه‌ی مراقبت‌های لازم را از او بکند، به حال خود رها شده بود. در حالی که او تنها در بستر افتاده بود، مادرم میهمانی می‌داد؛ وقتی به‌شکل دردآوری رنج می‌کشید، مادرم در حال خوشگذرانی بود. عشق زنان چنین است!

وقتی آرتور برای تعلیم دیدن نزد یک معلم خصوصی به منظور

ورود به دانشگاه به وایمار رسید، اجازه پیدا نکرد با مادر زندگی کند و در خانه‌ای اجاره‌ای مستقر شد که مادر برایش پیدا کرده بود. نامه‌ای از مادر در آنجا انتظارش را می‌کشید که در آن با شفافیتی بی‌رحمانه، قوانین و محدودیت‌های رابطه‌شان را گوشزد می‌کرد.

از حالا موضعی را که دلم می‌خواهد در برابر تو بگیرم، مشخص می‌کنم: تو در خانه‌ی خودت زندگی می‌کنی و در خانه‌ی من میهمان محسوب می‌شوی... و در هیچ‌یک از ترتیبات و مسائل آن خانه دخالت نمی‌کنی. هر روز ساعت یک می‌آیی و تا سه می‌مانی، بعد از این ساعت نباید در آنجا ببینمت به‌جز در روزهای سالن که اگر دوست داشته باشی، می‌توانی حضور داشته باشی، و عصر این دو روز خوراکی را که برایت فراهم شده در خانه‌ی من می‌خوری و از بحث‌های کسالت‌آوری که مرا عصبانی می‌کند، خودداری می‌کنی... . در ساعات بعد از ظهر می‌توانی هرچه را که باید درباره‌ات بدانم، برایم بگویی و باقی ساعات خودت باید مراقب خودت باشی. نمی‌توانم به خاطر تو از تفریح و سرگرمی‌های خودم بگذرم. همین! حالا دیگر از خواسته‌های من آگاهی و امیدوارم پاسخ محبت و عشق مادرانه‌ی مرا با مخالفت ندهی.

آرتور در طول دو سال اقامتش در وایمار این مقررات را رعایت کرد و در گردهمایی‌های شامگاهی مادرش یک مشاهده‌گر محض باقی ماند، طوری که حتا یک‌بار هم با گوته‌ی بزرگ هم‌کلام نشد. تسلطش بر زبان یونانی، لاتین، ادبیات کلاسیک و فلسفه به‌طرز اعجاب‌آوری بیشتر شد و در سن بیست‌ویک‌سالگی در دانشگاه گوتینگن پذیرفته شد. هم‌زمان میراث بیست هزار رایشستیلری‌اش[1]

---

۱. reichstaler: نام سکه‌ی نقره‌ی ضرب‌شده در پروس ـ م.

را دریافت کرد که درآمدی کافی ولی متوسط برای باقی عمرش فراهم می‌کرد. همان‌طور که پدرش پیش‌بینی کرده بود، او نیاز فراوانی به این میراث داشت: آرتور حتا یک فنیگ هم از حرفه‌ی استادی‌اش کسب نکرد.

با گذشت زمان، آرتور پدرش را فرشته و مادرش را شیطان می‌دید. باور داشت که حسادت و شکاکیت پدر نسبت به وفاداری مادرش به‌جا بوده و نگران بود نکند مادر حرمت خاطره‌ی پدرش را نگه ندارد. او هم مانند پدرش، می‌خواست یوهانا زندگی منزوی و آرامی داشته باشد. آرتور به کسانی که خواستگار مادر می‌پنداشت، به‌شدت حمله می‌کرد و قضاوتی تحقیرآمیز درباره‌شان داشت. آن‌ها را «موجوداتی با تولید انبوه» می‌نامید که سزاوار نشستن به‌جای پدرش نیستند.

آرتور در دانشگاه‌های گوتینگن و برلین تحصیل کرد و سپس دکترای فلسفه‌اش را از دانشگاه یانا گرفت. مدت کوتاهی در برلین ماند ولی خیلی زود به‌دلیل جنگ قریب‌الوقوع با ناپلئون از این شهر گریخت و به وایمار برگشت تا با مادرش زندگی کند. جنگ‌های خانگی خیلی زود از سر گرفته شد: نه‌تنها مادر را برای استفاده نادرست از پولی که به نگهداری مادربزرگش اختصاص داده بود، بازخواست کرد، بلکه او را به داشتن روابط ناشایست با مولر گرستنبرگ[1] ـ یکی از دوستان صمیمی یوهانا ـ متهم کرد. آرتور در دشمنی با گرستنبرگ چنان سبعیتی از خود نشان داد که یوهانا مجبور شد فقط مواقعی که آرتور خانه نبود، دوستش را ببیند.

در همین دوره بود که وقتی آرتور نسخه‌ای از مدرک دکترایش ـ رساله‌ای درخشان در باب قواعد علیت با عنوان «در باب ریشه‌ی

---

1. Müller Gerstenbergk

چهارگانه‌ی اصل سبب کافی» ـ را به مادر داد، گفت‌وگویی میان آن‌ها در گرفت که بارها نقل قول شده است.

یوهانا در حالی که به عنوان صفحه نگاه می‌کرد، گفت: «ریشه‌ی چهارگانه؟ نکند از آن چیزهایی‌ست که به درد عطارها می‌خورد؟»

آرتور: «وقتی دیگر حتا یک نسخه از نوشته‌های تو پیدا نشود، این رساله هم‌چنان خوانده خواهد شد.»

یوهانا: «بله، شک ندارم آن موقع همه‌ی نسخه‌های کتاب‌های تو هنوز در مغازه‌ها خاک می‌خورد.»

آرتور در مورد عناوین کتاب‌هایش انعطاف‌ناپذیر بود و هرگونه ملاحظه‌ی خریدارپسندی را رد می‌کرد. در *باب ریشه‌ی چهارگانه‌ی اصل سبب کافی*[1] را می‌شد با عنوان مناسب‌تری مثل *نظریه‌ای در باب بیانگری*[2] عرضه کرد. این نوشته بعد از دست‌کم دویست سال، هنوز چاپ می‌شود. کمتر رساله‌ای‌ست که به چنین امتیازی دست یافته باشد.

جربحث‌های شدید درباره‌ی پول و روابط یوهانا با مردان ادامه پیدا کرد تا جایی که صبر یوهانا لبریز شد. اعلام کرد هرگز برای آرتور دوستی‌اش را با گرستنبرگ یا هیچ‌کس دیگری به هم نمی‌زند. به او دستور داد از آن خانه برود و از گرستنبرگ دعوت کرد به اتاق خالی‌شده‌ی او نقل مکان کند و این نامه‌ی سرنوشت‌ساز را به آرتور نوشت.

دری که دیروز بعد از رفتار نادرست با مادرت با سروصدا به هم کوبیدی، حالا دیگر برای همیشه میان من و تو بسته شده است. من به ییلاق می‌روم و تا زمانی که از رفتنت مطمئن نشوم، بازنمی‌گردم... . تو نمی‌دانی قلب یک مادر یعنی چه: هرچه پرمهرتر

1. *On the Fourfold Root of the Principle of Sufficient Reason*
2. *A Theory of Explanation*

عشق بورزد، هر ضربه‌ی دستی که زمانی به آن عشق می‌ورزیده، برایش دردناک‌تر خواهد بود... . تو خودت از من دل کندی: بی‌اعتمادی‌ات، عیب‌جویی از زندگی‌ام و انتخاب دوستانم، رفتار سرسری‌ات با من، تحقیری که به جنسیتم روا می‌داری، حرص و طمعت، این‌ها و خیلی چیزهای دیگر، تو را بدخواه من جلوه می‌دهد... . اگر من مرده بودم و تو مجبور بودی با پدرت کنار بیایی، جرأت می‌کردی برایش معلم‌بازی در بیاوری؟ یا سعی کنی زندگی و دوستانش را کنترل کنی؟ مگر من کمتر از اویم؟ مگر او بیش از من برای تو قدم برداشته؟ مگر بیشتر از من تو را دوست داشته؟... وظیفه‌ام در قبال تو به پایان رسیده. به راه خودت برو، من دیگر با تو کاری ندارم... . نشانی‌ات را برایم بگذار، ولی برایم نامه ننویس، از این به بعد دیگر نه نامه‌ای از تو خواهم خواند و نه پاسخی به تو خواهم داد... . این پایان راه است... . تو بیش از اندازه آزارم داده‌ای. زندگی کن و تا می‌توانی شاد باش.

و این پایان رابطه بود. یوهانا بیست‌وپنج‌سال دیگر زندگی کرد ولی مادر و پسر دیگر هرگز دیداری نداشتند.

شوپنهاور در سالخوردگی با یادآوری خاطرات والدینش نوشت:

اغلب مردان می‌پذیرند چهره‌ای زیبا اغوایشان کند... . طبیعت، زنان را وامی‌دارد همه‌ی مهارتشان را یکجا به نمایش بگذارند... و «شور و هیجانی» بیافرینند... ولی طبیعت زشتی‌های [زنان] را پنهان می‌کند: هزینه‌های بی‌پایان، توجه به کودکان، نافرمانی، یکدندگی، پیری و زشتی بعد از چند سال، فریبکاری، بی‌آبرویی، هوسبازی، تعصب، حملات هیستری، نیروهای جهنمی و خباثت. برای همین است که ازدواج را وامی‌دانم که در جوانی می‌گیرند و در سالخوردگی پس می‌دهند... .

رنج‌های عظیم موجب می‌شوند رنج‌های کوچک‌تر دیگر احساس نشوند و برعکس، در نبود رنج‌های عظیم، حتا کوچک‌ترین دردسرها و مزاحمت‌ها مایه‌ی عذابند.

فصل ۱۷

در آغاز جلسه‌ی بعد، همه‌ی چشم‌ها بر بانی بود. او با صدایی ملایم و لحنی مردد شروع کرد به صحبت: «در واقع فکر خوبی نبود که خودم رو در دستور این جلسه قرار بدم چون همه‌ی هفته داشتم فکر می‌کردم چی بگم، حرف‌هامو بارها و بارها تمرین کردم، با اینکه می‌دونم قرار نیست اینجا یه سخنرانی ازپیش‌تعیین‌شده بکنم. جولیوس همیشه گفته اگه قراره گروه کاری از پیش ببره، باید جلساتش فی‌البداهه و خودجوش باشه. درست می‌گم؟» بانی نگاهی به جولیوس انداخت.

جولیوس سری به تأیید تکان داد. «بانی، سعی کن اون سخنرانی

از پیش‌تعیین‌شده رو کنار بذاری. این جوری: چشمانت رو ببند و تصور کن که نسخه‌ی آماده‌شده رو برمی‌داری، جلو خودت می‌گیری، از وسط نصف می‌کنی و نصفشو هم نصف می‌کنی. حالا توی سبد زباله می‌اندازیش. باشه؟»

بانی با چشمان بسته سر تکان داد.

«حالا با کلماتی تازه از زشتی و زیبایی برامون بگو. از خودت و ربه‌کا و پم بگو.»

بانی که هنوز داشت سر تکان می‌داد، چشمانش را آهسته گشود و شروع کرد. «همه‌تون منو یادتونه، مطمئنم. من همون دختر کوچولوی چاق همکلاسی‌تونم. گوشتالو و دست‌وپاچلفتی با موهای فرفری. همونی که زنگ ورزش بدبخت بود، کمتر پیش می‌اومد روزای ولنتاین هدیه بگیره، خیلی گریه می‌کرد، هیچ‌وقت دوست صمیمی نداشت، همیشه تنها به خونه می‌رفت، هیچ‌وقت به مهمونی و رقص دعوت نمی‌شد، اون قدر وحشت‌زده بود که هیچ‌وقت سر کلاس دست بلند نمی‌کرد بااینکه خیلی باهوش بود و همه‌ی جوابای درستو می‌دونست. و ربه‌کا که اینجاست، ایزومر من بود...»

تونی که چنان لم داده بود که تقریباً موازی صندلی‌اش شده بود، پرسید: «چی‌چی تو بود؟»

بانی پاسخ داد: «*ایزومر* یعنی مثل یک تصویر آینه‌ای.»

فیلیپ گفت: «*ایزومر* به دو ترکیب شیمیایی گفته می‌شه که اجزای سازنده‌شون از لحاظ نسبت یکیه ولی خصوصیات متفاوت دارن چون نحوه‌ی آرایش اتم‌هاشون متفاوته.»

بانی گفت: «ممنون فیلیپ. شاید کلمه‌ی خودنمایانه‌ای به کار بردم. ولی تونی، همینجا بگم تحسینت می‌کنم وقتی می‌بینم هروقت

چیزیو نمی‌فهمی، بلافاصله نشون می‌دی و همیشه دنبال رفع اشکالی. اون جلسه‌ی چند ماه پیش که از شرمندگی‌ت بابت میزان تحصیلات و حرفه‌ی کارگری‌ت گفتی، این اجازه رو به من داد که بتونم از مسائل خودم حرف بزنم. خب برگردم به روزای مدرسه‌م. ربه‌کا درست نقطه‌ی مقابل من بود، از هر جهت: همه‌تون تأیید می‌کنین. می‌مردم برای اینکه دوستی مثل ربه‌کا داشته باشم: خودمو می‌کشتم که یک ربه‌کا باشم. این چیزیه که هنوز هم در من در جریانه. در این یکی‌دو هفته غرق خاطرات وحشتناک کودکی‌م شده‌ام.»

جولیوس گفت: «اون دختر کوچولوی چاق خیلی وقت پیش مدرسه می‌رفت. چی باعث شده حالا برگرده؟»

«خب، این بخش سخت ماجراست. نمی‌خوام ربه‌کا از دستم عصبانی بشه.»

جولیوس اشاره کرد: «بهتره مستقیم با خودش حرف بزنی، بانی.»

بانی گفت: «باشه» و رو کرد به ربه‌کا: «می‌خوام چیزی بهت بگم ولی نمی‌خوام از دستم عصبانی بشی.»

ربه‌کا در حالی که همه‌ی توجهش را بر بانی متمرکز کرده بود، گفت: «سراپا گوشم.»

«وقتی می‌بینم اینجا در گروه با مردا حرف می‌زنی، حس می‌کنم کاملاً درمونده‌ام. همه‌ی اون احساسات بد گذشته بیرون می‌خزن: چاق و چلگی، بی‌اهمیت بودن، نامحبوب بودن، از دور خارج بودن.»

فیلیپ به میان صحبت دوید: «نیچه جایی چیزی گفته به این معنا که وقتی نیمه‌شب با ترس از خواب می‌پریم، دشمنانی که مدت‌ها پیش شکست داده‌ایم، برمی‌گردند و به سراغمان می‌آیند.»

بانی لبخند فراخی زد و به‌سوی فیلیپ برگشت. «این یه هدیه‌ست فیلیپ، یه هدیه‌ی دلچسب. نمی‌دونم چرا، ولی این عقیده که دشمنانی که یک بار شکستشون دادم، دوباره از جا بلند می‌شن، حس بهتری بهم می‌ده. وقتی نامی به چیزی می‌دی، ضعیف‌ترش...»

ربه‌کا صحبتش را قطع کرد: «صبر کن، بانی، می‌خوام برگردم به وسوسه‌ی مردا... توضیح بده لطفاً.»

مردمک‌های بانی گشاد شد؛ از نگاه خیره‌ی ربه‌کا پرهیز کرد: «مسئله تو نیستی. مسئله این نیست که کار تو اشتباهه: مشکل از منه، اشکال در پاسخ من به یه رفتار کاملاً عادی زنانه‌ست.»

«چه رفتاری؟ از چی حرف می‌زنی؟»

بانی نفس عمیقی کشید و گفت: «دلبری می‌کنی. به خودت می‌رسی. این چیزیه که به نظر من می‌یاد. جلسه‌ی پیش نمی‌دونم چند بار گیره‌ی سرت رو برداشتی، موهات رو دورت ریختی، پریشونشون کردی، با انگشتات صافشون کردی، خیلی بیشتر از دفعات قبل. باید به ورود فیلیپ به گروه ربطی داشته باشه.»

ربه‌کا پرسید: «داری از چی حرف می‌زنی؟»

تونی به میان صحبت پرید: «به قول پیر فرزانه، جولیوس مقدس، سؤالی که جوابشو می‌دونی، سؤال نیست.»

ربه‌کا با چشمانی سرد گفت: «تونی، چرا نمی‌ذاری بانی خودش حرف بزنه؟»

تونی ناراحت نشد: «موضوع روشنه. فیلیپ وارد گروه می‌شه و تو عوض می‌شی: تبدیل می‌شی به یه مرد... آه... اصطلاح درستش چیه؟ می‌خوای به چشمش بیای. درست فهمیدم، بانی؟»

بانی سر تکان داد.

ربه‌کا دست در کیفش کرد و دستمالی بیرون کشید و به

چشمانش مالید، جوری که ریملش دست نخورد. «این واقعاً یه توهینه.»

بانی ملتمسانه گفت: «این دقیقاً همون جاییه که نمی‌خوام این بحث بره. تکرار می‌کنم این مسئله‌ی تو نیست، ربه‌کا. تو هیچ کار اشتباهی انجام نمی‌دی.»

«این برام قابل قبول نیست: اینکه همین جوری گذری تهمت ناجوری راجع‌به رفتارم بهم بزنی و بعد بگی این مسئله‌ی من نیست، از زنندگی‌اش کم نمی‌کنه.»

تونی پرسید: «*گذری؟*»

فیلیپ میان صحبت دوید: «گذری یعنی در حال گذشتن: یک اصطلاح رایج در شطرنجه وقتی پیاده در حرکت آغازینش دو خانه جلو می‌ره و پیاده‌ای که در جلو راهش قرار داره رو می‌زنه.»

تونی گفت: «فیلیپ تو خیلی خودنمایی، می‌دونستی؟»

فیلیپ که از رویارویی تونی اصلاً متأثر نشده بود، گفت: «تو سؤالی مطرح کردی و من جواب دادم. مگر *اینکه* سؤالت، سؤال نباشه.»

تونی گفت: «اوخ، گیرم انداختی.» بقیه‌ی گروه را از نظر گذراند: «باید کمتر حرف بزنم. حس می‌کنم تک افتاده‌ام. ببینم، واقعاً کلمات قلنبه سلمبه اینجا رد وبدل می‌شه یا من این جوری فکر می‌کنم؟ نکنه اومدن فیلیپ به اینجا چشم بقیه رو هم گرفته: فقط ربه‌کا نیست.»

جولیوس با رایج‌ترین و مؤثرترین راهبرد یک روان‌درمانگر یعنی انتقال تمرکز از محتوا به فرایند مداخله کرد که به معنای دورشدن از واژه‌های برزبان‌آمده و پرداختن به ماهیت رابطه‌ی میان افراد در حال تعامل است: «امروز داره اتفاقات زیادی اینجا می‌افته. شاید

بهتر باشه یک لحظه بایستیم و ببینیم چه خبره. اول این سؤال رو از همه می‌کنم: به نظر شما در رابطه‌ی بین بانی و ربه‌کا چه اتفاقی داره می‌افته؟»

استوارت که همیشه نخستین کسی بود که به سؤالات مطرح‌شده از طرف جولیوس پاسخ می‌داد، گفت: «سؤال سختیه.» با لحنی تخصصی/طبیبانه اضافه کرد: «من واقعاً نمی‌تونم بگم که بانی یک دستور جلسه داره یا دو تا.»

بانی پرسید: «یعنی چی؟»

«یعنی دستور جلسه‌ت چیه؟ دلت می‌خواد درباره‌ی مسائل مربوط به مردا و رقابتت با زنا حرف بزنی؟ یا دلت می‌خواد ربه‌کا رو سر جاش بنشونی؟»

گیل گفت: «من مسئله رو از هر دو دیدگاه می‌بینم. هم می‌فهمم که چطور این موضوع خاطرات بد بانی رو زنده می‌کنه. و هم می‌فهمم که چرا ربه‌کا ناراحت شده: منظورم اینه که شاید بی‌هوا موهاش رو مرتب کرده... و شخصاً فکر نمی‌کنم مسئله‌ی مهمی باشه.»

استوارت گفت: «تو آدم مردم‌داری هستی، گیل، مثل همیشه سعی می‌کنی از هر دو طرف دلجویی کنی، به‌خصوص اگه هر دو خانوم باشن. ولی می‌دونی، اگه بخوای در درک دیدگاه زنانه عمیق بشی، دیگه نمی‌تونی با صدای خودت صحبت کنی. این همون چیزیه که هفته‌ی پیش فیلیپ بهت گفت.»

ربه‌کا گفت: «من از این نظراتی که بوی تبعیض جنسیتی می‌ده، خوشم نمی‌یاد استوارت، بی‌تعارف، یه دکتر بهتر باید بدونه که صحبت از "دیدگاه زنانه" چقدر مسخره‌ست.»

بانی دستانش را بالا برد و با آن‌ها یک T ساخت. «باید همینجا

تایم اوت بدم: دیگه نمی‌تونم ادامه بدم. این موضوع مهمیه ولی سورئاله؛ من نمی‌تونم ادامه‌ش بدم. چطور می‌تونیم کارمونو به روال معمول ادامه بدیم وقتی جولیوس همین هفته‌ی پیش اعلام کرد داره می‌میره؟ تقصیر منه: اصلاً نباید امروز این بحثو درباره‌ی خودم و ربه‌کا شروع می‌کردم. زیادی پیش‌پاافتاده‌ست. همه‌چیز در مقایسه پیش‌پاافتاده به نظر می‌یاد.»

سکوت. نگاه همه پایین بود. بانی سکوت را شکست.

«می‌خوام زیر حرفم بزنم. در واقع باید این جلسه رو با تعریف یه رؤیا، یه کابوس شروع می‌کردم که بعد از جلسه‌ی پیش دیدم. فکر می‌کنم تو رو هم شامل می‌شه، جولیوس.»

جولیوس با اشتیاق گفت: «بجنب»

«شب بود. تو یه ایستگاه قطار تاریک بودم...»

جولیوس به میان صحبت دوید: «بانی، سعی کن از فعل زمان حال استفاده کنی.»

«بعد از این همه وقت باید خودم می‌دونستم. باشه... شبه. تو یه ایستگاه قطار تاریکم. سعی می‌کنم سوار قطاری بشم که شروع به حرکت کرده. تندتر راه می‌رم که بهش برسم. واگن رستورانو می‌بینم که پره از افراد خوش‌لباس در حال خوردن و نوشیدن. مطمئن نیستم از کجا باید سوار شم. حالا حرکت قطار سریع‌تر شده و واگن‌های آخری قراضه‌تر و قراضه‌ترند و پنجره‌هاشونم بازه. آخرین واگن که واگن کارمندای قطاره، خیلی درب‌وداغونه، داره از هم وا می‌ره، و می‌بینم که از من دور می‌شه و صدای سوت قطارو می‌شنوم که اون قدر بلنده که بیدارم می‌کنه و می‌بینم ساعت چهار صبحه. قلبم به‌شدت می‌زد و خیس عرق بودم و دیگه اون شب خوابم نبرد.»

جولیوس پرسید: «هنوزم می‌تونی اون قطارو ببینی؟»

«به‌وضوح. داره توی مسیرش دور می‌شه. رؤیا هنوزم برام ترسناک و عجیبه.»

تونی گفت: «می‌دونین من چی فکر می‌کنم؟ به نظر من قطار این گروهه و بیماری جولیوس اونو از هم می‌پاشونه.»

استوارت گفت: «درسته، قطار گروهه: تو رو به جایی می‌رسونه و در طول مسیر هم تغذیه‌ات می‌کنه: می‌دونین، منظورم مردمی‌اند که تو واگن رستوران بودند.»

ربه‌کا پرسید: «آره، ولی چرا نتونستی سوار شی؟ دویدی؟»

«ندویدم؛ انگار می‌دونستم که نمی‌تونم سوار بشم.»

ربه‌کا گفت: «عجیبه. مثل این می‌مونه که دلت می‌خواسته سوار شی و هم‌زمان دلت نمی‌خواسته.»

«مطمئنم که سعی زیادی برای سوار شدن نکردم.»

گیل پرسید: «شاید بیش از اون ترسیده بودی که بتونی سوار شی؟»

جولیوس گفت: «بهتون گفته بودم عاشق شده‌ام؟»

ناگهان سکوتی بر گروه حکمفرما شد. سکوت کامل. جولیوس نگاهش را بازیگوشانه بر چهره‌های متحیر و نگران گرداند.

«بله، عاشق این گروهم، به‌خصوص وقتی مثل امروز حسابی کار می‌کنه. شیوه‌ی کار کردنتون بر روی این رؤیا فوق‌العاده‌ست. شماها معرکه‌اید. بذارین من هم حدسمو بگم: بانی، نمی‌دونم، شاید این قطار نمادی از من باشه. قطار بوی وحشت و تاریکی می‌ده. ولی همون طور که استوارت گفت تغذیه‌کننده‌ست. این کاریه که من تلاش می‌کنم انجام بدم. ولی تو ازش ترسیدی... همون طور که لابد از من یا اتفاقی که قراره برای من بیفته، ترسیدی. و اون واگن

آخری، واگن درب‌وداغون کارمندا: نمی‌تونه نماد یا پیش‌بینی بدتر شدن وضع من باشه؟»

بانی دستمالی از جعبه‌ی دستمال‌کاغذی وسط اتاق برداشت، چشمانش را پاک کرد و من‌من‌کنان گفت: «من... ام... من... نمی‌دونم چه جوابی بدم: همه‌چی سورئاله... . جولیوس تو منو مبهوت می‌کنی. وقتی راجع‌به مردن این‌طوری خشک و واقعی حرف می‌زنی، منو از پا در می‌یاری.»

جولیوس گفت: «همه‌مون در حال مرگیم، بانی. فرقش اینه که من مشخصات مرگمو بیشتر از بقیه‌ی شما می‌دونم.»

«منظور منم همینه، جولیوس. من همیشه عاشق لحن شوخ تو بودم، ولی حالا تو این موقعیت، یه جور پرهیز از مسئله‌ست. یادمه یه‌بار وقتی تونی داشت دوره‌ی زندان آخر هفته‌اش رو می‌گذروند و ما درباره‌اش حرف نمی‌زدیم، گفتی اگر مسئله‌ی بزرگی در گروه نادیده گرفته بشه، هیچ حرف مهم دیگه‌ای هم زده نمی‌شه.»

ربه‌کا گفت: «دو نکته می‌خوام بگم: اول اینکه بانی، ما همین الآن *داشتیم* درباره‌ی چیز مهمی - چیزای مهمی - حرف می‌زدیم. دیگه اینکه، خدای من! شماها انتظار دارین جولیوس چی کار کنه؟ اون *داره* درباره‌اش حرف می‌زنه دیگه.»

تونی گفت: «در واقع، حرصش هم گرفته بود که چرا ما موضوعو از فیلیپ شنیدیم و نه از خودش.»

استوارت گفت: «موافقم. تو از اون چی می‌خوای، بانی؟ داره اداره‌اش می‌کنه. گفت گروه حمایتی خودشو داره که برای کنار اومدن با موضوع کمکش می‌کنه.»

جولیوس سکوتش را شکست: دیگر کافی بود. «می‌دونین، من قدر این همه حمایت شما رو می‌دونم، ولی وقتی این قدر شدید

می‌شه، نگرانم می‌کنه. شاید زیادی خونسرد و بی‌خیالم، ولی می‌دونین لو گریگ[۱] کی تصمیم گرفت بازنشسته بشه؟ وقتی در یکی از بازی‌ها، همه‌ی اعضای تیم برای گرفتن یه توپ زمینی معمولی و شروع کردن مسابقه، زیادی تحسینش کردن. شاید فکر کرده‌اید بیش از اون شکننده‌ام که بتونم از خودم حرف بزنم.»

استوارت گفت: «قراره با این بحث به کجا برسیم؟»

«اول، بذار بهت بگم بانی، تو دل و جرئت زیادی از خودت نشون دادی که پریدی وسط و از چیزایی گفتی که سخت می‌شه ازشون حرف زد. و دیگه اینکه، کاملاً حق داری: من امروز جمع رو کمی... نه، کلی تشویق کردم که از انکار استفاده کنه.

«می‌خوام یه سخنرانی کوتاه بکنم و همه‌چیز رو براتون رو کنم. اخیراً بی‌خوابی‌های شبانه‌ی زیادی داشته‌ام و زمان زیادی رو به فکر کردن درباره‌ی همه‌چیز گذروندم از جمله اینکه با بیمارانم و با این گروه چه کنم. تا حالا چنین تجربه‌ای نداشته‌ام. هیچ‌کس پایان خودشو از قبل تمرین نمی‌کنه. این اتفاق فقط یه بار می‌افته. هیچ درسنامه‌ای درباره‌ی این موقعیت ننوشته: بنابراین همه‌چیز فی‌البداهه‌ست.

«من با تصمیم‌گیری درباره‌ی زمانی که برام باقی مونده، مواجهم. چه گزینه‌هایی دارم؟ درمان همه‌ی بیمارانم رو متوقف کنم و به این گروه هم خاتمه بدم؟ برای این کار آماده نیستم: هنوز دست‌کم یه سال خوب در پیش دارم و کارم ارزش زیادی برام داره. و از اون بهره‌ی زیادی می‌برم. کنار گذاشتن حرفه‌ام، یعنی با خودم مثل یه آدم طردشده و منفور رفتار کنم. من بیماران صعب‌العلاج زیادی

---

۱. Lou Gehrig: (۱۹۰۳-۱۹۴۱) بیسمن اول تیم بیس‌بال یانکی‌های نیویورکی در لیگ برتر - م.

دیده‌ام که برام گفته‌اند انزوایی که بیماری بهشون تحمیل کرده، بدترین و سخت‌ترین بخش بیماریه.

«و این تنهایی یک انزوای دوجانبه‌ست: از یک طرف فرد بیمار خودشو منزوی می‌کنه چون نمی‌خواد دیگران رو هم با خودش به یأس و نومیدی بکشونه ـ و باید این واقعیتو بهتون بگم که این یکی از دغدغه‌های منم هست ـ و از طرف دیگه، دیگران هم از او دوری می‌کنن چون نمی‌دونن چطور باید با اون حرف بزنن یا اینکه اصلاً دلشون نمی‌خواد با مرگ سروکار داشته باشن.

«پس فاصله گرفتن از شما، گزینه‌ی خوبی برای من نیست و فکر نمی‌کنم برای شما هم انتخاب خوبی باشه. من بیماران صعب‌العلاج زیادی رو دیده‌ام که متحول شده‌اند، عاقل‌تر و پخته‌تر عمل کرده‌اند و چیزای زیادی برای آموختن به بقیه داشته‌اند. فکر می‌کنم این اتفاقیه که تازه داره در من می‌افته و متقاعد شده‌ام که در چند ماه آینده چیزای زیادی برای پیشکش به شما خواهم داشت. ولی اگه قراره به کار کردن با هم ادامه بدیم، ممکنه مجبور بشین با اضطراب زیادی دست‌وپنجه نرم کنین. نه فقط با مرگ قریب‌الوقوع من، که شاید با مرگ خودتون هم رودررو بشین. سخنرانی‌م تموم شد. شاید لازم باشه همه‌تون در این مورد فکر کنین و ببینین می‌خواین چی کار کنین.»

بانی گفت: «من نیازی به فکر کردن ندارم. عاشق این گروه و تو و همه‌ی اعضاشم، و می‌خوام تا زمانی که ممکن باشه، به این کار ادامه بدم.»

وقتی اعضا صحبت‌های بانی را تصدیق و تکرار کردند، جولیوس گفت: «از رأی اعتمادتون ممنونم. ولی قوانین گروه‌درمانی بر نیروی مرعوب‌کننده‌ی فشار گروه تأکید داره. مخالفت با اتفاق

نظر گروه در جمع خیلی سخته. یه عزم فوق انسانی لازمه تا یکی از شما بتونه امروز بگه: "متأسفم، جولیوس، ولی این از تحمل من خارجه، ترجیح می‌دم یه درمانگر سالم‌تر پیدا کنم، کسی که بنیه‌ی کافی برای مراقبت از من داشته باشه."

«به همین دلیل امروز هیچ قول و تعهدی ردوبدل نمی‌شه. بذارین دستمون باز باشه و به ارزیابی کارمون ادامه بدیم و ببینیم هرکس در چند هفته‌ی آینده چه حسی خواهد داشت. یه خطر بزرگ که بانی هم امروز بهش اشاره کرد اینه که کم‌کم حس کنین مشکلات‌تون زیادی جزئی و کم‌اهمیته و ارزش بحث کردن نداره. پس باید فکر کنیم و بهترین راهو برای اینکه شما به کار بر روی مسائل خودتون ادامه بدین، پیدا کنیم.»

استوارت گفت: «من فکر می‌کنم تو با مطلع کردن و در جریان قرار دادن مداوم ما داری دقیقاً همین کارو می‌کنی.»

«باشه، ممنون، این امیدوارم می‌کنه. حالا برگردیم به شما.»

سکوتی طولانی.

«خب، شاید هنوز راحت نیستین. بذارین اینو امتحان کنم. استوارت، تو یا هرکدومتون، می‌تونین دستور جلسه‌مونو مرور کنین، چه چیزایی روی میز داریم، مسائل ناتمام امروزمون؟»

استوارت مورخ غیررسمی گروه بود: از چنان حافظه‌ی نیرومندی برخوردار بود که جولیوس همیشه می‌توانست برای یادآوری وقایع گذشته یا حال گروه روی او حساب کند. می‌کوشید بیش از اندازه از او استفاده نکند چون استوارت به گروه آمده بود تا برقراری ارتباط با دیگران را یاد بگیرد، نه اینکه ضبط صوت گروه باشد و وقایع را ثبت کند. استوارت در برقراری ارتباط با کودکان بیمار فوق‌العاده بود، ولی هروقت از فضای حرفه‌ای‌اش در

نقش متخصص کودکان بیرون می‌آمد، از لحاظ اجتماعی کم می‌آورد. حتا هنگام حضور در گروه هم اغلب نشانی از تجهیزات حرفه‌ای‌اش را می‌شد در جیب پیراهنش پیدا کرد: دستگاه معاینه‌ی گلو، چراغ‌قوه‌ی جیبی، چوب‌بستنی، نمونه‌ی دارو. با فشار مداوم گروه در طول سال گذشته، پیشرفت زیادی کرده بود و خودش آن را «پروژه‌ی آدم شدن» می‌نامید. ولی هنوز حساسیت‌های بین‌فردی‌اش چنان رشدنایافته بود که روایتش از وقایع گروه کاملاً بی‌ملاحظه و رک‌وراست بود.

پیش از آنکه پاسخ دهد، به پشتی صندلی‌اش تکیه داد و چشمانش را بست. «خب، بذارین ببینم... با بانی و تمایلش به صحبت درباره‌ی کودکی‌اش شروع کردیم.» بانی منتقد پروپاقرص استوارت بود، به همین دلیل پیش از آنکه ادامه دهد، نگاهی به او انداخت تا تأییدش را بگیرد.

«نه کاملاً، استوارت. داده‌ها درسته ولی طرز بیانت غلطه. یه جور لودگی در لحنت هست. انگار من فقط می‌خواستم یه قصه بگم و سرگرمتون کنم. خاطرات دردناک زیادی در کودکی من هست که همین حالا به یادم اومدن و ذهنمو درگیر کردن. متوجه تفاوتش شدی؟»

«مطمئن نیستم متوجه شده باشم. من نگفتم برای تفریح این کارو می‌کنی. این دقیقاً همون چیزیه که زنم هم ازش شکایت داره. ولی فعلاً ادامه می‌دم: بعد مسئله‌ی عصبانیت ربه‌کا بود که حس کرد بهش توهین شده چون بانی گفته بود دلبری می‌کنه تا فیلیپ رو تحت تأثیر قرار بده.» ربه‌کا دستش را بر پیشانی‌اش کوبید و زیر لب غرید: «لعنتی»، ولی استوارت حرکتش را نادیده گرفت و ادامه داد: «بعد نوبت تونی بود که حس کنه ما داریم اصطلاحات پیچیده به

کار می‌بریم تا فیلیپ رو تحت تأثیر قرار بدیم. بعد هم گفت که فیلیپ خیلی خودنماست. و پاسخ تندوتیز فیلیپ به تونی. و بعد اظهار نظر من درباره‌ی گیل که اون قدر سعی می‌کنه زنا رو از خودش نرنجونه که دیگه خودش نیست.

«بذارین ببینم چیز دیگه‌ای هم بود یا نه...» استوارت همه‌ی اتاق را از نظر گذراند. «خب، بعد نوبت فیلیپه: نه به دلیل چیزی که گفت، بلکه برای چیزایی که نگفت. ما زیاد درباره‌ی فیلیپ حرف نمی‌زنیم، انگار که یه جور تابوئه. اگه دقت کنیم، متوجه می‌شیم که حتا از حرف *نزدن* درباره‌اش هم حرف نمی‌زنیم. و البته مسئله‌ی جولیوس هم بود ولی روش کار کردیم. فقط این موضوع باقی موند که بانی مثل همیشه زیادی برای جولیوس نگرانه و نگاه حمایت‌کننده داره. در واقع بخش مربوط به جولیوس این جلسه با رؤیای بانی شروع شد.»

ربه‌کا گفت: «عالی بود، استوارت و تقریباً کامل: فقط یه چیزو جا انداختی.»

«چی؟»

«خودتو. این واقعیت که دوباره به دوربین گروه تبدیل شده‌ای و بیش از اونکه درش مایه بذاری، ازش عکس‌برداری می‌کنی.»

گروه اغلب درباره‌ی شیوه‌ی غیرشخصی استوارت در سهیم شدن در مسائل با او درگیر می‌شد. چند ماه پیش رؤیایی را توصیف کرده بود که در آن دخترش در شن روان قدم گذاشته بود و او نتوانسته بود نجاتش دهد چون وقت زیادی را صرف بیرون آوردن دوربین از کوله‌پشتی‌اش و عکاسی از صحنه کرده بود. همان موقع بود که ربه‌کا لقب «دوربین گروه» را به او داد.

«حق با توئه، ربه‌کا. حالا دوربینمو کنار می‌ذارم و می‌گم منم

کاملاً با بانی موافقم: تو زن زیبایی هستی. ولی این برات خبر جدیدی نیست، خودت خوب می‌دونی. و می‌دونی که منم این‌طور فکر می‌کنم. و *البته* که برای فیلیپ خودنمایی می‌کردی: موهاتو باز می‌کردی و می‌بستی و بهشون دست می‌کشیدی. این کاملاً واضح بود. من چه احساسی در این باره داشتم؟ یه کم حسودی‌م شد. نه، خیلی حسودی‌م شد: تو هیچ‌وقت برای من خودنمایی نکردی. هیچ‌کس تا حالا چنین کاری برای من نکرده.»

ربه‌کا پاسخ داد: «این حرفا باعث می‌شه حس کنم تو زندونم. متنفرم از اینکه مردا بخوان این جوری کنترلم کنن، انگار هر حرکتم زیر ذره‌بینه.» ربه‌کا هر کلمه را با مکث بر زبان آورد و این حاکی از شکنندگی و تب‌وتابی بود که مدت‌های مدید پنهان مانده بود.

جولیوس نخستین برداشت‌هایش را نسبت به ربه‌کا به یاد آورد. یک دهه قبل، بسیار پیشتر از آنکه وارد گروه شود، به‌مدت یک‌سال تحت درمان فردی جولیوس بود. موجودی ظریف با اندامی رعنا و دلربا و چشمانی بسیار درشت که آدم را به یاد اُدری هپبورن می‌انداخت. و چه کسی می‌توانست اظهار نظر آغازینش را در درمان فراموش کند؟ «از سی‌سالگی به این طرف متوجه شده‌ام وقتی وارد رستوران‌ها می‌شوم، هیچ‌کس دست از خوردن برنمی‌دارد تا به من نگاه کند. دیگر چیزی از من باقی نمانده.»

دو رهنمود جولیوس را در کار فردی و گروهی با او هدایت کرده بود. اول، اصرار فروید بر اینکه برقراری ارتباط درمانی درمانگر با یک زن زیبا باید به شیوه‌ای انسانی باشد و نباید از ارتباط درمانی سر باز زند و یا بیمار را در موقعیتی نامساعد قرار دهد صرفاً به این دلیل که زیباست و باید تاوان زیبایی‌اش را بدهد. دوم، مقاله‌ای بود با عنوان «زن زیبای توخالی» که در دوران

دانشجویی‌اش خوانده بود و در آن به این نکته اشاره شده بود که یک زن واقعاً زیبا آن قدر صرفاً برای ظاهرش تحویل گرفته می‌شود و پاداش می‌گیرد که از پرورش سایر بخش‌های وجودش غافل می‌مانَد. اعتمادبه‌نفس و احساس موفقیتش بسیار سطحی‌ست و از عمق پوستش فراتر نمی‌رود، در نتیجه به محض رنگ باختن و زائل شدن زیبایی، حس می‌کند دیگر چیزی برای پیشکش به دیگران ندارد: نه هنر جالب بودن را در خود پرورش داده و نه هنر جلب توجه دیگران را.

استوارت گفت: «وقتی مشاهده می‌کنم، اسمم رو می‌ذارن دوربین و وقتی از احساسم می‌گم، می‌شم یه مرد کنترل‌کننده. حرف زدن از احساسات آدمو تو دردسر می‌ندازه.»

تونی گفت: «من نفهمیدم، ربه‌کا، قضیه چیه؟ چرا حرفای عجیب‌غریب می‌زنی؟ استوارت همون چیزیو گفت که خودت همیشه گفته‌ای. تا حالا چند بار گفته‌ای که می‌دونی چطور عشوه بیای و این اصلاً در ذاتته؟ یادمه می‌گفتی دوره‌ی کالج و حقوق رو آسون گذروندی چون با همین کارا سر مردا رو شیره می‌مالیدی.»

«جوری حرف می‌زنی که انگار من یه فاحشه‌ام.» ناگهان به‌طرف فیلیپ برگشت: «این حرفا باعث نمی‌شه فکر کنی من یه بدکاره‌ام؟»

فیلیپ که توجهش از نگاه به نقطه‌ی مورد علاقه‌اش در سقف منحرف نشده بود، به‌سرعت پاسخ داد: «شوپنهاور گفته یک زن خیلی جذاب مثل یک مرد خیلی باهوش سرنوشتی جز تنها زندگی کردن ندارد. چون دیگران از حسادت کور می‌شوند و علاقه‌ای به فردی که سرآمد آن‌ها باشد، ندارند. به همین دلیل این افراد هرگز دوست صمیمی هم‌جنس ندارند.»

بانی گفت: «این در مورد همه صدق نمی‌کنه. دارم به پم، عضو

غایب گروه فکر می‌کنم که اون هم خوشگله ولی کلی دوست صمیمی زن داره.»

تونی گفت: «فیلیپ، منظورت اینه که برای محبوب بودن باید یا خنگ باشی یا زشت؟»

فیلیپ گفت: «دقیقاً. و آدم عاقل زندگی‌ش رو صرف کسب محبوبیت نمی‌کنه. این یک امید واهیه. محبوبیت به معنی درست بودن یا خوب بودن نیست؛ برعکس، آدمو همتراز بقیه و در نتیجه خرفت می‌کنه. خیلی بهتره که در درون خودمون دنبال ارزش و هدف باشیم.»

تونی پرسید: «و ارزش‌ها و اهداف تو چیه؟»

اگر هم فیلیپ متوجه تندی و تلخکامی سؤال تونی شد، نشانه‌ای بروز نداد و رک و راست پاسخ داد: «من هم مثل شوپنهاور می‌خوام تا جایی که می‌شه خواسته‌ی کمتری داشته باشم و بیشتر یاد بگیرم.»

تونی که معلوم بود نمی‌داند چه جوابی باید دهد، سری تکان داد.

ربه‌کا وارد گفت‌وگو شد: «فیلیپ، چیزی که تو یا شوپنهاور درباره‌ی دوستی گفتی، در مورد من صدق می‌کنه: حقیقت اینه که دوستان زن خیلی کمی داشته‌ام. ولی دو نفر که علائق و توانایی‌های مشابه دارن چی؟ فکر نمی‌کنی دوستی بینشون امکان‌پذیره؟»

پیش از آنکه فیلیپ بتواند پاسخ دهد، جولیوس تذکر داد: «وقت کمی باقی مونده. می‌خوام ببینم تک‌تک شما درباره‌ی پانزده‌دقیقه‌ی آخر جلسه چه احساسی دارین. چطور کار کردیم؟»

گیل گفت: «به سمت هدف پیش نرفتیم. گمش کرده‌ایم. چیز مبهمی اینجا جریان داره.»

ربه‌کا: «منو جذب کرد.»

تونی گفت: «نه، کله‌مونو زیادی شلوغ کردیم.»

استوارت گفت: «موافقم.»

بانی گفت: «خب، من حالم خوش نیست. کم مونده منفجر بشم یا داد بزنم یا... » ناگهان برخاست، کیف و کتش را برداشت و از اتاق بیرون رفت. یک لحظه بعد گیل از جا پرید و از اتاق بیرون دوید تا او را برگرداند. گروه در سکوتی ناراحت‌کننده فرو رفت و به صدای پایی که بازمی‌گشت، گوش می‌داد. کمی بعد گیل برگشت و بعد از آنکه نشست، گفت: «حالش خوبه، گفت متأسفه ولی مجبور بوده بره بیرون تا سبک بشه. هفته‌ی بعد درباره‌ش حرف می‌زنه.»

ربه‌کا در حالی که در کیفش را باز می‌کرد و عینک آفتابی و کلید اتومبیلش را بیرون می‌آورد، گفت: «چه خبره؟ از این جور رفتارش متنفرم. واقعاً زننده‌ست.»

جولیوس پرسید: «کسی در مورد این اتفاق حدسی داره؟»

ربه‌کا گفت: «فکر کنم PMT باشه.»

تونی متوجه شد صورت فیلیپ به نشانه‌ی سردرگمی در هم رفت و بلافاصله به میان صحبت دوید. «منظورش PMS بود: سندرم پیش از قاعدگی.» و وقتی فیلیپ سر تکان داد، تونی دستانش را مشت کرد و با دو شست رو به بالا گفت: «هی، هی، بالاخره منم یه چیزی به تو یاد دادم.»

جولیوس گفت: «باید همینجا تمومش کنیم. ولی من حدسی در مورد بانی دارم. به خلاصه‌ی استوارت برمی‌گردم. یادتون می‌یاد بانی جلسه رو با چی شروع کرد: صحبت از دختربچه‌ی چاق‌وچله‌ی مدرسه و محبوب نبودنش و ناتوانی‌ش در رقابت با سایر دخترا به‌خصوص جذاب‌ها؟ خب، فکر نمی‌کنین این قضیه

امروز هم در گروه تکرار شد؟ اون جلسه رو شروع کرد و خیلی زود گروه رهاش کرد و به ربه‌کا چسبید. به عبارت دیگه، دقیقاً همون موضوعی که اون می‌خواست ازش حرف بزنه، اینجا با رنگ‌های زنده ترسیم شد و هر کدوم ما بخشی از این نمایش رو بازی کردیم.»

دیگر هیچ‌چیز نمی‌تواند او را بترساند یا متأثر کند. همه‌ی آن هزاران رشته‌ی میل و اشتیاق که ما را به دنیا وصل می‌کند و با رنجی مداوم (لبریز از اضطراب، ولع، خشم و ترس) به این سو و آن سو می‌کشاند، همه و همه را بریده است. لبخند می‌زند و با آرامش به خیالات گذرای این دنیا می‌نگرد، دنیایی که اکنون به بی‌اعتنایی یک شطرنج‌باز در پایان بازی، در برابر او ایستاده است.

فصل ۱۸

پم در هند (۲)

چند روز بعد بود که پم ساعت سه صبح بیدار در بستر دراز کشیده و به تاریکی چشم دوخته بود. به‌خاطر دانشجویش، مارجری، امکانات VIP برایش تدارک دیده بودند و اتاقی نیمه‌خصوصی در یک آلاچیق کوچک با یک دستشویی خصوصی،

جدا از دستشویی زنانه‌ی خوابگاه در اختیارش گذاشته بودند. با این حال آلاچیق مانع عبور صدا نبود و پم صدای تنفس ۱۵۰ شاگرد دیگر ویپاسانا را می‌شنید. سروصدای نفس‌ها او را به گذشته و به اتاق‌خواب زیرشیروانی در خانه‌ی والدینش در بالتیمور برد جایی که بیدار دراز می‌کشید و به توفان ماه مارس که پنجره‌ها را به صدا درمی‌آورد، گوش می‌سپرد.

پم توانسته بود با سایر دشواری‌های آشرام کنار بیاید ـ بیداری در ساعت چهار صبح، یک وعده غذای گیاهی و صرفه‌جویانه، ساعت‌های بی‌پایان مراقبه، سکوت، مراسم پرانضباط ـ ولی بی‌خوابی داشت او را از پا می‌انداخت. روند به‌خواب رفتن را کاملاً فراموش کرده بود. قبلاً چطور این کار را می‌کرد؟ به خود گفت نه، این سؤال درستی نیست: مشکل را پیچیده‌تر می‌کرد چون به خواب رفتن از آن چیزهایی‌ست که نمی‌توان اراده کرد؛ باید بی‌اراده انجام شود. ناگهان خاطره‌ی دور فِردی خوکه[1] ـ قهرمان یک سلسله کتاب کودکان که بیست‌وپنج‌سال به آن فکر نکرده بود ـ در ذهنش زنده شد. یک هزارپا که دیگر نمی‌توانست راه برود چون هماهنگی پاهایش به هم خورده بود، از فِردی، کارآگاه ماهر کمک خواست. بالاخره فِردی مشکل را این‌طور حل کرد که به هزارپا دستور داد بدون نگاه به پاهایش یا حتا فکر کردن به آن‌ها راه برود. راه حلش این بود که خودآگاهی را خاموش کند و به تدبیر بدن اجازه دهد کار را خود به دست گیرد. در مورد خواب هم همین جور بود.

پم کوشید شیوه‌هایی را که در کارگاه برای پاک کردن ذهن و روبیدن همه‌ی افکار آموخته بود، به کار بگیرد. گونکا، مرشدی بود

1 . Freddie the pig

چاق‌وچله، با پوستی قهوه‌ای، سخت‌گیر، فوق‌العاده جدی و فوق‌العاده متفرعن که کارگاه را با این گفته آغاز کرده بود که ویپاسانا را آموزش خواهد داد ولی اول باید به شاگرد یاد دهد که چطور ذهنش را آرام کند. (پم استفاده‌ی مطلق او از ضمیر مذکر را تاب آورد؛ امواج فمینیسم هنوز به سواحل هند برخورد نکرده بود.)

در سه روز اول، گونکا فقط *آناپانا ـ ساتی*[1] یا اندیشیدن به تنفس را آموزش داد. و روزها طولانی بود. به‌جز یک سخنرانی روزانه و پرسش و پاسخی کوتاه، تنها فعالیتی که از چهار صبح تا نه‌ونیم شب انجام می‌شد، مراقبه‌ی نشسته بود. برای دستیابی به آگاهی کامل بر تنفس، گونکا شاگردان را تشویق می‌کرد روی هوایی که به درون می‌رود و هوایی که بیرون می‌آید، کار کنند.

می‌گفت: «گوش کنید، به صدای نفس‌هایتان گوش کنید، به مدت زمان و دمای آن‌ها دقت کنید. به سردی هوایی که به درون می‌رود و گرمای هوایی که بیرون می‌آید، توجه کنید. مثل نگهبانی عمل کنید که مراقب دروازه‌ست. همه‌ی حواستان را بر سوراخ‌های بینی‌تان متمرکز کنید، درست بر آن نقطه‌ی کالبدشناختی که هوا به آن وارد و از آن خارج می‌شود.»

گونکا می‌گفت: «به‌تدریج نفستان نرم و نرم‌تر می‌شود تا جایی که انگار از میان می‌رود، ولی وقتی عمیق‌تر تمرکز کنید، متوجه حضور ظریف و نامحسوس آن می‌شوید. اگر همه‌ی رهنمودهای مرا دقیق و مؤمنانه اجرا کنید» اشاره‌ای به آسمان کرد و ادامه داد «اگر شاگرد مستعدی باشید، تمرین آناپانا ـ ساتی ذهنتان را خاموش می‌کند. بعد از همه‌ی موانع ناشی از اندیشیدن و آگاهی رها خواهید

---

1 . anapanasati

شد: بی‌قراری، خشم، تردید، امیال جسمانی، خواب‌آلودگی. به وضعیتی هوشیار، آسوده و شاد خواهید رسید.»

آرام کردن ذهن، جام مقدس پم بود: دلیل این سفر طولانی به ایگاتپوری. در چند هفته‌ی گذشته، ذهنش میدان جنگ بود و در تکاپویی بی‌امان می‌خواست خاطرات و خیال‌پردازی‌های پرهیاهو، وسواسی و مزاحم مربوط به اِرل و جان را پاک کند. ارل پزشک متخصص زنان او بود. ارل مردی فوق‌العاده ملایم و بامحبت بود و پی‌گیری بعد از جراحی‌اش فوق‌العاده بود: دو بار به خانه‌ی او تلفن زد و حالش را پرسید. بی‌شک پم همه‌ی داستان‌های مربوط به نابودی مراقبت‌های پزشکی انسانی و متعهدانه را لفاظی‌هایی اغراق‌آمیز تصور کرد. و بعد، چند روز دیرتر، تلفن سوم، حامل دعوت به ناهاری بود که در طول آن، ارل با مهارت تمام، گفت‌وگو را از طب به خواستگاری کشاند. در تلفن چهارم بود که پم ـ نه چندان بی شوق و ذوق ـ موافقت کرد او را در کنگره‌ی پزشکی نیو اورلئان همراهی کند.

دوران نامزدی آن‌ها با سرعت بهت‌آوری گذشت. هیچ مردی تا آن زمان او را به این خوبی نشناخته بود، تا این حد مایه‌ی تسلی‌اش نبود و با این ظرافت به زیر و بم او آشنایی نداشت. با اینکه ارل ویژگی‌های بسیار خوب زیادی داشت ـ زرنگ و خوش‌قیافه بود و به خود می‌رسید ـ پم (حالا دیگر می‌دانست) که مقامی اسطوره‌ای و عظیم‌تر از حیات به او داده بود. مبهوت از اینکه برگزیده شده بود و در صدر زنانی قرار گرفته بود که در طلب لمس شفابخش او، مطبش را پر می‌کردند، با همه‌ی وجود عاشقش شد و چند هفته بعد موافقت کرد با او ازدواج کند.

زندگی مشترکشان در ابتدای کار عاشقانه بود. ولی در نیمه‌های

سال دوم، واقعیت ازدواج با مردی بیست‌وهفت‌سال مسن‌تر خود را نشان داد: ارل به استراحت بیشتری نیاز داشت؛ بدنش شصت‌وپنج‌سالگی‌اش را نشان می‌داد و موهای سفید با وجود رنگ مو و فرمول یونانی‌اش عرض اندام می‌کردند. صدمه‌ی عضلات شانه‌ی ارل به تنیس یکشنبه‌هایشان خاتمه داد؛ وقتی غضروف خورده‌شده‌ی زانو، اسکی را هم ناممکن کرد، ارل خانه‌اش را در کنار دریاچه‌ی تاهو برای فروش گذاشت بی‌آنکه با او مشورت کند. شیلا، دوست صمیمی و هم‌اتاقی‌اش در دوران کالج، که به او توصیه کرده بود با مرد مسن‌تر از خود ازدواج نکند، حالا اصرار می‌کرد هویتش را حفظ کند و برای پیر شدن عجله به خرج ندهد. پم حس می‌کرد به‌سرعت به جلو رانده می‌شود. پیری ارل از جوانی او تغذیه می‌کرد. هر شب با حداقل انرژی به خانه می‌آمد تا مارتینی‌اش را مزمزه کند و به تماشای تلویزیون بنشیند.

و بدترین قسمتش این بود که اصلاً مطالعه نمی‌کرد. زمانی چقدر سلیس و چقدر مطمئن درباره‌ی ادبیات حرف می‌زد. چقدر علاقه‌اش به *میدل‌مارچ*[1] و *دانیل دروندا*[2]، او را نزد پم محبوب کرده بود. و چه تکان‌دهنده بود وقتی کمی بعد متوجه شد فرم را با محتوا اشتباه گرفته: نه‌تنها گفته‌های ارل در زمینه‌ی ادبیات، نکاتی از بر کرده و حفظ شده بود، بلکه مجموعه‌ی کتاب‌هایش هم محدود و ثابت بود. این سخت‌ترین ضربه بود: چطور می‌توانست عاشق مردی باشد که مطالعه نمی‌کرد؟ او که عزیزترین و صمیمی‌ترین

---

۱. *Middlemarch*: رمانی از مری آن اوانس که کتاب‌هایش را با نام مستعار جرج الیوت می‌نوشت ـ م.

۲. *Daniel Deronda*: رمان دیگری از جرج الیوت که آخرین رمان او و تنها رمانی بود که در آن، به جامعه‌ی ویکتوریایی معاصرش پرداخت ـ م.

دوستانش در برگ‌برگ نوشته‌های جرج الیوت، وولف، مرداک، گسکل و بایات خانه داشتند؟

و اینجا بود که جان، یک دانشیار موسرخ در گروه او در دانشگاه برکلی با بغلی پر از کتاب، گردنی بلند و خوش‌ترکیب و سیبکی برآمده وارد زندگی‌اش شد. با اینکه انتظار می‌رفت همه‌ی استادان زبان انگلیسی اهل کتاب باشند، او افراد زیادی را می‌شناخت که مطالعاتشان به‌ندرت از قرنی که در آن سررشته داشتند، فراتر می‌رفت و با رمان نو کاملاً غریبه بودند. ولی جان همه‌چیز می‌خواند. سه‌سال پیش، پم به واسطه‌ی دو کتاب تحسین‌برانگیز جان ـ *شطرنج: زیبایی‌شناسی قساوت در رمان معاصر* و *نه آقا!: قهرمان نرینه ـ مادینه در ادبیات اواخر قرن نوزدهم بریتانیا* ـ از استخدام رسمی او حمایت کرده بود.

دوستی‌شان در پاتوق‌های آشنای رمانتیک دانشگاهی جوانه زد: جلسات کمیته‌ی گروه و دانشکده، باشگاه ناهار دانشکده، خوانش‌های ماهانه‌ی شاعران یا رمان‌نویسان در تالار سخنرانی نوریس. این دوستی ریشه دواند و در ماجراجویی‌های دانشگاهی مشترک مثل تدریس گروهی بزرگان قرن نوزدهم در برنامه‌ی درسی تمدن غربی یا شرکت در کلاس‌های یکدیگر به عنوان سخنران میهمان شکوفا شد. و بعد دلبستگی‌های ماندگاری در موضع‌گیری در مشاجرات شورای دانشکده در زمینه‌ی فضای آموزشی، حقوق و مستمری و کشمکش‌های بیرحمانه‌ی کمیته‌ی ارتقا پدید آمد. چیزی نگذشته بود که این دو چنان به سلیقه‌ی یکدیگر اعتماد کردند که برای گرفتن پیشنهاد خواندن رمان یا شعر سراغ کس دیگری نمی‌رفتند و فضای ایمیلی میان آنان از عبارات ادبی فلسفی پرمغز نشاط می‌گرفت. هر دو از عباراتی که صرفاً تزئینی یا بی‌قواره و

ناشیانه بود، دوری می‌کردند؛ به چیزی کمتر از آنچه زیبایی اعجاب‌انگیز را با فرزانگی زمانه همراه کرده باشد، رضایت نمی‌دادند. هر دو از فیتس‌جرالد و همینگوی بیزار بودند و دیکینسون و امرسون را دوست داشتند. هرچه پشته‌ی کتاب‌های مشترکشان بلند و بلندتر می‌شد، رابطه‌شان هم به هماهنگی بیشتری می‌رسید. تحت تأثیر اندیشه‌های ژرف خاص یک نویسنده‌ی خاص قرار می‌گرفتند. با هم به بینش و ادراک‌های ناگهانی می‌رسیدند. خلاصه این دو استاد زبان انگلیسی عاشق شده بودند.

«*تو زندگی مشترک خودت را رها کن و من هم مال خودم را رها می‌کنم.*» این جمله را چه کسی اول بر زبان آورد؟ هیچ‌کدام به یاد نمی‌آوردند، ولی لحظه‌ای در سال دوم تدریس گروهی‌شان به این پیمان عاشقانه‌ی پرخطر متعهد شدند. پم آماده بود ولی جان که دو دختر خردسال داشت، طبعاً زمان بیشتری می‌خواست. پم صبور بود. خدا را شکر که مردش، جان، مرد خوبی بود و برای کلنجار رفتن با مسایل اخلاقی مثل معنای پیمان زناشویی نیازمند زمان بود. و جان هم با عذاب وجدان رها کردن فرزندانش دست‌وپنجه نرم می‌کرد و اینکه چطور همسری را ترک کند که تنها گناهش، کسل‌کننده بودنش بود، همسری که به دلیل وظایفی که بر عهده گرفته بود، از معشوقی خیره‌کننده به مادری خسته‌کننده بدل شده بود. جان بارها و بارها به پم اطمینان خاطر داد که در حال کار کردن روی موضوع و پیشرفت است و با موفقیت مشکل را شناسایی و بررسی کرده و تنها چیزی که به آن نیاز دارد زمان بیشتر برای جزم کردن عزمش و انتخاب لحظه‌ی مقتضی برای عمل است.

ولی ماه‌ها گذشت و لحظه‌ی مقتضی هرگز نرسید. پم فکر کرد جان هم مثل بیشتر همسران ناراضی سعی دارد از احساس گناه و

بار اعمال غیراخلاقی برگشت‌ناپذیر پرهیز کند و می‌کوشد با ترفندی همسر را به تصمیم‌گیری وادارد. کناره می‌گرفت، همه‌ی علاقه‌ی جنسی به همسرش را از دست داده بود و در سکوت و گاه با صدای بلند او را نکوهش می‌کرد. این همان ترفند قدیمی «من نمی‌توانم ترکش کنم ولی دعا می‌کنم او بگذارد و برود» بود. ولی کارگر نبود و این همسر دم به تله نمی‌داد.

در نهایت، پم یکطرفه وارد عمل شد. دو تماس تلفنی از سوی دو بیمار ارل با عنوان «عزیزجان، فکر کردم شاید دلت بخواد بدونی» او را به این کار برانگیخت که در ظاهر برای آنکه کار خوبی در حقش بکنند، درباره‌ی رفتار جنسی دزدکی ارل به پم هشدار دادند. وقتی از احضاریه‌ی دادگاه مبنی بر شکایت از ارل به دلیل رفتار غیرتخصصی با بیمار سومی خبردار شد، از بخت خوبش که باعث شده فرزندی نداشته باشد، شکرگزار شد و به‌سوی تلفن رفت تا برای طلاق با وکیل مشورت کند.

شاید عمل او جان را هم به تصمیم‌گیری وادارد؟ با اینکه حتا اگر جان وجود نداشت، زندگی مشترکش را ترک می‌کرد، پم با انکاری آشکار، به خود قبولاند ارل را به‌خاطر معشوقش ترک کرده و مدام جان را با این نسخه از واقعیت روبه‌رو می‌کرد. ولی جان وقت تلف می‌کرد؛ هنوز آماده نبود. بعد یک روز تصمیمش را گرفت. این اتفاق در ماه ژوئن و در آخرین روز کلاس‌ها روی داد وقتی جان با نگاهی ماتم‌زده به پم خیره شد و گفت: «پم، من دوستت دارم. و چون دوستت دارم، تصمیم گرفته‌ام محکم باشم. این بی‌انصافی در حق توئه و می‌خوام کمی از فشاری که بر روی تو و البته خودم هست کم کنم. من تصمیم گرفته‌ام برای دیدن همدیگر ضرب‌الاجلی مشخص کنیم.»

پم هاج‌وواج مانده بود. به‌سختی حرف‌های او را می‌شنید. تا چند روز بعد پیام موجود در سخنان او را مثل توده‌ای در معده‌اش حس می‌کرد که برای هضم شدن زیادی بزرگ بود و برای برگرداندن، زیادی سنگین. ساعت‌های متوالی میان نفرت از او و عشق و اشتیاق به او و آرزوی مرگش دست‌وپا زد. ذهنش فیلمنامه پشت فیلمنامه می‌نوشت. جان و خانواده‌اش در یک حادثه‌ی رانندگی می‌میرند. همسر جان در یک سانحه‌ی هوایی کشته می‌شود و جان گاه تنها و گاه با فرزندانش بر در خانه‌ی او ظاهر می‌شود. گاهی در بازوان او می‌افتاد؛ گاهی هر دو با هم صمیمانه اشک می‌ریختند؛ گاهی تظاهر می‌کرد مردی در خانه‌اش هست و در را بر صورت او می‌کوبید.

پم از دو سال درمان فردی و گروهی‌اش بهره‌های فراوانی برده بود، ولی در این بحران، درمان کارساز نبود: هیچ‌چیز به پای قدرت سهمگین افکار وسواسی‌اش نمی‌رسید. جولیوس شجاعانه و پی‌گیرانه کوشید. او خستگی‌ناپذیر بود و مدام شگردهای بی‌پایانی از جعبه‌ابزارش بیرون می‌کشید. اول از او خواست به بررسی خود بنشیند و میزان زمانی را که به افکار وسواسی‌اش اختصاص می‌دهد، یادداشت کند. دویست تا سیصد دقیقه در روز. مبهوت‌کننده بود! و به نظر می‌رسید کاملاً اختیار از دستش خارج شده؛ وسواس نیرویی اهریمنی داشت. جولیوس کوشید با اصرار بر کاهش تدریجی و نظام‌مند از زمان خیال‌پردازی، کاری کند تا او دوباره اختیار افکارش را در دست گیرد. وقتی این روش شکست خورد، سعی کرد شیوه‌ای متضاد را در پیش بگیرد و از او خواست هر روز صبح ساعتی را انتخاب کند و آن را به رایج‌ترین خیال‌پردازی‌هایش درباره‌ی جان اختصاص دهد. با اینکه پم از دستور جولیوس پیروی

کرد، وسواس سرکش زیر بار این لگام نرفت و به همان اندازه‌ی قبل، افکارش را تحت تأثیر قرار داد. پس جولیوس چند شیوه‌ی توقف فکر را به کار گرفت. روزها فریاد «نه» پم بر سر ذهنش بلند بود یا کشی را که به دور مچ دستش بود، می‌کشید و رها می‌کرد.

به‌علاوه، جولیوس کوشید وسواس را به کمک آشکارسازی معنای نهفته‌اش خنثا کند. اصرار داشت که «وسواس نوعی پرت‌اندیشی‌ست؛ تو را از فکر کردن به چیز دیگری حفظ می‌کند. دارد چه را پنهان می‌کند؟» اگر وسواسی در کار نبود، به چه فکر می‌کردی؟ ولی وسواس سر تسلیم شدن نداشت.

اعضای گروه به میدان آمدند. دوره‌های وسواس خودشان را با او در میان گذاشتند؛ داوطلب شدند با تلفن در اختیار پم باشند تا هر زمان که حس کرد اختیار از دستش خارج می‌شود، بتواند با آن‌ها تماس بگیرد؛ وادارش کردند زندگی‌اش را پر کند، با دوستانش تماس بگیرد، هر روز را به فعالیتی اجتماعی بگذراند و برای خاطر خدا هم که شده، مردی برای خودش پیدا کند! تونی با درخواست تکمیل فرم برای این مقام، لبخند را به لبانش آورد. ولی هیچ‌کدام کارگر نبود. همه‌ی این سلاح‌های درمانی در برابر نیروی عظیم وسواس همان قدر مؤثر بودند که تفنگ بادی در برابر یک کرگدن در حال حمله.

بعد تصادفاً با مارجری برخورد کرد: یک دانشجوی در حال فارغ‌التحصیلی و علاقه‌مند به ویپاسانا با چشمانی درخشان و امیدوار که برای تغییری در عنوان پایان‌نامه‌اش از او مشاوره خواسته بود. علاقه‌اش را به تأثیر اندیشه‌های افلاطون در باب عشق بر جونا

بارنز[۱] از دست داده بود. به‌جایش مجذوب شخصیت لری در رمان *لبه‌ی تیغ* سامرست موام شده بود و حالا می‌خواست عنوان پایان‌نامه‌اش را به «ریشه‌های اندیشه‌ی دینی شرقی در موام و هسه» تغییر دهد. در حین گفت‌وگو، پم تحت تأثیر یکی از عبارات مورد علاقه‌ی مارجری (و موام) یعنی «آرام کردن ذهن» قرار گرفت. این عبارت بسیار وسوسه‌انگیز و دلفریب بود. هرچه بیشتر به آن فکر کرد، بیشتر به این نتیجه رسید که *آرامش* ذهن دقیقاً همان چیزی‌ست که او لازم دارد. و از آنجا که درمان فردی و گروهی نتوانسته بود چنین آرامشی فراهم کند، پم تصمیم گرفت توصیه‌ی مارجری را بپذیرد. پس بلیطی برای سفر هوایی به هند رزرو کرد و به سراغ گونکا رفت که کانون آرام کردن ذهن لقب گرفته بود.

برنامه‌ی روزانه‌ی آشرام حقیقتاً آرامشی در او ایجاد کرده بود. ذهنش کمتر بر جان متمرکز بود ولی حالا پم کم‌کم داشت به این نتیجه می‌رسید که بی‌خوابی بدتر از وسواس است. بیدار دراز می‌کشید و به صداهای شب گوش فرا می‌داد: موسیقی متن، تنفسی موزون بود همراه با اپرای خرناس‌ها، ناله‌ها و نفیرها. تقریباً هر پانزده دقیقه با صدای تیز سوت پلیس که از بیرون پنجره می‌آمد، از جا می‌پرید.

ولی چرا خوابش نمی‌برد؟ باید به دلیل دوازده ساعت مراقبه‌ی روزانه باشد. چه دلیل دیگری می‌توانست داشته باشد؟ ولی به نظر می‌آمد ۱۵۰ شاگرد دیگر به‌راحتی در آغوش مورفئوس ـ ایزد خواب ـ می‌غنودند. کاش دست‌کم می‌توانست این سؤال را از

---

۱. Djuna Barnes: نویسنده‌ی زن امریکایی (۱۹۸۲-۱۸۹۲) که در شکل‌گیری سبک نوشتاری نوگرا در زبان انگلیسی نقش مهمی داشت ـ م.

وجای بپرسد. یک‌بار که یواشکی در سالن مراقبه به دنبال او می‌گشت، مانیل، مسئول قدم زدن در راهروها و مراقبت از شاگردان، با ترکه‌ی خیزرانی که در دستش بود، ضربه‌ای به او زد و گفت: «به درون نگاه کن. نه جای دیگر.» و وقتی وجای را در ردیف عقبی قسمت مردان پیدا کرد، دید راست و بی‌حرکت مثل یک بودا در وضعیت لوتوس نشسته، انگار در خلسه بود. باید در سالن مراقبه متوجه او شده باشد؛ در میان سیصد نفر، او یکی از سه نفری بود که به سبک غربی بر صندلی می‌نشست. با اینکه از نشستن بر صندلی خجالت می‌کشید، ولی بعد از چند روز نشستن بر زمین، دچار چنان کمردردی شد که ناچار از مانیل، دستیار گونکا، درخواست صندلی کرد.

مانیل مرد هندی باریک و بلندی که سخت می‌کوشید آرام به نظر بیاید، از درخواست او خوشش نیامد. بدون آنکه نگاه خیره‌اش را از افق بردارد، پاسخ داد: «کمردرد؟ در زندگی‌های گذشته‌ات چه کرده‌ای که گرفتارش شده‌ای؟»

چه نومیدکننده! پاسخ مانیل، ادعای پرشور و حرارت گونکا را مبنی بر اینکه شیوه‌اش خارج از قلمرو سنت‌های همه‌ی مذاهب است، تکذیب می‌کرد. کم‌کم داشت متوجه شکاف ژرفی می‌شد که میان دیدگاه غیرمذهبی بودایی‌گری متعالی و باورهای خرافی مردم وجود داشت. حتا دستیاران نیز نمی‌توانستند بر شهوت جادو، راز و قدرت‌طلبی چیره شوند.

یک‌بار وجای را هنگام وعده‌ی غذایی ساعت ۱۱ صبح دید و به ترفندی خود را به صندلی کناری او رسانید. شنید که نفس عمیقی کشید، درست مانند اینکه رایحه‌ی پم را به درون بکشد، ولی نه نگاهی به او انداخت و نه حرفی با او زد. در واقع، هیچ‌کس

با هیچ‌کس حرف نمی‌زد؛ قانون سکوت مطلق کاملاً حکمفرما بود.

در صبح روز سوم، اتفاق عجیبی روحی تازه در جمع دمید. کسی در حین مراقبه بادی با صدای بلند از خود خارج کرد و چند نفر از شاگردان خندیدند. خنده مسری بود و خیلی زود چند شاگرد از خنده ریسه رفتند. گونکا خوشش نیامد و بلافاصله، در حالی که همسرش را هم به دنبال خود یدک می‌کشید، با گام‌های بلند از سالن مراقبه خارج شد. بعد از مدت کوتاهی، یکی از دستیاران با لحنی جدی به جمع شاگردان اعلام کرد به آموزگارشان توهین شده و تا زمانی که شاگردان خاطی آشرام را ترک نکنند، حاضر نیست این دوره‌ی آموزشی را ادامه دهد. چند شاگرد برخاستند و رفتند ولی در طول چند ساعت بعد، صورت تبعیدی‌ها که پشت پنجره‌ها ظاهر می‌شدند و مثل جغد هوهو و همهمه می‌کردند، آرامش مراقبه را بر هم می‌زد.

دیگر هیچ اشاره‌ای به این واقعه نشد ولی پم احتمال می‌داد تصفیه‌ی شبانه‌ای هم صورت گرفته باشد چون صبح روز بعد تعداد بوداهای نشسته کمتر شده بود.

شاگردان فقط هنگام ظهر اجازه‌ی حرف زدن داشتند و می‌توانستند سؤالات خاصی را از دستیاران آموزگارشان بپرسند. پم در روز چهارم سؤالی درباره‌ی بی‌خوابی‌اش از مانیل پرسید.

او در حالی که نگاه خیره‌اش به دورها بود، پاسخ داد: «نباید نگرانش باشی. بدن هر میزان خوابی را که نیاز داشته باشد، تأمین می‌کند.»

پم دوباره کوشید: «خب پس می‌توانید به من بگویید چرا پلیس تمام شب بیرون پنجره‌ی من سوت می‌کشد؟»

«این پرسش‌ها را فراموش کن. فقط بر آناپانا ـ ساتی تمرکز کن.

فقط به مشاهده‌ی تنفست بنشین. وقتی واقعاً سعی کنی، دیگر این مسائل جزئی ناراحتت نمی‌کند.»

حوصله‌ی پم چنان از مراقبه‌ی تنفس سر رفته بود که شک داشت بتواند ده روز دوام بیاورد. به‌جز نشستن، تنها فعالیت موجود، گوش دادن به خطابه‌های کسل‌کننده‌ی شبانه‌ی گونکا بود. گونکا ملبس به لباس سفید درخشان، مانند همه‌ی کارکنان آنجا، به‌شدت می‌کوشید فصیح و شیوا صحبت کند ولی اغلب موفق نبود چون یک قدرت‌طلبی نهفته از میان گفته‌هایش سر برمی‌آورد. سخنرانی‌هایش حاوی خطابه‌های طولانی تکراری درباره‌ی تجلیل از مزیت‌های ویپاسانا بود که اگر درست انجام می‌شد، موجب تطهیر و تزکیه‌ی ذهن می‌شد، راهی به‌سوی وارستگی و یک زندگی سرشار از آرامش و تعادل می‌گشود، بیماری‌های روان‌تنی را ریشه‌کن می‌کرد و سه علت غم و بدبختی یعنی میل شدید، نفرت و جهل را از میان می‌برد. تمرین مداوم ویپاسانا مثل باغبانیِ مداوم ذهن بود که در حین آن، فرد علف‌های هرز فکر را از ریشه درمی‌آورد. گونکا متذکر می‌شد که اثرش به همینجا ختم نمی‌شود؛ تمرین ویپاسانا تمرینی آسان و مقرون‌به‌صرفه بود: در حالی که دیگران در ایستگاه اتوبوس وقت تلف می‌کردند، کسی که به ویپاسانا می‌پرداخت می‌توانست با سختکوشی، چند علف هرز شناختی را از ذهنش بیرون بکشد.

دوره‌ی آموزشی ویپاسانا پر بود از قوانین ظاهراً قابل درک و قابل قبول. ولی تعدادشان خیلی زیاد بود. دزدی، کشتن هر موجود زنده، دروغ، فعالیت جنسی، هر نوع ماده‌ی سکرآور، سرگرمی جسمانی، نوشتن، یادداشت برداشتن، قلم و مداد، خواندن، موسیقی و رادیو، تلفن، رختخواب مجلل، زینت‌آلات بدنی از هر نوع،

پوشش غیرمتواضعانه، غذا خوردن بعد از نیمروز (به‌جز شاگردان بار اولی که ساعت پنج عصر چای و میوه تعارفشان می‌کردند)، همه‌وهمه ممنوع بود. و بالاخره شاگردان اجازه نداشتند راهنمایی‌ها و دستورات آموزگارشان را زیر سؤال ببرند؛ باید می‌پذیرفتند انضباط را رعایت کنند و دقیقاً همان‌طور که از آن‌ها می‌خواستند، مراقبه کنند. گونکا می‌گفت تنها با چنین منش فرمان‌بردارانه‌ای بود که شاگردان به وارستگی می‌رسیدند.

معمولاً پم تردیدی به خود راه نمی‌داد. بالاخره گذشته از همه‌چیز، او مردی ازخودگذشته بود که زندگی‌اش را وقف تعلیم ویپاسانا کرده بود. البته که به فرهنگش وابسته بود. چه‌کسی نبود؟ و مگر هند همیشه از بار سنگین آداب و رسوم مذهبی و طبقه‌بندی‌های سختگیرانه‌ی اجتماعی شکایت نداشت؟ به‌علاوه، پم عاشق صدای مطنطن گونکا بود. هر شب با طنین بم و خوش‌آهنگ صدایش که رساله‌های مقدس بودایی را به زبان پالی قدیم می‌خواند به خلسه می‌رفت. موسیقی مذهبی کهن مسیحی، خصوصاً سرودهای آیینی بیزانسی که خوانندگان در کلیساها می‌خواندند نیز به همین شکل او را تحت تأثیر قرار می‌داد و یک‌بار در یک منطقه‌ی روستایی ترکیه، مجذوب و مبهوت نوای خلسه‌آور مؤذن شده بود که پنج‌بار در روز مردمان را به نماز فرا می‌خواند.

با اینکه پم شاگرد خوب و متعهدی بود، برایش سخت بود پانزده دقیقه به مشاهده‌ی تنفسش بنشیند بی‌آنکه یکی از خواب‌وخیال‌های مربوط به جان حواسش را پرت نکند. ولی کم‌کم تغییراتی پدید آمد. فیلمنامه‌های ناهمخوان اولیه در یک صحنه‌ی واحد ادغام شد: از یک منبع خبری ـ تلویزیون، رادیو یا روزنامه ـ درمی‌یافت که خانواده‌ی جان در یک سانحه‌ی هوایی کشته شده‌اند.

بارها و بارها این صحنه را تصور می‌کرد. دیگر حالش را به هم می‌زد. ولی صحنه هم‌چنان تکرار می‌شد.

همان‌طور که ملال و بی‌قراری‌اش بیشتر می‌شد، علاقه‌ی شدیدی به کارهای بی‌اهمیت روزمره پیدا کرد. وقتی برای اولین بار وارد دفتر شد (و با شگفتی دریافت نباید هزینه‌ای بابت این دوره‌ی آموزشی ده‌روزه بپردازد)، متوجه کیسه‌های کوچک حاوی مواد پاک‌کننده شد. روز سوم یک کیسه خرید و بعد از آن، زمان قابل توجهی را صرف شستن و دوباره شستن لباس‌هایش کرد، آن‌ها را روی طناب رختی که پشت خوابگاه بسته بودند (اولین طناب رختی که بعد از دوران کودکی‌اش می‌دید)، پهن می‌کرد و ساعتی یک‌بار روند خشک شدن لباس‌ها را بررسی می‌کرد. کدام لباس زیر زود خشک می‌شد؟ چند ساعت خشک شدن در شب، معادل یک‌ساعت خشک شدن در روز بود؟ خشک شدن در سایه و آفتاب یا خشک شدن با یا بدون چلاندن با دست را مقایسه می‌کرد.

روز چهارم اتفاق مهمی افتاد: گونکا شروع کرد به تدریس ویپاسانا. تکنیک ساده و واضح و قابل فهم بود. شاگردان باید مراقبه می‌کردند تا زمانی که روی پوست سرشان چیزی حس کنند: خارشی، مورموری، سوزشی یا شاید احساس عبور نسیم خفیفی از روی پوست سر. شاگرد به محض آنکه این حس را شناسایی می‌کرد، باید فقط به آن توجه می‌کرد و دیگر هیچ. تمرکز بر خارش. چطور است؟ تا کجا می‌رود؟ چقدر طول می‌کشد؟ وقتی این حس از بین می‌رفت (که همیشه این اتفاق می‌افتاد) مراقبه‌کننده باید سراغ بخش بعدی بدن یعنی صورت می‌رفت و تحریک‌هایی مثل خارش سوراخ بینی یا پلک را بررسی می‌کرد. پس از آنکه این تحریک‌ها زیاد می‌شد، فروکش می‌کرد و از بین می‌رفت، شاگرد

سراغ گردن، شانه‌ها و... می‌رفت تا جایی که همه‌ی بخش‌های بدن تا کف پا را بررسی می‌کرد و بعد دوباره به پوست سر بازمی‌گشت و این روند را بارها و بارها تکرار می‌کرد.

سخنرانی‌های شامگاهی گونکا به منطق پشت این تکنیک می‌پرداخت. مفهوم کلیدی، *آنیتیا* (*ناپایداری*)ست. اگر کسی ناپایداری هر تحریک جسمانی را به‌خوبی درک کند، گامی مهم در جهت دریافت و تعمیم اصل آنیتیا به تمامی رویدادها و ناخوشایندی‌های زندگی برداشته است؛ همه‌چیز می‌گذرد و اگر کسی بتواند موضع مشاهده‌گر خویش را حفظ کند و به تماشای نمایش گذرا بنشیند، تعادل را تجربه خواهد کرد.

بعد از یکی دو روز تمرین ویپاسانا، وقتی پم مهارت بیشتری پیدا کرد و سرعت تمرکزش بر حس‌های جسمانی افزایش یافت، تمرین برایش کمتر طاقت‌فرسا شد. در روز هفتم با شگفتی دریافت همه‌ی این روند روی دنده‌ی اتوماتیک افتاده و همان‌طور که گونکا پیش‌بینی کرده بود، شروع کرد به «روبیدن». درست مثل این بود که کسی یک کوزه عسل بر سرش بریزد و عسل آهسته بدنش را بروبد و پایین بیاید و تا پاهایش را بپوشاند. همان‌طور که عسل پایین می‌آمد، یک برانگیختگی، نوعی همهمه‌ی جنسی در خود حس می‌کرد، انگار چیزی شبیه وزوز زنبور او را در بر می‌گرفت. ساعت‌ها به‌سرعت می‌گذشتند. خیلی زود صندلی‌اش را کنار گذاشت و با سیصد شاگرد دیگر درآمیخت و در وضعیت لوتوس پایین پای گونکا نشست.

دو روز بعدی هم همان‌طور سریع و به روبیدن گذشت. شب نهم باز بیدار دراز کشیده بود: هنوز به همان بدی قبل می‌خوابید ولی کمتر نگران آن بود چون از یک دستیار دیگر (از مانیل دست

شسته بود) که زنی برمه‌ای بود شنید بی‌خوابی در کارگاه ویپاسانا بسیار شایع است؛ روشن بود که دوره‌های طولانی مراقبه از ضرورت خواب می‌کاهد. این دستیار راز سوت‌های پلیس را هم روشن کرد. در جنوب هند، معمول است نگهبانان شبانه پس از هر بار دور زدن در قلمرو نگهبانی‌شان در سوت بدمند. این نوعی اقدام پیشگیرانه‌ست که به دزدان هشدار می‌دهد همان‌طور که چراغ قرمز کوچک دزدگیر اتومبیل‌ها، حضور آژیر اتوماتیک فعال‌شده را به دزدان ماشین هشدار می‌دهد.

وجود افکار تکراری اغلب زمانی بیشتر آشکار می‌شود که افکار از میان می‌روند: پم وقتی متوجه شد دو روز تمام است که به جان فکر نکرده، ناگهان یکه خورد. جان ناپدید شده بود. همه‌ی آن چرخه‌ی بی‌پایان خیال‌پردازی جای خود را به وزوز شیرین روبیدن داده بود. چقدر عجیب بود که می‌دید حالا خودش به‌وجودآورنده‌ی لذتش بود و می‌توانست ترشح اندورفین‌های آفریننده‌ی احساس خوب را کنترل کند. حالا می‌فهمید چرا مردم دیوانه‌ی این خلوت‌ها می‌شوند و گاهی ماه‌ها و حتا سال‌ها به خلوت‌های طولانی می‌روند.

ولی حالا که بالاخره ذهنش را پاک کرده بود، چرا شاد نبود؟ برعکس انگار سایه‌ای بر این موفقیت سنگینی می‌کرد. چیزی که با لذتش از روبیدن در ارتباط بود، افکارش را تیره و تار کرده بود. همین طور که داشت به این معما می‌اندیشید، به خوابی سبک فرو رفت و کمی بعد با تصویر غریبی از یک رؤیا بیدار شد: هنرپیشه‌ای با پاهای کوتاه، کلاه سیلندر و عصا بر صحنه‌ی ذهنش به رقص پا مشغول بود. یک ستاره‌ی رقصنده! دقیقاً می‌دانست این رؤیا به چه معناست. از میان همه‌ی آن کلمات قصاری که او و جان دوست

داشتند و با هم شریک می‌شدند، پم عبارتی از چنین گفت زرتشت نیچه را بیش از سایرین می‌پسندید: «انسان را در درون آشوبی [خمیره‌ای] می‌باید تا اختری رقصان ازو بزاید.»

البته. حالا سرچشمه‌ی تردیدش درباره‌ی ویپاسانا را درمی‌یافت. سخن گونکا درست بود. او دقیقاً همان چیزی را زاییده بود که وعده داده بود: تعادل، آرامش یا به قول خودش توازن. ولی به چه قیمتی؟ اگر شکسپیر به ویپاسانا می‌پرداخت، آیا *شاه‌لیر* یا *هملت* زاده می‌شد؟ آیا هیچ‌یک از شاهکارهای ادبیات غرب نوشته می‌شد؟ بیتی از چپمن[1] به ذهنش راه یافت:

قلم نوشته‌ی جاودانه خلق نتواند
مگر آنکه در خوی و سرشت شب فرو برده شود

فرو رفتن در خوی و خصلت شب: این است وظیفه‌ی یک نویسنده‌ی بزرگ: برای آفرینش هنری، باید در خوی و سرشت شب فرو رفت و به نیروی تیرگی‌ها لگام زد. نویسندگان بزرگ تیرگی‌ها ـ کافکا، داستایفسکی، ویرجینیا وولف، هاردی، کامو، پلات، پو ـ برای بازنمایی تراژدی پنهان در وضعیت بشری جز این چه راهی داشتند؟ این کار با بیرون کشیدن خود از زندگی، نشستن و مشاهده‌ی نمایش گذرا ممکن نبود.

با اینکه گونکا مدعی بود آموزه‌هایش مذهبی نیست، دین بودایی‌اش را می‌شد از ورای آن دید. در سخنرانی‌های شبانه‌اش، نمی‌توانست جلو خود را بگیرد و تأکید نکند که ویپاسانا شیوه‌ی مراقبه‌ی خود بودا بوده و حالا او، گونکا، دوباره آن را به جهان معرفی می‌کند. پم به این موضوع اعتراضی نداشت. با اینکه از دین

---

۱. جرج چپمن، شاعر و مترجم انگلیسی ـ م.

بودایی اطلاع کمی داشـت، در راه هنـد در هواپیمـا، متنـی ابتـدایی خوانده بود و تحت تأثیر قدرت و درستی چهار حقیقت برتـر بـودا قرار گرفته بود:

۱. زندگی رنج است.
۲. رنج حاصل دلبستگی‌هاست (دلبستگی به اشیاء، عقاید، افراد و به زنده ماندن)
۳. پادزهری برای رنج وجود دارد: ترک آرزو، دلبستگی و ترک خویشتن.
۴. طریقی ویژه برای رسیدن بـه حیـاتی عـاری از رنـج وجـود دارد: مسیری هشت‌مرحله‌ای به‌سوی وارستگی.

حالا متوجه می‌شد. وقتی به خودش، به شاگردان در خلسـه، بـه دستیاران آرامش‌یافته و به زاهدان خلوت‌گزیده در غارهـای دامنـه‌ی تپه که عمرشان را وقف ویپاسانا و شیوه‌ی روبیدن کرده بودند، فکر می‌کرد در درستی این چهار حقیقت شک می‌کرد. آیا برداشـت بـودا درست بود؟ آیا بهای درمان، سنگین‌تر از بیماری نبود؟ در سـپیده‌دم صبحی که از راه می‌رسید، وقتی گروه کوچکی از زنـان پیـرو آیـین جین[۱] را دید که به‌سوی حمام می‌رفتند، بیشتر بـه دام تردیـد افتـاد. پیروان این آیین حکم نکشتن موجودات را در حد نامعقولی رعایت می‌کنند: با مکث و طمأنینه‌ی زیاد و بسیار آهسته و پرزحمـت مثـل خرچنگ راه مـی‌رونـد چـون اول بایـد سـنگریزه‌هـای موجـود در مسیرشان را به آرامی بروبند مبادا بر حشره‌ای پا بگذارنـد: در واقـع، به دلیل نقاب‌های تـوری‌شـان کـه از بـه درون کشـیدن موجـودات

---

۱. یکی از آیین‌های هندی مشابه آیین بودا که بر ریاضت و احترام به همه‌ی موجودات تأکید دارد ـ م.

زنده‌ی بسیار ریز با دم جلوگیری می‌کرد، به‌سختی می‌توانستند نفس بکشند.

به هرجا که می‌نگریست، چشم‌پوشی، قربانی شدن، محدودیت و تسلیم می‌دید. چه بلایی بر سر زندگی آمده بود؟ بر سر شادی، شکوفایی، شور؟ بر سر دم را غنیمت شمردن؟

آیا زندگی این قدر پر رنج و اندوه بود که باید قربانی‌اش می‌کردند تا به آرامش برسند؟ شاید چهار حقیقت برتر چیزی وابسته به فرهنگ بود. شاید این‌ها دوهزار و پانصد سال پیش و در سرزمینی غرق در فقر، شلوغی، قحطی، بیماری، ستم طبقاتی و بدون امید به آینده‌ای بهتر، حقیقت بود. ولی آیا در وضع فعلی او هم حقیقت به‌شمار می‌آمد؟

ولی پم به خود گفت (بعد از چند روز سکوت مطلق، زیاد با خودش حرف می‌زد) این ناسپاسی و بی‌چشم‌ورویی نیست؟ به هرچیز به اندازه‌ی خودش بها بده. مگر ویپاسانا کارش را انجام نداده بود؟ مگر ذهنش را آرام نکرده و افکار وسواسی‌اش را از بین نبرده بود؟ مگر در برابر چیزی که خودش، جولیوس و اعضای گروه را با وجود همه‌ی تلاش‌شان شکست داده بود، پیروز نشده بود؟ خب شاید بله و شاید هم نه. شاید مقایسه‌ی منصفانه‌ای نباشد. گذشته از همه‌چیز، جولیوس تقریباً هشت جلسه‌ی کامل گروه ـ یعنی دوازده‌ساعت ـ را به این موضوع اختصاص داده بود در حالی که ویپاسانا صدها ساعت کار می‌طلبید: ده روز کامل به‌علاوه‌ی زمان و کوششی که برای پیمودن نیمی از مسیر دور دنیا صرف شده بود. چه اتفاقی می‌افتاد اگر جولیوس و گروه همین میزان ساعت روی او کار می‌کردند؟

بدگمانی رو به فزونی پم مانع مراقبه بود. روبیدن متوقف شد.

آن رضایت دلپذیر، شیرین و پرهیجان کجا رفته بود؟ تمرین مراقبه روز به روز پس‌رفت می‌کرد. مراقبه‌ی ویپاسانا از پوست سرش جلوتر نمی‌رفت. آن خارش‌های خفیف که قبلاً بسیار گذرا بود، ادامه می‌یافت و به‌تدریج شدیدتر می‌شد: از خارش به گزگز و بعد به سوزش مداوم بدل می‌شد و با مراقبه از میان نمی‌رفت.

حتا تمرین *آناپاناساتی* نیمه‌کاره می‌ماند. سد آرامش که به‌وسیله‌ی مراقبه‌ی تنفس ساخته شده بود، فرو ریخت و خیزاب افکار سرکش درباره‌ی همسرش، جان یا انتقام و سانحه‌ی هوایی راهی برای رخنه‌ی دوباره یافت. خب، بگذار بیایند. اِرل را همان گونه که بود دید: کودکی پیرشده که لب‌های جمع‌شده‌ی بزرگش آماده‌ی حمله به هر نوک پستان در دسترسی‌ست. و جان: جان بینوا، وامانده و ترسو که هنوز نمی‌خواست بفهمد بدون «نه» گفتن، هیچ «بله»ای در کار نیست. و وجای که انتخاب کرده زندگی، تازگی، ماجراجویی و دوستی را پیش پای محراب خدای بزرگش ـ آرامش و تعادل ـ قربانی کند. پم اندیشید واژه‌ی مناسب برای این جمع یک‌چیز است: بزدل‌*ها*. بزدلان اخلاقی. هیچ‌کدام شایستگی او را نداشتند. همه را کنار بگذار. حالا تصویر قدرتمندی شکل گرفته بود: همه‌ی مردان ـ جان، اِرل، وجای ـ در کاسه‌ی توالت عظیمی ایستاده‌اند و دستانشان را به التماس بالا آورده‌اند ولی فریاد کمکشان به‌سختی در غرش صدای آب سیفون شنیده می‌شود! این تصویری بود که ارزش مراقبه داشت.

گل پاسخ داد: ای ابله! تصور کرده‌ای من می‌شکفم تا دیده شوم؟ من برای خودم می‌شکفم نه برای دیگران، چون شکوفایی خرسندم می‌کند. سرچشمه‌ی شادی من در وجود خودم و در شکوفایی‌ام است.

فصل ۱۹

بانی جلسه‌ی بعد را با عذرخواهی آغاز کرد. «از تک‌تک‌تون بابت ترک جلسه‌ی پیش عذر می‌خوام. نباید این کارو می‌کردم ولی... نمی‌دونم... دست خودم نبود.»

تونی با پوزخند گفت: «شیطان مجبورت کرد.»

«بامزه بود تونی. خیلی خوب، می‌دونم چی ازم می‌خواین. خودم *انتخاب کردم این کارو* بکنم چون گند زدین به سر *تا* پام. بهتر شد؟»

تونی لبخند زد و شستش را به نشانه‌ی رضایت و موفقیت بالا برد.

گیل با همان لحن ملایمی که همیشه برای زنان گروه به کار می‌بُرد، به بانی گفت: «هفته‌ی پیش، بعد از رفتنت، جولیوس گفت شاید از ما زده شدی چون اون توجهی که باید، بهت نشد؛ یعنی گروه ماجراهای معمول دوران کودکی‌ت رو زنده کرد.»

«دقیقاً همین بود. با این تفاوت که ازتون زده نشدم. *آزرده شدن* اصطلاح بهتریه.»

ربه‌کا گفت: «من می‌دونم گند زدن یعنی چی و تو خوب به من گند زدی.»

صورت بانی در هم رفت و رو کرد به ربه‌کا: «هفته‌ی پیش گفتی فیلیپ برات روشن کرد که چرا دوست زن نداری. ولی من اون دلیلو قبول ندارم. حسادت به زیبایی‌ت دلیل نداشتن دوست زن نیست یا دست‌کم دلیل صمیمی نشدن من و تو نیست؛ دلیل اصلی‌ش اینه که تو از اساس علاقه‌ای به زن‌ها نداری یا دست‌کم علاقه‌ای به من نداری. هر وقت توی گروه چیزی به من می‌گی، همیشه برای اینه که موضوع صحبت را دوباره به خودت برگردونی.»

«من درباره‌ی نحوه‌ی مهار ـ یا در بیشتر مواقع مهار نکردن ـ خشمت بازخورد می‌دم و بعد به خودخواهی متهم می‌شم.» ربه‌کا بُراق شده بود «بازخورد می‌خوای یا نمی‌خوای؟ مگه قرار نیست کار این گروه همین باشه؟»

«چیزی که من می‌خوام اینه که تو درباره‌ی خودم بهم بازخورد بدی. یا درباره‌ی رابطه‌ی من با دیگری. ولی بازخورد تو همیشه درباره‌ی خودته ربه‌کا ـ یا خودت و من ـ و تو اون قدر جذابی که همه‌چی به سمت تو می‌یاد و از من دور می‌شه. من نمی‌تونم با تو رقابت کنم. ولی این فقط تقصیر تو نیست؛ بقیه هم وارد این بازی

می‌شن و من باید از همه‌تون یه سؤال بپرسم.»

بانی در حالی که نگاهش را به‌نوبت از یکی به دیگری می‌برد، گفت: «من هیچ‌وقت توجه شما رو جلب نکردم. چرا؟»

مردان اتاق سر به زیر انداختند. بانی منتظر پاسخ نشد و ادامه داد: «و یه چیز دیگه، ربه‌کا، چیزی که درباره‌ی دوست زن بهت گفتم، برات تازگی نداره. خیلی خوب یادمه که تو و پم هم عیناً همین ماجرا رو با هم داشتین.»

بانی رو کرد به جولیوس. «راستی حرف از پم شد، می‌خواستم بپرسم خبری ازش داری؟ کی برمی‌گرده؟ دلم براش تنگ شده.»

جولیوس گفت: «سرعتت زیاد شده، بانی، انگار پشت گردباد سواری و از این موضوع به اون موضوع می‌ری! ولی فعلاً می‌خوام خیالت از این بابت راحت بشه و سؤالت رو جواب بدم چون اصلاً می‌خواستم به همه اعلام کنم که پم از بمبئی برام ایمیل زده. دوره‌ی مراقبه‌اش رو تموم کرده و خیلی زود به امریکا برمی‌گرده. باید جلسه‌ی بعد اینجا باشه.»

جولیوس رو به فیلیپ گفت: «یادته از پم، عضو غایب گروه برات گفتم؟»

فیلیپ با تکان مختصر سر پاسخ داد.

تونی گفت: «فیلیپ، تو هم خدای سرجنباندن‌های سریعی ها! خیلی عجیبه که بدون نگاه کردن به کسی و بدون اینکه زیاد حرف بزنی، این‌طوری روی موضوع صحبت متمرکز می‌مونی. ببین چقدر حرف درباره‌ت زده می‌شه. بانی و ربه‌کا دارن سر تو با هم کلنجار می‌رن. درباره‌ی این اتفاقا چه حسی داری؟ احساست درباره‌ی گروه چیه؟»

از آنجا که فیلیپ بی‌درنگ پاسخ نداد، تونی معذب شد. نگاهی

به گروه انداخت: «گندش بزنن، این چه وضعیه؟ انگار دارم قانون اینجا رو زیر پا می‌ذارم، من دارم همون سؤالی رو ازش می‌کنم که هرکی ممکنه از اون یکی بپرسه.»

فیلیپ سکوت کوتاهش را شکست: «سؤالت بجاست. زمان نیاز دارم تا فکرمو جمع کنم. چیزی که داشتم بهش فکر می‌کردم این بود که بانی و ربه‌کا درد مشابهی دارن. بانی نمی‌تونه نامحبوب بودن رو تحمل کنه در حالی که ربه‌کا نمی‌تونه دیگه محبوب نبودن رو تحمل کنه. هر دو گروگان هوسی‌اند که در سر دیگران می‌گذره. به عبارت دیگه، شادی برای هر دوی اونا، در دستان و سرهای *دیگرانه*. و درمان هردو شون هم یکیه: *هرچه دارایی درونی فرد بیشتر باشد، کمتر از دیگران می‌خواهد.*»

در سکوتی که حکمفرما شد حتا صدای جویدن مغزی و تلاش گروه برای هضم کلمات فیلیپ را می‌شد شنید.

جولیوس گفت: «به نظر نمی‌یاد هیچ‌کدومتون بخواین جواب فیلیپ رو بدین. پس من به خطایی اشاره می‌کنم که دو دقیقه پیش مرتکب شدم. بانی، من نباید دنباله‌ی حرف تو رو درباره‌ی پم می‌گرفتم. نمی‌خوام دوباره ماجرای هفته‌ی پیش رو تکرار کنیم و به نیازهای تو نپردازیم. چند دقیقه پیش پرسیدی چرا گروه اغلب تو رو نادیده می‌گیره و فکر می‌کنم وقتی از همه پرسیدی چرا توجهشون رو جلب نمی‌کنی، قدم شجاعانه‌ای برداشتی. ولی ببین بعدش چی شد: بلافاصله موضوع رو عوض کردی و به برگشتن پم به گروه پرداختی و خیلی زود در عرض دو دقیقه سؤال تو از ما به تاریخ پیوست.»

استوارت گفت: «من هم متوجه این موضوع شدم. پس بانی، این‌طور به نظر می‌یاد که تو کاری می‌کنی که ما نادیده بگیریمت.»

بانی سری تکان داد: «این بازخورد خوبیه. خیلی هم خوبه. احتمالاً زیاد هم این کارو می‌کنم. درباره‌اش فکر خواهم کرد.»

جولیوس موضوع را پی گرفت: «ممنون از این تشکر بانی، ولی حس می‌کنم الآن هم داری همون کارو انجام می‌دی. انگار داری می‌گی "تمرکز روی من بسه" باید یه زنگ بانی اینجا بذارم و هر بار که توجه رو از خودت برمی‌گردونی، زنگ رو به صدا در بیارم.»

بانی پرسید: «پس چی کار کنم؟»

جولیوس پیشنهاد کرد: «مثلاً ببین چرا فکر می‌کنی حق نداری از ما درباره‌ی خودت بازخورد بخوای.»

«شاید چون فکر نمی‌کنم این قدر مهم باشم.»

«ولی به نظرت درسته که بقیه اینجا چنین درخواستی داشته باشن؟»

«اوه، بله.»

«این یعنی بقیه اینجا از تو مهم‌ترن؟»

بانی سر تکان داد.

جولیوس ادامه داد: «حالا که این‌طوره، اینو امتحان کن: به تک‌تک اعضا نگاه کن و به این سؤال پاسخ بده: *کی توی این گروه از تو مهم‌تره؟ و چرا؟*» جولیوس می‌توانست «آخیش» گفتن‌های خودش را بشنود. در آب‌های آشنا غوطه می‌خورد. برای نخستین بار بعد از مدت‌ها ـ مطمئناً از بعد از ورود فیلیپ به گروه ـ دقیقاً می‌دانست دارد چه می‌کند. همان کاری را کرده بود که یک گروه‌درمانگر خوب باید بکند: مسئله‌ی کانونی یکی از بیمارانش را به اینجاواکنون ترجمه کرده بود، جایی که می‌توانست مورد بررسی دست اول قرار گیرد. تمرکز بر اینجاواکنون همیشه ثمربخش‌تر از کار روی بازسازی رویدادی در گذشته یا زندگی جاری بیرونی بیمار است.

بانی با چرخاندن سر و نگاه به تک‌تک اعضا گفت: «همه اینجا از من مهم‌ترن. خیلی خیلی مهم‌تر.» صورتش برافروخته و نفسش تند شده بود. همان قدر که مشتاق توجه دیگران بود، معلوم بود در این لحظه چیزی جز نامرئی شدن نمی‌خواست.

جولیوس سماجت کرد: «بانی، مشخصاً بگو چه کسی از تو مهم‌تره و چرا؟»

بانی نگاهی به دوروبر انداخت: «هر کسی که اینجاست. خودت جولیوس: ببین چه جوری به همه کمک می‌کنی. ربه‌کا اون قدر قشنگه که آدم با دیدنش بیهوش می‌شه، یه وکیل موفقه و بچه‌های فوق‌العاده‌ای داره. گیل مدیرعامل یه بیمارستان بزرگه و در عین حال مرد خوش‌هیکل و جذابیه. استوارت، یه دکتر پرمشغله‌ست، به بچه‌ها کمک می‌کنه، به پدر مادراشون کمک می‌کنه؛ موفقیت از سر و روش می‌باره. تونی...» بانی چند لحظه مکث کرد.

تونی که مثل همیشه شلوار جین و تی‌شرت سیاه به تن داشت و کفش‌های کتانی‌اش پوشیده از لکه‌های رنگ بود، در صندلی‌اش لم داد و گفت: «خب‌ب‌ب؟ داره جالب می‌شه.»

«تونی، تو قبل از هر چیز خودتی: نه قیافه می‌گیری و نه ادا و اطوار داری، یه آدم بی‌شیله‌پیله‌ی نابی. و از شغلت ایراد می‌گیری ولی می‌دونم یه نجار ساده نیستی، شاید در حرفه‌ی خودت یه هنرمند باشی. با بی.ام.دبلیو کروکی پرسرعتت این دوروبرا دیدمت. و تو هم برای خودت تیکه‌ای هستی، تی‌شرت تنگ خیلی بهت می‌یاد. تا اینجاش چطور بود؟» بانی نگاهی به حلقه‌ی گروه انداخت. «دیگه کی مونده؟ فیلیپ، پرهوشی‌ات توی چشم می‌زنه، همه‌چیزو می‌دونی: یه معلمی، قراره درمانگر هم بشی و حرفات همه رو شیفته می‌کنه. و پم؟ پم شگفت‌انگیزه، یه استاد دانشگاه، یه

روح آزاد و رها؛ توجه همه رو جلب می‌کنه؛ همه جا هست، همه رو می‌شناسه، همه‌چیزو خونده، هیچ‌کس به پاش نمی‌رسه.»

جولیوس گروه را از نظر گذراند: «واکنش به توضیح بانی برای کمتر مهم بودنش در مقایسه با هرکدومتون؟ هرکس که می‌خواد.»

گیل گفت: «جوابش از نظر من بی‌معنیه.»

جولیوس گفت: «می‌شه به خودش بگی؟»

«متأسفم، منظورم اینه که ـ نمی‌خوام توهینی کرده باشم ـ ولی بانی جوابت یه جور پسرفته.»

چهره‌ی بانی از حیرت در هم رفت: «پسرفت؟»

«خب ماجرای این گروه از این قراره که همه‌ی ما آدم‌هایی هستیم که سعی می‌کنیم ارتباطی انسانی با هم برقرار کنیم و همه‌مون نقش‌ها، مدارک تحصیلی، پول و بی.ام.دبلیو کروکی‌مون رو پشت این در می‌ذاریم و وارد می‌شیم.»

جولیوس گفت: «دقیقاً.»

تونی به میان صحبت دوید و گفت: «دقیقاً، من هم با گیل موافقم و این توضیحو بدم که اون کروکی رو دست‌دوم خریده‌ام و قسطش تا سه‌سال دیگه وبال گردنمه.»

گیل ادامه داد: «بانی، کاری که تو کردی دقیقاً تمرکز بر این چیزای بیرونی بود: حرفه، پول، بچه‌های موفق. هیچ‌کدوم اینا به اینکه چرا تو کم‌اهمیت‌ترین فرد در این اتاق هستی، ربطی نداره. من تو رو خیلی مهم می‌دونم. تو یه عضو کلیدی هستی؛ با همه‌ی ما در ارتباطی؛ خونگرم و بخشنده‌ای؛ حتا همین دو هفته پیش، وقتی نمی‌خواستم خونه برم، به من پیشنهاد جای خواب کردی. تو گروه رو متمرکز نگه می‌داری؛ تو اینجا خیلی سخت کار می‌کنی.»

بانی تسلیم نشد. «من یه مزاحمم؛ همه‌ی عمرم به دلیل الکلی

بودن پدرومادرم خجالت کشیده‌ام، همیشه درباره‌ی خونواده‌ام دروغ گفته‌ام. گیل دعوت تو به خونه‌م، برام یه اتفاق بزرگ بود: من هیچ‌وقت نتونستم بچه‌های مدرسه رو به خونه‌مون دعوت کنم چون می‌ترسیدم بابام مست از راه برسه. شوهر سابقم هم الکلی بود و دخترم معتاد به هروئینه...»

جولیوس گفت: «هنوز داری از موضوع اصلی طفره می‌ری، بانی. از گذشته‌ات، دخترت، همسر سابقت و خونواده‌ات حرف می‌زنی... ولی تو چی؟ خودت کجایی؟»

«من همین چیزام، ترکیبی از همه‌ی اینام؛ چه چیز دیگه‌ای می‌تونم باشم؟ یه کتابدار کسل‌کننده‌ی خپل، کارم اینه که کتابا رو فهرست کنم... من... من نمی‌دونم منظورت چیه. گیج شده‌ام. نمی‌دونم کجام و کی هستم.» بانی شروع کرد به گریه کردن، دستمالی بیرون کشید و فین محکمی کرد، چشمان را بست و هر دو دستش را بالا آورد و دوایری در هوا رسم کرد و همان‌طور که هق‌هق می‌کرد، زیر لب گفت: «بَسَمه؛ امروز بیشتر از این نمی‌کشم.»

جولیوس دنده عوض کرد و رو کرد به همه‌ی گروه. «بذارین ببینیم در چند دقیقه‌ی گذشته چه اتفاقایی افتاد. کی می‌خواد از احساس یا مشاهده‌ش بگه؟» پس از آن که موفق شد گروه را به اینجاواکنون بکشاند، گام بعدی را برداشت. از دیدگاه او، کار درمان دو مرحله دارد: اول تعامل که اغلب هیجانی‌ست و دوم، درک آن تعامل. این مسیری‌ست که درمان باید در آن پیش رود: زنجیره‌ی متناوب برانگیختن هیجان‌ها و بعد درک آن‌ها. حالا می‌خواست گروه را وارد مرحله‌ی دوم کند، پس گفت: «بذارین به عقب برگردیم و نگاهی بی‌طرفانه و بدون احساسات به اونچه که رخ داد، بندازیم.»

استوارت در صدد بود ترتیب وقایع را توضیح دهد که ربه‌کا پیش‌دستی کرد: «به نظر من مسئله‌ی مهم این بود که بانی دلایل خودش رو برای کم‌اهمیت بودن شمرد و فکر کرد ما هم باهاش موافقیم. اینجا بود که گیج شد و گریه کرد و گفت بسشه: این رفتار رو قبلاً هم ازش دیده‌ام.»

تونی گفت: «آره، موافقم. بانی تو وقتی احساساتی شدی که توجه خیلی زیادی می‌گرفتی. مرکز توجه بودن ناراحتت می‌کنه؟»

بانی که هنوز هق‌هق می‌کرد، گفت: «باید متشکر می‌بودم، ولی به‌جاش ببین چه افتضاحی بالا آوردم. و ببین اگه بقیه جای من بودن، چه استفاده‌ی بهتری از این زمان می‌کردن.»

جولیوس گفت: «یه روز با یکی از همکارام درباره‌ی یکی از بیمارانش حرف می‌زدم. اون می‌گفت مریضش عادت داره نیزه‌هایی رو که به طرفش پرتاب می‌شن بگیره و اونا رو تو تنش فرو کنه و خودشو عذاب بده. بانی شاید خیلی مربوط نباشه، ولی وقتی دیدم چطور یه چیزایی پیدا می‌کنی که خودتو براشون سرزنش کنی، یاد توصیف همکارم افتادم.»

«می‌دونم که همه‌تونو بی‌طاقت کرده‌ام. فکر کنم هنوز بلد نیستم چطور از گروه استفاده کنم.»

«خب، خودت می‌دونی چی می‌خوام بگم بانی. دقیقاً کی اینجا بی‌طاقت شده؟ یه نگاه به دوروبرت بنداز.» گروه می‌توانست شرط ببندد که جولیوس این سؤال را می‌پرسد. امکان نداشت اجازه دهد چنین جمله‌ای بر زبان بیاید و او بی‌آنکه رویش کار کند و از نام افراد بپرسد، از آن بگذرد.

«خب، فکر می‌کنم ربه‌کا دلش می‌خواست من تموم کنم.»

«چی‌ی‌ی؟ چرا من باید...»

«یه لحظه صبر کن، ربه‌کا» جولیوس امروز به‌طرز غیرمعمولی صحبت‌ها را هدایت می‌کرد. «بانی، دقیقاً چی دیدی؟ چه نشونه‌هایی دریافت کردی؟»

«از ربه‌کا؟ خب، اون ساکت بود. حتا یه کلمه حرف نزد.»

«نمی‌تونم بفهمم. من همه‌ی سعی‌م رو کردم که ساکت بمونم تا نتونی متهمم کنی توجه رو از تو برگردوندم. نمی‌تونی هدیه قبول کنی؟»

بانی در صدد پاسخ بود که جولیوس از او خواست به توصیف کسانی که حوصله‌شان سر رفته، ادامه بدهد.

«خب، نمی‌تونم دقیق بگم. ولی همیشه می‌تونی بفهمی کی مردم حوصله‌شون سر رفته. خودم هم حوصله‌ام سر رفته. فیلیپ به من نگاه نمی‌کرد ولی آخه اون هیچ‌وقت به کسی نگاه نمی‌کنه. می‌دونم گروه منتظر بود چیزی از فیلیپ بشنوه. چیزی که درباره‌ی محبوبیت گفت برای گروه خیلی جالب‌تر از نق‌نقای من بود.»

تونی جواب داد: «خب، حوصله‌ی من که سر نرفت و ندیدم کس دیگه‌ای هم خسته شده باشه. و چیزی که فیلیپ گفته هم جالب‌تر از حرفای تو نبود؛ اون بیشتر تو خودش سیر می‌کنه و نظراتش من یکی رو به هیجان نمی‌یاره. حتا یادم نیست چی گفت.»

استوارت گفت: «من یادمه. بعد از اینکه تو گفتی اون چطور با وجود کم‌حرفی، متمرکز می‌مونه، گفت مشکل بانی و ربه‌کا خیلی شبیه همدیگه‌ست. اونا زیادی به نظر دیگران بها می‌دن: ربه‌کا زیادی به خودش باد می‌کنه و بانی زیادی دلسرد می‌شه... یه چیزی تو همین مایه‌ها.»

تونی در حالی که ژست دست گرفتن دوربین و عکس انداختن را گرفته بود، گفت: «باز تو عکاس شدی.»

«درسته. بذار صادق باشم. می‌دونم، می‌دونم: مشاهده‌ی کمتر، احساسات بیشتر. خب، موافقم که فیلیپ بدون اینکه مجبور باشه زیاد حرف بزنه، متمرکز می‌مونه. و وقتی آدم می‌خواد برای هر چیزی جلوش وایسه، این حسو پیدا می‌کنه که انگار داره قوانین رو زیر پا می‌ذاره.»

جولیوس گفت: «این یک مشاهده و یک نظره، استوارت. می‌تونی بری سراغ احساس؟»

«خب، فکر کنم به علاقه‌ی ربه‌کا به فیلیپ یه کم حسودی‌م می‌شه. برام عجیب بود که هیچ‌کس از فیلیپ نپرسید چه حسی در این مورد داره... خب به نظرم این یکی احساس به‌حساب نمی‌یاد، نه؟»

جولیوس گفت: «داری نزدیک می‌شی. پسرخاله‌ی احساسه. ادامه بده.»

«حس می‌کنم فیلیپ تهدیدم می‌کنه. زیادی باهوشه. به‌علاوه، حس می‌کنم به من اعتنایی نداره. و خوشم نمی‌یاد بهم کم‌محلی بشه.»

جولیوس گفت: «آفرین استوارت، داری خبره می‌شی. از فیلیپ سؤالی داری؟» جولیوس می‌کوشید لحنش را ملایم و دلپذیر نگه دارد. کار او این بود که کمک کند گروه فیلیپ را عضوی از خود به‌شمار آورَد نه اینکه با پیله کردن به او، وادارش کند به همان شیوه‌ی نامناسب پیشین رفتار کند تا گروه عملاً طردش کند. به همین دلیل بود که به‌جای تونی مقابله‌جو، استوارت را مخاطب قرار داد.

«معلومه، ولی سؤال کردن از فیلیپ سخته.»

«اون اینجاست استوارت.» یکی دیگر از قوانین اصلی جولیوس:

هرگز اجازه ندهید اعضا به‌صورت سوم شخص با هم صحبت کنند.

«خب مسئله همینه دیگه. حرف زدن باهاش سخته...» استوارت رو کرد به فیلیپ: «منظورم اینه که حرف زدن باهات سخته فیلیپ چون تو هیچ‌وقت به من نگاه نمی‌کنی. درست مثل همین الآن. دلیلش چیه؟»

فیلیپ در حالی که هنوز به سقف خیره بود، گفت: «می‌خوام به مشورت با خودم ادامه بدم.»

جولیوس مترصد بود که در صورت لزوم به میان صحبت بدود، ولی استوارت حوصله به خرج داد.

«نمی‌فهمم.»

«اگه شما سؤالی از من بپرسین، می‌خوام در درون خودم بگردم بدون اینکه چیزی حواسمو پرت کنه تا بتونم بهترین جواب ممکن رو بهتون بدم.»

«ولی وقتی بهم نگاه نمی‌کنی، حس می‌کنم ارتباطی بینمون برقرار نشده.»

«ولی حرفام باید چیز دیگه‌ای بهتون بگه.»

تونی گفت: «پس چطوره راه بری و آدامس بجوی؟»

«ببخشید؟» فیلیپ با تعجب سرش ـ و نه چشمانش ـ را به طرف تونی گرداند.

«اینم مثل همونه دیگه، چی می‌شه هر دو تا کار رو با هم بکنی: هم بهش نگاه کنی و هم یه جواب خوب بهش بدی؟»

«ترجیح می‌دم ذهن خودم رو جست‌وجو کنم. تلاقی نگاهم با دیگران، حواسمو از جست‌وجو و پیدا کردن جوابی که دیگری دوست داره بشنوه، پرت می‌کنه.»

پاسخ فیلیپ، تونی و بقیه را به فکر فرو برد و سکوت حاکم

شد. بعد استوارت سؤال دیگری مطرح کرد: «خب، فیلیپ بگو ببینم این حرفایی که درباره‌ی دلبری ربه‌کا از تو زدیم، چه حسی در تو ایجاد کرد؟»

چشمان ربه‌کا عصبی بود: «می‌دونی چیه، دیگه واقعاً داره بهم بر می‌خوره استوارت، انگار خیالات بانی برای همه‌تون وحی مُنزل شده.»

استوارت نخواست از موضوع منحرف شود. «باشه، باشه، این سؤال رو خط بزنین. فیلیپ اینو جواب بده: بحث‌هایی که جلسه‌ی قبل درباره‌ت شد، چه حسی در تو ایجاد کرد؟»

«بحث خیلی جالب بود و همه‌ی حواسم متوجهش بود،» فیلیپ نگاهی به استوارت انداخت و ادامه داد: «ولی اگه منظورت پاسخ‌های هیجانیه، هیچ حسی نداشتم.»

استوارت پاسخ داد: «هیچی؟ آخه این که نمی‌شه.»

«پیش از ورودم به گروه، کتاب جولیوس درباره‌ی گروه‌درمانی رو خوندم و برای اتفاقاتی که در این جلسات می‌افته، کاملاً آماده بودم. انتظار داشتم اتفاقای خاصی بیفته: هدف کنجکاوی قرار بگیرم، برای بعضی خوشایند باشم و برای بعضی نه، سلسله‌مراتب قدرت با ورود من به هم بریزه، برای زنا مطلوب باشم و برای مردا نامطلوب، ورودم برای افراد کلیدی گروه خوشایند نباشه ولی افراد کمتر تأثیرگذار گروه ازم حمایت کنن. پیش‌بینی این چیزا باعث شده نگاهم به اتفاقات درون گروه عاری از احساسات باشه.»

استوارت و بیش از او، تونی، از پاسخ فیلیپ جا خوردند و برای هضم کلمات فیلیپ غرق در سکوت شدند.

جولیوس گفت: «من در وضع دشواری گیر کرده‌ام...» مکثی کرد و بعد ادامه داد. «از یک طرف، حس می‌کنم مهمه که این بحث با

فیلیپ رو ادامه بدیم ولی از طرف دیگه، نگران ربه‌کا هستم. کجایی ربه‌کا؟ به نظر ناراحت می‌یای و می‌دونم داری سعی می‌کنی با گروه پیش بیای.»

«حس می‌کنم امروز یه کم رنجیده‌ام، انگار طرد شده‌ام و بهم کم‌محلی شده. هم از طرف بانی و هم از طرف استوارت.»

«ادامه بده.»

«کلی حرفای منفی درباره‌م زده شد: اینکه خودخواهم، علاقه‌ای به دوستان زن ندارم، برای فیلیپ اطوار می‌ریزم. اینا آدمو می‌سوزونه. و اصلاً این حالت رو دوست ندارم.»

جولیوس گفت: «می‌دونم چه حسی داری. من هم وقتی ازم انتقاد می‌شه، همین واکنش‌های ناخودآگاه رو دارم. ولی بذار بگم یاد گرفته‌ام چی کار کنم. حقه‌اش اینه که بازخورد رو یه هدیه ببینی. ولی اول باید تصمیم بگیری که این بازخورد درست و دقیق بوده یا نه. روش من اینه که به بررسی خودم می‌پردازم و از خودم می‌پرسم آیا با برداشت من از خودم همخوانی داره یا نه. آیا هیچ بخشی از اون هست ـ حتا ذره‌ای مثلاً پنج‌درصد ـ که به نظرم درست بیاد؟ سعی می‌کنم به یاد بیارم که مردم در گذشته هم چنین بازخوردی به من داده‌اند یا نه. به افراد دیگری فکر می‌کنم که می‌تونم موضوع رو باهاشون در میون بذارم و ازشون نظر بخوام. شاید کسی به یکی از اون نقاط کور من راه پیدا کرده و چیزی رو می‌بینه که من نمی‌بینم. می‌تونی اینی که گفتم رو امتحان کنی؟»

«کار آسونی نیست، جولیوس. احساس سنگینی می‌کنم.» ربه‌کا دستش را بر جناغ سینه‌اش فشار داد و گفت: «درست اینجا.»

«به این سنگینی و فشار زبان بده. چی داره می‌گه؟»

«می‌گه "چطور به نظر می‌یام؟" خجالت‌آوره. زیر نظر بودن. این

قضیه‌ی توجه آدما به بازی کردن من با موهام. از این مسئله چندشم می‌شه، دلم می‌خواد بگم "به شما هیچ ربطی نداره ـ موهای خودمه ـ هر کاری بخوام با اونا می‌کنم."»

جولیوس با لحنی آموزگارانه پاسخ داد: «سال‌ها پیش روان‌درمانگری بود به نام فریتس پرلز که مکتبی به نام گشتالت‌درمانی رو پایه‌گذاری کرد. این روزا چیز زیادی درباره‌اش نمی‌شنوید، ولی به هر حال اون تمرکز زیادی بر تن و جسم افراد داشت. مثلاً اینکه "دقت کن ببین دست چپت الآن داره چی کار می‌کنه" "یا "می‌بینم خیلی با ریشت بازی می‌کنی." از بیمارانش می‌خواست در اون حرکت مبالغه کنند: "دست چپت رو محکم‌تر مشت کن" یا "بیشتر و محکم‌تر ریشت رو دستمالی کن و دقت کن ببین چه‌چیزی رو به یادت می‌یاره و چه حسی رو برمی‌انگیزه."

«من همیشه حس کرده‌ام رویکرد پرلز چیزای زیادی برای آموختن داره چون بخش بزرگی از ناخودآگاه ما، خودش رو با حرکات بدنی‌مون بیان می‌کنه؛ حرکاتی که بیرون از حیطه‌ی خودآگاهی ما قرار دارند. ولی خیلی ازش در درمان استفاده نکرده‌ام. دلیلش؟ درست به دلیل اتفاقی که همین الآن داره می‌افته، ربه‌کا. وقتی دیگران ما رو متوجه رفتاری می‌کنند که خودمون ازش آگاه نیستیم، اغلب حالت دفاعی می‌گیریم. پس می‌فهمم چه حس ناخوشایندی داری، ولی با وجود این، می‌تونی در همین حس باقی بمونی و چیز باارزشی توی این بازخورد پیدا کنی؟»

«به عبارت دیگه، داری می‌گی "بالغانه رفتار کن." سعی‌ام رو می‌کنم.» ربه‌کا صاف نشست، نفس عمیقی کشید و با چهره‌ای مصمم شروع کرد: «اول، *این* درسته که من توجه رو دوست دارم و وقتی درمان رو شروع کردم، از اینکه دارم پیر می‌شم و دیگه مردا

بهم زل نمی‌زنند، ناراحت بودم. پس شاید برای فیلیپ دلبری کرده باشم، ولی آگاهانه نبوده.» رو کرد به گروه: «پس حق با شماست، من مقصرم. دوست دارم تحسینم کنند، دوست دارم عاشقم باشند و بپرستندم، من عشقو دوست دارم.»

فیلیپ حرفش را قطع کرد: «افلاطون به این نتیجه رسیده که عشق در درون کسی‌ست که عاشقه، نه در درون کسی که مورد عشقه.»

ربه‌کا با لبخند گذرایی گفت: «*عشق در درون عاشق است، نه در درون معشوق.* این نقل قول فوق‌العاده‌ایه فیلیپ. می‌بینی، این همون چیزیه که من در تو دوست دارم. اظهار نظرایی شبیه به این. اینا چشم منو باز می‌کنن. باعث می‌شه به نظرم جالب بیای. و البته جذاب.»

ربه‌کا خطاب به گروه گفت: «معنی‌ش اینه که می‌خوام باهاش رابطه‌ای داشته باشم؟ نه‌خیر! آخرین رابطه‌ای که داشتم، زندگی زناشویی‌م رو به هم ریخت و من دنبال دردسر نمی‌گردم.»

تونی گفت: «خب فیلیپ، درباره‌ی حرفای ربه‌کا هیچ احساس خاصی داری؟»

«قبلاً گفتم که هدفم در زندگی اینه که تا جایی که ممکنه، کمتر آرزو کنم و تا جایی که ممکنه بیشتر بدونم. عشق، شهوت و اغواگری امیال قدرتمندی‌اند، بخشی از ابزار بقای گونه‌ی انسانی‌اند و همون جور که ربه‌کا روشن کرد ممکنه ناخودآگاه عمل کنن. ولی از همه مهم‌تر، این فعالیتا عقل رو از راه به در می‌کنن و مانع فعالیت‌های دانش‌دوستانه‌ی من می‌شن؛ نمی‌خوام کاری به کارشون داشته باشم.»

تونی گفت: «هربار چیزی ازت می‌پرسم، جوابی می‌دی که

استدلال در برابرش سخته. ولی هیچ‌وقت سؤال من رو جواب نمی‌دی.»

ربه‌کا گفت: «به نظرم جوابت رو داد. روشن کرد که هیچ جور گرفتاری عاطفی نمی‌خواد، می‌خواد آزاد و حواس‌جمع بمونه. فکر کنم جولیوس هم منظورش همین بوده: به همین دلیله که درگیری‌های عاشقانه در گروه یه تابوئه.»

تونی خطاب به جولیوس گفت: «چه تابویی؟ من تا حالا نشنیده‌ام چنین قانونی با صدای بلند گفته بشه.»

«هرگز این‌طوری درباره‌اش صحبت نکرده‌ام. تنها قانون بنیادینی که از من شنیده‌اید درباره‌ی روابط اعضا بیرون از جلسات گروهه و اون اینه که نباید رازی در میون باشه و هر نوع برخوردی بین اعضا بیرون از جلسات گروه باید به درون گروه آورده بشه. اگر این اتفاق نیفته، اگر رازها رو پیش خودتون نگه دارین، تقریباً همیشه ماشین گروه به گِل می‌شینه و در درمان خودتون کارشکنی می‌شه. این تنها قانون من درباره‌ی روابط بیرون از اینجاست. ولی ربه‌کا، بهتره رشته‌ی صحبت رو درباره‌ی اونچه بین تو و بانی می‌گذره از دست ندیم. از احساست نسبت به اون بگو.»

«حرفاش برام سنگین بود. آیا واقعاً من با زنا ارتباط برقرار نمی‌کنم؟ می‌خوام جواب بدم این جوری نیست. مثلاً خواهرم: باهاش صمیمی‌ام ـ تا حدودی ـ و دو تا وکیل زن توی دفترم؛ ولی بانی تو احتمالاً به مسئله‌ی خاصی اشاره داری: معلومه که لذت و هیجان من برای ارتباط برقرار کردن با مردا بیشتره.»

بانی گفت: «یاد دوره‌ی کالج می‌افتم. اینکه چقدر کم قرار ملاقات داشتم و وقتی بعضی دخترا بدون کمترین فکری، در آخرین لحظه قرارشون رو با من به هم می‌زدن چون یه پسر

دعوتشون کرده بود، چقدر احساس طرد شدن می‌کردم.»

ربه‌کا گفت: «آره، بعید نبود من هم همین کارو می‌کردم. حق با توئه: پسرا و قرار ملاقات تنها چیزی بود که اون موقع وجود داشت. اون دوره این جوری بود؛ الآن دیگه نه.»

تونی که هنوز توجهش به فیلیپ بود دوباره رو کرد به او: «می‌دونی فیلیپ، تو هم یه جورایی شبیه ربه‌کایی. تو هم دلبری می‌کنی ولی با شعارای تروتمیز و پُرهارت‌وپورت.»

فیلیپ با چشمانی که به دلیل تمرکز عمیق، بسته بود، جواب داد: «منظورت اینه که انگیزه‌ام برای صحبت از مشاهداتم، اون چیزی نیست که به نظر می‌یاد: این کارم بیشتر خودخواهانه‌ست و نوعی دلبریه و اگه درست متوجه منظورت شده باشم، می‌گی با این کار می‌خوام علاقه و تحسین ربه‌کا و دیگران رو برانگیزم. درسته؟»

خلق جولیوس تنگ شد. هر کار می‌کرد، باز توجه گروه به فیلیپ برمی‌گشت. دست‌کم سه اشتیاق متضاد در ذهنش با هم می‌جنگیدند تا توجه او را به سوی خود جلب کنند: اول، فیلیپ را در برابر این همه رویارویی محافظت کند؛ دوم: اجازه ندهد روش بی‌احساس و غیرشخصی فیلیپ، گفت‌وگوی صمیمانه‌ی گروه را از مسیر خارج کند؛ و سوم اینکه تلاش‌های تونی را برای نشاندن فیلیپ سر جای خودش تشویق کند. ولی سرانجام تصمیم گرفت در آن لحظه دخالتی نکند چون گروه خود داشت وضعیت را به‌خوبی مدیریت می‌کرد. در واقع، رویداد مهمی رخ داده بود: برای نخستین بار فیلیپ داشت پاسخی مستقیم و حتا شخصی به یک نفر می‌داد.

تونی سری به تأیید تکان داد. «منظورم همین بود فقط شاید هدفت چیزی بیشتر از جلب علاقه یا تحسین باشه. بیشتر اغواگریه.»

«بله، تصحیح درستیه. اصطلاح تو یعنی *دلبری* دقیقاً همین معنی رو می‌ده و منظورت اینه که انگیزه‌ی من و ربه‌کا مشابهه یعنی من هم دلم می‌خواد اونو از راه به در کنم. خب، این نظریه‌ی ارزشمند و قابل قبولیه. باید دید چطور می‌شه امتحانش کرد.»

سکوت. هیچ‌کس پاسخی نداد ولی به نظر نمی‌آمد فیلیپ منتظر پاسخ باشد. بعد از لحظه‌ای تأمل با چشمان بسته، گفت: «شاید بهترین راه اینه که شیوه‌ی دکتر هرتسفلد رو به کار ببریم...»

«منو جولیوس صدا کن.»

«آه، بله، یعنی شیوه‌ی جولیوس رو به کار ببریم؛ من اول باید ببینم نظریه‌ی تونی با تجربه‌ی درونی‌ام همخوانی داره یا نه.» مکثی کرد و سرش را جنباند. «شواهدی برای اثباتش پیدا نمی‌کنم. سال‌ها پیش همه‌ی رشته‌های دلبستگی‌م رو به افکار عمومی بریدم و خودم رو رها کردم. با تمام وجود معتقدم شادترین آدما، کسانی‌اند که به دنبال چیزی جز تنهایی نیستند. دارم از شوپنهاور عزیز، نیچه و کانت حرف می‌زنم. نظر اونا و نظر من اینه که مردی که از ثروت درونی برخورداره، از دنیای بیرون چیزی نمی‌خواد جز این هدیه که مزاحم اوقات فراغتش نشه و اجازه بده از ثروت درونی‌اش - یعنی توان بالای فکری‌اش - لذت ببره.

پس خلاصه کنم: به این نتیجه می‌رسم که نمی‌خوام با حرفام کسی رو از راه به در کنم یا خودم رو در چشم شما بالا ببرم. شاید رگه‌هایی از این اشتیاق باقی مونده باشه؛ ولی فقط می‌تونم بگم تجربه‌ی آگاهانه‌ای از اون ندارم. تصدیق می‌کنم از اینکه فقط این اندیشه‌های بزرگ رو یاد گرفته‌ام و خودم چیزی به اونا اضافه نکرده‌ام، متأسفم.»

جولیوس در طول دهه‌ها سرپرستی گروه‌درمانی، شاهد

سکوت‌های زیادی بود، ولی سکوتی که پس از پاسخ فیلیپ حاکم شد، شبیه هیچ‌کدامشان نبود. نه سکوتی بود که بار هیجانی زیادی داشته باشد و نه سکوتی که نشانه‌ی وابستگی، رودربایستی یا سردرگمی باشد. نه، این سکوت متفاوت بود، درست مثل اینکه گروه از دیدن یک گونه‌ی جدید جانوری، شاید یک سمندر شش‌چشم با بال‌های پوشیده از پر، جا خورده باشد و با نهایت احتیاط و ملاحظه، آهسته به دورش جمع شود.

ربه‌کا نخستین کسی بود که واکنش نشان داد: «این همه قناعت، نیاز کم به دیگران، نخواستن همراهی دیگران، یعنی تنهایی خیلی زیاد، فیلیپ.»

فیلیپ گفت: «برعکس، قبلاً که مشتاق همراهی دیگران بودم، چیزی از اونا می‌خواستم که به من نمی‌دادن ـ در واقع نمی‌تونستن بدن ـ اون موقع بود که فهمیدم تنهایی یعنی چی. خیلی خوب باهاش آشنا شدم. نیازی به کسی نداشتن، به معنای هرگز تنها نبودنه. انزوای پربرکت همون چیزیه که من به دنبالشم.»

استوارت گفت: «ولی با همه‌ی اینا، تو اینجایی. و اینو از من بشنو که این گروه دشمن بزرگ تنهاییه. چرا خودت رو در معرض چنین چیزی قرار دادی؟»

«هر متفکری باید خودش رو تأمین کنه. می‌تونه مثل کانت یا هگل بخت یارش باشه و حقوق دانشگاهی داشته باشه یا مثل شوپنهاور دارایی مستقلی داشته باشه یا مثل اسپینوزا برای تأمین معاشش، شیشه‌ی عینک تراش بده و کار روزانه داشته باشه. من مشاوره‌ی فلسفی رو به‌عنوان کار روزمره‌ام انتخاب کرده‌ام و این گروه، بخشی از تجربه‌ام برای دریافت مجوز این کاره.»

استوارت گفت: «این یعنی تو در این گروه با ما هم‌کلام شده‌ای،

ولی هدف نهاییت اینه که به دیگران کمک کنی هرگز به چنین صحبت‌ها و ارتباط‌هایی تن ندن.»

فیلیپ مکثی کرد و بعد سری به تأیید تکان داد.

تونی گفت: «بذار مطمئن شم منظورت رو درست فهمیده‌ام: اگه ربه‌کا بهت گیر بده، به طرفت بیاد، طلسم دلبری‌اش رو کار بندازه، اون لبخند محشرش رو تحویلت بده، می‌خوای بگی هیچ اثری روی تو نداره؟ صفر صفر؟»

«نه، نگفتم "هیچ اثری نداره". با شوپنهاور موافقم وقتی گفته زیبایی یک نامه‌ی سرگشاده‌ی حاوی توصیه‌ست که قلب را به التفات به کسی که آن را به همراه آورده، متمایل می‌کند. می‌دونم نگاه کردن به کسی که زیبایی خارق‌العاده‌ای داره، شگفت‌انگیزه. ولی چیزی که دارم می‌گم اینه که نظر دیگران درباره‌ی من، نظرم را درباره‌ی خودم عوض نمی‌کنه یا نباید بکنه.»

تونی گفت: «این حرف خیلی ماشینی و بی‌احساسه، چندان انسانی به نظر نمی‌یاد.»

«به نظر من غیرانسانی این بود که اجازه می‌دادم ارزش‌هام بر اساس نظر افراد نامعقول و کم‌اهمیت، مثل یه چوب‌پنبه‌ی سبک بالا و پایین بره.»

جولیوس به لبان فیلیپ چشم دوخت. چه اعجازی در آن‌ها بود. بازتاب خویشتن‌داری آرام فیلیپ را می‌شد در آن‌ها دید. برای عبور هر کلمه، با تزلزل‌ناپذیری و عزمی راسخ شکل می‌گرفتند تا صدا و لحنی بی‌نقص و گیرا بیافرینند. و به‌راحتی می‌شد با اشتیاق فزاینده‌ی تونی برای رنجاندن فیلیپ همراه شد. ولی از آنجا که جولیوس می‌دانست رفتارهای تکانه‌ای تونی ممکن است به سرعت اوج بگیرد، تصمیم گرفت دیگر وقتش است که بحث را به جهتی

خوش‌خیم‌تر بکشاند. زمان رویارویی با فیلیپ نبود؛ این تازه چهارمین جلسه‌ی او بود.

«فیلیپ، کمی قبل وقتی درباره‌ی بانی حرف می‌زدی، گفتی هدفت اینه که براش مفید باشی. و در اینجا به دیگران مثل ربه‌کا یا گیل هم مشاوره داده‌ای. می‌تونی یه‌کم بیشتر برامون بگی که چرا این کار رو می‌کنی؟ این‌طور به نظرم می‌یاد که در اشتیاقت به مشاوره‌دادن، چیزی فراتر از تمرین یه کار درآمدزا وجود داره. دست‌کم اینجا برای کمک کردن به دیگران، انگیزه‌ی اقتصادی نداری.»

«همیشه سعی می‌کنم به خاطر بسپرم که همه‌ی ما محکومیم به یک زندگی سرشار از بدبختی‌های گریزناپذیر: زندگی‌ای که اگر از واقعیت‌هاش خبر داشتیم، هیچ‌کدوم‌مون حاضر نمی‌شدیم انتخابش کنیم. از این نگاه همه‌ی ما ـ به‌قول شوپنهاور ـ *همتایانی رنجوریم* و همگی در طول زندگی، در نیاز به مدارا و دریافت عشق از همسایه‌هامون شریکیم.»

«باز هم شوپنهاور! فیلیپ من بیشتر دارم از شوپنهاور ـ هرکی می‌خواد باشه ـ می‌شنوم و کمتر از تو.» تونی آرام صحبت می‌کرد طوری که انگار لحن متین و موقر فیلیپ را تقلید می‌کند، ولی تنفسش تند و سطحی بود. معمولاً تونی خیلی راحت با افراد رودررو می‌شد؛ از زمانی که درمان را شروع کرده بود، کمتر هفته‌ای را بدون درگیری خشن در میخانه، حین رفت‌وآمد در خیابان، محل کار یا زمین بسکتبال می‌گذراند. با اینکه مرد درشت‌هیکلی نبود، در رویارویی‌ها نترس و بی‌پروا بود؛ به‌جز در یک موقعیت: تضاد عقیده با یک همدم تحصیل‌کرده و فصیح، کسی درست مانند فیلیپ.

فیلیپ تمایلی برای پاسخ به تونی از خود نشان نداد. جولیوس سکوت را شکست: «تونی، به نظر می‌یاد سخت تو فکری. چی تو فکرت می‌گذره؟»

«داشتم به حرف بانی درباره‌ی دلتنگی‌ش برای پم فکر می‌کردم. منم امروز خیلی دلم براش تنگ شده.»

جولیوس تعجب نکرد. تونی به سرپرستی و محافظت پم عادت کرده بود. این دو نفر از آن جفت‌های عجیب‌وغریب بودند: یک استاد زبان انگلیسی و یک مرد زمخت خالکوبی‌کرده. جولیوس رویکردی غیرمستقیم اتخاذ کرد: «تونی، به نظرم برات آسون نیست که بگی *شوپنهاور، هرکی می‌خواد باشه.*»

تونی گفت: «خب، ما اینجاییم که راست بگیم.»

گیل گفت: «حق با توئه، تونی، منم دق کردم: نمی‌دونم شوپنهاور کیه.»

استوارت گفت: «منم فقط می‌دونم یه فیلسوف مشهوره. آلمانی و بدبین. توی قرن نوزدهم بوده؟»

«آره، سال ۱۸۶۰ تو فرانکفورت از دنیا رفت. و درباره‌ی بدبینی‌اش، ترجیح می‌دم اونو *واقع‌بینی* ببینم. و تونی شاید راست می‌گی که من زیادی از شوپنهاور حرف می‌زنم، ولی برای این کارم دلیل دارم.» به نظر می‌آمد تونی از اینکه مورد خطاب مستقیم فیلیپ قرار گرفته، جا خورده است. گرچه فیلیپ هنوز ارتباط چشمی برقرار نمی‌کرد. حالا دیگر به سقف خیره نمی‌شد، از پنجره به بیرون نگاه می‌کرد، انگار چیزی در باغ مسحورش کرده باشد.

فیلیپ ادامه داد: «اول اینکه شناخت شوپنهاور، شناخت منه. مغز ما دو نفر مثل مغز دوقلوهای به‌هم‌چسبیده‌ست. دوم اینکه، اون درمانگرم بوده و کمک پرارزشی به من کرده. من اون رو درونی

کرده‌ام ـ البته منظورم عقایدشه ـ همون طوری که شاید خیلی از شماها دکتر هرتسفلد... یعنی جولیوس رو درونی کرده باشین.» فیلیپ همراه با نگاه گذرایی که به جولیوس انداخت، لبخند کمرنگی زد و این اولین سبکسری او در گروه به‌شمار می‌آمد. «دلیل آخرم هم اینه که امیدوارم بعضی از نظرات و عقاید شوپنهاور برای شما هم مثل من مفید باشه.»

جولیوس نگاهی به ساعتش انداخت و سکوتی را که بعد از اظهار نظر فیلیپ حاکم شده بود، شکست. «جلسه‌ی پرباری بود، از اون جلسه‌ها که از تموم کردنش متنفرم، ولی وقت امروزمون تموم شد.»

تونی در حالی که برمی‌خاست و به سمت در می‌رفت، زیر لب غرید: «پربار؟ پس چرا من نفهمیدم؟»

سرور و شادمانی جوانی ما بخشی به این دلیل است که در حال بالا رفتن از تپه‌ی زندگی هستیم و مرگ را که در آن سوی کوهپایه جا خوش کرده، نمی‌بینیم.

فصل ۲۰

نشانه‌های بدبینی

روان‌درمانگران در همان ابتدای آموزش یاد می‌گیرند بر مسئولیت بیماران در برابر معضلات زندگی‌شان تمرکز کنند. درمانگران مجرب هرگز روایت ظاهری بیماران از بدرفتاری‌های دیگران را نمی‌پذیرند. در عوض، می‌دانند که افراد تا حدودی در آفرینش محیط اجتماعی‌شان دخیلند و روابط همواره دو سر دارند. ولی رابطه‌ی آرتور شوپنهاور جوان و والدینش چه؟ قطعاً ماهیت این رابطه ابتدا به‌دست یوهانا و هاینریش تعیین شده، همان آفرینندگان و شکل‌دهندگان آرتور؛ هرچه نباشد، این دو بزرگسال بوده‌اند.

ولی نقش آرتور را نمی‌توان نادیده گرفت: چیزی بدوی، ذاتی و سرسخت در مزاج آرتور بود که از همان کودکی، واکنش‌های خاصی را در یوهانا و دیگران برمی‌انگیخت. خوی و خصلت آرتور جوری بود که نمی‌توانست واکنش‌های مهرآمیز، سخاوتمندانه و شادکننده برانگیزد؛ به جایش، تقریباً همه پاسخی انتقادی و دفاعی در برابر او داشتند.

شاید این الگو در طول بارداری پرآشوب یوهانا شکل گرفت. یا شاید استعداد موروثی نقش اساسی را در تکامل آرتور داشت. تبار شوپنهاور پر بود از شواهد وجود اختلالات روان‌شناختی. پدر آرتور، سال‌ها پیش از خودکشی، به شکل مزمنی افسرده، مضطرب، کله‌شق، سرد و ناتوان از لذت بردن از زندگی بود. مادر پدرش چنان خشن و بی‌ثبات بود که در نهایت در تیمارستان بستری شد. از سه عمویش، یکی با کندذهنی بسیار شدید به‌دنیا آمد و دیگری بر اساس نوشته‌ی زندگینامه‌نویس، به دلیل افراط‌کاری‌هایش در سن سی‌وچهار سالگی، «نیمه‌دیوانه و در گوشه‌ای میان افراد شرور از دنیا رفت.»

شخصیت آرتور که در کودکی شکل گرفت، با انسجام قابل توجهی در تمام عمر حفظ شد. نامه‌های والدین به آرتور نوجوان حاوی عباراتی‌ست که نگرانی روبه‌فزونی آنان را درباره‌ی بی‌علاقگی او به حسن رفتار اجتماعی نشان می‌دهد: برای مثال مادرش نوشت: «... با اینکه به آداب معاشرت رسمی اهمیت چندانی نمی‌دهم و رفتار طبیعی را حتا اگر اندکی زمخت و دلبخواه باشد بیشتر می‌پسندم... ولی گرایش تو به چنین رفتارهایی بیش از این‌هاست.» پدرش نوشت: «فقط ای کاش یاد گرفته بودی خود را همرنگ مردم کنی.»

سفرنامه‌ی آرتور جوان همان مردی را آشکار می‌سازد که او در نهایت شد. در آن آرتور نوجوان توانایی استثنایی و پیش‌رس خود را برای فاصله گرفتن و دیدن چیزها از چشم‌انداز کیهانی نشان می‌دهد. در توصیف پرتره‌ی یک دریاسالار هلندی می‌گوید: «پهلوی تصویر نمادهایی از داستان زندگی‌اش دیده می‌شد: شمشیرش، جام، زنجیره‌ای از مدال‌هایی که به سینه می‌زد و سرانجام گلوله‌ای که همه‌ی این‌ها را برایش بی‌فایده کرد.»

شوپنهاور یک فیلسوف جاافتاده بود که به توانایی‌اش در مشاهده از چشم‌اندازی عینی و واقع‌بینانه یا به‌قول خودش «مشاهده‌ی دنیا از آن سر تلسکوپ» فخر می‌فروخت. علاقه‌اش به مشاهده‌ی دنیا از بالا در همان نوشته‌های نخستینش درباره‌ی کوهنوردی دیده می‌شود. در شانزده‌سالگی نوشت: «دریافته‌ام که دیدن دورنمای منظره از بالای یک کوه بلند، موجب گستردگی اندیشه می‌شود... . همه‌ی اشیای کوچک ناپدید می‌شوند و تنها آنچه بزرگ است، شکل خود را حفظ می‌کند.»

نشانه‌های قدرتمندی از شوپنهاور بزرگسال را در اینجا می‌توان یافت. چنان به ایجاد چشم‌انداز کیهانی برای خویش ادامه می‌دهد که بعدها به عنوان یک فیلسوف جاافتاده انگار دنیا را از فاصله‌ای دور می‌بینند: نه فقط از لحاظ فیزیکی و عقلانی، بلکه نیز از لحاظ زمانی. در سن کم به طریقی شهودی توانست چشم‌انداز «sub speciesaeteritatis از دیدگاه ابدیت» اسپینوزا را دریابد و دنیا و رویدادهایش را از چشم‌انداز ابدیت ببیند. آرتور نتیجه گرفت بهترین دریافت از وضعیت انسانی در صورتی امکان‌پذیر است که نه بخشی از آن، بلکه *جدا* از آن باشی. در نوجوانی پیش‌گویی کرد آینده‌اش سرشار از انزوایی غرورآمیز خواهد بود.

فلسفه جاده‌ی مرتفع کوهستانی‌ست... جاده‌ای دورافتاده که هرچه در آن بالاتر می‌رویم، سوت‌وکورتر می‌شود. هرآنکس که این مسیر را پی گیرد، نباید از خود پروایی نشان دهد، بلکه باید همه‌چیز را پس پشت نهد و بی‌باکانه راهش را در برف زمستانی بگشاید... . خیلی زود دنیا را زیر پای خویش می‌بیند؛ سواحل ماسه‌ای و لجن‌زارهایش از نظرش پنهان می‌شود، لک‌های ناهموارش، همتراز می‌شود و صداهای گوشخراشش دیگر به گوش او نمی‌رسد. و گِردی دنیا بر او آشکار می‌شود. خود همواره در هوای سرد و پاک کوهستان می‌ماند و آن‌گاه که همگان آن پایین هنوز در شب مرده گرفتارند، او به خورشید می‌نگرد.

ولی انگیزه‌ی شوپنهاور چیزی بیش از کشش به‌سوی بلندی‌ست؛ فشارهایی از پایین مطرح است. دو ویژگی شخصیتی دیگر در آرتور جوان آشکار است: مردم‌گریزی عمیق در کنار بدبینی‌ای سرسختانه. اگر بلندی‌ها، مناظر دورافتاده و چشم‌انداز کیهانی آرتور را وسوسه می‌کرد، شواهد بیشتری وجود داشت که نشان می‌داد از نزدیکی به دیگران گریزان است. روزی پس از مشاهده‌ی طلوع و پایین آمدن از قله و بازگشت دوباره به جهان انسانی در یک کلبه‌ی چوپانی در کوهپایه نوشت: «وارد اتاق نوکران باده‌نوش شدیم... . تحمل‌پذیر نبود: گرمای حیوانی‌شان، جای آن حرارت رخشان را گرفت.»

مشاهدات ریشخندآمیز و سرشار از بیزاری در سفرنامه‌های او فراوان است. درباره‌ی یکی از مراسمی که شاهدش بود، نوشت: «آوازهای گوشخراش جماعت گوشم را به درد آورد و یک نفر که با دهان همیشه بازش انگار بع‌بع می‌کرد، چندبار مرا به خنده انداخت.» درباره‌ی یک مراسم مذهبی یهودی: «دو پسربچه که کنار

من ایستاده بودند، باعث شدند خونسردی‌ام را از دست بدهم چون با غلتاندن صدا در گلو و دهان‌های گشادشان و سرهایی که مدام می‌جنبید، انگار داشتند مدام بر سر من فریاد می‌کشیدند.» گروهی از اشراف انگلیسی «شبیه رعیت‌هایی دهاتی بودند که تغییر لباس داده باشند.» شاه انگلستان «پیرمرد خوش‌سیمایی‌ست ولی ملکه زشت است و فاقد هرگونه تأثیرگذاری بر دیگران.» امپراتور و ملکه‌ی اتریش «هر دو لباس‌هایی محقر و ساده بر تن داشتند. امپراتور مردی نحیف و استخوانی‌ست که چهره‌ی به‌وضوح ابلهش بیشتر انسان را به یاد یک خیاط می‌اندازد تا یک امپراتور.» یک همکلاسی که از مردم‌گریزی آرتور باخبر است، در انگلیس به او نوشت: «متأسفم که اقامتت در انگلیس باعث شد از همه‌ی *ملت* متنفر شوی.»

این نوجوان که به تمسخر و بی‌احترامی به دیگران عادت داشت، به مردی تلخ و خشمگین بدل شد که عادت داشت همه‌ی انسان‌ها را «دوپا» بنامد و با تامس اَ کمپیس[1] موافق بود که گفته «هربار که با آدم‌ها بیرون می‌روم، در بازگشت، کمتر انسانم.»

آیا این ویژگی‌ها مانع رسیدن آرتور به هدفش یعنی بدل شدن به «چشمِ تیزِ جهان» بود؟ آرتور جوان مشکل را پیش‌بینی کرد و در یادداشتی خطاب به خود مسن‌ترش نوشت: «یقین پیدا کن که داوری‌های ذهنی‌ات، داوری‌های عینی را از چشمت پنهان نکنند.» ولی همان جور که خواهیم دید، به‌رغم عزمش در رفع این مشکل و به‌رغم انضباط شخصی‌اش، آرتور نتوانست اندرز بسیار خوبی را که خود در جوانی به خودش داده بود، در اغلب موارد به کار بندد.

---

۱. Thomas á Kempis: کشیش غیر راهب اواخر قرون وسطا و نویسنده‌ی احتمالی کتاب *Imitation of Christ* که یکی از مشهورترین کتاب‌های نیایش مسیحی‌ست ـ م.

مردی که بتواند یک بار برای همیشه از رابطه با شمار زیادی از آدمیان بپرهیزد، مرد خوشبختی‌ست.

فصل ۲۱

در آغاز جلسه‌ی بعد، در همان لحظه که بانی داشت از جولیوس می‌پرسید پم از سفر برگشته یا نه، پم در را باز کرد، بازوانش را گشود و با صدای بلند فریاد زد: «دادامم!» همه به‌جز فیلیپ برخاستند و به پیشبازش رفتند. او با مهربانی بی‌نظیرش، حلقه‌ی اعضا را دور زد، در چشم تک‌تک اعضا چشم دوخت، همه را در آغوش کشید، ربه‌کا و بانی را بوسید، موهای تونی را آشفته کرد و وقتی به جولیوس رسید، برای چند لحظه او را در آغوش نگه داشت و در گوشش زمزمه کرد: «ممنون که اون قدر پای تلفن روراست بودی. وقتی شنیدم نابود شدم، خیلی خیلی متأسفم، خیلی نگرانت بودم.» جولیوس نگاهش کرد. چهره‌ی آشنا و پرلبخند این

زن، شجاعت و انرژی می‌پراکند. گفت: «خوش آمدی، پم. خدایا! چه خوبه که دوباره اینجایی. دل همه‌مون برات تنگ بود. من هم دلتنگت بودم.»

لحظه‌ای بعد، وقتی نگاه پم به فیلیپ افتاد، ناگهان تاریکی فرود آمد. لبخند و چین‌های دور چشم که هنگام شادی بر صورتش می‌نشست، محو شد. جولیوس که تصور کرد از حضور یک غریبه در گروه یکه خورده، سریع معرفی کرد: «پم، این فیلیپ اسلیت، عضو جدید ماست.»

پم که آشکارا می‌کوشید به فیلیپ نگاه نکند، گفت: «اوه، اسلیت؟ فیلیپ اسلیز نیست؟ یا اسلایم‌بال[1]؟» نگاهی به در انداخت. «جولیوس، مطمئن نیستم بتونم با این آشغال تو یه اتاق بمونم!»

نگاه گروه، حیرت‌زده و مبهوت، میان پم سراسیمه و فیلیپ مطلقاً خاموش در رفت‌وآمد بود. جولیوس تلاشش را کرد. «ما رو هم در جریان بذار، پم. بنشین لطفاً.»

وقتی تونی داشت یک صندلی به گروه اضافه می‌کرد، پم گفت: «کنار اون نه.» (صندلی کنار فیلیپ خالی بود.) ربه‌کا بلافاصله برخاست و پم را به‌سوی صندلی خودش هدایت کرد.

بعد از سکوتی گذرا، تونی گفت: «چه خبر شده، پم؟»

«خدایا، باورم نمی‌شه، مثل یه شوخی وحشتناکه! این آخرین چیزی بود که تو دنیا می‌خواستم. دلم نمی‌خواست هیچ‌وقت دوباره این موش کثیف رو ببینم.»

استوارت پرسید: «جریان چیه؟ تو چی فیلیپ؟ یه چیزی بگو. چه خبر شده؟»

---

۱. هر دو واژه‌ی اسلیز و اسلایم‌بال به معنای هرزه و کثیف است ـ م.

فیلیپ در سکوت تکان مختصری به سرش داد. ولی حالا چهره‌ی برافروخته‌اش حرف‌ها داشت. جولیوس به خودش یادآوری کرد که دست‌کم دستگاه خودکار عصبی فیلیپ هنوز کار می‌کند.

تونی اصرار کرد: «پم سعی کن حرف بزنی، تو بین دوستانت هستی.»

«از بین همه‌ی مردایی که تا حالا شناخته‌ام، این موجود بدترین رفتار ممکن رو با من کرده. و اینکه به خونه برگردم، به گروه‌درمانی‌م برگردم و ببینم اون اینجا نشسته، برام باورکردنی نیست. دلم می‌خواد داد بکشم، ضجه بزنم، ولی این کارو نمی‌کنم... جلوی اون این کارو نمی‌کنم.» پم ساکت شد و در حالی که سرش را آهسته تکان می‌داد، نگاهش را به زمین دوخت.

ربه‌کا گفت: «جولیوس، من دارم عصبی می‌شم. این برام خوب نیست. تو بگو چه خبره؟»

«چیزی که مسلمه، اینه که قبلاً اتفاقاتی بین پم و فیلیپ افتاده و بهتون اطمینان می‌دم که من کاملاً از جریان بی‌خبرم و مثل شما غافلگیر شده‌ام.»

پم پس از سکوت کوتاهی رو کرد به جولیوس و گفت: «من خیلی درباره‌ی این گروه فکر می‌کردم. برای برگشتن به اینجا لحظه‌شماری می‌کردم، پیش خودم تمرین می‌کردم که براتون از سفرم بگم. ولی متأسفم جولیوس، فکر نمی‌کنم بتونم این کارو بکنم. نمی‌خوام اینجا بمونم.»

برخاست و به‌سمت در رفت. تونی از جا پرید و دستش را گرفت.

«پم، خواهش می‌کنم. نمی‌تونی همین جوری بذاری بری. تو

خیلی به من کمک کرده‌ای. بیا، من کنارت می‌شینم. می‌خوای اینو بندازم بیرون؟» پم لبخند کمرنگی زد و اجازه داد تونی او را به صندلی‌اش برگردانَد. گیل جابه‌جا شد و صندلی کناری را برای تونی خالی کرد.

جولیوس گفت: «منم طرف تونی‌ام. دلم می‌خواد کمک کنم. همه‌مون می‌خواهیم. ولی تو باید بذاری که کمکت کنیم، پم. معلومه که اتفاقی ـ اتفاق بدی ـ بین تو و فیلیپ افتاده. برامون بگو، درباره‌ش حرف بزن... وگرنه دست ما برای کمک بسته می‌مونه.»

پم آهسته سری تکان داد، چشمانش را بست و دهانش را باز کرد ولی صدایی خارج نشد. برخاست و به‌سمت پنجره رفت، پیشانی‌اش را به شیشه تکیه داد و تونی را که به‌سوی او رفته بود، کنار زد. رو کرد به گروه، چند نفس عمیق کشید و با صدایی بی‌روح شروع به صحبت کرد: «بیشتر از بیست سال پیش، من و یکی از دوستان دخترم، مولی، دلمون خواست زندگی توی نیویورک رو تجربه کنیم. من و مولی از بچگی همسایه بودیم و اون بهترین دوستم بود. تازه سال اول دانشگاه رو توی امرست تموم کرده بودیم و با هم برای کلاسای تابستونی کلمبیا ثبت‌نام کردیم. یکی از دو تا درسی که برداشته بودیم، درباره‌ی فیلسوفان پیش از سقراط بود و حدس بزنین تی‌اِی[1] کی بود؟»

تونی پرسید: «تی‌اِی چیه؟»

فیلیپ با صدای آهسته ولی در جا به میان صحبت دوید. «دستیار آموزشی» این نخستین کلام او از ابتدای جلسه بود. «تی‌اِی یه دانشجوی فارغ‌التحصیله که با سرپرستی بحث‌های گروهی، خواندن

1. TA (Teaching Assistant)

برگه‌های امتحانی و نمره دادن، به استاد کمک می‌کنه.»

به نظر می‌آمد پم با اظهار نظر غیرمنتظره‌ی فیلیپ گیج و سراسیمه شده است.

تونی سؤال بر زبان نیامده‌ی او را پاسخ داد: «این فیلیپ مسئول رسمی جواب دادنه. هر سؤالی دلت می‌خواد بکن تا اون جوابت رو بده. ببخشید، حالا که شروع کرده‌ای، من باید دهنم رو ببندم. ادامه بده. می‌شه بیای اینجا بین ما؟»

پم سر تکان داد، به صندلی‌اش برگشت، دوباره چشمانش را بست و ادامه داد: «خلاصه با مولی در کلاسای تابستونی شرکت کردیم و این مرد، این موجود، تی‌اِی ما بود. دوستم مولی تو وضع بدی بود: تازه با دوست پسرش که مدت‌ها با هم دوست بودند، به هم زده بود. کلاسا هنوز شروع نشده بود که این... این که اسم خودشو گذاشته مرد ـ با سر به فیلیپ اشاره کرد ـ شروع کرد به گیر دادن به مولی. فراموش نکنین که ما فقط هجده‌سال‌مون بود و اون معلم ما بود. در واقع استاد رو فقط دو بار در هفته و برای سخنرانی رسمی می‌دیدیم ولی تی‌اِی عملاً مسئول کلاس و نمره‌ها بود. اون خیلی خوش‌ظاهر بود. و مولی هم آسیب‌پذیر. عاشقش شد و یه هفته نشئه بود. بعد یک عصر شنبه، این مرد به من تلفن زد و خواست برای مقاله‌ای که برای یه امتحان نوشته بودم، به دیدنش برم. زبونش چرب‌ونرم بود و بی‌رحم. من هم اون قدر احمق بودم که گول خوردم. من یک باکره‌ی هجده‌ساله بودم. و اون رابطه‌ی خشنی با من داشت؛ این خوک یکی‌دو روز بعد هم همین کار رو با من تکرار کرد و بعد ولم کرد، حتا نگاهم هم نمی‌کرد، انگار منو نمی‌شناخت و بدتر از همه اینکه هیچ توضیحی هم برای رها کردنم نداد. و من اون قدر می‌ترسیدم که جرئت پرسیدن نداشتم ـ اون

قدرت داشت ـ نمره‌ها رو اون می‌داد. این‌طوری به این دنیای اعجاب‌انگیز و درخشان معرفی شدم. نابود شده بودم، خیلی عصبانی بودم، خیلی از خودم شرمنده بودم... و... بدتر از همه به دلیل خیانت به مولی، احساس گناه می‌کردم. و نگاهم به خودم به‌عنوان یه زن زیبا از این رو به اون رو شد.»

بانی در حالی که سرش را آهسته تکان می‌داد، گفت: «اوه، پم، تعجبی نداره که امروز این جوری جا خوردی.»

«صبر کنین، صبر کنین. هنوز از بدترین رفتار این هیولا نگفته‌ام.» پم دور برداشته بود. جولیوس نگاهش را در اتاق گرداند. همه به جلو خم شده و به پم چشم دوخته بودند، البته به‌جز فیلیپ که چشمانش بسته بود و ظاهرش جوری بود که انگار به خلسه رفته است.

«اون و مولی دو هفته‌ی دیگه هم با هم بودند و بعد اون رو هم ول کرد. فقط بهش گفت دیگه ازش لذت نمی‌بره و می‌خواد از اونجا بره. همین. کاملاً غیرانسانی. باورتون می‌شه یه معلم به یه دانشجوی جوون چنین حرفی بزنه؟ حاضر نشده بود بیشتر حرف بزنه و حتا در جمع کردن وسائل مولی که در آپارتمان او بود، کمکش نکرد. ژستش برای جدا شدن از او این بود که فهرست سیزده زنی رو که تو اون ماه با اونا بوده و خیلی‌هاشون از بچه‌های کلاس بودن، بهش نشون داد. اسم من هم بالای فهرست بود.»

فیلیپ با چشمانی که هم‌چنان بسته بود، گفت: «اون مرد فهرست رو بهش نداد. خودش وقتی داشت از محل زندگی اون دزدی می‌کرد، پیداش کرد.»

پم سریع پاسخ داد: «کدوم موجود هرزه و منحرفی چنین فهرستی می‌نویسه؟»

فیلیپ با صدایی بی‌روح گفت: «اندام مردانه، مردان رو به‌سوی پخش بذرشون هدایت می‌کنه. اون مرد نه اولین و نه آخرین مردی بود که از زمین‌هایی که شخم زده و کاشته بود، فهرست‌برداری کرد.»

پم کف دستانش را رو به گروه گرفت، سرش را تکان داد و غرید: «خودتون ببینین!» درست مانند آنکه بخواهد غرابت رفتار این موجود زنده را به آن‌ها نشان دهد. با نادیده گرفتن فیلیپ ادامه داد: «این مسئله درد و نابودی زیادی به دنبال داشت. مولی خیلی زجر کشید و زمان زیادی گذشت تا دوباره تونست به مردی اعتماد کنه. ولی دیگه هرگز به من اعتماد نکرد. این آخر دوستی‌مون بود. هرگز خیانت من رو نبخشید. این فقدان بزرگی برای من بود و فکر می‌کنم برای اون هم همین جور. سعی کردیم رابطه‌مون رو احیا کنیم: حتا حالا هم گهگاه به هم ایمیل می‌زنیم و همدیگه رو در جریان اتفاقات مهم زندگی‌مون قرار می‌دیم، ولی اون دیگه هرگز نخواست درباره‌ی اون تابستون با من حرف بزنه.»

پس از سکوتی طولانی ـ شاید طولانی‌ترین سکوتی که تاکنون در گروه دیده شده بود ـ جولیوس به حرف آمد: «پم، چقدر وحشتناکه که تو هجده‌سالگی آدم این جوری در هم بشکنه. این واقعیت که هیچ‌وقت درباره‌ی این موضوع با من یا با گروه حرف نزده بودی، شدت ضربه‌ی روانی رو تأیید می‌کنه. و از دست دادن یه دوست قدیمی به این شکل! واقعاً وحشتناکه. ولی بذار یه چیزی بگم. خوب شد که امروز در جمع موندی. خوب شد که درباره‌اش حرف زدی. می‌دونم با گفتن این حرف ازم متنفر می‌شی ولی شاید بودن فیلیپ در اینجا برات بد نباشه. شاید کاری، درمانی رو بشه به ثمر رسوند. برای هر دو شما.»

«حق با توئه، جولیوس: از این حرفت متنفرم و حتا بیشتر: متنفرم از اینکه مجبور باشم دوباره این موجود پست و حقیر رو ببینم. و حالا اون اینجا توی گروه عزیز و دوست‌داشتنی منه. حس می‌کنم حضورش آلوده‌م می‌کنه.»

جولیوس سرگیجه گرفته بود. افکار زیادی در سرش هیاهو می‌کرد و تمرکزش را به هم می‌زد. فیلیپ تا کجا می‌توانست تحمل کند؟ حتا *او* هم باید آستانه‌ی تحملی داشته باشد. چقدر طول می‌کشید که اتاق را ترک کند و دیگر برنگردد؟ و وقتی رفتن فیلیپ را تصور کرد، به عواقبش هم اندیشید: عواقبی که برای فیلیپ ولی عمدتاً برای پم داشت: پم خیلی برایش مهم بود. زنی بود با روحی بزرگ و او متعهد شده بود به این زن کمک کند تا آینده‌ی بهتری داشته باشد. آیا رفتن فیلیپ به نفع پم بود؟ شاید فرصتی برای انتقام در اختیارش قرار گرفته بود: ولی چه پیروزی پرزیان و بی‌فایده‌ای! جولیوس اندیشید اگر می‌توانستم راهی بیابم که به پم کمک کند فیلیپ را ببخشد، هم پم درمان می‌شد و هم شاید فیلیپ.

وقتی واژه‌ی بخشش از ذهن جولیوس گذشت، بی‌اختیار به خود لرزید و چندشش شد. از میان همه‌ی جنبش‌هایی که خود را در رشته‌ی روان‌درمانی وارد کرده بودند، جنجال و غوغای پیرامون «بخشش» بیش از همه آزارش می‌داد. او مانند هر درمانگر مجربی، همواره با بیماران زیادی کار کرده بود که نمی‌توانستند از مسائلی بگذرند، کسانی که کینه و دشمنی را در دل می‌پروردند و نمی‌توانستند به آرامش برسند ـ و او همواره شیوه‌های گوناگونی را به کار زده بود تا به این بیماران کمک کند «ببخشند» ـ یعنی از رنجش و خشمشان فاصله بگیرند. در واقع، هر درمانگر مجربی مجموعه‌ای از فنون برای «از سر بیرون کردن موضوعی و نپرداختن

به آن» در چنته داشت که اغلب در درمان از آن‌ها استفاده می‌کرد. ولی صنعت «بخشش» ساده‌انگارانه و ملاحظه‌کار، این وجه منفرد درمان را از کل قضیه جدا کرده بود و با بزرگ‌نمایی در معرض فروش گذاشته بود و جوری عرضه‌اش می‌کرد که انگار چیزی کاملاً تازه و بدیع است. و این ترفند با حال و هوای عفو اجتماعی و سیاسی رایج در هم آمیخته بود و برای طیف وسیعی از تخلف‌ها مثل نسل‌کشی، برده‌داری و بهره‌کشی استعماری آبرو خریده بود. حتا پاپ هم اخیراً برای پیکارگران صلیبی قرن سیزدهم که قسطنطنیه را چپاول کردند، درخواست عفو و بخشش کرده بود.

و اگر فیلیپ از این مهلکه می‌گریخت *او* ـ به عنوان یک گروه‌درمانگر ـ چه احساسی پیدا می‌کرد؟ جولیوس تصمیم گرفته بود فیلیپ را به حال خود رها نکند، با این حال همدردی با او دشوار بود. چهل سال پیش که دانشجوی جوانی بیش نبود، در سخنرانی اریش فروم، جمله‌ای از ترنس[1] را شنیده بود که دو هزار سال پیش نوشته شده بود: «من انسانم، و هیچ مقوله‌ی انسانی‌ای برایم بیگانه نیست.» فروم تأکید کرده بود که یک روان‌درمانگر خوب باید عمداً به رویه‌ی تاریک خود وارد شود و با تمام خیال‌پردازی‌ها و تکانه‌های بیمار همانندسازی کند. جولیوس کوشید چنین کند.

و به خودش یادآوری کرد که او مسئولیتی در برابر فیلیپ و مراجعان آینده‌ی او دارد. او فیلیپ را دعوت کرده بود که هم بیمار و هم دانشجوی او شود. چه او می‌پسندید چه نمی‌پسندید، فیلیپ قرار بود در آینده مراجعانی داشته باشد و روگرداندن از او در این

---

۱. Terence نویسنده‌ی رومی در سال ۱۹۵ پیش از میلاد ـ م.

مقطع، هم درمان بدی بود، هم آموزش بدی و هم الگوی بدی... و گذشته از این‌ها، اخراجش غیراخلاقی بود.

جولیوس با این ملاحظات ذهنی، گفته‌هایش را سبک سنگین می‌کرد. اول شروع کرد به ساختن جمله‌ای که با کلمات آشنای خودش آغاز می‌شد: *من با یک معضل واقعی روبه‌رو شده‌ام: از یک طرف... از طرف دیگه...* ولی این لحظه سنگین‌تر از آن بود که بتوان در آن از راهبردهای آماده و در دسترس استفاده کرد. سرانجام گفت: «فیلیپ، توی جوابایی که امروز به پم دادی، خودت رو سوم‌شخص خطاب کردی: نگفتی "من"، گفتی "اون". گفتی "اون مرد فهرست رو بهش نداد." منظورت این بود که حالا دیگه اون مردی که اون موقع بودی، نیستی؟»

فیلیپ چشمانش را گشود و رو کرد به جولیوس. در لحظه‌ای نادر نگاهشان روی هم قفل شد. آیا در این نگاه خیره قدردانی و سپاسی نهفته بود؟

فیلیپ گفت: «مدت‌هاست می‌دونیم سلول‌های بدن پیر می‌شن، می‌میرن و در فواصل زمانی منظمی جایگزین می‌شن. تا چند سال پیش فکر می‌کردن فقط سلول‌های مغزه ـ و البته در زنان سلول‌های تخمک ـ که همه‌ی عمر فرد دوام می‌یارن. ولی حالا تحقیق نشون داده که سلول‌های عصبی هم می‌میرن و نورون‌های جدید مرتب تولید می‌شن، از جمله سلول‌هایی که قشر مغز و فکر من رو ساخته‌اند. فکر می‌کنم می‌شه گفت حالا حتا یه سلول هم در من نیست که در بدن مردی که پونزده‌سال پیش نام من رو بر خود داشت، بوده باشه.»

تونی غرید: «جناب قاضی، کار من نبوده. راست می‌گم. من گناهکار نیستم؛ یه نفر دیگه، یه سلولای مغزی دیگه، قبل از اینکه

من برسم اونجا، این کارو کردن.»

ربه‌کا گفت: «هی تونی، این انصاف نیست. همه‌ی ما دلمون می‌خواد از پم حمایت کنیم، ولی باید یه راه بهتری از "بیاین فیلیپ رو محکوم کنیم" وجود داشته باشه. انتظار داری اون چی کار کنه؟»

تونی به‌سوی فیلیپ برگشت: «گندش بزنن، دست‌کم برای شروع می‌شد خیلی ساده گفت "متأسفم." این قدر سخته؟ فکت می‌شکست اگه اینو می‌گفتی؟»

استوارت گفت: «من با هر دو شما حرف دارم. اول تو فیلیپ. من جدیدترین تحقیق‌های مربوط به مغز رو دنبال می‌کنم و می‌خوام بگم حرفای تو درباره‌ی احیا و بازسازی سلولی نادرسته. بعضی پژوهش‌های اخیر نشون داده سلول‌های بنیادی مغز استخوان که به فرد دیگری پیوند زده شده، می‌تونن به سلول‌های عصبی بعضی مناطق مغز مثل هیپوکامپ و سلول‌های پورکنژ مخچه تبدیل بشن، ولی هنوز هیچ مدرکی وجود نداره که نشون بده این سلول‌های عصبی جدید می‌تونن به سلول قشر مغز بدل بشن.»

فیلیپ گفت: «من تحمل تصحیح رو دارم. ممنون می‌شم اگه مرجعش رو بهم بگی. می‌شه برام ایمیلشون کنی؟» فیلیپ کارت ویزیتی از کیف پولش در آورد و به استوارت داد، او هم بی آنکه نگاهش کند، آن را در جیب گذاشت.

استوارت ادامه داد: «و تونی، می‌دونی که من مخالف تو نیستم. من از صراحت و گاهی بی‌احترامی‌های بدون غلو تو لذت می‌برم، ولی با ربه‌کا موافقم: فکر می‌کنم برخوردت زیادی خشن و کمی غیرواقعیه. وقتی تازه به گروه اومده بودم، تو به اتهام جنسی، به‌جای زندان آخر هفته، حکم معادل گرفته بودی که به عنوان مأمور گشت نظافت جاده‌ها کار کنی.»

«نه، اون اقدام به ضرب‌وجرح بود. اتهام جنسی بیخود بود و لیزی اون رو پس گرفت. و اتهام ضرب‌وجرح هم جعلی بود. ولی منظورت چیه؟»

«منظورم اینه که تا حالا نشنیدم از متأسف بودن حرف بزنی و هیچ‌کس هم اینجا تو رو محکوم نکرد. در واقع، من برعکسشو دیدم: دیدم که کلی ازت حمایت شد. حتا خیلی بیشتر از حمایت؛ همه‌ی زن‌ها حتا تو» استوارت رو کرد به پم، «از... چی می‌گن؟... از یاغی‌گری‌های تو به هیجان می‌اومدن! یادمه پم و بانی یه بار که تو وظیفه‌ی نظافت جاده‌ی ۱۰۱ رو بر عهده داشتی، برات ساندویچ پرتاب کردن. یادمه من و گیل با هم می‌گفتیم که نمی‌تونیم با تو سر... چی بود؟... رقابت کنیم.»

گیل گفت: «طبیعت جنگلی.»

تونی پوزخندی زد: «آره، مرد جنگلی. انسان اولیه. خیلی بامزه بود.»

«پس چطوره به فیلیپ فرصت بدی. مرد جنگلی بودن برای تو خوبه ولی برای اون نه. بذار موضوع رو از زبون اون هم بشنویم. چیزی که پم گذرونده، به نظر من هم خیلی وحشتناکه، ولی بهتره تند نریم و برای مجازات بدون محاکمه عجله نکنیم. پونزده‌سال پیش... زمان زیادیه.»

تونی گفت: «خب، من کاری به پونزده‌سال پیش ندارم. من با همین حالا کار دارم.» به طرف فیلیپ برگشت: «مثل هفته‌ی پیش وقتی... لعنتی... فیلیپ وقتی به آدم نگاه نمی‌کنی، حرف زدن باهات سخته. این کارت دیوونه‌م می‌کنه! ادعا می‌کردی برات فرقی نمی‌کنه ربه‌کا به تو علاقه‌مند باشه یا نه، برات اِم... عشوه بیاد... لغتش یادم نیست.»

بانی گفت: «دلبری کنه!»

ربه‌کا سرش را با هر دو دست چسبید. «باورم نمی‌شه؛ باورم نمی‌شه که هنوز داریم در این باره حرف می‌زنیم. ببینم جرم بزرگ و وحشتناک باز کردن موهام مشمول قانون مرور زمان نمی‌شه؟ این موضوع تا کی می‌خواد ادامه پیدا کنه؟»

تونی که به‌سوی فیلیپ برگشته بود، پاسخ داد: «تا هرقت لازم باشه. ولی سؤال من چی شد، فیلیپ؟ تو خودت رو مثل یه کشیش نشون دادی، کسی که ورای این چیزاس، بیش از اون پاکه که به زنا علاقه‌مند بشه حتا زنای خیلی جذاب...»

فیلیپ خطاب به جولیوس و نه تونی گفت: «حالا فهمیدی چرا دلم نمی‌خواست وارد گروه بشم؟»

«تو این وضع رو پیش‌بینی می‌کردی؟»

فیلیپ جواب داد: «این یه معادله‌ی درست و از قبل امتحان‌شده‌ست که هرچی کمتر با مردم ارتباط برقرار کنم، خوشحال‌ترم. وقتی سعی می‌کردم در درون زندگی باشم، تو سراسیمگی غرق می‌شدم. وقتی بیرون زندگی می‌مونم، چیزی نمی‌خوام، از کسی انتظاری ندارم و خودم رو درگیر فعالیت‌های برتر فکری می‌کنم، تنها وقتیه که به آرامش می‌رسم.»

جولیوس پاسخ داد: «بسیار خوب، فیلیپ، ولی اگه قرار باشه در یک گروه شرکت کنی یا گروه‌هایی رو سرپرستی کنی یا به مراجعانت کمک کنی که روی رابطه‌شون با دیگران کار کنن، نمی‌تونی از ورود به رابطه با دیگران پرهیز کنی.»

جولیوس متوجه شد پم دارد آرام آرام سرش را به نشانه‌ی بهت و حیرت تکان می‌دهد. «اینجا چه خبره؟ آدم دیوونه می‌شه. فیلیپ اینجا؟ ربه‌کا براش عشوه می‌یاد؟ فیلیپ قراره گروه‌ها رو سرپرستی

کنه و مریض ببینه؟ چه خبره واقعاً؟»

جولیوس گفت: «حق داری؛ بهتره برای پم توضیح بدیم.»

بانی گفت: «استوارت، این کار توئه.»

استوارت گفت: «الآن می‌گم. خب، پم تو این دو ماهی که تو نبودی...»

جولیوس صحبتش را قطع کرد. «این بار بهتره که تو فقط شروعش کنی، استوارت. این منصفانه نیست که همیشه همه‌ی کار رو از تو بخوایم.»

«باشه، ولی می‌دونی، این کار حساب نمی‌شه... من دوست دارم مرور کنم و نظر بدم.» وقتی دید جولیوس می‌خواهد دوباره صحبتش را قطع کند، به‌سرعت گفت: «باشه، فقط یه چیزی می‌گم و ساکت می‌شم. پم، رفتنت برام دلسردکننده بود. حس کردم ما به وظیفه‌مون عمل نکردیم، اون قدر خوب یا خوش‌فکر نبودیم که بتونیم موقع بحران کمکت کنیم. اینکه مجبور شدی به جای دیگه‌ای ـ به هند ـ رو کنی تا کمک بگیری، رو دوست نداشتم. بعدی.»

بانی به‌سرعت گفت: «مهم‌ترین مسئله خبر جولیوس درباره‌ی بیماری‌ش بود. تو همه‌چیز رو در این مورد می‌دونی، پم؟»

پم با اندوه سری تکان داد. «آره، هفته‌ی پیش تلفن زدم که بگم برگشتم و جولیوس همه‌چیز رو برام گفت.»

گیل گفت: «در واقع، اصلاح می‌کنم ـ بانی از من نرنج ـ این جولیوس نبود که به ما گفت. اتفاقی که افتاد این بود که ما بعد از اولین جلسه‌ی فیلیپ رفتیم قهوه بخوریم و *اون* به ما گفت چون جولیوس توی یک جلسه‌ی فردی موضوع رو به اون گفته بود. جولیوس از پیش‌دستی فیلیپ خیلی ناراحت شد. بعدی.»

ربه‌کا گفت: «حدود پنج جلسه‌ست که فیلیپ اینجاست. اون داره

آموزش می‌بینه که درمانگر بشه و این جوری که من فهمیدم، جولیوس خیلی سال پیش روان‌درمانگرش بوده.»

تونی گفت: «ما درباره‌ی اِم... وضع جولیوس حرف زدیم و اِم...»

جولیوس گفت: «منظورت درباره‌ی *سرطان* منه. می‌دونم کلمه‌ی ناخوشایندیه ولی بهتره باهاش مواجه بشیم و به زبون بیاریمش.»

تونی ادامه داد: «درباره‌ی *سرطان* جولیوس. جولیوس تو پیرمرد عجیب و سرسختی هستی. باید بالاخره این رو بهت می‌گفتم... خلاصه درباره‌ی سرطان جولیوس حرف زدیم و چقدر سخت بود حرف زدن درباره‌ی چیزای دیگه که در مقایسه با اون خیلی کوچیک بودن.»

همه حرف زده بودند جز فیلیپ که گفت: «جولیوس، از نظر من ایرادی نداره اگه به گروه بگی اولین بار برای چی بهت مراجعه کرده بودم.»

«من کمکت خواهم کرد، فیلیپ، ولی بهتره هر وقت که آماده بودی، خودت توضیح بدی.»

فیلیپ سری تکان داد.

وقتی روشن شد که فیلیپ قصد ادامه ندارد، استوارت گفت: «خیلی خب، دوباره نوبت من شد... دور دوم رو شروع کنیم؟»

استوارت نگاهی به سرهای جنبان بقیه انداخت و ادامه داد: «توی یکی از جلسات، بانی نسبت به دلبری ربه‌کا از فیلیپ واکنش نشون داد.» استوارت مکثی کرد، نگاهی به ربه‌کا انداخت و افزود: «ربه‌کا متهم شد به اینکه از فیلیپ دلبری می‌کنه. بانی یه کم درباره‌ی احساساتش، تصویری که از خودش داره و حس غیرجذاب بودنش حرف زد.»

بانی گفت: «و دست‌وپاچلفتی بودنم و ناتوانی‌م در رقابت با

زنانی مثل تو، پم و همین جور ربه‌کا.»

ربه‌کا گفت: «وقتی تو نبودی، فیلیپ کلی نظرات سازنده می‌داد.»

تونی گفت: «ولی هیچ‌چی درباره‌ی خودش افشا نکرد.»

استوارت گفت: «و نکته‌ی آخر: گیل یه مواجهه‌ی جدی با همسرش داشت... حتا به فکر افتاده بود ترکش کنه.»

گیل گفت: «زیادی امتیاز بهم نده. پرت‌وپلا می‌گفتم و دودل بودم. اون تصمیم فقط چهار ساعت طول کشید.»

جولیوس در حالی که نگاهی به ساعتش می‌انداخت، گفت: «مرور خوبی بود. پم، بذار قبل از اینکه تموم کنیم، ازت بپرسم چطور گذشت؟ حس می‌کنی کمی بیشتر در جریان قرار گرفتی؟»

پم در حالی که داشت وسائلش را جمع می‌کرد، گفت: «هنوز همه‌چی غیرواقعیه. دارم سعی می‌کنم حواسم رو جمع کنم، ولی خوشحالم که تموم شد. امروز بیشتر از این نمی‌تونم بگم.»

بانی گفت: «من باید یه چیزی بگم. من می‌ترسم. همه‌تون می‌دونین که عاشق این گروهم و حس می‌کنم آماده‌ی ترکیدن و تیکه‌تیکه شدنه. همه‌مون جلسه‌ی بعد برمی‌گردیم؟ تو پم؟ تو فیلیپ؟ شماها همه برمی‌گردین؟»

فیلیپ بلافاصله پاسخ داد: «پرسش صریحیه. من هم همین قدر صریح جواب می‌دم. جولیوس از من دعوت کرد که برای شش ماه به گروه بیام و من موافقت کردم. به‌علاوه، به من قول داده استاد راهنمام باشه. من می‌خوام صورتحسابمو بپردازم و به قراردادم احترام بذارم. پس گروه رو ترک نمی‌کنم.»

بانی گفت: «و تو، پم؟»

پم برخاست. «امروز بیشتر از این نمی‌تونم بگم.»

همین طور که اعضا جلسه را ترک می‌کردند، جولیوس نظراتی

درباره‌ی بیرون رفتن و قهوه خوردن شنید. اندیشید چقدر فایده دارد؟ آیا فیلیپ هم دعوت می‌شود؟ اغلب به اعضا می‌گفت جلسات خارج از گروه می‌تواند تفرقه‌انگیز باشد مگر آنکه همه‌ی اعضا شرکت داشته باشند. بعد متوجه شد فیلیپ و پم با هم به سمت در می‌روند و ممکن است هنگام عبور از در به هم برخورد کنند. اندیشید باید جالب باشد. فیلیپ ناگهان متوجه شد که در برای عبور دو نفر تنگ است، پس ایستاد و آهسته زیر لب گفت: «لطفاً» و عقب رفت تا پم اول خارج شود. پم جوری بیرون رفت که انگار فیلیپ را نمی‌بیند.

نیروی جنسی برای ایجاد مزاحمت به‌وسیله‌ی مهملات خود و مختل کردن گفت‌وگوی دولتمردان و کندوکاو دانشمندان هیچ فرصتی را از دست نمی‌دهد. روزی نیست که ارزشمندترین روابط را نابود نکند. در واقع، وجدان را از کسانی که پیشتر آبرودار و شرافتمند بوده‌اند، می‌رباید.

فصل ۲۲

زنان، شهوت، میل جنسی

بعد از مادرش، تأثیرگذارترین زنی که در زندگی آرتور حضور داشت، خیاط ایرادگیر و عیبجویی به‌نام کارولین مارکه بود. چند زندگینامه‌ی شوپنهاور در اشاره به رویارویی نیمروزی این دو در سال ۱۸۲۳ که در پلکان کم‌نور آپارتمان آرتور ـ در سی‌وپنج‌سالگی او و چهل‌وپنج‌سالگی کارولین ـ روی داد، کوتاهی کرده‌اند.

در آن روز، کارولین مارکه که در آپارتمان مجاور زندگی

می‌کرد، میزبان سه دوست بود. آرتور که از گفت‌وگوی پرهیاهوی آن‌ها به تنگ آمده بود، در آپارتمانش را با سروصدا گشود و آن چهار زن را متهم کرد که خلوتش را به هم زده‌اند زیرا کفش‌کنی که در آن به صحبت ایستاده بودند، عملاً بخشی از آپارتمان او بود و با ترشرویی امر کرد آنجا را ترک کنند. وقتی کارولین سرپیچی کرد، آرتور به‌زور و در حالی که کارولین لگد می‌زد و فریاد می‌کشید، از کفش‌کن بیرونش انداخت و از پلکان به پایین پرتابش کرد. وقتی کارولین جسورانه دوباره از پله‌ها بالا آمد و گردنکشی کرد، دوباره و این بار با زور بیشتر بیرونش انداخت.

کارولین از او شکایت کرد و مدعی شد از پلکان هل داده شده و صدمه‌ی فجیعی دیده که به رعشه و فلج ناقص منجر شده است. آرتور از طرح دعوی در دادگاه به‌شدت می‌ترسید: می‌دانست بعید است هرگز بتواند از حرفه‌ی دانشگاهی‌اش درآمدی داشته باشد و همیشه باید از سرمایه‌ای که از پدر به ارث برده، با تمام وجود مراقبت کند. وقتی پولش ته می‌کشید، به‌قول ناشرش به «یک سگ زنجیری» بدل می‌شد.

از آنجا که مطمئن بود کارولین مارکه یک متمارض فرصت‌طلب است، با تمام قوا در برابر دعوی‌اش ایستاد و هرگونه فرجام‌خواهی قانونی ممکن را به کار بست. روند تلخ دادگاه شش سال ادامه یافت و در نهایت دادگاه علیه او حکم داد که باید تا زمانی که آسیب‌های کارولین پابرجاست، سالی شصت تالر (سکه‌ی نقره‌ی آلمانی) به او بپردازد. (در آن روزگار درآمد سالانه‌ی یک خدمتکار خانه یا آشپز بیست تالر در سال همراه با غذا و جای خواب بود.) پیش‌بینی آرتور از طمعکاری این زن و اینکه رعشه‌اش تا وقتی پولی در کار باشد، ادامه خواهد یافت، کاملاً درست از کاردرآمد؛ او

تا زمان مرگ کارولین یعنی بیست‌وشش سال بعد، به پرداخت پول ادامه داد. وقتی رونوشت گواهی فوتش را برای آرتور فرستادند، در حاشیه‌اش نوشت: «Obit anus, abit onus» (پیرزن می‌میرد، بار برداشته می‌شود).

زن دیگری در زندگی آرتور؟ آرتور هرگز ازدواج نکرد ولی از پاکدامنی و پرهیزکاری هم به دور بود: در نیمه‌ی نخست زندگی‌اش، از لحاظ جنسی بسیار فعال بود حتا شاید نیروی جنسی تنها انگیزه‌اش بود. وقتی آنتیم، دوست دوران کودکی‌اش در لوهاور، هنگامی که آرتور در هامبورگ درس می‌خواند به آنجا آمد، دو مرد جوان شب‌ها را به جست‌وجوی ماجراجویی‌های عاشقانه سپری می‌کردند.

آرتور بدون ظرافت طبع، دلربایی و شور زندگانی، اغواگری بی‌عرضه بود و نیازمند اندرزهای آنتیم. آن قدر از سوی زنان پس زده شد که سرانجام اشتیاق جنسی را با تحقیر و سرشکستگی مرتبط کرد. از اینکه غریزه‌ی جنسی بر او مسلط شود بیزار بود و در سال‌های بعد، در باب تنزل و فرو رفتن در زندگی حیوانی حرف‌های زیادی داشت. این‌طور نبود که آرتور اشتیاقی به زنان نداشته باشد؛ در این باره به‌وضوح سخن گفته است: «من شیفته‌ی آنان بودم... فقط اگر مرا می‌پذیرفتند.»

غم‌انگیزترین داستان عشقی در سرگذشت شوپنهاور زمانی روی داد که چهل‌وسه‌ساله بود و از فلورا وایس ـ یک دختر زیبای هفده‌ساله ـ خواستگاری کرد. یک شب در یک میهمانی قایق‌سواری، با خوشه‌ای انگور به فلورا نزدیک شد و از کششی که به او داشت گفت و از قصدش برای صحبت با والدین فلورا درباره‌ی ازدواج. بعدتر، پدر فلورا که از پیشنهاد شوپنهاور جا

خورده بود، پاسخ داد: «ولی او فقط یک بچه است.» سرانجام پذیرفت تصمیم را به خود فلورا واگذارَد. قضیه زمانی خاتمه یافت که فلورا به روشنی گفت به‌شدت از شوپنهاور بدش می‌آید.

دهه‌ها بعد، خواهرزاده‌ی فلورا وایس از خاله‌اش درباره‌ی مواجهه‌اش با فیلسوف شهیر پرسید و در خاطراتش از قول خاله‌اش نوشت «اوه، درباره‌ی این شوپنهاور پیر از من سؤال نکن.» وقتی فلورا وایس برای صحبت در این باره بیشتر تحت فشار قرار گرفت، هدیه‌ی انگور شوپنهاور را توصیف کرد و گفت: «ولی می‌دانی، من آن انگورها را نمی‌خواستم. از آن‌ها چندشم می‌شد چون شوپنهاور پیر لمسشان کرده بود. و من به‌آرامی آن‌ها را در آبی که پشت سرم بود، انداختم.»

هیچ مدرکی وجود ندارد که نشان دهد آرتور با زنی که مورد احترامش باشد، رابطه‌ای عاشقانه برقرار کرده باشد. خواهرش، آدل، پس از دریافت نامه‌ای که در آن آرتور گزارش داده بود «دو رابطه‌ی بدون عشق» داشته، در یکی از معدود صحبت‌هایشان درباره‌ی زندگی خصوصی آرتور در پاسخش نوشت: «امیدوارم در عین رابطه با همجنسان پست و فرومایه‌ی من، توانایی محترم شمردن و ارج نهادن به یک زن را کاملاً از دست ندهی و آرزو می‌کنم یک روز سرنوشت تو را به‌سوی زنی هدایت کند که قادر باشی احساسی عمیق‌تر از این جور شیفتگی‌ها به او پیدا کنی.»

آرتور در سی‌وسه‌سالگی با دختر جوان آوازخوانی اهل برلین به‌نام کارولین ریشتر ـ مِدُن وارد رابطه‌ای ده‌ساله و ادواری شد.

با اینکه آرتور اغلب زنان و اساس سنت زناشویی را خوار می‌شمرد، درباره‌ی ازدواج مردد بود. با این اندیشه به خود هشدار

می‌داد که: «همه‌ی شاعران بزرگ ازدواج بدفرجامی داشتند و همه‌ی فیلسوفان برجسته مجرد ماندند: دموکریتوس، دکارت، افلاطون، اسپینوزا، لایب‌نیتس و کانت. تنها استثنا سقراط بود... و مجبور شد تاوانش را بدهد چون همسرش کسانتیپه‌ی بدخلق و پتیاره بود... بیشتر مردان فریب ظاهر بیرونی زنان را می‌خورند که پلیدی‌هایشان را پنهان می‌کند. در جوانی ازدواج می‌کنند و وقتی پا به سن می‌گذارند، بهای فراوانی برای این کار می‌پردازند زیرا همسرانشان هیستریک، لجباز و کله‌شق می‌شوند.»

وقتی پا به سن گذاشت، کم‌کم از امید به ازدواج چشم پوشید و در اواسط دهه‌ی چهل عمر، به طور کلی این ایده را کنار گذاشت. می‌گفت ازدواج دیرهنگام مثل مردی‌ست که سه‌چهارم راهش را پای پیاده طی کرده و بعد تصمیم گرفته بلیط گرانقیمتی برای تمام سفر خریداری کند.

اساسی‌ترین مسائل زندگی زیر نگاه فلسفی موشکافانه و جسورانه‌ی شوپنهاور قرار گرفته است و شهوت جنسی نیز از این مقوله مستثنا نیست اگرچه فیلسوفان پیش از او، از بحث درباره‌ی آن خودداری کرده‌اند.

او این بحث را با عباراتی استثنایی درباره‌ی قدرت همه‌جاحاضر سائق جنسی آغاز کرده است.

> در کنار عشق به زندگی، میل جنسی خود را به‌صورت نیرومندترین و پابرجاترین انگیزه آشکار می‌کند و نیمی از نیروها و افکار بخش جوان جامعه را بی‌وقفه به خود اختصاص می‌دهد. این میل، هدف غایی تقریباً تمامی کوشش‌های انسانی‌ست. تأثیری ناخوشایند بر مهم‌ترین روابط بشری دارد، جدی‌ترین دلمشغولی‌ها را به وقفه

می‌اندازد و گاه برترین اذهان بشری را برای مدتی سرگشته و حیران می‌کند... . میل جنسی حقیقتاً بخش نامرئی هر کردار و رفتاری‌ست و به‌رغم همه‌ی حجاب‌ها و پرده‌هایی که بر آن می‌افکنند، خود را آشکار می‌سازد. دلیل جنگ است و هدف و مقصود صلح،... منبع بی‌پایان ذکاوت و شوخ‌طبعی، کلید تمامی کنایه‌ها و تلمیح‌ها، معنای همه‌ی اشارات رازآمیز و پیشنهادهای برزبان‌نیامده و نگاه‌های دزدیده‌شده‌ست. مایه‌ی خلسه‌ی جوانان و نیز اغلب پیران است؛ فکر همیشگی غیرپرهیزکاران است حتا بر خلاف اراده‌شان.

هدف غایی تقریباً تمامی کوشش‌های انسانی؟ بخش نامرئی هر کردار و رفتاری؟ دلیل جنگ است و هدف و مقصود صلح؟ این همه اغراق چرا؟ خودش تا چه حد به‌سوی دلمشغولی‌های جنسی شخصی‌اش کشیده می‌شود؟ یا شاید اغراقش صرفاً وسیله‌ای‌ست برای جلب توجه خواننده به آنچه در پی می‌آورد؟

اگر همه‌ی این مسائل را در نظر بگیریم، ناچار بانگ برمی‌داریم که: چرا این همه سروصدا و جنجال؟ چرا این همه اصرار، غوغا، تشویش و تقلا؟ مسئله صرفاً این است که هر مردی در پی یافتن دلبرش است. چرا باید چنین بازی پیش‌پاافتاده‌ای، چنین نقش مهمی پیدا کند و مدام آشوب و آشفتگی به زندگی بشر بیاورد؟

پاسخ آرتور به پرسش خویش، بیشتر آنچه را که ۱۵۰ سال بعد در رشته‌ی روان‌شناسی و روانکاوی تکاملی روی داد پیش‌بینی می‌کند. او می‌گوید آنچه حقیقتاً ما را هدایت می‌کند، نیاز *ما* نیست، بلکه *نیاز گونه‌ی* بشر است. این‌طور ادامه می‌دهد که: «پایان حقیقی هر داستان عاشقانه‌ای ـ گرچه طرفین ذینفع از آن غافلند ـ این است

که کودکی پس انداخته شود. پس آنچه بشر را در اینجا هدایت می‌کند، در واقع غریزه‌ای‌ست معطوف به آنچه برای گونه بهترین است در حالی که انسان تصور می‌کند تنها در جست‌وجوی اوج لذت خویش است.»

او اصول حاکم بر انتخاب جفت را با جزئیات فراوان شرح می‌دهد («هرکس بر آنچه خود ندارد عاشق می‌شود») ولی بارها تأکید می‌کند که انتخاب در واقع از قبل و به‌دست نبوغ گونه‌ی بشر انجام شده است. «انسان به‌وسیله‌ی روح گونه‌ی زیست‌شناختی‌اش تسخیر شده و اکنون تحت فرمانروایی این روح قرار دارد؛ دیگر متعلق به خود نیست... زیرا در نهایت، علائق خود را نمی‌جوید بلکه در پی علائق فرد سومی‌ست که قرار است به دنیا بیاید.»

بارها تأکید می‌کند که نیروی جنسی مقاومت‌ناپذیر است. «زیرا بشر تحت تأثیر تکانه‌ای‌ست نظیر همان غریزه‌ای که بر حشرات حاکم است و او را وامی‌دارد اهدافش را بی‌چون‌وچرا و به‌رغم همه‌ی استدلال‌های منطقی‌اش دنبال کند... . نمی‌تواند از چنگ این تکانه رها شود.» و عقل و منطق را در آن راه نیست. اغلب پیش می‌آید که فرد خواهان کسی می‌شود که منطق می‌گوید باید از او دوری کند، ولی ندای عقل در برابر نیروی شهوت جنسی ناتوان است. او از ترنس، نمایش‌نامه‌نویس لاتینی، نقل قول می‌کند که: «آنچه با منطق به دست نمی‌آید، به حرف منطق عمل نمی‌کند.»

این موضوع اغلب مورد توجه قرار گرفته که سه انقلاب عمده‌ی فکری بشر، ایده‌ی محوریت انسان را تهدید کرده است. اول، کوپرنیک نشان داد که زمین آن مرکزی نیست که همه‌ی اجرام آسمانی به دورش می‌گردند. بعد داروین روشن کرد که ما کانون زنجیره‌ی حیات نیستیم، بلکه مانند سایر موجودات، از تکامل

اَشکال دیگر حیات به وجود آمده‌ایم. سوم، فروید نشان داد که ارباب خانه‌ی خودمان نیستیم؛ به این معنا که بیشتر رفتار ما تابع نیروهایی خارج از آگاهی ماست. شکی نیست که آرتور شوپنهاور در این انقلاب فکری، نقشی برابر با فروید داشت ولی هرگز به تأثیر او اذعان نشد زیرا شوپنهاور مدت‌ها پیش از تولد فروید، فرض را بر این قرار داده بود که نیروهای زیست‌شناختی ژرفی بر ما حاکمند ولی ما خود را می‌فریبیم و فکر می‌کنیم خودمان آگاهانه فعالیت‌هایمان را برمی‌گزینیم.

اگر رازم را مسکوت نگه دارم، آن راز زندانی من است؛
اگر بگذارم از دهانم خارج شود، این منم که زندانی آنم.
بار درخت سکوت، میوه‌ی آرامش است.

فصل ۲۳

روشن شد که نگرانی بانی برای گروه بی‌اساس بوده است: جلسه‌ی بعد، نه‌تنها همه حاضر شدند بلکه پیش از موعد هم آمدند؛ البته به‌جز فیلیپ که دقیقاً رأس ساعت چهارونیم با گام‌هایی چابک وارد شد و بر صندلی‌اش نشست.

سکوت کوتاه در آغاز جلسه‌ی گروه‌درمانی غیرمعمول نیست. اعضا خیلی زود یاد می‌گیرند جلسه را بوالهوسانه آغاز نکنند زیرا نخستین کسی که لب به سخن می‌گشاید، معمولاً ناگزیر زمان و توجه بیشتری دریافت می‌کند. ولی فیلیپ با بی‌ملاحظگی همیشگی‌اش صبر نکرد. در حالی که هم‌چنان از تماس چشمی

می‌گریخت، با صدای بی‌احساس و بی‌قیدش شروع به صحبت کرد.

«داستانی که عضو بازگشته‌ی ما در جلسه‌ی پیش گفت...»

تونی حرفش را برید: «اسمش پمه.»

فیلیپ بی‌آنکه نگاهش را بگرداند، سری تکان داد. «توصیف پم از فهرست من ناقص بود. اون فقط یه فهرست ساده نبود. علاوه بر اسامی، حاوی شماره‌تلفن‌ها...»

پم صحبتش را قطع کرد: «اوه. شماره‌تلفن! خب پس، منو ببخش... همین برای فیصله دادن قضیه کافیه!»

«و شیوه‌ای که هر زنی در رابطه می‌پسندید.»

جولیوس جا خورد. خدایا! فیلیپ تا کجا می‌خواهد پیش برود... نکند می‌خواهد شیوه‌ی دلخواه پم را آشکار کند؟ دردسر بزرگی در راه بود.

پیش از آنکه بتواند با فیلیپ مقابله کند، پم فریاد زد: «تو واقعاً چندش‌آوری. حال آدمو به هم می‌زنی.» پم جوری به جلو خم شد که انگار می‌خواهد از جا برخیزد و برود.

بانی دستش را روی بازوی پم گذاشت تا مانع رفتنش شود و به فیلیپ گفت: «منم با پم موافقم. فیلیپ، تو دیوونه‌ای؟ آخه چرا باید درباره‌ی این چیزا لاف بزنی؟»

گیل گفت: «آره، منم نمی‌فهمم. ببین، تو اینجا سخت مورد حمله قرار گرفته‌ای... منظورم اینه که من به جای تو از ترس جا خورده‌ام، مرد! من نمی‌تونستم با چیزی که تو باهاش روبه‌رویی، روبه‌رو بشم. ولی آخه داری چی کار می‌کنی؟ بنزین روی آتیش می‌ریزی و می‌گی "یه کم بیشتر بسوزونینم". عیبی نداره ولی آخه چطور می‌تونی همچین کاری بکنی؟»

استوارت گفت: «آره، اینو منم متوجه شدم. اگه من جای تو

بودم، دلم می‌خواست تا جایی که ممکنه چهره‌ی بهتری از خودم نشون بدم نه اینکه دستاویز بیشتری به دشمنم بدم.»

جولیوس کوشید فضا را آرام کند. «فیلیپ، تو این چند دقیقه‌ی اخیر چه حسی داشتی؟»

«خب، مطلب مهمی داشتم که می‌خواستم درباره‌ی اون فهرست بگم و گفتم. پس طبعاً از روند وقایع کاملاً راضی‌ام.»

جولیوس سماجت به‌خرج داد. با نرم‌ترین لحنش گفت: «چند نفر اینجا بهت جواب دادن، فیلیپ. درباره‌ی جواب اونا چه حسی داری؟»

«این مسیریه که نمی‌خوام برم، جولیوس. این راه به نومیدی می‌رسه. برای من بهتره ـ در واقع خیلی بهتره ـ که مسیر خودمو ادامه بدم.»

جولیوس شگرد دیگری از چنته بیرون کشید: تدبیر قدیمی ولی مطمئن خواسته‌ی شرطی. «فیلیپ، یه تمرین ذهنی انجام بده. فیلسوفا هر روز این کار رو می‌کنن. می‌فهمم که می‌خوای خونسردی‌ت رو حفظ کنی، ولی برای یه لحظه با من راه بیا و تصور کن که *اگه قرار بود امروز حسی نسبت به واکنش‌های بقیه داشته باشی، اون حس چی بود؟»*

فیلیپ پرسش جولیوس را سبک‌سنگین کرد، لبخند مختصری زد و شاید برای تحسین ترفند ابتکاری جولیوس، سری تکان داد.

«تمرین؟ قبوله. اگه *قرار بود* حسی داشته باشم، از میزان خشونت پم در دویدن توی حرفم می‌ترسیدم. متوجه هستم که اون دلش می‌خواد صدمه‌ی فجیعی به من بزنه.»

پم می‌خواست صحبتش را قطع کند که جولیوس بی‌درنگ به او اشاره کرد ساکت باشد و بگذارد فیلیپ ادامه دهد.

«بانی درباره‌ی هدفم از این توضیحات و لاف‌زنی‌ها پرسید و

گیل و استوارت ازم پرسیدند چرا دارم خودسوزی می‌کنم.»

تونی پرسید: «چی چی؟»

پم دهان گشود که جواب دهد ولی فیلیپ بی‌درنگ گفت: «به‌معنای خود را در آتش افکندن.»

جولیوس تسلیم نشد: «خوبه، نصف راهو اومدی. دقیقاً اونچه رو که اتفاق افتاد، توصیف کردی: چیزایی که بانی، گیل و استوارت گفتند. حالا سعی کن تمرینت رو ادامه بدی: *اگه قرار بود حسی نسبت به این نظرات داشته باشی، اون حس چی بود؟*»

«درسته، از مسیر خارج شدم. شکی نیست که به این نتیجه می‌رسیدم که ناخودآگاهم می‌خواد خودش رو آشکار کنه.»

جولیوس سری تکان داد: «ادامه بده، فیلیپ.»

«حس می‌کردم هیچ‌کس من رو درست درک نکرده. به پم می‌گفتم "قصدم این نبود که قضیه رو فیصله بدم." به بانی می‌گفتم "آخرین چیزی که ممکن بود به فکرم برسه، لاف‌زدن بود." به گیل و استوارت می‌گفتم "از هشدارتون ممنون، ولی من نمی‌خوام به خودم صدمه بزنم."»

بانی گفت: «خیلی خب، حالا می‌دونیم چه چیزایی منظورت نبود. پس بهمون بگو منظورت چی بود؟ من که حیرون مونده‌ام.»

«من فقط داشتم گزارش رو موثق تنظیم می‌کردم. پیروی از اصول منطق. نه چیزی بیشتر و نه چیزی کمتر.»

گروه در همان وضعیتی فرو رفت که واکنش‌های فیلیپ همیشه در پی می‌آورد. او بسیار منطقی و مقتدرانه و در مرتبه‌ای برتر از کشمکش‌های حاصل از گفت‌وشنودهای روزانه سخن می‌گفت. همه گیج و بهت‌زده نگاهشان را به زمین دوخته بودند. تونی سرش را جنباند.

جولیوس گفت: «من همه‌ی نکاتی رو که اشاره کردی، فهمیدم جز آخری: عبارت آخر "نه چیزی بیشتر و نه چیزی کمتر." این رو قبول ندارم. چرا برای بیان این وجه از حقیقت، *الآن*، امروز، توی این بحران و در رابطه‌ات با ما داوطلب شدی؟ انگار برای به زبون آوردن اینا بی‌تاب بودی. نمی‌تونستی صبر کنی. فشاری رو که برای خلاص شدن حس می‌کنی، می‌فهمم. به‌رغم پیامدهای منفی واضحی که گروه به آن‌ها اشاره کرده بود، تو مصمم بودی امروز بدون تلف کردن وقت و با میل این کارو انجام بدی. بذار ببینیم چرا. چه فایده‌ای برات داشت؟»

فیلیپ پاسخ داد: «سؤال سختی نیست. دقیقاً می‌دونم چرا اینا رو گفتم.»

سکوت. همه منتظر بودند.

تونی گفت: «از این وضع خوشم نمی‌یاد. فیلیپ تو ما رو پا در هوا نگه داشته‌ای؛ همیشه همین کارو می‌کنی. باید التماس کنیم تا جمله‌ی بعدی رو بگی؟»

فیلیپ با چهره‌ای مچاله از حیرت پرسید: «ببخشید؟»

بانی گفت: «تو همه‌ی ما رو منتظر نگه داشته‌ای که بشنویم چرا این حرفا رو زدی. نکنه عمداً می‌خوای اینجا مرموز جلوه کنی؟»

ربه‌کا گفت: «شاید فکر می‌کنی ما دلمون نمی‌خواد بدونیم و هیچ کنجکاوی خاصی برای شنیدن حرفات نداریم.»

فیلیپ گفت: «هیچ کدوم اینا نیست. در واقع دلیل این وقفه شما نبودین. فقط اتفاقاً تمرکزم از دست رفت و در خودم فرو رفتم.»

جولیوس گفت: «این موضوع مهمیه. فکر می‌کنم باید دلیلی داشته باشه و به تعامل‌های تو با گروه مربوطه. اگه واقعاً معتقدی رفتارت بوالهوسانه‌ست ـ مثل بارون که ناگهان می‌باره ـ پس

می‌خوای وضعیتی درمونده به خودت بگیری. دلیلی وجود داره که هر چند یک بار از ما فاصله می‌گیری و توی خودت می‌ری: من فکر می‌کنم دلیلش اینه که اضطرابی در تو می‌جوشه. در این مثال از دست رفتن تمرکزت با نحوه‌ای که جلسه رو شروع کردی، مربوطه. می‌تونی این رد رو پی بگیری.»

فیلیپ ساکت ماند و کلمات جولیوس را سبک‌سنگین کرد.

جولیوس هنگام درمان سایر روان‌درمانگران، شیوه‌هایی را برای افزایش مرحله‌به‌مرحله‌ی فشار به‌کار می‌گرفت: «و یه چیز دیگه، فیلیپ، اگه بخوای در آینده مراجعانی رو ببینی یا گروهی رو سرپرستی کنی، از دست دادن تمرکز و فرو رفتن در خود، یه ضعف برای کارت به‌شمار می‌یاد.»

این تَرفند کارگر افتاد. فیلیپ بی‌درنگ گفت: «من این افشاگری رو برای محافظت از خودم انجام دادم. پم همه‌چیز رو درباره‌ی اون فهرست می‌دونست و نمی‌خواستم بتونه هر وقت که می‌خواد این بمب رو منفجر کنه. افشاگری خودم از زنندگی ماجرا کم می‌کرد.» مکثی کرد، هوا را به درون کشید و ادامه داد: «باز هم حرف دارم. هنوز به اتهام لاف‌زنی بانی اشاره نکرده‌ام. من اون فهرست را نگه داشته بودم چون اون سال روابط زیادی داشتم. اون یادداشت‌ها به حافظه‌ام کمک می‌کرد این حس رو به طرفم بدم که اون رو به خاطر دارم. این یادداشت‌ها برای لاف‌زنی و پرمدعایی نبود. فقط برام استفاده‌ی شخصی داشت. مولی کلید آپارتمان من رو داشت، به حریم خصوصی من تجاوز کرد، قفل کشوی میز تحریرم رو شکست و اون فهرست رو دزدید.»

تونی با چشمان از حدقه‌بیرون‌زده گفت: «یعنی داری می‌گی اون قدر با زنای مختلف رابطه داشتی که یادداشت برمی‌داشتی تا با هم

اشتباهشون نگیری؟ ما داریم از چی حرف می‌زنیم؟ از چند نفر؟ چطور موفق می‌شدی؟»

جولیوس در دل نالید. بدون سؤال آمیخته با حسادت تونی هم اوضاع به اندازه‌ی کافی وخیم بود. تنش میان پم و فیلیپ تا همینجا هم به میزان تحمل‌ناپذیری بالا بود. باید از این فشار می‌کاست ولی مطمئن نبود که چطور باید این کار را بکند. کمک غیرمنتظره‌ای از سوی ربه‌کا رسید که ناگهان روند جلسه را تغییر داد.

گفت: «معذرت می‌خوام که صحبت رو قطع می‌کنم. ولی من امروز یه کم از وقت گروه رو لازم دارم. همه‌ی این هفته داشتم فکر می‌کردم چیزی رو افشا کنم که تا حالا به هیچ‌کس حتا تو، جولیوس، نگفته‌ام. فکر می‌کنم این پنهان‌ترین راز منه.» ربه‌کا مکثی کرد و نگاهش را روی همه گرداند. همه‌ی چشم‌ها به او بود. «اشکالی نداره؟»

جولیوس رو کرد به پم و فیلیپ. «نظر شما دو نفر چیه؟ به نظرتون داریم با کلی احساس قدرتمند به حال خودتون رهاتون می‌کنیم؟»

پم گفت: «برای من خوبه. به یه کم استراحت احتیاج دارم.»

«و تو فیلیپ؟»

فیلیپ سری به موافقت تکان داد.

جولیوس گفت: «برای من که خیلی خیلی خوبه مگر اینکه اول بخوای بگی چرا تصمیم گرفتی *امروز* افشاگری بکنی.»

«نه، برام بهتره که تا وقتی جرئتم رو از دست نداده‌ام، برم سر اصل مطلب. حدود پونزده‌سال پیش، دو هفته پیش از عروسی‌ام، شرکت منو به یه نمایشگاه کامپیوتر در لاس وگاس فرستاد تا محصول جدیدشون رو عرضه کنم. پیش از اون استعفام رو تحویل

داده بودم و این آخرین مأموریتم بود: اون موقع فکر می‌کردم که شاید آخرین مأموریت در همه‌ی زندگی‌م باشه. من و جک قرار گذاشته بودیم یه ماه عسل یک‌ماهه داشته باشیم و بعد من فقط به خونه و بچه برسم. این خیلی پیش از رفتنم به دانشکده‌ی حقوق بود. فکر نمی‌کردم که ممکنه دوباره سر کار برم.

«راستش توی لاس وگاس حال عجیبی پیدا کردم. یه روز عصر، ناگهان خودم رو توی میخانه‌ای در سزار پالاس دیدم. یه نوشیدنی سفارش دادم و خیلی زود با یه مرد خوش‌لباس سر گفت‌وگوی صمیمانه‌ای رو باز کردم. ازم پرسید حرفه‌ای‌ام؟ من بدون اینکه با معنی این اصطلاح آشنا باشم، با سر گفتم بله. قبل از اینکه بتونم درباره‌ی شغلم حرف بزنم، نرخم رو پرسید. آب دهنم رو قورت دادم و نگاهی بهش انداختم ـ خیلی خوش‌قیافه بود ـ و گفتم "صدوپنجاه دلار." سری جنباند و بعد به اتاق اون رفتیم. شب بعد هم رفتم تروپیکانا و همین کارو تکرار کردم. با همون قیمت. شب آخر هم مجانی کار کردم.»

ربه‌کا دم عمیقی کشید و هوا را با آه بلندی بیرون داد. «همین. تا حالا در این باره چیزی به کسی نگفته بودم. چند بار خواستم به جک بگم ولی هیچ‌وقت این کارو نکردم. فایده‌اش چی بود؟ هیچی جز اینکه اون غصه بخوره و من کمی احساس آمرزش کنم... . و... تونی بدجنس... لعنت به تو، اصلاً هم خنده‌دار نیست.»

تونی که کیف پولش را درآورده بود و داشت پول‌هایش را می‌شمرد، ادامه نداد و با لبخند خجولانه‌ای گفت: «فقط می‌خواستم تکلیف خودمو روشن کنم.»

«من نمی‌خوام روشن بشم. این موضوع برام خیلی سنگینه.» ربه‌کا یکی از آن لبخندهای استثنایی‌اش را به لب آورد که فقط

وقتی خودش اراده می‌کرد، بر لبانش می‌نشست. «این هم از این. یه اعتراف واقعی.» رو کرد به استوارت که چندین بار او را یک عروسک چینی خطاب کرده بود. «تو چی فکر می‌کنی؟ شاید ربه‌کا اون عروسک ظریف و دلربایی که به نظر می‌یاد، نیست.»

استوارت گفت: «به این فکر نمی‌کردم. می‌دونی وقتی داشتی حرف می‌زدی، فکرم سراغ چی رفت؟ یاد فیلمی افتادم که چند شب پیش کرایه کرده بودم. اسمش مسیر سبز[1] بود. توی یه صحنه‌ی فراموش‌نشدنی یه زندانی محکوم به اعدام داشت آخرین غذای عمرش رو می‌خورد. این‌طور به نظرم می‌یاد که تو هم در لاس وگاس، درست قبل از ازدواج، خودت رو به آخرین سهم از آزادی‌ت مهمون کردی.»

جولیوس سری تکان داد و گفت: «موافقم. با حرفای خیلی وقت پیش من و تو همخوانی داره، ربه‌کا.» جولیوس رو به گروه توضیح داد: «چند سال پیش، زمانی که ربه‌کا با تصمیم ازدواج دست‌وپنجه نرم می‌کرد، ما حدود یک‌سال با هم روی این مسئله کار کردیم.» دوباره رو کرد به ربه‌کا و گفت: «یادمه هفته‌ها وقت گذاشتیم و درباره‌ی ترس‌هات از چشم‌پوشی کردن از آزادی‌ت و احساست نسبت به پایان فرصت‌هات حرف زدیم. منم مثل استوارت فکر می‌کنم این نگرانی‌ها خودشون رو این جوری در لاس وگاس نشان داده‌اند.»

«از اون ساعتایی که با هم گذروندیم، یه چیزی رو فراموش نمی‌کنم. یادم می‌یاد از زمانی می‌گفتی که در اون، یه نفر به‌دنبال خردمندیه که به اون می‌گه *هر راه چاره، تو را از سایر راه‌ها محروم*

---

1. Green Mile

می‌سازد و اینکه در برابر هر *آری*، باید *نه*‌ای باشد.»

پم به میان صحبت دوید: «هی، این کتاب رو می‌شناسم: *گرندل*[1] اثر جان گاردنر. این گرندل دیو[2] بود که به دنبال خردمند می‌گشت.»

جولیوس گفت «عجب درهم‌تنیدگی‌هایی اینجا هست. پم بود که اولین بار این رمان رو به من معرفی کرد. همون وقتا چند ماهی او را هم می‌دیدم. پس ربه‌کا اگه این عبارت کمکت کرده، باید از پم تشکر کنی.»

ربه‌کا لبخند فراخ تشکرآمیزی به پم حواله کرد. «تو غیرمستقیم درمانم کردی. یه برگه‌ی یادداشت به آینه‌م چسبوندم و روش نوشتم *هر راه چاره، تو را از سایر راه‌ها محروم می‌سازد*. این جمله، وقفه و ناتوانی من رو در بله گفتن به جک در حالی که معتقد بودم مرد مناسب منه، توضیح می‌داد.» و بعد خطاب به جولیوس: «یادم می‌یاد می‌گفتی برای اینکه بتونم با متانت و وقار پیر بشم، باید محدود کردن فرصت‌هام رو بپذیرم.»

فیلیپ به میان صحبت دوید: « خیلی پیش از گاردنر، هایدگر...» به‌سوی تونی برگشت «فیلسوف برجسته‌ی آلمانی در نیمه‌ی اول قرن پیش...»

پم حرفش را قطع کرد «که نازی برجسته‌ای هم بود»

فیلیپ اظهار نظر پم را نادیده گرفت «هایدگر از رویارویی با محدود کردن فرصت‌ها حرف زده. در واقع، این مسئله رو به ترس از مرگ ربط داده. گفته مرگ *ناممکن شدن هر امکان دیگه‌ست*.»

جولیوس تکرار کرد: «اندیشه‌ی قدرتمندیه: مرگ *ناممکن شدن هر امکان دیگه‌ست*. شاید من هم باید اینو به آینه‌ام بچسبونم. ممنون،

---

1. Grendel

۲. در یک حماسه‌ی کهن انگلیسی، گرندل دیوی‌ست که بیوولف، او و مادرش را می‌کشد ـ م.

فیلیپ. چیزهای زیادی هست که الآن می‌شه بهش پرداخت از جمله احساسات تو، پم. ولی قبلش می‌خوام یه چیزی به تو بگم، ربه‌کا. این اتفاق لاس وگاس باید همون موقعی افتاده باشه که من و تو همدیگه رو می‌دیدیم و تو هیچ‌وقت بهش اشاره نکردی. این به من می‌گه باید خیلی در این باره احساس شرمندگی کرده باشی.»

ربه‌کا سری به تأیید تکان داد. «اوهوم، تصمیم گرفتم کل این اتفاق رو از خودم دور کنم.» بعد از مکثی که در آن ادامه‌ی صحبت را سبک‌سنگین می‌کرد، افزود: «بازم هست، جولیوس. شرمنده بودم ولی بیشتر... گفتنش سخته... چیزی که بیشتر شرمنده‌ام می‌کرد، خیال‌پردازی‌های بعدی‌م در این باره بود: یه جور نشئگی عجیب در این خیال‌پردازی‌ها بود... نشئگی جنسی نبود، نه، این درست نیست، *فقط* نشئگی جنسی نبود، بلکه هیجان خلاف قانون رفتار کردن و بدوی و بی‌تمدن بودن رو هم در خود داشت. و می‌دونی» ربه‌کا به‌سوی تونی برگشت «این همیشه بخشی از جذابیت تو برای من بوده، تونی: دوره‌های حبست، دعواهای میخانه‌ای‌ت، قانون‌شکنی‌هات. ولی همین حالا نظرم درباره‌ت عوض شد؛ این شیرین‌کاری پول درآوردنت خیلی زننده بود.»

پیش از آنکه تونی بتواند پاسخی دهد، استوارت به میان صحبت دوید. «تو دل‌وجرئت زیادی داری، ربه‌کا. تحسینت می‌کنم. و کمکم کردی بخوام چیزی بگم که تا حالا درباره‌اش حرف نزده‌ام: نه به جولیوس چیزی گفته‌ام، نه به روان‌پزشک قبلی‌م و نه به هیچ‌کس دیگه.» مکثی کرد و به چشمان تک‌تک اعضا نگریست. «فقط دارم فاکتور امنیت رو اینجا چک می‌کنم. دارم خیلی خطر می‌کنم. از همه مطمئنم، جز تو فیلیپ، چون هنوز خوب نمی‌شناسمت. مطمئناً جولیوس درباره‌ی رازداری گروه باهات حرف زده؟»

سکوت.

استوارت برگشت و مستقیماً با فیلیپ رودر رو شد: «فیلیپ، سکوتت من رو توی مخمصه گذاشته. ازت سؤال کردم. چی شده؟ چرا جواب نمی‌دی؟»

فیلیپ به بالا نگاه کرد: «فکر نکردم نیازی به جواب باشه.»

«من گفتم مطمئناً جولیوس درباره‌ی رازداری گروه باهات حرف زده و صدام رو در آخر جمله بالا بردم. این یعنی سؤال کردن. خب؟ به‌علاوه، مگه صحبت درباره‌ی موضوعی مثل اعتماد به این معنی نیست که من به جواب تو نیاز دارم؟»

فیلیپ گفت: «می‌فهمم. جولیوس تو درباره‌ی رازداری باهام حرف زدی و بله، من متعهد شدم که به اصول اساسی گروه از جمله رازداری وفادار بمونم.»

استوارت گفت: «خوبه. می‌دونی فیلیپ، دارم نظرم رو درباره‌ت عوض می‌کنم. قبلاً فکر می‌کردم خودبزرگ‌بین و متکبری، ولی یواش‌یواش دارم به این نتیجه می‌رسم که ارتباط با آدما رو یادت نداده‌اند. و البته این یکی نیازی به جواب نداره... اختیاریه.»

تونی با پوزخند گفت: «هی، استوارت خیلی خوبه! داری خودت رو نشون می‌دی، مرد. خوشم اومد.»

استوارت سری تکان داد. «منظور بدی نداشتم، فیلیپ، ولی می‌خواستم داستان خودم رو بگم و باید مطمئن می‌شدم که اینجا کاملاً امنه. خب،» نفس عمیقی کشید «شروع کنیم. حدود سیزده‌چهارده سال پیش ـ زمانی که تازه دوره‌ی آموزش تخصصی رو تموم کرده بودم و می‌خواستم وارد بازار کار بشم ـ به یه کنگره‌ی طب کودکان در جامائیکا رفتم. هدف از برگزاری این کنگره‌ها، مطلع شدن از تازه‌ترین مطالعات پزشکیه ولی می‌دونین،

بیشتر پزشکا به دلایل دیگه‌ای در اونا شرکت می‌کنن: جست‌وجوی یک فرصت شغلی یا یه کار دانشگاهی... یا فقط خوش‌گذرونی و جفت‌یابی. من توی هیچ‌کدوم موفق نشدم و بعد، برای اینکه اوضاع بدتر بشه، هواپیمایی که به میامی برمی‌گشت، تأخیر داشت و از هواپیمای کالیفرنیا جا موندم. مجبور بودم شب رو توی هتل فرودگاه بگذرونم و خلقم بدجوری گرفته بود.»

اعضای گروه مسحور شده بودند: این چهره‌ی تازه‌ای از استوارت بود.

«یازده‌ونیم شب بود که توی هتل اتاق گرفتم، سوار آسانسور شدم و تا طبقه‌ی هفتم بالا رفتم ـ خنده‌داره که همه‌ی این جزئیات یادمه ـ داشتم از راهرو دراز و ساکت به طرف اتاقم می‌رفتم که ناگهان دری باز شد و زنی آشفته و ژولیده با لباس خواب به راهرو پرید: جذاب بود، حدود ده یا پونزده سال بزرگ‌تر از من بود. بازوی منو گرفت ـ نفسش بوی الکل می‌داد ـ و ازم پرسید کسی رو توی سرسرا ندیده‌ام.

«جواب دادم "نه، چطور مگه؟" بعد اون داستان طولانی و پرت‌وپلایی گفت درباره‌ی مردی که کلاه سرش گذاشته و شش هزار دلار تلکه‌اش کرده. پیشنهاد کردم به پذیرش هتل یا پلیس زنگ بزنه ولی یه جور عجیبی دلش نمی‌خواست هیچ کاری بکنه. بعد من رو به طرف اتاق خودش کشید. با هم حرف زدیم و سعی کردم فکر دزدی رو ـ که معلوم بود هذیانه ـ از سرش بیرون کنم. همین جوری حرف پشت حرف اومد و آخرش کارمون به رختخواب کشید. چند بار پرسیدم واقعاً می‌خواد من اونجا باشم یا نه و می‌خواد با من رابطه داشته باشه یا نه. اون می‌خواست و منم می‌خواستم و یکی دو ساعت بعد، وقتی اون خوابش برده بود، به

اتاق خودم رفتم، چند ساعت خوابیدم و صبح زود هم به پروازم رسیدم. ولی درست قبل از اونکه سوار هواپیما بشم، تلفن ناشناسی به هتل کردم و گفتم مسافر اتاق هفتصدودوازده ممکنه به توجه پزشکی نیاز داشته باشه.»

پس از چند لحظه سکوت، استوارت افزود: «همین.»

تونی پرسید: «همین؟ یه زن مست خوشگل تو رو به اتاق هتلش دعوت می‌کنه و تو چیزی رو بهش می‌دی که اون ازت می‌خواسته؟ من که نمی‌تونم از این جرم بگذرم، مرد.»

استوارت گفت: «نه، این جوری نیست! مسئله اینه که من یک پزشک بودم و یه آدم بیمار، کسی که احتمالاً دچار توهم ناشی از الکل بود، سر راهم قرار گرفت و این زیر پا گذاشتن سوگند بقراطه، یه تخلف فجیعه و من هیچ‌وقت خودم رو براش نبخشیدم. نمی‌تونم اون شب رو فراموش کنم: داغش رو به ذهنم گذاشته.»

بانی گفت: «تو خیلی به خودت سخت می‌گیری، استوارت. شاید هم کلی خوبی در حقش کرده‌ای. احتمالاً فکر می‌کنه اون شب بخت یارش بوده.»

بقیه ـ گیل، ربه‌کا و پم ـ آماده‌ی حرف زدن بودند ولی استوارت مانعشان شد: «برای حرفاتون ارزش زیادی قائلم ـ نمی‌تونم بگم چند بار همین حرفا رو به خودم زده‌ام ـ ولی راستش من اصلاً در پی قوت قلب نیستم. تنها کاری که می‌خواستم بکنم این بود که در این باره باهاتون حرف بزنم، این خاطره‌ی کثیف و نفرت‌انگیزو از تاریکی چندین ساله بیرون بکشم و در معرض نور قرار بدم. همین برام کافیه.»

بانی پاسخ داد: «خوبه، خوب شد که برامون گفتی، استوارت، ولی این موضوع با حرفایی که قبلاً زده‌ایم، رابطه‌ی نزدیکی داره:

اکراهت در دریافت کمک از ما. تو در کمک دادن فوق‌العاده‌ای ولی وقتی قرار باشه از ما کمک بگیری، چندان خوب عمل نمی‌کنی.»

استوارت پاسخ داد: «شاید این واکنش مربوط به دکتر بودنمه. توی دانشکده‌ی پزشکی، درسی درباره‌ی بیمار بودن نداشتیم.»

تونی پرسید: «تا حالا نشده از کارت مرخصی بگیری؟»

استوارت سری جنباند: «چند وقت پیش نواری از دالای لاما شنیدم که داشت برای مربی‌های بودایی حرف می‌زد. یکی از اونا درباره‌ی فرسودگی شغلی ازش پرسید و اینکه آیا اونا نباید برنامه‌ی منظم و ازپیش‌تعیین‌شده‌ای برای مرخصی داشته باشن. جواب دالای لاما بامزه بود: مرخصی؟ بودا بگوید "متأسفم، من امروز در مرخصی‌ام!" رنجوری به مسیح نزدیک شود و بشنود که "متأسفم، من امروز مرخصی‌ام!" دالای لاما همیشه در حال خندیدنه، ولی این ایده‌ی خاص به نظرش خیلی خنده‌دار بود و نمی‌تونست جلوی خنده‌ش رو بگیره.»

تونی گفت: «قبول ندارم. فکر می‌کنم تو به‌وسیله‌ی مدرک پزشکی‌ت از زندگی دوری می‌کنی.»

«کاری که توی اون هتل انجام دادم، اشتباه بود. هیچ‌کس نمی‌تونه نظرم رو در این باره عوض کنه.»

جولیوس گفت: «چهارده سال گذشته و تو هنوز نمی‌تونی ازش بگذری. این واقعه برات پیامدهایی هم داشته؟»

استوارت گفت: «منظورت چیزی غیر از سرزنش خودم و انزجار از خودمه؟»

جولیوس سری به تأیید تکان داد.

«می‌تونم بگم همیشه دکتر خیلی خوبی بوده‌ام، بعد از اون بار، هرگز ـ حتا یه لحظه ـ اخلاق حرفه‌ای‌م رو زیر پا نذاشته‌ام.»

جولیوس گفت: «من حکم می‌دم که تو به سزای گناهت رسیده‌ای. پرونده مختومه‌ست.»

چند نفر با هم گفتند: «آمین.»

استوارت لبخند زد و بر خود صلیب کشید. «این من رو به یاد مراسم عشای ربانی یکشنبه‌ها تو بچگی می‌ندازه. حس می‌کنم همین الآن آمرزیده از اتاقک اعتراف بیرون اومده‌ام.»

جولیوس گفت: «بذارین داستانی رو براتون تعریف کنم. سال‌ها پیش در شانگهای به دیدار یه کلیسای متروکه رفتم. من دین و مذهب درست و حسابی ندارم، ولی بازدید از مکان‌های مذهبی رو دوست دارم. گشتی زدم و توی اتاقک اعتراف جای کشیش نشستم و حس کردم به پدر اقرارنیوش حسودی‌م می‌شه. چه قدرتی داشته! سعی کردم عبارت "پسرم، دخترم، تو بخشیده شدی" رو به زبون بیارم. فکر کردم چه اعتمادبه‌نفس بالایی داشته چون خودش رو حامل محموله‌ی بخشودگی که از بالا رسیده، می‌دیده. و تکنیک‌های من در مقایسه با اون چقدر کم‌اهمیت و ناچیزه. ولی بعد از ترک کلیسا، از این فضا بیرون اومدم و به خودم اطمینان دادم من دست‌کم بر پایه‌ی اصول منطق زندگی می‌کنم و با جلوه دادن اسطوره به‌جای واقعیت، با بیمارانم مثل بچه رفتار نمی‌کنم.»

پس از سکوت کوتاهی، پم به جولیوس گفت: «می‌دونی چیه، جولیوس؟ یه چیزی عوض شده. تو با اونی که قبل از رفتن من بودی، فرق داری. داستان‌هایی از زندگی خودت می‌گی، درباره‌ی اعتقادات مذهبی حرف می‌زنی، در حالی که قبلاً از این جور چیزا دوری می‌کردی. حس می‌کنم اثر بیماری‌ت باشه، ولی هرچی هست، دوستش دارم. خیلی خوشم می‌یاد وقتی می‌بینم شخصی‌تر برخورد می‌کنی.»

جولیوس سری تکان داد. «ممنونم. این سکوت به من این حس رو داد که احساسات مذهبی بعضی‌ها رو جریحه‌دار کرده بودم.»

استوارت گفت: «اگه نگران منی، باید بگم این در مورد من صادق نیست، جولیوس. این نظرسنجی‌هایی که می‌گن نود درصد امریکایی‌ها به خدا اعتقاد دارن، من رو متحیر می‌کنه. من توی نوجوانی کلیسا رو ترک کردم و اگه اون موقع این کار رو نکرده بودم، حالا بعد از این چیزایی که درباره‌ی کشیشا و بچه‌بازی‌شون رو شده، حتماً این کارو می‌کردم.»

فیلیپ گفت: «در مورد من هم صادق نیست. تو و شوپنهاور درباره‌ی مذهب شباهت‌هایی با هم دارین. اون معتقد بود که رهبران کلیسا از نیاز نابودنشدنی انسان به ماورای طبیعت بهره‌برداری کرده‌اند و با مردم مثل بچه رفتار کرده‌اند و از آنجا که حاضر نیستند اعتراف کنند عمداً حقیقت خودشون رو در ردای تمثیل و تشبیه پیچیده‌اند، همیشه با فریب و نیرنگ زندگی می‌کنند.»

نظر فیلیپ برای جولیوس جالب بود ولی متوجه شد که فقط چند دقیقه از وقت باقی مانده، پس گروه را دوباره به‌سوی فرایند درمان هدایت کرد. «امروز اتفاقای زیادی افتاد. افراد زیادی امروز خطر کردن. از احساستون بگین. بعضی‌ها خیلی ساکت بودن... پم؟ فیلیپ؟»

فیلیپ بی‌معطلی گفت: «از چشم من پنهون نموند که اونچه امروز افشا شد، چیزی که عامل همه‌ی این عذاب‌های بی‌دلیل و عبث من و دیگران بوده، نیروی برتر، مطلق و عالمگیر جنسیه و درمانگر دیگرم یعنی شوپنهاور به من یاد داده که این نیرو کاملاً ذاتیه یا اون جوری که امروزیا می‌گن در وجود ما کار گذاشته شده.

«من عبارات زیادی از شوپنهاور رو در این باره بلدم چون اغلب

از اونا در سخنرانی‌هام استفاده می‌کنم. بذارین چندتاشو بگم: "[نیروی جنسی] قوی‌ترین و پابرجاترین انگیزه‌ست... هدف غایی تقریباً تمامی تلاش‌های انسانی‌ست. جدی‌ترین دلمشغولی‌ها را به وقفه می‌اندازد و گاه برترین اذهان بشری را سرگشته و حیران می‌کند." "نیروی جنسی برای ایجاد مزاحمت به‌وسیله‌ی مهملات خود و مختل کردن...کندوکاو دانشمندان هیچ فرصتی را از دست نمی‌دهد..."»

جولیوس حرفش را برید: «فیلیپ، اینا موضوعات مهمی‌اند ولی قبل از اینکه امروز کارمون رو متوقف کنیم، سعی کن از احساسات خودت حرف بزنی نه از احساسات شوپنهاور.»

«سعی می‌کنم، ولی بگذار حرفم رو ادامه بدم... فقط یه جمله‌ی دیگه و آخرینش: "روزی نیست که ارزشمندترین روابط را نابود نکند. در واقع، وجدان را از کسانی که پیشتر آبرودار و شرافتمند بوده‌اند، می‌رباید."» فیلیپ درنگی کرد. «این چیزی بود که می‌خواستم بگم؛ حرفام تموم شد.»

تونی با نیشخند، فرصتی برای رویارویی با فیلیپ یافت: «چیزی درباره‌ی احساسات نشنیدم، فیلیپ.»

فیلیپ سری جنباند. «فقط دلزدگی از اینکه چطور موجودات فانی بیچاره‌ای مثل ما، ما رنجوران، این جور قربانی زیست‌شناسی‌ای می‌شیم که زندگی‌هامون رو پر از احساس گناه برای اعمال طبیعی می‌کنه، اعمالی شبیه اونچه استوارت و ربه‌کا انجام داده‌اند. و هدف همه‌ی ما اینه که خودمون رو از بندگی نیروی جنسی آزاد کنیم.»

پس از چند لحظه سکوت مرسومی که بعد از هر اظهار نظر فیلیپ حاکم می‌شد، استوارت رو کرد به پم: «مطمئنم که دلم

می‌خواد امروز چیزی هم از تو بشنوم. درباره‌ی چیزی که در گروه افشا کردم، چه حسی داری؟ وقتی داشتم به اعتراف فکر می‌کردم، تو در نظرم بودی. فکر می‌کردم تو رو توی موقعیت سختی قرار می‌دم چون نمی‌تونی بدون بخشیدن فیلیپ، من رو هم ببخشی.»

«من همون احترامی رو برات قائلم که پیش از این قائل بودم، استوارت. و فراموش نکن که من نسبت به این موضوع حساسم. من مورد سوءاستفاده‌ی یه دکتر ـ شوهر سابقم، ارل ـ که متخصص زنانم بود، قرار گرفته بودم.»

استوارت گفت: «دقیقاً. این وضع رو وخیم‌تر می‌کنه. چطور می‌تونی بدون بخشیدن فیلیپ و ارل، من رو ببخشی؟»

«درست نیست، استوارت. تو آدم نجیب و اخلاق‌گرایی هستی. بعد از اینکه امروز به حرفات گوش دادم و از پشیمونی‌ت شنیدم، این حسم نسبت به تو قوی‌تر شده. و اون اتفاق هتل میامی چندان توجه من رو جلب نمی‌کنه. کتاب *ترس پرواز* رو خوندی؟»

پم وقتی دید استوارت سرش را به نشانه‌ی نفی تکان می‌دهد، ادامه داد: «یه نگاهی بهش بنداز. اریکا جانگ[1] به تجربه‌ای که تو از سر گذروندی، لقب "رابطه‌ی برق‌آسا"ی ساده می‌ده. دوطرفه بوده، یه جور جفت شدن فی‌البداهه و خودجوش، تو توی رابطه مهربون بودی، کسی آزاری ندیده، این قدر مسئولیت‌پذیر بودی که بخوای از خوبی حالش بعد از رابطه مطمئن بشی. و از اون موقع تا حالا از اون اتفاق به عنوان یه حصار اخلاقی استفاده کرده‌ای. ولی فیلیپ چی؟ درباره‌ی مردی که الگوش کسانی مثل هایدگر و شوپنهاور هستن، چی می‌شه گفت؟ از بین این همه فیلسوفی که تا حالا

---

1. Erica Jong

وجود داشته‌اند، این دو تا خفت‌آورترین و رقت‌انگیزترین نقص‌ها رو به عنوان یه انسان داشته‌اند. کاری که فیلیپ کرد، نابخشودنی، غارتگرانه و بدون پیشمونی بود... .»

بانی صحبتش را قطع کرد «صبر کن، پم، دیدی که وقتی جولیوس سعی کرد فیلیپ رو متوقف کنه، اون اصرار کرد یه جمله‌ی دیگه هم درباره‌ی دزدیده شدن وجدان به‌وسیله‌ی نیروی جنسی و نابودی روابط بگه. نمی‌دونم این ربطی به پشیمونی داره یا نه؟ و آیا مخاطب این جمله تو بودی یا نه؟»

«حرفی برای گفتن داره؟ بگذار به خودم بگه. نمی‌خوام اون رو از زبون شوپنهاور بشنوم.»

ربه‌کا گفت: «بذار من این وسط فضولی کنم. جلسه‌ی پیش رو با این حس ترک کردم که برای تو و همه‌مون از جمله فیلیپ ـ که از حق نگذریم، حسابی به گند کشیده شد ـ ناراحت بودم. توی خونه یاد اون گفته‌ی مسیح افتادم که گفت هرکس گناهی نکرده، اولین سنگ رو پرتاب کنه... این فکر با چیزایی که امروز افشا کردم، ارتباط خیلی زیادی داشت.»

جولیوس گفت: «باید همینجا تمومش کنیم ولی فیلیپ این دقیقاً همون چیزی بود که وقتی درباره‌ی احساست پرسیدم، دنبالش بودم.»

فیلیپ سرش را با حیرت تکان داد.

«فهمیدی که امروز از سوی استوارت و ربه‌کا هدیه‌ای دریافت کردی؟»

فیلیپ به تکان دادن سرش ادامه داد. «منظورت رو نمی‌فهمم.»

«این تکلیف شبته، فیلیپ. می‌خوام درباره‌ی هدایایی که امروز گرفتی، فکر کنی.»

اگر نمی‌خواهیم بازیچه‌ی دست هر فرومایه‌ای و مایه‌ی ریشخند هر تهی‌مغزی باشیم، اصل اول این است که محتاط و دست‌نیافتنی بمانیم.

فصل ۲۴

فیلیپ ساعت‌ها پس از جلسه قدم زد، از کاخ هنرهای زیبا گذشت که ردیف ستون‌های فرسوده‌اش که برای نمایشگاه بین‌المللی سال ۱۹۱۵ ساخته شده بود، دو بار گرد دریاچه‌ی مجاور حلقه زده بود و به تماشای قوها ایستاد که از قلمرو خود پاسداری می‌کردند. سپس سلانه‌سلانه در امتداد بندرگاه و مسیر کریسی فیلد از طریق خلیج سن‌فرانسیسکو پیش رفت تا به پایه‌ی پل گلدن گیت رسید. جولیوس خواسته بود درباره‌ی چی فکر کند؟ دستور او را به یاد آورد که خواسته بود درباره‌ی هدیه‌ی استوارت و ربه‌کا فکر کند ولی پیش از آنکه بتواند ذهنش را متمرکز کند، دوباره تکلیفش

را فراموش کرد. بارها و بارها ذهنش را از همه‌ی افکار روبید و کوشید بر تصاویر آرمانی و آرامش‌بخش ـ رد قوها بر آب، چرخش امواج اقیانوس زیر گلدن گیت ـ تمرکز کند ولی هم‌چنان به طرز غریبی احساس پریشانی می‌کرد.

از پرسیدیو[1] ـ پادگان نظامی سابق در چشم‌انداز دهانه‌ی خلیج ـ گذشت و از خیابان کلمنت با بیست تقاطع و رستوران‌های آسیایی دیواربه‌دیوارش پایین رفت. یک رستوران ویتنامی محقر را انتخاب کرد و وقتی سوپ گوساله‌اش رسید، چند دقیقه در سکوت نشست، بوی لیمویی را که از سوپ برمی‌خاست، به درون داد و به کوه درخشان رشته‌های درست‌شده از آردبرنج خیره شد. پس از آنکه کمی از غذا را فرو داد، خواست باقی آن را برای سگش بسته‌بندی کنند.

فیلیپ که معمولاً به غذا بی‌توجه بود، روال ثابتی برای عادات غذایی‌اش داشت: صبحانه شامل نان برشته، مارمالاد و قهوه، ناهار کافه‌تریای دانشکده و خوراک مختصر ارزانی برای شب که معمولاً سوپ یا سالاد بود. ترجیح می‌داد همه‌ی وعده‌ها را تنها بخورد. وقتی به عادت شوپنهاور می‌اندیشید که در باشگاه غذاخوری‌اش هزینه‌ی دو نفر را پرداخت می‌کرد تا مبادا کسی کنارش بنشیند، تسلی می‌یافت و گاهی لبخندی فراخ بر چهره‌اش می‌نشست.

به‌سوی کلبه‌ی یک‌اتاق‌خوابه‌اش حرکت کرد که مانند دفترش اثاثیه‌ی اندکی داشت و در محوطه‌ی خانه‌ی بزرگی در پاسیفیک هایتز و نه چندان دور از خانه‌ی جولیوس قرار داشت. بیوه‌ای که تنها در آن خانه‌ی بزرگ زندگی می‌کرد، کلبه را با قیمت پایینی به

---

1. Presidio

او اجاره داده بود. او به این درآمد اضافه نیاز داشت و با اینکه برای حریم خصوصی‌اش ارزش قائل بود، حضور انسان دیگری را که مزاحمتی هم ایجاد نکند، در آن نزدیکی مغتنم می‌شمرد. فیلیپ به درد این کار می‌خورد و چندین سال بود که این دو تنها ولی در جوار یکدیگر زندگی می‌کردند.

استقبال پرشوق و ذوق سگش، راگبی، با عوعو و واق‌واق، دم تکان دادن و جست‌وخیزهای آکروباتیک، معمولاً فیلیپ را سر حال می‌آورد. ولی امشب این‌طور نبود. نه پیاده‌روی شبانه با راگبی و نه هیچ‌یک از سرگرمی‌های معمولش آسودگی به همراه نیاورد. پیپش را روشن کرد، به سمفونی چهار بتهوون گوش داد، پراکنده از شوپنهاور و اپیکور خواند. فقط یک‌بار، آن هم فقط برای چند لحظه، یکی از عبارات اپیکور همه‌ی توجهش را به خود جلب کرد.

> اگر صمیمانه مشتاق فلسفه هستید، خود را از همان ابتدا برای استهزا و زهرخندهای بسیار آماده کنید. به خاطر بسپارید که اگر پایمردی کنید، همان‌ها بعدها تحسینتان خواهند کرد... .به یاد داشته باشید که اگر برای دلخوشی دیگران، توجهتان را به بیرون معطوف کنید، بی‌شک نظام زندگی‌تان را نابود کرده‌اید.

ولی احساس تشویش و دلواپسی هم‌چنان با او بود: تشویشی که مدت‌ها بود تجربه نکرده بود، وضعیتی که سال‌ها پیش او را هم‌چون انسانی مبتلا به جنون جنسی، به پرسه‌زنی واداشت. به‌سوی آشپزخانه‌ی کوچکش رفت، ظرف‌های صبحانه را از روی میز برداشت و شست، کامپیوترش را روشن کرد و تسلیم تنها اعتیادش شد: به صفحه‌ی باشگاه اینترنتی شطرنجش وارد شد و سه ساعت بعدی را به شکل ناشناس و در خاموشی، به بازی‌های رعدآسای

پنج‌دقیقه‌ای گذراند. در اغلب موارد بُرد. باخت‌هایش بیشتر به دلیل بی‌دقتی بود ولی دلخوری‌اش چندان طول نمی‌کشید: بی‌درنگ تایپ می‌کرد: «در پی بازی» و وقتی بازی تازه‌ای شروع می‌شد، برقی کودکانه در چشمانش می‌درخشید.

در سی‌سالگی، سروکار داشتن با افراد هم‌ترازم که در واقع هم‌شأن من نبودند، به‌شدت خسته و دلزده‌ام کرده بود. گربه تا وقتی بچه‌ست، با گلوله‌های کاغذی بازی می‌کند چون آن‌ها را جاندار و موجوداتی مانند خود تصور می‌کند. ارتباط من با دوپایان هم همین طور بود.

فصل ۲۵

جوجه‌تیغی‌ها، نابغه و رهنمود یک انسان‌گریز برای روابط انسانی

حکایت جوجه‌تیغی یکی از مشهورترین عبارات شوپنهاور است که نگاه سرد و بی‌عاطفه‌ی او را به روابط انسانی آشکار می‌سازد.

یک روز سرد زمستانی، چند جوجه‌تیغی دست‌وپایشان را جمع کردند و به هم نزدیک شدند تا با گرم کردن یکدیگر، از سرما یخ نزنند. ولی خیلی زود تیغ‌هایشان در تن آن دیگری فرو رفت و باعث شد از هم دور شوند. وقتی نیاز به

گرم شدن، دوباره آن‌ها را دور هم جمع می‌کرد، تیغ‌ها دوباره مشکل‌ساز می‌شدند و به این ترتیب، آن‌ها میان دو مصیبت در رفت‌وآمد بودند تا آنکه فاصله‌ی مناسبی را که در آن می‌توانستند یکدیگر را تحمل کنند، یافتند. چنین است نیاز به تشکیل جامعه که از تهیگی و یکنواختی زندگی انسان‌ها سرچشمه می‌گیرد و آن‌ها را به‌سوی هم می‌کشانَد ولی ویژگی‌های ناخوشایند و زننده‌ی فراوانشان، باز از هم دورشان می‌کند.

به عبارت دیگر، نزدیک شدن به دیگران را فقط وقتی برای بقا ضروری‌ست، تحمل کنید و هروقت ممکن بود، از آن بپرهیزید. بیشتر روان‌درمانگران معاصر به افرادی که تا این حد از جمع دوری می‌گزینند، شروع درمان را توصیه می‌کنند. در واقع، بخش عمده‌ای از کار روان‌درمانی به چنین وضعیت‌های مسئله‌دار بین‌فردی می‌پردازد: نه‌فقط دوری‌گزینی از اجتماع، بلکه رفتار اجتماعی ناهنجار با همه‌ی جلوه‌ها و چهره‌هایش: اوتیسم، دوری‌گزینی از اجتماع، هراس اجتماعی، شخصیت اسکیزوئید، شخصیت جامعه‌ستیز، شخصیت خودشیفته، ناتوانی در عشق ورزیدن، خودبزرگ‌انگاری، خودپنهانگری.

شوپنهاور با درمان موافقت می‌کرد؟ آیا احساساتش نسبت به دیگران را ناهنجار می‌دانست؟ بعید است. برخوردهایش چنان به محور شخصیتش نزدیک بود و چنان در عمق وجودش ریشه دوانده بود که هرگز به عنوان ضعف و کاستی به آن‌ها نمی‌نگریست. برعکس، مردم‌گریزی و انزوایش را یک حُسن می‌دانست. برای نمونه به پی‌نوشت حکایت جوجه‌تیغی توجه کنید: «با این حال، هرکس گرمای درونی زیادی از آنِ خود داشته باشد،

ترجیح می‌دهد از جامعه فاصله بگیرد تا از ایجاد گرفتاری و یا تحمل آزردگی بپرهیزد.»

شوپنهاور باور داشت انسانی که دارای قدرت درونی و فضیلت است، نیازی به پشتیبانی دیگران، از هر نوعی که باشد، ندارد؛ چنین انسانی خودبسنده‌ست. این فرض در کنار اعتقاد تزلزل‌ناپذیرش به نبوغ خویش، توجیه یک عمر دوری‌اش از صمیمیت بود. شوپنهاور اغلب می‌گفت جایگاهش در «والاترین مرتبه‌ی انسانی» ایجاب می‌کرد استعدادهایش را در آمیزش‌های بیهوده‌ی اجتماعی هدر ندهد بلکه آن‌ها را در خدمت انسانیت قرار دهد. در جایی نوشت: «هوشمندی‌ام متعلق به من نیست، بلکه به جهان اختصاص دارد.»

بسیاری از نوشته‌های آرتور درباره‌ی هوشمندی محضش چنان خودنمایانه‌ست که اگر ارزیابی او از چالاکی ذهنی‌اش تا این حد درست و دقیق نبود، می‌شد او را خودبزرگ‌بین شمرد. زمانی که آرتور خود را دانشجو نامید، استعدادهای ذهنی اعجاب‌آورش بر همه‌ی افراد دوروبرش آشکار بود. معلمان سرخانه‌ای که او را برای ورود به دانشگاه آماده می‌کردند، از پیشرفت استثنایی او هاج‌وواج می‌ماندند.

گوته ـ تنها مرد قرن نوزدهمی‌ای که آرتور اندیشه‌ی او را همسنگ خود می‌دانست ـ در نهایت به درایت و اندیشه‌ی آرتور ادای احترام کرد. گوته آرتور جوان را ـ زمانی که داشت برای دانشگاه آماده می‌شد ـ آشکارا در سالن‌های یوهانا نادیده می‌گرفت. بعدها زمانی که یوهانا از او خواست نامه‌ای بنویسد و از درخواست آرتور برای ثبت‌نام در دانشگاه پشتیبانی کند، گوته در یادداشتش خطاب به یک دوست دیرین که استاد زبان یونانی بود، هم‌چنان ماهرانه از ابراز نظر شخصی سر باز زد: «به نظر می‌رسد شوپنهاور

جوان چند بار شاخه‌ی تحصیلی و کاری‌اش را تغییر داده است. اینکه در چه زمینه‌ای و تا چه حد به نتیجه رسیده، چیزی‌ست که خودتان بعد از اختصاص دادن وقتی به او و بدون در نظر گرفتن دوستی با من، درباره‌اش قضاوت خواهید کرد.»

با این حال چند سال بعد، گوته رساله‌ی دکترای آرتور را خواند و چنان تحت تأثیر این جوان بیست‌وشش‌ساله قرار گرفت که در اقامت بعدی آرتور در وایمار، خدمتکارش را به‌طور منظم به خانه‌ی او می‌فرستاد تا او را به بحث‌های خصوصی طولانی مجاب کند. گوته کسی را می‌خواست تا نظریه‌ی رنگ‌های او را که زحمت زیادی برایش کشیده بود، نقد کند. با اینکه شوپنهاور هیچ‌چیز در این باره نمی‌دانست، گوته دلیل می‌آورد که هوشمندی ذاتی و کمیابش، از او بحث‌کننده‌ی ارزنده‌ای می‌سازد. و در نهایت هم چیزی بسیار بیش از آنچه بر سرش چانه می‌زد، به دست آورد.

شوپنهاور در ابتدا از این درخواست بسیار مفتخر بود و خشنود از تصدیق و توجه گوته، برای استاد برلینی‌اش نوشت: «دوست شما، گوته‌ی بزرگ ما، خوب، بزرگوار و مهربان است: نامش برای همیشه بلند باد.» ولی پس از چند هفته، میانشان اختلاف افتاد. آرتور می‌اندیشید گوته مشاهدات جالبی در باب بینایی دارد ولی در چند نکته‌ی حیاتی دچار لغزش شده و نتوانسته نظریه‌ی جامعی در زمینه‌ی رنگ پدید آورَد. سپس آرتور نوشته‌های تخصصی‌اش را کنار گذاشت و خود را وقف ایجاد نظریه‌ی رنگ خودش کرد که با نظریه‌ی گوته، چند تفاوت مهم و حیاتی داشت و در سال ۱۸۱۶ آن را منتشر کرد. خودبینی و تکبر شوپنهاور سرانجام دوستی‌شان را نابود کرد. گوته در خاطراتش، پایان رابطه با شوپنهاور را این گونه توصیف کرده است: «در بحث‌ها بر سر بسیاری مسائل، توافق

خوبی داشتیم؛ ولی سرانجام معلوم شد جدایی ناگزیر است، درست مانند دو دوستی که راهی را با هم پیموده‌اند ولی جایی دستان یکدیگر را می‌فشرند چون یکی می‌خواهد به شمال برود و دیگری به جنوب؛ و خیلی زود از چشم هم ناپدید می‌شوند.»

آرتور از اینکه کنار گذاشته شده بود، خشمگین و آزرده بود. ولی احترامی که به دلیل هوشمندی گوته برایش قائل بود، در وجودش نهادینه شده بود و تا پایان عمر نام گوته را در آثارش گرامی می‌داشت.

آرتور حرف‌های زیادی درباره‌ی تفاوت نوابغ با افراد بااستعداد داشت. علاوه بر آن اظهار نظر که می‌گفت بااستعداد، مثل تیراندازی‌ست که هدفی را می‌زنَد که دیگران قادر به زدنش نیستند، در حالی که نابغه، مثل تیراندازی‌ست که هدفی را می‌زنَد که دیگران قادر به دیدنش نیستند، گفته است افراد بااستعداد قرار است نیازهای زمانه‌ی خویش را بشناسند و آن نیازها را برآورده کنند، ولی کارشان خیلی زود محو می‌شود و نسل بعدی آن را نمی‌بیند. (آیا نیم‌نگاهی به آثار مادرش نداشته است؟) «ولی نابغه مانند ستاره‌ی دنباله‌داری در مسیر سیارات، مسیر زمانه‌اش را روشن می‌کند... . نمی‌تواند دست در دست روند منظم فرهنگ و آداب‌ورسوم جامعه پیش رود: برعکس، آثارش را بسیار جلوتر و در مسیر پیش رو پرتاب می‌کند.»

پس یک وجه حکایت جوجه‌تیغی‌ها این است که انسان‌های حقیقتاً ارزشمند و به‌ویژه نوابغ، نیازی به گرما و صمیمیت دیگران ندارند. ولی این حکایت وجه دیگر و تاریک‌تری هم دارد: اینکه همنوعان ما ناخوشایند و مشمئزکننده‌اند و در نتیجه بهتر است از آنان دوری کنیم. این نگاه مردم‌گریزانه را در همه‌ی نوشته‌های

شوپنهاور که سرشار از تحقیر و کنایه‌ست، می‌توان یافت. این عبارت آغازین مقاله‌ی خردمندانه‌ی «در باب آموزه‌ی تباهی‌ناپذیری ماهیت حقیقی ما با مرگ» را در نظر بگیرید: «اگر در مراودات روزانه، یکی از آن بسیار کسانی که می‌خواهند همه‌چیز را بدانند ولی هیچ‌چیز یاد نمی‌گیرند، از ما درباره‌ی ادامه‌ی هستی پس از مرگ بپرسند، مناسب‌ترین و درست‌ترین پاسخ این خواهد بود که: "بعد از مرگ همانی خواهی بود که پیش از تولدت بوده‌ای."»

مقاله با تحلیلی نافذ و مسحورکننده درباره‌ی ناممکن بودن دو گونه پوچی ادامه می‌یابد و در سرتاسرش، به هر کسی که دست‌کم یک بار به ماهیت مرگ اندیشیده باشد، آگاهی‌هایی پیشکش می‌کند. ولی چرا باید با آن توهین بی‌دلیل -«یکی از آن بسیار کسانی که می‌خواهند همه‌چیز را بدانند ولی هیچ‌چیز یاد نمی‌گیرند» ــ آغاز شود؟ چرا چنان افکار برجسته‌ای باید با دشنامی پیش‌پاافتاده آلوده شوند؟ این مجاورت در نوشته‌های شوپنهاور معمول است. چقدر ناراحت‌کننده‌ست دریافتن اینکه اندیشمندی تا این اندازه خوش‌قریحه، تا این حد با جامعه سر ستیز داشته و با این همه پیش‌آگاهی، چنین تاریک‌اندیش بوده است.

شوپنهاور در نوشته‌هایش، برای هر زمانی که به معاشرت و گفت‌وگو گذرانده، افسوس خورده است. می‌گوید: «بهتر است اصلاً سخن نگویی تا گفت‌وگویی عبث و کسالت‌بار - یعنی همان گفت‌وگوی معمول میان دوپایان - را پیش ببری.»

او افسوس می‌خورد که همه‌ی عمرش در جست‌وجوی «انسان حقیقی» بوده ولی آن را نیافته و به جای آن به «بیچارگانی مفلوک و بددل با استعدادی محدود و طبعی پست» برخورده است. (البته به‌جز گوته که همواره او را از زخم‌زبان و انتقاد معاف کرده است.)

در یادداشتی درباره‌ی خود می‌نویسد: «تماس با انسان‌ها همواره آلودگی و ناپاکی به همراه می‌آوردَ. ما به جهانی هبوط کرده‌ایم که موجوداتی مفلوک و ترحم‌انگیز در آن ساکنند و ما به آن تعلق نداریم. باید آن تعداد اندکی را که بهترند، ارج نهیم و گرامی بداریم؛ ما زاده شده‌ایم تا بقیه را راهنمایی کنیم نه آنکه با آنان هم‌نشینی کنیم.»

اگر نوشته‌هایش را غربال کنیم، می‌شود با آن‌ها مانیفست مردم‌گریزی نوشت: قواعد رفتار انسانی که باید در زندگی به کار بست. تصور کنید آرتور با پیروی از این بیانیه، چقدر ممکن بود از گروه‌درمانی معاصر بترسد!

- «چیزی را که دشمنتان نباید بداند، به دوستتان نگویید.»
- «همه‌ی روابط شخصی را هم‌چون راز خود بدانید و کاملاً با دیگران ـ حتا دوستان صمیمی ـ بیگانه بمانید. با تغییر شرایط، بی‌ضررترین مسائلی که درباره‌ی ما بدانند، ممکن است نقطه‌ضعفمان به‌شمار آید.»
- «راه ندادن عشق و نفرت به درون خویش، نیمی از خرد جهان است: نیم دیگرش چیزی نگفتن و به چیزی باور نداشتن است.»
- «بی‌اعتمادی، مادر صحت و امنیت است.» (یک ضرب‌المثل فرانسوی هم در تأیید این جمله موجود است.)
- «فراموش کردن ویژگی‌های بد بشر، مانند آن است که پولی را که به زحمت به‌دست آمده، دور بریزیم. باید خود را از صمیمیت‌ها و دوستی‌های ابلهانه حفظ کنیم.»

- «تنها راه حفظ برتری در روابط انسانی، آن است که بگذارید شما را مستقل از خودشان ببینند.»
- «بی‌اعتنایی راه کسب احترام است.»
- «اگر واقعاً کسی را بلندمرتبه می‌دانیم، باید این موضوع را هم‌چون جنایتی از او پنهان داریم.»
- «بهتر است بگذاریم مردم آنچه هستند، باشند تا آنکه آنان را به آنچه نیستند بشناسیم.»
- «هرگز نباید خشم و نفرتمان را جز در کردارمان آشکار کنیم... . فقط حیوانات خونسرد زهردار هستند.»
- «با برخوردی مؤدبانه و دوستانه، می‌شود مردم را حرف‌شنو و مطیع کرد: پس رفتار مؤدبانه با طبیعت انسان همان می‌کند که گرما با موم.»

یکی از راه‌های معدود سر حال آوردن مردم این است که درباره‌ی مشکلی که به‌تازگی گریبانتان را گرفته حرف بزنید یا بعضی از نقص‌های شخصی‌تان را برایشان آشکار کنید.

فصل ۲۶

جلسه‌ی بعد گیل خود را جوری روی صندلی انداخت که انگار با هیکل درشتش مقاومت صندلی را می‌سنجید و منتظر ماند تا همه رسیدند. سپس جلسه را آغاز کرد. «اگه کسی حرفی نداره، من می‌خوام تمرین "رازگویی" جلسه‌ی پیش رو ادامه بدم.»

جولیوس گفت: «بذار من هشداری بدم. به نظرم فکر خوبی نیست که این رو به یه تمرین تجویزی بدل کنیم. درسته که معتقدم وقتی مردم خودشون رو کاملاً آشکار می‌کنن، کارشون در گروه بهتر می‌شه، ولی مهمه که با سرعت خودمون حرکت کنیم و هیچ

تمرینی ما رو برای افشاگری تحت فشار قرار نده.»

گیل گفت: «متوجهم ولی حس نمی‌کنم تحت فشارم. دلم *می‌خواد* حرف بزنم و علاوه بر این، دلم نمی‌خواد ربه‌کا و استوارت رو تنها و بلاتکلیف بذارم. باشه؟»

گیل پس از توجه به تکان‌های سر اعضا به نشانه‌ی تأیید ادامه داد: «راز من برمی‌گرده به سیزده‌سالگی‌ام. هنوز با هیچ زنی رابطه نداشتم و تازه بالغ شده بودم، صورتم پر جوش بود و عمه والری، خواهر کوچیکه‌ی پدرم... که بیست‌وچندساله بود، عادت داشت گاهی مابین کارهاش پیش ما بمونه. ما خیلی با هم تنها می‌موندیم و وقتی دوستام نبودند، خیلی با هم بازی می‌کردیم ـ کشتی می‌گرفتیم، همدیگه رو قلقلک می‌دادیم یا کارت‌بازی می‌کردیم. بعد یه بار، وقتی توی پوکر بر سر لخت شدن، تقلب کردم و برنده شدم، اون کاملاً برهنه شد و همه‌چی بار جنسی پیدا کرد، دیگه حس قلقلک نبود و قضیه جدی شده بود. من بی‌تجربه بودم و سرشار از هورمون و دقیقاً نمی‌دونستم چه اتفاقی داره می‌افته... و دستور اون رو اطاعت می‌کردم. بعد از اون، هروقت که پیش می‌اومد، همین کار رو می‌کردیم تا اینکه یکی دوماه بعد یه روز خونواده‌ام زودتر از معمول اومدن خونه و غافلگیرمون کردند در حال... چی می‌گن؟... .»

گیل نگاهی به فیلیپ انداخت که دهانش را باز کرده بود تا پاسخ دهد ولی پم پیشدستی کرد و به سرعت برق گفت: «در حین ارتکاب جرم.»

گیل زمزمه کرد: «اوه، چه سریع... یادم رفته بود دو تا استاد دانشگاه اینجا داریم» و به صحبتش ادامه داد: «خب، این موضوع همه‌ی خونواده رو به هم ریخت. بابام خیلی عصبانی نشد، ولی

مامانم از خشم رنگ‌به‌رنگ شده بود و عمه وال دیگه پیش ما نموند و مامان از دست بابا عصبانی بود که چرا هنوز با خواهرش رفتار خوبی داره.»

گیل مکثی کرد، نگاهش را روی گروه چرخاند و بعد اضافه کرد: «می‌تونم بفهمم چرا مامان این قدر ناراحت بود، ولی هنوز هم فکر می‌کنم قضیه همون قدر که تقصیر عمه وال بود، تقصیر من هم بود.»

بانی گفت: «تقصیر تو؟ اون هم توی سیزده‌سالگی؟؟ برو بابا!» بقیه ـ استوارت، تونی، ربه‌کا ـ سری به تأیید تکان دادند.

پیش از آنکه گیل پاسخی دهد، پم گفت: «من متوجه یه چیزی شده‌ام، گیل. ممکنه اون چیزی که تو انتظارش رو داری، نباشه، ولی چیزیه که مدتیه توی دلم نگه داشته‌ام، می‌خواستم پیش از اینکه برم سفر، بهت بگم. نمی‌دونم دقیقاً چه جوری عنوانش کنم، گیل، پس خیلی تلاش نمی‌کنم و راحت حرفمو می‌زنم. قضیه اینه که داستانت حتا یه ذره هم من رو تحت تأثیر قرار نداد و در بیشتر موارد، *اصلاً من رو تحت تأثیر قرار نمی‌دی*. با اینکه می‌گی داری مثل ربه‌کا و استوارت افشاگری می‌کنی، حسم به من نمی‌گه که داری از مسائل خصوصی‌ت حرف می‌زنی.»

پم ادامه داد: «می‌دونم که به گروه متعهد هستی و به نظر می‌یاد که داری سخت کار می‌کنی، برای مراقبت از بقیه، کلی مسئولیت به‌عهده می‌گیری و اگه کسی بخواد جلسه رو ترک کنه، معمولاً تویی که اول می‌دوی و برش می‌گردونی. ظاهراً داری افشاگری می‌کنی، ولی در واقع این جوری نیست... این یه تصور باطله... تو پنهان موندی. آره، لغتش اینه: پنهان، پنهان، پنهان. قصه‌ت درباره‌ی عمه‌ت مثال خوبیه که منظور من رو می‌رسونه. به نظر شخصی و خصوصی می‌یاد، ولی این جوری نیست. حقه‌ش اینجاست که این

قصه‌ی تو نیست، قصه‌ی خاله والری‌ته، و *معلومه* که همه می‌پرن وسط حرف و می‌گن "آخه تو که بچه بودی، همه‌ش سیزده سالت بوده، قربانی بودی." به‌جز این چی می‌تونن بگن؟ و قصه‌هات درباره‌ی زندگی مشترکت هم همیشه درباره‌ی رزه، هیچ‌وقت درباره‌ی تو نیست. و همیشه هم این جواب ما رو در پی داره که: "*چرا* با همچین آشغالی می‌سازی!"

«وقتی توی هند مراقبه می‌کردم ـ و حسابی هم حوصله‌ام سر رفته بود ـ خیلی درباره‌ی این گروه فکر می‌کردم. اون قدر که خودم هم باورم نمی‌شه. و درباره‌ی تک‌تک آدمای اینجا فکر کردم به‌جز تو، گیل. از گفتنش بیزارم *ولی واقعاً بهت فکر نکردم*. وقتی حرف می‌زنی، هیچ‌وقت نمی‌فهمم داری با کی حرف می‌زنی... شاید با دیوار یا سقف، ولی هرگز احساس نکردم که داری *شخصاً* با من حرف می‌زنی.»

سکوت. انگار اعضا نمی‌دانستند چطور باید واکنش نشان بدهند. بعد تونی سوتی زد و گفت: «بالاخره برگشتی، خوش‌آمدی، پم.»

پم گفت: «وقتی صریح و صادق نیستم، اصلاً انگار اینجا نیستم.»

جولیوس پرسید: «چه احساسی داری، گیل؟»

«اوه، همون احساسی که معمولاً وقتی یه لگد توی شکمم می‌خوره، پیدا می‌کنم... انگار چند تا تیکه از لوزالمعده‌م رو بالا می‌یارم. به نظرت این جواب به اندازه‌ی کافی شخصی و خصوصی هست، پم؟ صبر کن، صبر کن، متأسفم، جواب نده. منظوری نداشتم. می‌دونم حرفات رک‌وراست و خوبه. و در عمق وجودم می‌دونم حق با توئه.»

جولیوس گفت: «بیشتر درباره‌اش حرف بزن، درباره‌ی اینکه حق با اونه.»

«درست می‌گه. می‌تونستم بیش از اینا فاش کنم. اینو می‌دونم. حرفایی هست که می‌تونستم به کسانی که اینجان، بزنم.»

بانی پرسید: «به کی مثلاً؟»

«خب مثلاً خودت. من واقعاً ازت خوشم می‌یاد، بانی.»

«خوشحالم که اینو می‌شنوم، ولی حرفت باز هم چندان خصوصی و شخصی به نظر نمی‌یاد.»

«خب، وقتی چند هفته پیش گفتی خوش‌هیکلم، توجهم بهت جلب شد. و اینکه لقب بدقیافه به خودت می‌دی یا اینکه خودت رو بیرون از دسته‌ی زیبارویان ربه‌کا می‌بینی رو اصلاً قبول ندارم... همیشه ـ نسبت به زنان بزرگ‌تر از خودم یه حسی داشتم. و اگه بخوام روراست باشم، باید بگم وقتی نمی‌خواستم برم خونه پیش رز و تو دعوتم کردی توی خونه‌ت بمونم، کلی خیال‌پردازی پرآب‌وتاب برای خودم داشتم.»

تونی گفت: «برای همین بود که پیشنهاد بانی رو رد کردی؟»

«حرفای دیگه به میون اومد.»

وقتی معلوم شد گیل نمی‌خواد وارد جزئیات بشه، تونی پرسید: «می‌خوای درباره‌ی اون حرفای دیگه حرف بزنی؟»

گیل لحظه‌ای سکوت کرد، سر طاسش از عرق برق می‌زد و بعد به خودش آمد و گفت: «یه پیشنهاد، بذارین برم سراغ تک‌تک اعضا و درباره‌ی احساسم بگم.» از استوارت آغاز کرد که کنار بانی نشسته بود: «استوارت، حسم نسبت به تو هیچی جز تحسین نیست. اگه بچه داشتم، خیلی احساس خوش‌بختی می‌کردم اگه تو دکترش بودی. و چیزی که هفته‌ی پیش تعریف کردی هم هیچ‌کدوم از این حسا رو عوض نکرد.»

«و تو ربه‌کا، راستش رو بهت بگم، تو منو می‌ترسونی، به نظرم

زیادی بی‌نقص، زیادی خوشگل و زیادی تروتمیزی. چیزی هم که درباره‌ی لاس وگاس گفتی، این وضع رو عوض نمی‌کنه: از نگاه من تو هنوز پاک و دست‌نخورده‌ای و کاملاً بهت اعتماد دارم. شاید الآن یه کم دستپاچه باشم، ولی حتا یادم نیست که چرا برای درمان اومدی. تصویری که استوارت از تو داره ـ همون عروسک چینی ـ تصویر من هم هست... شاید زیادی ترد و شکننده‌ای، شاید هم لبه‌های تیز و برنده‌ی خودت رو داری... نمی‌دونم.

«و پم، تو درست به هدف می‌زنی، رک‌وراستی و تا پیش از اینکه فیلیپ وارد گروه بشه، باهوش‌ترین کسی بودی که در عمرم دیده‌ام. فیلیپ می‌تونه رقیبت باشه. می‌دونم که دلم نمی‌خواد به وجه تاریک هیچ‌کدومتون اشاره کنم. ولی پم، چیزایی درباره‌ی مردا هست که باید روشون کار کنی. درسته که اونا دردسرای زیادی برات درست کرده‌اند ولی تو از ما بیزاری. از همه‌ی ما. مثل داستان مرغ و تخم‌مرغه و معلوم نیست کدوم اول پیش اومده.»

«فیلیپ، راه تو جداست و انگار از یه طبقه‌ی دیگه یا... یا یه قلمرو وجودی دیگه داری باهامون حرف می‌زنی. ولی یه چیزی رو نمی‌دونم. نمی‌دونم هیچ‌وقت برای خودت یه دوست داشتی؟ نمی‌تونم تصور کنم پاتوقی داری، آبجویی می‌خوری و درباره‌ی غول‌های ادبی حرف می‌زنی. نمی‌تونم تصور کنم هیچ‌وقت بهت خوش گذشته یا هیچ‌وقت واقعاً کسی رو دوست داشته‌ای. و سؤال اصلی برای من اینه که *چطور احساس تنهایی نمی‌کنی؟*»

گیل ادامه داد: «تونی، تو برام خیلی جذابی، با دستات کار می‌کنی، واقعاً یه کاری انجام می‌دی نه اینکه مثل من با عدد و رقم کلنجار بری. کاش این قدر از کارت خجالت نمی‌کشیدی.»

«خب، درباره‌ی همه حرف زدم.»

ربه‌کا گفت: «نه، این‌طور نیست» و به جولیوس اشاره کرد.

«اوه، جولیوس؟ اون با گروهه ولی داخل گروه نیست.»

ربه‌کا پرسید: «"با گروهه" یعنی چی؟»

«اوه، نمی‌دونم، عبارت جالبی بود که شنیده بودم و می‌خواستم یه جا به‌کارش ببرم. جولیوس... برای من، برای همه، اینجاست، خیلی بالاتر از ماست. جوری که اون...»

جولیوس جوری که انگار دارد در اتاق دنبال کسی می‌گردد، پرسید: «اون؟ کجاست این "اون"؟»

«خیلی خوب، فهمیدم، خطاب به خودت حرف می‌زنم. جوری که تو بیماری‌ت رو مدیریت کردی . . خیلی تأثیرگذار بود... هرگز فراموش نمی‌کنم.»

گیل ساکت شد. توجه همه روی او باقی ماند ولی او با «آخیش» بلندی نفسش رو بیرون داد. مثل کسی بود که کارش را تمام کرده است، پس با خستگی بارزی به پشتی صندلی‌اش تکیه داد و دستمالی درآورد و سر و صورتش را پاک کرد.

تعارفاتی مثل «کارت خوب بود، کلی خطر کردی» از سوی ربه‌کا، استوارت، تونی و بانی به گوش رسید. پم و فیلیپ ساکت ماندند.

جولیوس پرسید: «چطور بود، گیل؟ راضی هستی؟»

گیل سری تکان داد «سدهایی رو درون خودم شکستم. امیدوارم کسی رو نرنجونده باشم.»

«تو چطور، پم؟ راضی شدی؟»

«امروز به اندازه‌ی کافی گله و شکایت کرده‌ام.»

جولیوس گفت: «گیل، بذار ازت یه کاری بخوام. یه طیفی برای خودافشاگری در نظر بگیر. یک قطبش که اسمش رو می‌گذاریم

"یک"، بی‌خطرترین افشاگریه، چیزایی مثل مهمونی رفتنا و غیره؛ سر دیگه‌ش که اسمش رو می‌ذاریم "ده"، عمیق‌ترین و پرخطرترین افشاگری‌یه که می‌تونی تصورش رو بکنی. متوجه شدی؟»

گیل سری به تأیید تکان داد.

«حالا برگرد به عقب و به حرفایی که امروز زدی، نگاه کن. بگو ببینم چه نمره‌ای به خودت می‌دی؟»

گیل که هم‌چنان سر تکان می‌داد، فوری پاسخ داد: «به خودم "چهار" می‌دم یا شایدم "پنج".»

جولیوس که می‌خواست دفاع عقلانی‌گری و سایر دفاع‌ها را از دسترس مقاومت گیل دور نگه دارد، فوری گفت «حالا بگو چی می‌شه اگه یکی‌دو شماره بالاتر بری، گیل؟»

گیل بی‌معطلی پاسخ داد: «اگه قرار بود یکی‌دو شماره بالاتر برم، به گروه می‌گفتم که الکلی‌ام و هرشب اون قدر می‌خورم که بیهوش می‌شم.»

گروه جا خورد، جا خوردن جولیوس هم کمتر از بقیه نبود. پیش از آنکه گیل را به گروه بیاورد، دو سال به درمان فردی او پرداخته بود و او هرگز، حتا یک بار هم به مشکل الکل اشاره نکرده بود. چطور ممکن بود؟ جولیوس مادرزادی به بیمارانش اعتماد می‌کرد. یکی از آن خوش‌بین‌های روزگار بود که دورویی و فریب، از پا درش می‌آورد؛ احساس می‌کرد ثباتش را از دست داده و نیاز به زمان دارد تا تصویر تازه‌ای از گیل را در ذهنش بپرورانَد. همان‌طور که در سکوت به ساده‌لوحی خودش و نابسندگی واقعیت فکر می‌کرد، خلق گروه تنگ شد و از ناباوری به‌سوی جنجال رفت.

«چی؟ داری شوخی می‌کنی!»

«باورم نمی‌شه. چطور تونستی هر هفته بیای اینجا و این موضوع

رو پیش خودت نگه داری؟»

«تا حالا حتا یه نوشیدنی هم با من نخورده‌ای، حتا یه آبجو. موضوع چی بود؟»

«لعنتی! وقتی فکر می‌کنم چقدر ما رو دنبال نخود سیاه فرستادی، می‌بینم چه وقتی تلف کردیم.»

«این چه جور بازی‌ای بود؟... همه‌اش دروغ... منظورم اون چیزاییه که درباره‌ی مشکل رز می‌گفتی... سلیطگی‌ش، رد کردن رابطه‌ی زناشویی، بچه نخواستنش، و یه کلمه درباره‌ی قضیه‌ی اصلی یعنی نوشیدنت نگفتی.»

ناگهان جولیوس به خودش آمد و فهمید باید چه کار کند. یکی از اصول اساسی‌ای که به دانشجویان گروه‌درمانی آموزش می‌داد، این بود: «*اعضا هرگز نباید برای خودافشاگری تنبیه شوند. برعکس، خطرپذیری را همیشه باید پشتیبانی و تقویت کرد.*»

با این فکر به گروه گفت: «می‌فهمم اینکه گیل تا حالا این مطلب رو نگفته بود، دلخورتون کرده. ولی بذارین یه چیزو فراموش نکنیم: *گیل امروز حرف زد، بهمون اعتماد کرد.*» همان جور که صحبت می‌کرد، فقط برای یک لحظه به فیلیپ نگاه کرد با این امید که از این گفت‌وگو، چیزی درباره‌ی گروه‌درمانی یاد بگیرد. بعد به گیل نگریست: «*چیزی که می‌خوام بدونم اینه که چی باعث شد امروز بتونی از این فرصت استفاده کنی؟*»

گیل که از شدت شرمندگی نمی‌توانست به چهره‌ی کسی نگاه کند، همه‌ی حواسش را متوجه جولیوس کرد و با لحن کسی که تنبیه شده، پاسخ داد: «حدس می‌زنم افشاگری‌های این یکی‌دوهفته ـ که با پم و فیلیپ شروع شد و به ربه‌کا و استوارت رسید ـ باعثش بود. مطمئنم دلیل اینکه تونستم بگم همین بود...»

ربه‌کا صحبتش را قطع کرد: «چند وقته؟ چند وقته که الکلی هستی؟»

«می‌دونی که این جور چیزا یواش‌یواش آدم رو درگیر می‌کنن. برای همین مطمئن نیستم از کی. همیشه مستی رو دوست داشتم. ولی فکر می‌کنم از حدود پنج سال پیش همه‌ی معیارای الکلی بودن در موردم صدق می‌کنه.»

تونی پرسید: «چه جور الکلی‌ای هستی؟»

«زهر مورد علاقه‌ام اسکاچ، شراب کبرنه و روسی‌یه. ولی از هیچ‌چی ـ ودکا، جین ـ نمی‌گذرم. همه جور الکلی استفاده می‌کنم.»

تونی گفت: «منظورم این بود که "کی" و "چقدر" می‌نوشی.»

به نظر نمی‌آمد گیل دفاعی برخورد کند و آماده بود هر پرسشی را پاسخ دهد. «اغلب بعد از کار. به محض اینکه می‌رسم خونه با اسکاچ شروع می‌کنم (اگه رز بهم سخت گرفته باشه، ممکنه قبل از رسیدن به خونه هم شروع کنم)، بعد باقی عصر رو با شراب خوب می‌گذرونم، دست‌کم یه بطری و گاهی هم دوتا، تا جایی که جلو تلویزیون از هوش برم.»

پم پرسید: «رز در این حالت کجاست؟»

«خب، قبلاً هردومون خوره‌ی شراب بودیم و یه انبار با دوهزار تا بطری داشتیم که به حراج گذاشتیم. ولی حالا دیگه به نوشیدن تشویقم نمی‌کنه: حالا به‌ندرت یه گیلاس با شامش می‌خوره و دیگه سراغ فعالیتای مرتبط با شراب هم نمی‌ره، مگر گردهمایی‌های بزرگ شراب‌چشی.»

جولیوس دوباره کوشید مسیر صحبت را تغییر دهد و گروه را به اینجاواکنون بازگرداند. «دارم سعی می‌کنم تصور کنم چه حسی داشتی وقتی هر جلسه به اینجا می‌اومدی و از این موضوع حرف نمی‌زدی.»

گیل با حرکت سرش اعتراف کرد: «آسون نبود.»

جولیوس همیشه تفاوت میان خودافشاگری عمودی و *افقی* را به دانشجویانش آموزش می‌داد. گروه ـ همان‌طور که انتظار می‌رفت ـ بر خودافشاگری عمودی اصرار داشت یعنی به جزئیاتی از گذشته مانند پرسش درباره‌ی میزان و مدت نوشیدن؛ در حالی که خودافشاگری افقی، یعنی *افشاگری درباره‌ی افشاگری*، همواره بسیار پربارتر بود.

جولیوس اندیشید این جلسه محصول فراوانی برای آموزش داشت و به خود یادآوری کرد ترتیب وقایع آن را برای سخنرانی‌ها و نوشته‌های آینده‌اش از یاد نبَرد. و بعد انگار که ضربه‌ای سنگین خورده باشد، به یاد آورد آینده چندان به او مربوط نیست. او می‌دانست گرچه آن خال سیاه زهرآگین از شانه‌اش بیرون آورده شده، دسته‌های کشنده‌ی سلول‌های ملانوم در جایی از بدنش مانده‌اند، سلول‌های سیری‌ناپذیری که بیش از سلول‌های خسته‌ی او در طلب زندگی‌اند. آن‌ها آنجا هستند: می‌تپند، اکسیژن و مواد غذایی را می‌بلعند، رشد می‌کنند و نیرو می‌گیرند. و افکار تیره‌اش نیز همواره همانجا بودند و به زیر پرده‌ی آگاهی می‌تراویدند. به دلیل یکی از شیوه‌هایش برای کاستن از وحشت، خدا را شکر کرد: ورود به زندگی با تمام نیروی ممکن. زندگی پرشور و حرارتی که در این گروه می‌گذشت، داروی بسیار خوبی برای او بود.

گیل را زیر فشار گذاشت: «از اونچه که تموم این ماه‌ها در جلسات گروه‌درمانی بهت گذشته، بیشتر برامون بگو.»

گیل گفت: «منظورت چیه؟»

«خب گفتی "آسون نبود". بیشتر بگو، از اون جلسات و اینکه چرا آسون نبود.»

«کاملاً آماده اینجا می‌اومدم ولی هیچ‌وقت نتونستم چیزی بروز بدم؛ چیزی همیشه مانعم بود.»

«روی همین متمرکز شو: چیزی که مانعت بوده.» جولیوس به‌ندرت در گروه این جور دستور می‌داد، ولی معتقد بود می‌داند چطور باید بحث را در جهت مفیدی هدایت کند که گروه به‌تنهایی قادر به رسیدن به آن نیست.

گیل گفت: «من این گروه رو دوست دارم. اینا مهم‌ترین افراد زندگی منند. پیش از این هیچ‌وقت عضو واقعی هیچ جایی نبودم. می‌ترسیدم جام رو اینجا از دست بدم و دیگه کسی بهم اعتماد نداشته باشه: دقیقاً همون اتفاقی که الآن داره می‌افته. همین حالا. مردم از مستا متنفرند... گروه می‌خواد من رو با تیپا بیرون بندازه... تو بهم می‌گی برو عضو گروه الکلی‌های بی‌نام (AA)[1] بشو. گروه دیگه فقط درباره‌م قضاوت می‌کنه، کمکم نمی‌کنه.»

این دقیقاً همان سرنخی بود که جولیوس منتظرش بود. سریع به جنبش افتاد.

«گیل نگاهی به همه بنداز: بگو کیا اینجا قاضی‌اند؟»

«هرکس برای خودش یه قاضیه.»

«همه مثل همند؟ بعید می‌دونم. سعی کن فرق بگذاری. یه نگاهی به گروه بنداز. قاضی‌های اصلی کدومان؟»

گیل هم‌چنان به جولیوس خیره ماند. «خب، تونی سخت با آدم کنار می‌یاد، ولی نه، نه در این مورد: اون خودش هم مشروب دوست داره. این چیزیه که تو می‌خوای؟»

جولیوس سری برای تشویق تکان داد.

---

۱. نام گروه‌های درمانی متشکل از بیماران معتاد به الکل که وارد روند درمان شده‌اند ـ م.

گیل به صحبت مستقیم با جولیوس ادامه داد: «بانی؟ نه، اون قاضی نیست، به‌جز برای خودش و گاهی هم برای ربه‌کا، اون همیشه با من مهربونه. استوارت، خب اون یکی از قاضی‌هاست؛ اون یه خصلت اخلاقی و مذهبی داره. گاهی حسابی جانماز آبکش می‌شه. و ربه‌کا، مطمئنم، کلی حکم ازش می‌شنوم: مثل من باش، مطمئن باش، دقیق باش، درست لباس بپوش، تروتمیز باش، مرتب و آراسته باش. به همین دلیل بود که وقتی ربه‌کا و استوارت ضعف‌هاشون رو نشون دادن، من راحت‌تر شدم: افشاگری برام ممکن شد. و پم، اون قاضی اصلیه، قاضی‌القضات. شک ندارم. می‌دونم که فکر می‌کنه من ضعیفم، در حق رز بی‌انصافی می‌کنم، خلاصه هرچی به من مربوطه، غلط و نادرسته. من امید چندانی برای راضی کردن اون ندارم... در واقع هیچ امیدی ندارم.» گیل مکثی کرد، گروه را از نظر گذراند و گفت: «فکر کنم، همین بود. اوه بله، فیلیپ.» بر خلاف قبل، این بار مستقیم رو کرد به فیلیپ و گفت: «بذار ببینم... فکر نمی‌کنم قضاوتم کنی، ولی مطمئن نیستم که این حرف، تعریفی ازت باشه. معنی‌ش بیشتر اینه که تو اون قدر به من نزدیک نمی‌شی تا بخوای خودت رو درگیر کنی و زحمت قضاوت در موردم رو به خودت بدی.»

جولیوس حسابی راضی شده بود. توانسته بود شِکوه‌های غیرسازنده درباره‌ی خیانت و استنطاق تنبیهی گروه نسبت به گیل را خنثا کند. دیر یا زود جزئیات مربوط به الکلیسمش روشن می‌شد، ولی حالا وقتش نبود، نه در این لحظه و به این شکل.

به‌علاوه، تمرکز جولیوس بر افشاگری افقی، به پاداشی منجر شده بود: ده‌دقیقه‌ای که گیل جسورانه به تک‌تک اعضا پرداخته بود، به رگه‌ی غنی و پرباری از اطلاعات رسیده بود و به‌تنهایی کافی بود

تا سوخت یکی‌دوجلسه‌ی دیگر را تأمین کند.

جولیوس خطاب به گروه گفت: «کسی واکنشی داره؟»

مکث گروه؛ نه به این دلیل که حرفی برای گفتن نبود، بلکه چون حرف بسیار بود. صدای دستور جلسه با تمام قدرت شنیده می‌شد: اعضا باید واکنش‌هایی به اعتراف گیل، الکلیسمش و خشن شدنش در دقایق آخر داشته باشند. جولیوس امیدوارانه منتظر بود. مباحث خوبی در راه بود.

متوجه شد فیلیپ به او نگاه می‌کند و برای یک آن، نگاهشان تلاقی کرد و این غیرمعمول بود. جولیوس اندیشید شاید فیلیپ به این ترتیب قدردانی‌اش را از تبحری که در هدایت این جلسه نشان داده بود، آشکار می‌کند. یا شاید به بازخورد گیل نسبت به خودش می‌اندیشد. جولیوس تصمیم گرفت در این باره سؤال کند پس با سر به فیلیپ اشاره کرد. پاسخی نبود. پس گفت: «فیلیپ از احساست نسبت به این جلسه تا به این لحظه بگو.»

«دارم فکر می‌کنم تو می‌خوای توی بحث شرکت کنی یا نه؟»

جولیوس مبهوت ماند: «شرکت کنم؟ خودم داشتم فکر می‌کردم نکنه توی این جلسه زیادی فعال بوده‌ام یا دستور داده‌ام.»

فیلیپ گفت: «منظورم شرکت در *افشای رازه*.»

جولیوس اندیشید ممکنه بالاخره زمانی برسه که فیلیپ حرفی بزنه که دست‌کم تا حدودی قابل پیش‌بینی باشه؟ «فیلیپ، از سؤالت طفره نمی‌رم، ولی هنوز چند کار مهم نیمه‌تمام باقی مونده.» رو کرد به گیل: «می‌خوام بدونم الآن توی سرت چی می‌گذره.»

گیل در حالی که پیشانی‌اش از عرق برق می‌زد، گفت: «ظرفیتم تکمیله. فقط می‌خوام بدونم به من اجازه می‌دی به عنوان یه الکلی توی گروه بمونم یا نه.»

«به نظر من که حالا بیش از هر زمان دیگه‌ای بـه مـا نیـاز داری. فقط نمی‌دونم طرح موضوع در این جلسه، آیـا بـه ایـن معنـی هـم هست که می‌خوای کاری برای حلش بکنی یا نه. مـثلاً یـه برنامـه‌ی بهبودی رو شروع کنی؟»

«آره، بعد از این جلسه دیگه نمی‌تونم به کارایی که دارم می‌کـنم، ادامه بدم. شاید لازم بشه بهت زنگ بزنم و برای یه جلسه‌ی فـردی وقت بگیرم. باشه؟»

«البته، هر تعداد جلسه که لازم داشته باشی.» سیاسـت جولیـوس این بود که به درخواست اعضا برای داشتن جلسات فـردی احتـرام می‌گذاشت با این شرط که جزییات جلسات فـردی را در جلسـه‌ی بعد گروه، با سایر اعضا در میان بگذارند.

جولیوس دوباره رو کرد به فیلیپ. «برگـردیم بـه سـؤال تـو. یـه ترفند قدیمی روان‌درمانگرانه هست که به شکل ظریفی امکان طفـره رفتن از سؤالات پردردسر رو فـراهم مـی‌کنـه و اون اینـه کـه "دلـم می‌خواد بدونم چرا این سؤال رو می‌پرسی؟" خب، بعداً ایـن سـؤال رو ازت می‌پرسم ولی نمی‌خوام طفره برم. به جاش بهت یه پیشنهاد می‌کنم: قول می‌دم این سؤالت رو کامل جواب بدم به شـرط اینکـه اول بپذیری همه‌ی انگیزه‌هات رو برای پرسیدن ایـن سـؤال آشـکار کنی. قبوله؟»

فیلیپ مکثی کرد و پاسـخ داد: «عادلانـه‌سـت. انگیـزه‌ی مـن در پرسیدن این سؤال چندان پیچیده نیست. می‌خـوام از رویکـردت در مشاوره سر در بیارم و هر بخشـی از اون رو کـه بـه کـار مشـاوره‌م کمک می‌کنه، با شیوه‌ی خودم تلفیـق کـنم. کـار مـن بـا تـو خیلـی متفاوته: من داوطلب هیچ رابطه‌ی هیجانی و عاطفی‌ای نمی‌شم: قرار نیست مراجعم رو دوست داشـته باشـم. بـه‌جـاش بـه اون رهنمـود

عقلانی می‌دم. رهنمود برای تفکری به مراتب روشن‌تر و زندگی‌ای هماهنگ با منطق. حالا ـ شاید کمی دیر باشه ـ ولی دارم می‌فهمم هدفت چیه: یه رویارویی من ـ تو بوبری...»

تونی پرسید: «بوبر دیگه کیه؟ متنفرم از اینکه مثل یه احمق سروصدا راه بندازم، ولی خدا لعنتم کنه اگه قرار باشه اینجا بشینم و نفهمم چه خبره.»

ربه‌کا گفت: «ادامه بده، تونی، هر بار که سؤالی می‌پرسی، از طرف من هم می‌پرسی. من هم نمی‌دونم بوبر کیه.»

بقیه هم سری به تأیید تکان دادند. استوارت گفت: «من اسمشو شنیدم و یه چیزایی درباره‌ی من ـ تو؛ ولی بیشتر از این نمی‌دونم.»

پم به میان صحبت دوید: «بوبر یه فیلسوف یهودی آلمانیه که حدود پنجاه سال پیش مرده و در نوشته‌هاش به رویارویی حقیقی دو موجود ـ رابطه‌ی محبت‌آمیز "من ـ تو" بین دو موجود کاملاً حاضر ـ می‌پردازه که در تقابل با رویارویی "من ـ آن" قرار داره که "من‌بودن" دیگری رو نادیده می‌گیره و به‌جای اینکه با دیگری ارتباط برقرار کنه، ازش استفاده می‌کنه. چیزی که همین امروز اینجا مطرح شد: کاری که فیلیپ سال‌ها پیش با من کرد، استفاده از من به عنوان یک "آن" بود.»

تونی گفت: «ممنون، پم، فهمیدم.» و بعد رو کرد به فیلیپ: «همه‌مون حالا تو یه صفحه‌ایم دیگه. نه؟»

فیلیپ نگاهی هاج‌وواج و مضحک به تونی انداخت.

تونی گفت: «نمی‌دونی این جمله یعنی چی؟ باید یه لغتنامه برات بگیرم که حرف زدن توی قرن بیستم رو یادت بده. ببینم، تا حالا تلویزیونت رو روشن کردی؟»

فیلیپ با لحنی آرام و غیردفاعی گفت: «من تلویزیون ندارم،

تونی. ولی اگه منظورت اینه که با جواب پم درباره‌ی بوبر موافقم یا نه، باید بگم، بله: من نمی‌تونستم به این خوبی توضیحش بدم.»

جولیوس مبهوت شده بود: *فیلیپ نام پم و تونی را بر زبان آورد؟ فیلیپ از پم تعریف کرد؟* آیا این رویدادهای ظریف و لطیف منادی تغییری بسیار مهمند؟ جولیوس اندیشید چقدر سرزندگی ـ سرزندگی در این گروه ـ را دوست دارد.

تونی گفت: «هنوز وقت داری، فیلیپ. من حرفت رو قطع کردم.»

فیلیپ ادامه داد: «خب داشتم به جولیوس می‌گفتم... یعنی داشتم بهت می‌گفتم...» رو کرد به جولیوس: «درست شد؟»

جولیوس پاسخ داد: «درست شد، فیلیپ، به نظرم داری یه شاگرد ساعی از آب در می‌آیی.»

فیلیپ با لحن حساب‌شده‌ی یک ریاضیدان ادامه داد: «خب، گزاره‌ی اول: تو می‌خوای با هر مراجع یک رابطه‌ی من ـ تو داشته باشی. گزاره‌ی دوم: یک رابطه‌ی من ــ تو عبارت است از یک رابطه‌ی دوجانبه‌ی کامل؛ طبق تعریف نمی‌تونه یه صمیمیت یکطرفه رو شامل بشه. گزاره‌ی سوم: در این یکی‌دو جلسه‌ی اخیر افراد در اینجا چیزای زیادی درباره‌ی خودشون افشا کردن. پس می‌رسیم به پرسش کاملاً موجه من از تو: لازم نیست تو هم معامله به مثل کنی؟»

فیلیپ پس از یک لحظه سکوت افزود: «پس معما اینه. فقط می‌خواستم ببینم یک مشاور با پیروی از مکتب تو، چطور با درخواست یه مراجع برای برابری مواجه می‌شه.»

«پس انگیزه‌ی تو در درجه‌ی اول امتحان این مسئله بود که آیا در رویکرد خودم ثابت‌قدم هستم یا نه؟»

«بله، امتحان شخص تو نبود، بلکه امتحان شیوه‌ی تو بود.»

«بسیار خوب، خوشحالم که سؤالت در خدمت درک عقلانی‌ت بوده و قدر این مسئله رو می‌دونم. حالا فقط یه درخواست دیگه دارم و بعد جوابت رو می‌دم. چرا حالا؟ *چرا این سؤال خاص رو در این زمان خاص پرسیدی؟*»

«اولین زمان ممکن بود. این اولین وقفه‌ی جزئی در این مسیر بود.»

جولیوس گفت: «قانع نشدم. فکر می‌کنم چیزای دیگه‌ای هم مطرحه. باز می‌پرسم، *چرا حالا؟*»

فیلیپ سرش را با سردرگمی تکان داد. «شاید این جواب سؤال تو نباشه ولی داشتم به شوپنهاور فکر می‌کردم که گفته کمتر چیزی به اندازه‌ی شنیدن بدبختی‌های دیگران، مردم رو سر حال می‌یاره. شوپنهاور شعری از لوکرتیوس» فیلیپ تونی را مخاطب قرار داد: «ـ شاعر رومی قرن اول پیش از میلاد ـ رو نقل می‌کنه که در اون یه نفر از ایستادن در ساحل و مشاهده‌ی دست‌وپنجه نرم کردن دیگران با طوفانی وحشتناک لذت می‌بره. می‌گه: "مشاهده‌ی فلاکت‌هایی که خودمان از آن‌ها به دوریم، مایه‌ی مسرت ماست." آیا این یکی از نیروهای قدرتمندی نیست که بر درمان گروهی اثر می‌ذاره؟»

جولیوس گفت: «جالبه، فیلیپ. ولی کاملاً خارج از موضوعه. بگذار فعلاً روی سؤال "چرا حالا؟" متمرکز بمونیم.»

فیلیپ هنوز گیج به نظر می‌رسید.

جولیوس برای برانگیختنش گفت: «بگذار کمکت کنم، فیلیپ. دلیلی دارم که روی این موضوع این قدر پافشاری می‌کنم... دلیلی که تصویر روشنی از تفاوت دو رویکرد ما ارائه می‌ده. پاسخ تو به پرسش "چرا حالا؟" رابطه‌ی نزدیکی با مسائل بین‌فردی تو داره.

بگذار توضیح بدم: می‌تونی تجربه‌ت در یکی‌دو جلسه‌ی اخیرو خلاصه کنی؟»

سکوت. فیلیپ هاج‌وواج بود.

تونی گفت: «برای من که خیلی واضحه، استاد.»

فیلیپ ابروانش را از تعجب بالا برد و گفت: «واضح؟»

«خب، اگه دلت می‌خواد به زبون بیارم، ماجرا از این قراره: تو وارد این گروه می‌شی و اظهار نظرای ظاهراً عمیق زیادی می‌کنی. یه چیزایی از توی توبره‌ی فلسفه‌ت بیرون می‌کشی که همه‌ی ما باهاشون موافقیم. بعضی‌ها ـ مثلاً ربه‌کا و بانی و همین جور من ـ فکر می‌کنن تو خیلی عاقلی. تو همه‌ی جوابا رو داری. خودت یه مشاوری و این‌طور به نظر می‌یاد که با جولیوس رقابت داری. توی یه‌صفحه‌ایم؟»

تونی نگاهی پرسشگر به فیلیپ انداخت و او سری تکان داد که نشان می‌داد باید ادامه دهد.

«بعد می‌زنه و پم به سلامتی برمی‌گرده. و اون چی کار می‌کنه؟ پرونده‌ی تو رو بیرون می‌کشه! معلوم می‌شه گذشته‌ی کثیفی داشته‌ای. واقعاً کثیف. تو دیگه اون جناب تروتمیز و شسته‌رفته نیستی. در واقع، پدر پم رو درآورده‌ای. وجهه‌ات رو کاملاً از دست داده‌ای. حالا *باید* هم سر این مسئله ناراحت باشی. پس چی کار می‌کنی؟ امروز می‌یای اینجا و به جولیوس می‌گی: راز زندگی تو چیه؟ می‌خوای اون هم وجهه‌ش رو از دست بده و بازی برابر بشه. توی یه صفحه‌ایم؟»

فیلیپ سرش را مختصری جنباند.

«من این جوری می‌بینمش. لعنتی، چه جور دیگه‌ای می‌شه دیدش؟»

فیلیپ چشمانش را به تونی دوخت و پاسخ داد: «مشاهده‌ت تحسین‌برانگیزه.» برگشت و جولیوس را مخاطب قرار داد: «شاید یه عذرخواهی بهت بدهکارم... شوپنهاور همیشه هشدار می‌ده مراقب باشیم تجربه‌ی ذهنی‌مون، مشاهده‌ی عینی‌مون رو آلوده نکنه.»

بانی پرسید: «و یه عذرخواهی به پم؟ اون چی می‌شه؟»

«بله، فکر می‌کنم به اون هم بدهکارم.» فیلیپ نگاهی گذرا به طرف او انداخت. پم رو برگرداند.

وقتی روشن شد که پم قصد ندارد پاسخی دهد، جولیوس گفت: «فیلیپ، می‌ذارم پم هر زمان که خودش راحت بود در این باره حرف بزنه، اما درباره‌ی من نیازی به عذرخواهی نیست. تنها دلیل حضور تو در اینجا اینه که بفهمی چی می‌گی و چرا اونو می‌گی. و درباره‌ی مشاهدات تونی هم باید بگم کاملاً به هدف زد.»

بانی گفت: «فیلیپ، می‌خوام یه چیزی ازت بپرسم. سؤالیه که جولیوس بارها از من پرسیده. توی این یکی‌دو جلسه، وقتی اینجا رو ترک می‌کردی، چه حسی داشتی؟»

«خوب نبودم. حواس‌پرت. حتا سراسیمه.»

بانی گفت: «من هم همین تصورو داشتم. می‌تونستم پیش‌بینی کنم. هیچ درباره‌ی آخرین جمله‌ی هفته‌ی پیش جولیوس ـ اینکه استوارت و ربه‌کا هدیه‌ای به تو دادن ـ فکر کردی؟»

«درباره‌اش فکر نکردم. سعی کردم ولی فقط عصبی شدم. گاهی فکر می‌کنم همه‌ی کشمکش و هیاهوی اینجا، سرگرمی مخربیه که من رو از فعالیتایی که واقعاً براشون ارزش قائلم، دور می‌کنه. این همه تمرکز بر گذشته فقط باعث می‌شه همه‌مون این حقیقت اساسی رو فراموش کنیم که زندگی چیزی جز لحظه‌ی اکنون نیست که خودش برای همیشه از بین می‌ره. وقتی به سرنوشت نهایی

همه‌چیز نگاه می‌کنی، فایده‌ای در این همه جنجال نمی‌بینی.»

بانی گفت: «انگار چیزایی که تونی درباره‌ت گفت، اصلاً شوخی‌بردار نیست. همه‌چی خیلی دلگیر و ناخوشاینده.»

«من بهش می‌گم واقع‌گرایی.»

بانی سماجت کرد: «خب، برگردیم به این قسمتی که زندگی فقط لحظه‌ی اکنونه. من هم دارم درباره‌ی لحظه‌ی اکنون ازت می‌پرسم: واکنش فعلی‌ت به دریافت یه هدیه. به‌علاوه، یه سؤال هم درباره‌ی قهوه‌خوری‌های بعد از جلساتمون دارم. تو بعد از این دو جلسه‌ی اخیر بلافاصله اینجا رو ترک کردی. آیا فکرت این بود که دعوت نیستی؟ نه، بذار این جوری بپرسم: احساس لحظه‌ی اکنونت درباره‌ی قهوه خوردن بعد از همین جلسه چیه؟»

«نه، من به این همه حرف زدن عادت ندارم... نیاز به زمان دارم تا دوباره به آرامش برسم. خیلی خوشحال می‌شم بعد از پایان این جلسه آزاد باشم.»

جولیوس نگاهی به ساعتش انداخت. «باید کار رو متوقف کنیم... وقت گذشته. فیلیپ قراردادم با تو رو فراموش نمی‌کنم. تو به عهدت وفا کردی. جلسه‌ی بعد نوبت منه.»

باید برای آرزوهایمان مرزی قائل شویم، اشتیاقمان را مهار کنیم، بر خشم‌مان چیره شویم و همواره این واقعیت را در نظر داشته باشیم که هرکس قادر است تنها به سهم بسیار کوچکی از آنچه ارزش داشتن را دارد، دست یابد...

فصل ۲۷

اعضای گروه بعد از جلسه، حدود چهل‌وپنج دقیقه در همان کافه‌ی همیشگی در خیابان یونیون گرد هم آمدند. از آنجا که فیلیپ در جمعشان حاضر نبود، درباره‌ی او حرفی نزدند. موضوعاتی را که در جلسه سر برآورده بود هم پی نگرفتند. در عوض، با اشتیاق به توصیف پرآب‌ورنگ پم از سفرش به هند گوش سپردند. بانی و ربه‌کا هردو مسحور وجای ـ همسفر جذاب و رازآلود پم در قطار که بوی دارچین می‌داد ـ شدند و تشویقش کردند به ایمیل‌های زیادی که می‌فرستد، پاسخ دهد. گیل سردماغ بود و از همه برای

پشتیبانی‌شان تشکر کرد و گفت می‌خواهد جلسه‌ای با جولیوس داشته باشد، برای ترک تصمیم جدی بگیرد و در گروه الکلی‌های بی‌نام شرکت کند. از پم هم برای کار درمانی خوبش با او تشکر کرد.

تونی گفت: «بتاز پم! بانوی سختگیر عشق دوباره می‌تازد.»

پم به آپارتمانش در برکلی هیلز که درست بالای دانشگاه بود، برگشت. اغلب به شم درست خودش تبریک می‌گفت که بعد از ازدواج با ارل، این ملک را حفظ کرده بود. شاید ناخودآگاه می‌دانست دوباره به آن نیاز پیدا می‌کند. رنگ روشن چوب‌های اتاق، قالیچه‌های تبتی پهن‌شده بر زمین و نور گرم آفتاب را که عصرها به درون اتاق نشیمن می‌تابید، دوست داشت. لیوانی پروسِکو نوشید و غروب خورشید سن‌فرانسیسکو را بر صندلی‌اش به تماشا نشست.

افکار مربوط به گروه در سرش می‌چرخید. به تونی اندیشید که جامه‌ی عضو نابکار گروه را به دور افکند و با دقت یک جراح به فیلیپ نشان داد تا چه حد نسبت به رفتارش ناآگاه است. این بسیار ارزشمند بود. آرزو کرد کاش حرف‌هایش را ضبط کرده بود. تونی یک جواهر تراش‌نخورده بود: تلألو و برق واقعی‌اش ذره‌ذره به چشم می‌آمد و آشکار می‌شد. و آن گفته‌اش درباره‌ی «عشق سختگیرانه»ی او؟ آیا او یا دیگران متوجه شدند که در پاسخش به گیل «سختگیری» بر «عشق» می‌چربید؟ بیرون ریختن احساسش به گیل لذت زیادی داشت که البته مفید واقع شدن به حال گیل، کمی از این لذت کاست. گیل او را «قاضی‌القضات» نامیده بود. خب، دست‌کم جرأت کرده بود این را بگوید ولی بعد کوشید با تعریف و تمجید متظاهرانه از او جبرانش کند.

به یاد نخستین نگاهش به گیل افتاد: در جا مجذوب ظاهر و آن عضلات بیرون‌زده از زیرپیراهن و نیم‌تنه‌اش شده بود ولی گیل خیلی زود مأیوسش کرده بود: با اعوجاج‌های بزدلانه‌ای که به تن و چهره‌اش می‌داد تا همه را راضی کند و با ناله‌هایش، شکوه‌های بی‌پایانش درباره‌ی رز ـ رز سردمزاج سرسخت چهل‌وپنج‌کیلویی ـ که حالا معلوم شده شم تیزی داشته چون نمی‌خواسته از یک مرد الکلی بار بردارد.

بعد از فقط چند جلسه گیل جایش را در صف بازندگان مذکر زندگی پم پذیرفت. صفی که با پدر پم آغاز می‌شد: کسی که مدرک تحصیلی حقوقش را حرام کرد چون نمی‌توانست زندگی رقابتی یک وکیل را تاب بیاورد و به یک شغل دولتی امن یعنی تعلیم نگارش نامه‌های اداری به منشی‌ها بسنده کرد و بعد هم شجاعت لازم را برای جنگ با ذات‌الریه از خود نشان نداد و این بیماری، پیش از آنکه بتواند به دوره‌ی بازنشستگی برسد، او را از پای درآورد. پشت سر پدر در این صف، آرون، دوست‌پسر صورت‌جوشی ترسویش در دوره‌ی دبیرستان قرار داشت که حاضر نشد در اسوارتمور بماند و به دانشگاه مریلند یعنی نزدیک‌ترین دانشکده به خانه‌اش جابه‌جایی گرفت تا بتواند در خانه زندگی کند؛ و بعد ولادیمیر که می‌خواست با او ازدواج کند در حالی که هرگز نتوانست به استادی دانشگاه برسد و برای همیشه یک مدرس حق‌التدریسی آیین نگارش زبان انگلیسی باقی ماند؛ و ارل که خیلی زود به شوهر سابقش بدل شد و همه‌چیزش، از رنگ‌مو با فرمول یونانی گرفته تا چیرگی‌اش بر آثار کلاسیک قلابی از کار درآمد و بیماران پروپاقرص مؤنثش که خودش هم یکی از آن‌ها بود، امکان انتخاب آسان را برایش فراهم کرده بود؛ و جان که آن‌قدر بزدل و

ترسو بود که نتوانست یک زندگی زناشویی مرده را رها کند و به او بپیوندد. و آخرین نفر صف یعنی وجای؟ خب، او هم مال بانی و ربه‌کا! پم نمی‌توانست به مردی که نیازمند یک تمرین آرامش تمام‌وقت است تا از فشار روانی سفارش صبحانه خلاص شود، اشتیاق چندانی داشته باشد.

ولی فکر به همه‌ی این افراد فرعی و اتفاقی بود. کسی که همه‌ی توجه او را جلب کرده بود، فیلیپ بود، آن نسخه‌ی بدل پرفیس‌وافاده‌ی شوپنهاور، آن کودنی که آنجا نشسته بود و حرف‌های بی‌ربط به هم می‌بافت و تظاهر به آدم بودن می‌کرد.

پم بعد از شام به سراغ کتابخانه‌اش رفت و بخش مربوط به شوپنهاور را وارسی کرد. دوره‌ای فلسفه خوانده بود و تصمیم داشت رساله‌ای درباره‌ی تأثیر شوپنهاور بر بکت و ژید بنویسد. عاشق نثر شوپنهاور بود: از این لحاظ او صاحب‌سبک‌ترین فیلسوف بود البته بعد از نیچه. و هوشمندی، گستره‌ی دانش و شهامتش در به چالش کشیدن همه‌ی باورهای ماورای طبیعی را می‌ستود ولی هرچه شناختش از شخصیت شوپنهاور بیشتر شد، بیزاری و اشمئزازش هم فزونی گرفت. کتاب حاوی همه‌ی مقالاتش را از کتابخانه بیرون کشید و گشود و بعضی عبارات را که در مقاله‌ی «رابطه‌ی ما با دیگران» مشخص کرده بود، با صدای بلند خواند.

- «تنها راه حفظ برتری در روابط انسانی، آن است که بگذارید شما را مستقل از خودشان ببینند.»
- «بی‌اعتنایی راه کسب احترام است.»
- «با برخوردی مؤدبانه و دوستانه، می‌شود مردم را حرف‌شنو و مطیع کرد: پس رفتار مؤدبانه با طبیعت انسان همان می‌کند که گرما با موم.»

حالا یادش آمد که چرا از شوپنهاور بیزار بود. فیلیپ مشاور بشود؟ و الگویش شوپنهاور باشد؟ و جولیوس تعلیمش دهد؟ اصلاً باور کردنی نبود.

جمله‌ی آخر را دوباره خواند: «*رفتار مؤدبانه با طبیعت انسان همان می‌کند که گرما با موم.*» هوممم، پس فکر می‌کند می‌تواند با من هم مثل موم کار کند، بلایی را که بر سر زندگی من آورد، با یک ستایش بیجا از صحبتم درباره‌ی بوبر یا اجازه دادن به اول گذشتن من از در جبران کند. خب، به همین خیال باش!

بعد کوشید با فرورفتن در جکوزی‌اش در حین گوش دادن به نوار سرودهای گونکا به آرامش برسد. این سرودها با نوای موزون خلسه‌آور و آغاز و پایان‌ها و تغییرات ناگهانی‌شان در آهنگ و طنین، اغلب آرامَش می‌کرد. حتا چند دقیقه کوشید به تمرین مراقبه‌ی ویپاسانا بپردازد ولی نتوانست به آن آرامش سابق برسد.

تصاویر نخستین دیدارش با فیلیپ در پانزده سال پیش در ذهنش می‌چرخید: پشت میزش نشسته بود و برنامه‌ی درسی کلاس را سهل‌انگارانه به دست دانشجویانی می‌داد که وارد کلاس می‌شدند در حالی که لبخندی وسیع حواله‌ی او می‌کرد. آن موقع مرد خوش‌تیپی بود: زیبا، باهوش، انگار از جهانی دیگر که نمی‌شد حواسش را پرت کرد. چه بلایی سر *آن* مرد آمد؟ خودت را گول نزن، پم، تو همه‌ی این‌ها را دوست داشتی. یک دانشمند با درکی شگفت‌انگیز از تاریخ ادبی غرب و یک استاد فوق‌العاده، شاید بهترین استادی که در عمرش داشت. اصلاً به همین دلیل بود که ابتدا فلسفه را به عنوان رشته‌ی تحصیلی‌اش در نظر گرفت. ولی این‌ها چیزهایی‌ست که هرگز قرار نیست فیلیپ بداند.

پس از رهایی از این افکار خشماگین پریشان‌ساز و آشفته‌کننده،

ذهنش متوجه قلمرویی لطیف‌تر و پراندوه‌تر شد: اینکه جولیوس دارد می‌میرد. این مردی بود که باید دوست داشته می‌شد. رو به مرگ بود ولی کارش را هم‌چون گذشته ادامه می‌داد. چطور از عهده‌اش برمی‌آمد؟ چطور تمرکزش را حفظ می‌کرد؟ جولیوس چطور می‌توانست هم‌چنان بامحبت باقی بماند؟ و فیلیپ ـ این مردک عوضی ـ او را به چالش بکشد تا خودی نشان دهد. و صبر جولیوس در برابر او و تلاشش برای آموزش به فیلیپ. آیا جولیوس نمی‌دید که او ظرفی توخالی بیش نیست؟

خود را با خیال پرستاری از جولیوس زمانی که ضعیف‌تر شده باشد، سرگرم کرد؛ می‌شد برایش غذا ببرد؛ حالا چیزی سورئال در گروه وجود داشت: همه‌ی این نمایش‌های کوچک در برابر افق رو به تاریکی پایان زندگی جولیوس بازی می‌شد. چه غیرمنصفانه که آن کس که قرار بود بمیرد جولیوس است. موجی از خشم در درونش به حرکت درآمد، ولی این موج را به سوی چه کسی می‌توانست هدایت کند؟

وقتی پم چراغ مطالعه‌ی کنار بسترش را خاموش کرد و منتظر شد تا قرص خوابش اثر کند، متوجه یکی از مزایای غوغای تازه‌ای شد که در زندگی‌اش به راه افتاده بود: وسواس درباره‌ی جان که در حین تمرین ویپاسانا ناپدید شده بود و بلافاصله پس از ترک هند، دوباره بازگشته بود، حالا دوباره و شاید برای همیشه از میان رفته بود.

هیچ گل سرخی بی خار نیست. ولی خارهای بی گل فراوانند.

۲۸

بدبینی به مثابه شیوه‌ای برای زندگی

شوپنهاور اثر بزرگش را با عنوان *جهان به مثابه اراده و بازنمود*[1] در دهه‌ی سوم زندگی‌اش نوشت و در سال ۱۸۱۸ و سپس جلد ضمیمه‌اش را در سال ۱۸۴۴ منتشر کرد. اثری با گستردگی و ژرفای حیرت‌آور که نگرش‌هایی هوشمندانه درباره‌ی منطق، اخلاق، شناخت‌شناسی، ادراک، علم، ریاضیات، زیبایی، هنر، شعر، نیاز به مابعدالطبیعه و رابطه‌ی انسان با دیگران و با خویشتن به خواننده پیشکش می‌کند. به معرفی وضعیت انسانی با همه‌ی وجوه

---

1. *The World as Will and Representation*

ناخوشایندش می‌پردازد: مرگ، تنهایی، بی‌معنایی زندگی و رنج ذاتی وجود. بسیاری از دانشمندان بر این عقیده‌اند که در میان فیلسوفان، بیشترین ایده‌های خوب در آثار شوپنهاور یافت می‌شود، البته اگر افلاطون را استثنا کنیم.

شوپنهاور بارها این آرزو و انتظار را بر زبان می‌آورَد که به دلیل این اثر برجسته و ممتاز، همواره در یادها بماند. دیرتر به انتشار آثار مهم دیگرش ـ یک مجموعه‌ی دو جلدی از مقالات فلسفی و کلمات قصار با عنوان *Parerga and Paralipomena* که در زبان یونانی به‌معنای «تلخیص‌ها و تکمله‌ها»ست ـ اهتمام ورزید.

روان‌درمانی در زمان زندگی آرتور هنوز زاده نشده بود، با این همه، بسیاری از نوشته‌هایش در این نوع درمان کاربرد دارد. اثر بزرگش با یک نقد و ترویج اندیشه‌های کانت آغاز می‌شود که فلسفه را با این بینش که ما بیش از آنکه واقعیت را درک کنیم، آن را می‌سازیم، متحول کرد. کانت معتقد بود همه‌ی اطلاعات ناشی از حواس ما از صافی دستگاه عصبی‌مان می‌گذرد و در آن دوباره سر هم می‌شود تا تصویری پدید آید که آن را واقعیت می‌نامیم ولی در اصل خیالی بیش نیست، افسانه‌ای که از ذهن مفهوم‌ساز و طبقه‌بندی‌کننده‌ی ما سر بر می‌آورَد. حتا علت و معلول، توالی، کمیت، مکان و زمان، در واقع، مفاهیمی ساخته‌شده‌اند و موجودیت و ماهیتی مستقل که «آنجا باشد»، ندارند.

به‌علاوه، ما نمی‌توانیم نسخه‌ی پردازش‌شده‌ی چیزی را که آنجا هست «ببینیم»؛ راهی برای شناخت آنچه «واقعاً» آنجا هست ـ یعنی موجودی که پیش از پردازش ادراکی و عقلانی ما وجود داشته ـ نداریم. آن موجود اولیه که کانت *Ding an sich* (شیء در ذات خویش) نامیده، برای همیشه نزد ما درک‌ناشدنی می‌مانَد و باید هم

این جور باشد.

با اینکه شوپنهاور پذیرفت ما هرگز نمی‌توانیم «شیء در ذات خویش» را درک کنیم، باور داشت که می‌توانیم بیش از آنچه کانت اندیشیده، به آن نزدیک شویم. کانت در نظریاتش یکی از سرچشمه‌های اصلی دریافت اطلاعات در دسترس درباره‌ی جهان درک‌شده (پدیداری) را نادیده گرفته: *تن‌هایمان*! تن‌ها اشیایی مادی‌اند. در زمان و مکان وجود دارند. و هریک از ما دانشی فوق‌العاده غنی از تن‌هایمان داریم: دانشی که از دستگاه ادراکی و نظری ما ناشی نمی‌شود بلکه دانشی‌ست که مستقیماً از درونمان برمی‌آید، دانشی که از احساسات ناشی می‌شود.

از تن‌هایمان به دانشی دست می‌یابیم که نمی‌توانیم ذهنی‌اش کنیم و به دیگران انتقال دهیم زیرا بخش بزرگی از زندگی درونی‌مان برای خودمان ناشناخته‌ست. وا پس رانده شده و اجازه ندارد به خودآگاه راه یابد، زیرا شناخت ژرف‌تر از طبیعتمان (بی‌رحمی، ترس، حسادت، شهوت جنسی، خشونت و سودجویی‌مان) بیش از آن برمی‌آشوبدمان که طاقتش را داشته باشیم.

آشنا نیست؟ شبیه حرف‌های قدیمی فرویدی ـ ناخودآگاه، پردازش نخستین، اید (سائق‌های غریزی)، واپس‌رانی، خودفریبی ـ نیست؟ آیا این‌ها جوهر حیاتی و سرچشمه‌های آغازین جنبش روانکاوی نیست؟ فراموش نکنید که اثر اصلی شوپنهاور چهل سال پیش از تولد فروید منتشر شده است. وقتی فروید (و البته نیچه) در اواسط سده‌ی نوزدهم شاگردمدرسه بوده‌اند، آرتور شوپنهاور فیلسوفی آلمانی بود که آثارش بیش از هر فیلسوف دیگری خواننده داشت.

چطور از این نیروهای ناخودآگاه سر در می‌آوریم؟ چطور آن‌ها را به دیگران منتقل می‌کنیم؟ با اینکه ذهنی نمی‌شوند، می‌توان تجربه‌شان کرد و از نظر شوپنهاور بی نیاز به واژه‌ها مستقیماً و از طریق هنر منتقل می‌شوند. به همین دلیل او بیش از هر فیلسوف دیگری به هنرها و به‌ویژه به موسیقی توجه کرده است.

و سکس؟ شکی باقی نگذاشته که معتقد است احساسات جنسی نقشی حیاتی در رفتار انسانی دارند. در این مورد هم او پیشگامی جسور بوده است: هیچ فیلسوفی پیش از شوپنهاور بصیرت (یا جسارت) لازم را برای نوشتن درباره‌ی اهمیت بنیادین سکس در زندگی درونی ما نداشته است.

مذهب چطور؟ شوپنهاور نخستین فیلسوف بزرگی بود که افکارش را بر بنیادی ملحدانه بنا کرد. او آشکارا و پرشور ماوراالطبیعه را انکار کرد، به جای آن استدلال کرد که ما کاملاً در زمان و مکان زندگی می‌کنیم و موجودات غیرمادی، مفاهیمی دروغین و غیرضروری‌اند. با اینکه بسیاری دیگر از جمله هابز، هیوم و حتا کانت، گرایش‌هایی تجاهل‌گرایانه داشتند، هیچ‌یک جرأت نکردند درباره‌ی بی‌اعتقادی‌شان صریح باشند. یک دلیل این بود که آن‌ها برای گذران زندگی به دولت‌ها و دانشگاه‌هایی که استخدامشان کرده بود، وابسته بودند و در نتیجه، اجازه‌ی ابراز هیچ‌گونه گرایش دین‌ستیز را نداشتند. آرتور هرگز استخدام نشد و نیازی هم به آن نداشت پس در نوشتن آنچه می‌خواست، آزاد بود. درست به همین دلیل، اسپینوزا یک قرن‌ونیم پیش مقام‌های بالای دانشگاهی را رد کرد و یک عدسی‌تراش باقی ماند.

و شوپنهاور از دانش درونی‌اش درباره‌ی تن به چه نتایجی رسید؟ اینکه در درون ما و همه‌ی طبیعت، یک نیروی حیاتی اصلی

بی‌امان و سیری‌ناپذیر وجود دارد که او *اراده* نامید. نوشت: «به هرکجای زندگی که می‌نگریم، تکاپویی می‌بینیم که نماد جان و "در ذات خویش" همه‌چیز است.» رنج چیست؟ «ممانعت از این تکاپو به‌وسیله‌ی مانعی که بین اراده و هدفش قرار گیرد.» شادی و سعادت چیست؟ «دستیابی به هدف.»

ما می‌خواهیم، می‌خواهیم، می‌خواهیم و می‌خواهیم. هرکس که به آگاهی می‌رسد، در گوشه‌ی صحنه‌ی ناخودآگاه، ده نیاز را در انتظار خود می‌بیند. اراده ما را بی‌امان به جلو می‌راند زیرا وقتی یک نیاز برآورده شد، نیاز دیگری جایش را می‌گیرد و بعدی و بعدی و این وضع سراسر زندگی‌مان ادامه دارد.

شوپنهاور گاهی دست به دامان اسطوره‌ی چرخ ایکسیون[1] یا افسانه‌ی تانتالوس[2] می‌شود تا معضل هستی انسان را بازگوید. ایکسیون پادشاهی بود که به زئوس خیانت کرد و به عنوان تنبیه به چرخ آتشینی بسته شد که تا ابد می‌چرخید. تانتالوس که جرأت کرد رودرروی زئوس بایستد، به دلیل بادسری و نخوتش محکوم شد که تا ابد برانگیخته باشد و هرگز ارضا نشود. شوپنهاور عقیده داشت که زندگی انسان تا ابد به حول محور نیازهایی که برآورده می‌شود، می‌چرخد. آیا این برآورده‌شدن خشنودمان می‌کند؟ افسوس که خشنودی‌مان کوتاه است. تقریباً بلافاصله ملال از راه می‌رسد و بار دیگر به حرکت درمی‌آییم و به جلو رانده می‌شویم، این بار برای گریز از وحشت ملال.

کار، دلهره، جان‌کندن و گرفتاری، سرنوشت همه‌ی

---

۱. Ixion در اسطوره‌های یونانی، پادشاهی‌ست که برای تنبیه به چرخ گردانی بسته می‌شود ـ م.

۲. Tantalus در اسطوره‌های یونانی، پسر زئوس بود که به عذاب ابدی محکوم شد ـ م.

انسان‌ها در طول زندگی‌شان است. پس اگر همه‌ی اشتیاق‌ها به محض سربرآوردن، برآورده شوند، مردم چگونه زندگی‌شان را پر کنند و وقت بگذارند؟ فرض کنید نژاد انسان به آرمانشهر برده می‌شد، به جایی که همه‌چیز خودبه‌خود می‌رویید و کبوترها کباب‌شده پرواز می‌کردند؛ جایی که هرکس در جا معشوقش را می‌یافت و در حفظ او هم مشکلی نداشت؛ آن وقت مردم از ملال می‌مردند و خود را حلق‌آویز می‌کردند؛ یا باید می‌جنگیدند و همدیگر را خفه می‌کردند و می‌کشتند و در نتیجه رنجی بیش از آنچه اکنون طبیعت برایشان تدارک دیده، برای خویش فراهم می‌کردند.

و جانفرساترین بخش ملال چیست؟ چرا این همه برای زایل کردنش شتابزده‌ایم؟ زیرا وضعیتی بدون سردرگمی و پرت‌اندیشی‌ست که خیلی زود حقایق بنیادین و ناخوشایند هستی را آشکار می‌کند: بی‌اهمیتی‌مان، هستی بی‌معنایمان، حرکت بی‌امانمان به‌سوی زوال و مرگ.

پس زندگی انسان چیست جز چرخه‌ی بی‌پایان خواستن، ارضا، ملال و دوباره خواستن؟ آیا این درباره‌ی همه‌ی اَشکال حیات صادق است؟ شوپنهاور می‌گوید برای انسان از همه بدتر است زیرا هرچه هوش بالاتر باشد، شدت رنج نیز بالاتر است.

پس آیا کسی هست که هرگز شاد بوده باشد؟ کسی می‌تواند شاد باشد؟ آرتور این جور فکر نمی‌کند.

در اصل یک انسان هرگز شاد نیست بلکه همه‌ی عمرش را به پیکار برای دستیابی به چیزی می‌گذراند که می‌اندیشد که شادی می‌آورد؛ به‌ندرت به هدفش می‌رسد و وقتی هم می‌رسد، نتیجه‌اش فقط یأس و نومیدی‌ست: سرانجامش

ناکامی و کشتی شکستگی‌ست و بی‌دکل و بادبان به بندر رسیدن. و آن‌گاه فرقی نمی‌کند که شاد باشد یا فلک زده؛ چون زندگی‌اش هرگز چیزی جز لحظه‌ی اکنون نبوده که همواره در حال از دست رفتن است؛ و اکنون نیز به پایان رسیده است.

زندگی عبارت است از یک سرازیری مصیبت‌بار گریزناپذیر که نه‌تنها بی‌رحم و ظالمانه‌ست، بلکه اتکاناپذیر و غیرقابل‌اطمینان نیز هست.

ما هم‌چون گوسفندانی هستیم که در مزرعه و زیر نگاه قصابی که آن‌ها را یکی پس از دیگری برمی‌گزیند، به جست‌وخیز مشغولند؛ زیرا در روزهای خوش زندگی، از بدی‌هایی که سرنوشت برایمان در چنته دارد، از بیماری، ظلم و جور، فقر، نقص عضو، از دست دادن بینش، جنون و مرگ غافلیم.

آیا برداشت‌های بدبینانه‌ی آرتور شوپنهاور از وضعیت انسانی چنان تحمل‌ناپذیر بود که او را به ورطه‌ی نومیدی کشاند؟ یا قضیه برعکس بود؟ یعنی ناشادی و بداقبالی‌اش موجب شد به این نتیجه برسد که زندگی انسان امری چنان تأسف‌بار است که بهتر بود از ابتدا حادث نمی‌شد؟ آرتور با آگاهی از چنین معمایی اغلب به ما (و خویش) یادآوری می‌کند که هیجان این قدرت را دارد که ادراک را گنگ و مبهم و مخدوش کند؛ وقتی دلیلی برای شادی داریم، همه‌ی دنیا چهره‌ای پرلبخند جلوه می‌کند و وقتی اندوه بر ما چیره می‌شود، چهره‌ی دنیا، تیره و گرفته و محزون می‌نماید.

من برای عوام ننوشته‌ام... آثارم را برای اندیشمندانی بر جای گذاشته‌ام که در طول تاریخ هم‌چون استثناهای نادری سر بر خواهند آورد. آنان نیز احساسی مانند من خواهند داشت یا هم‌چون کشتیبان یک کشتی شکسته در جزیره‌ای متروک، رد پای رفیق رنجوری که پیش از آن‌ها بر جزیره گام نهاده، بیش از همه‌ی طوطی‌ها و میمون‌هایی که بر شاخسار درختانند، مایه‌ی تسلایشان خواهد بود.

فصل ۲۹

جولیوس جلسه‌ی بعدی را با این جمله آغاز کرد: «دلم می‌خواد کار رو از همون جایی ادامه بدیم که جلسه‌ی پیش متوقف کردیم.» خشک و رسمی و انگار که از روی متن ازپیش‌آماده‌ای می‌خواند، به‌تندی ادامه داد: «مثل بیشتر روان‌درمانگرانی که می‌شناسم، چیزی رو از دوستان صمیمی‌م پنهان نمی‌کنم. برام آسون نیست رازی در زندگی‌م پیدا کنم و مثل بعضی از شما که اخیراً این کار رو کردید،

بی‌هوا و بی‌غل‌وغش و بی‌رودربایستی باهاتون در میون بذارم. ولی اتفاقی هست که فقط یک‌بار در زندگی‌ام ازش حرف زده‌ام و اون هم سال‌ها پیش برای یه دوست صمیمی بوده.»

پم که کنار جولیوس نشسته بود، حرفش را قطع کرد. دستش را بر بازوی او گذاشت و گفت: «صبر کن، صبر کن، جولیوس. تو مجبور *نیستی این کارو* بکنی. تو به زور فیلیپ توی این بازی کشیده شدی؛ وقتی که تونی انگیزه‌های مزخرف اونو رو کرد، حتا خود فیلیپ هم از این درخواستش معذرت خواست. من به‌نوبه‌ی خودم، دلم نمی‌خواد تو رو توی این مخمصه بذارم.»

بقیه هم موافق بودند و گفتند جولیوس همیشه احساساتش را با گروه به اشتراک می‌گذارد و آن قرارداد من ـ تو فیلیپ فقط یک نقشه بوده است.

گیل افزود: «یه‌چیزایی این وسط داره لوث می‌شه. همه‌ی ما برای گرفتن کمک اینجاییم. زندگی من خیلی آشفته‌ست، خودتون هفته‌ی پیش دیدین که! ولی جولیوس تا جایی که من می‌دونم، تو یکی مشکلی با صمیمیت نداری. پس برای چی باید همچین کاری بکنی؟»

ربه‌کا با شیوه‌ی مختصر و مفید و دقیق خودش گفت: «هفته‌ی پیش گفتی من رازی رو بر زبون آوردم تا هدیه‌ای به فیلیپ بدم. این تا حدودی درست بود، ولی همه‌ی حقیقت نبود: حالا اعتراف می‌کنم که در عین حال می‌خواستم اون رو از خشم پم حفظ کنم. ولی چرا این رو می‌گم؟... هدفم چیه؟ می‌خوام بگم اعتراف درباره‌ی کاری که در لاس وگاس کردم، درمان مؤثری برام بود، با بیرون ریختنش راحت شدم. ولی تو اینجایی که به من کمک کنی و خودافشاگری‌ت، ذره‌ای به من کمک نمی‌کنه.»

جولیوس عقب‌نشینی کرد: چنین اتفاق نظر قدرتمندی برای این گروه عجیب بود. ولی اندیشید که می‌داند چه اتفاقی دارد می‌افتد. «حس می‌کنم نگرانی‌های زیادی درباره‌ی بیماری‌م وجود داره: خیلی مراقبم هستید، نمی‌خواین بهم فشار بیارین. درست می‌گم؟»

پم گفت: «شاید، ولی از نگاه من مسئله‌ی دیگه‌ای هم مطرحه: چیزی در درون من هست که *نمی‌خواد* تو بخش تاریکی از گذشته‌ت رو آشکار کنی.»

جولیوس متوجه شد بقیه هم نشانه‌هایی از موافقت بروز می‌دهند و رو به جمع گفت: «عجب تناقضی! از وقتی وارد این رشته شده‌ام، این شکایت رو از زبون بیمارا شنیده‌ام که درمانگران سرد و نچسبند و خیلی کم پیش می‌یاد که از زندگی شخصی‌شون با اونا حرف بزنن. بفرمایید، حالا که من در آستانه‌ی انجام این کارم، یه جبهه‌ی متحد در برابرم هست که می‌گه "نمی‌خوایم بشنویم. این کار رو نکن." اینجا چه خبره؟»

سکوت.

جولیوس پرسید: «دلتون می‌خواد من رو بی‌عیب‌ونقص ببینین؟»

کسی پاسخ نداد. «انگار گیر کرده‌ایم. پس من امروز سرسختی نشون می‌دم و کارم رو ادامه می‌دم تا ببینیم چی پیش می‌یاد. داستان من به ده‌سال پیش و زمان فوت همسرم برمی‌گرده. من با میریام، یار دبیرستانی‌ام، زمانی ازدواج کرده بودم که دانشجوی پزشکی بودم و ده‌سال پیش، اون توی یه تصادف در مکزیکو کشته شد. من داغون شده بودم. اگه بخوام راستش رو بگم، مطمئن نیستم هیچ‌وقت از وحشت اون حادثه خلاص شده باشم. ولی برای خودم هم عجیب بود که سوگواری‌م شکل غریبی به خودش گرفت: موج عظیمی از افزایش انرژی جنسی رو تجربه کردم. اون موقع

نمی‌دونستم افزایش میل جنسی یکی از پاسخ‌های رایج آدما در رویارویی با مرگه. بعد از اون، افراد سوگوار زیادی رو دیدم که از انرژی جنسی لبریز می‌شدن. با مردای زیادی حرف زده‌ام که می‌گفتند حین سکته‌ی قلبی شدید و موقعی که با آمبولانس به اورژانس برده می‌شدند، پرستار زن همراه رو دستمالی کرده بودند. در دوره‌ی سوگواری‌م افکار جنسی ذهنم رو تسخیر کرد، نیازم خیلی زیاد شده بود و وقتی دوستامون ـ چه زنان متأهل و چه غیرمتأهل ـ می‌خواستن دلداری‌م بدن، از موقعیت استفاده کردم و با چندتاشون از جمله یکی از بستگان میریام رابطه برقرار کردم.»

گروه خاموش و بی‌حرکت بود. همه معذب بودند و از نگاه به هم پرهیز می‌کردند؛ بعضی به جیر جیر جیرجیرکی که بر افرای قرمز ژاپنی بیرون پنجره نشسته بود، گوش سپرده بودند. در طول این سال‌های سرپرستی گروه‌های درمانی، جولیوس گهگاه آرزو کرده بود کاش کمک‌درمانگری در گروه داشت. این یکی از همان موقعیت‌ها بود.

سرانجام تونی به‌زور چند کلمه‌ای گفت: «چه بلایی سر اون دوستی‌ها اومد؟»

«کنار کشیدند و کم‌کم ناپدید شدند. بعضی از اون زن‌ها رو اتفاقی در طول این چند سال دیده‌ام، ولی هیچ‌کدومشون اشاره‌ای به این موضوع نکردند. احساس خجالت و همین طور شرمندگی زیادی در کار بود.»

پم گفت: «متأسفم، جولیوس؛ و برای همسرت هم متأسفم ـ اصلاً نمی‌دونستم ـ و همین طور برای... برای اون... روابط.»

بانی گفت: «من نمی‌دونم بهت چی بگم، جولیوس. واقعاً اسباب خجالت و ناراحتیه.»

جولیوس در حالی که سنگینی کار طاقت‌فرسای درمانگر خویش بودن در گروه را بر دوش حس می‌کرد، گفت: «از این خجالت و ناراحتی بیش‌تر بگو، بانی.»

«خب، این کاملاً تازه‌ست، اولین باره که خودت رو این جوری در معرض گروه قرار می‌دی.»

«ادامه بده، چه حسی داری؟»

«خیلی عصبی‌ام. شاید به این خاطر که این وضع خیلی گنگ و مبهمه. اگه یکی از ما» با دست اشاره‌ای به گروه کرد. «مسئله‌ی ناراحت‌کننده‌ای رو به گروه بیاره، می‌دونیم باید چی کار کنیم... منظورم اینه که فوری دست‌به‌کار می‌شیم حتا اگر ندونیم دقیقاً باید چی کار بکنیم. ولی درباره‌ی تو، نمی‌دونم... »

تونی خمیده به جلو و با چشمانی تنگ‌شده در زیر ابروان پرپشتش گفت: «درسته، چیزی که روشن نیست اینه که *چرا* این رو به ما می‌گی؟ بذار یه چیزی ازت بپرسم که از خودت یاد گرفته‌ام. در واقع همین هفته‌ی پیش یاد گرفتم. *چرا حالا*؟ آیا به این دلیله که قراری با فیلیپ گذاشتی؟ بیش‌تر اعضا به این قرار نه گفتند یعنی این قرار به نظرشون بی‌معنی اومد. یا به این دلیله که به دلیل احساساتی که از این اتفاق در تو باقی مونده، از ما کمک می‌خوای؟ منظورم اینه که دلایلت برای در میون گذاشتن این ماجرا با ما روشن نیست. اگه واکنش شخصی من رو می‌خوای، مشکلی با کاری که تو کردی، ندارم. روراست بگم همون حسی رو دارم که درباره‌ی استوارت و گیل و ربه‌کا داشتم: شخصاً در کاری که کردی، چیز مهمی نمی‌بینم. می‌تونم خودم رو هم در حال چنین کاری ببینم. تنهایی، شاید اونا هم دلشون می‌خواسته. منظورم اینه که داریم از این خانوما جوری حرف می‌زنیم که انگار مورد سوءاستفاده قرار

گرفته‌اند. من اعصابم خورد می‌شه، واقعاً خورد می‌شه از این تصویر که مردا یه ذره رابطه رو گدایی می‌کنن و زنا انگار بر تخت پادشاهی نشستن و تصمیم می‌گیرن که آیا این لطف رو بکنن یا نه. انگار که خودشون اصلاً دلشون نمی‌خواد.»

تونی با صدایی سر برگرداند و دید پم در حالی که صورتش را با دستانش پوشانده، به خودش سیلی می‌زند و متوجه شد ربه‌کا هم دستانش را بر سر گذاشته است. «خیلی خب، خیلی خب، این کارتای آخر رو می‌اندازم و فقط به همون کارتایی می‌چسبم که می‌گن *چرا حالا؟*»

«سؤال خوبیه، تونی. ممنونم که راهم انداختی. چند دقیقه پیش داشتم آرزو می‌کردم که کاش کمک‌درمانگری اینجا بود و کمکم می‌کرد و بعد تو از راه رسیدی و کاری رو که لازم بود، انجام دادی. کارت خوبه. روان‌درمانی شغل خوبی برات می‌شه. خب بذار ببینیم *چرا حالا؟* من بارها و بارها این سؤال رو از دیگران کرده‌ام ولی شاید این اولین باری باشه که خودم باهاش روبه‌رو شده‌ام. اول از همه، فکر می‌کنم کاملاً حق با توئه وقتی می‌گی فقط به دلیل قرارم با فیلیپ نبوده. گرچه نمی‌تونم اون قرارو کاملاً بی‌تأثیر بدونم چون توی هدف اون چیزی از رابطه‌ی من ـ تو هست. به‌قول فیلیپ این ایده "بی‌فایده" هم نیست.» و به فیلیپ لبخند زد ولی در مقابل لبخندی دریافت نکرد.

جولیوس ادامه داد: «منظورم اینه که این یکی از معضلات یه رابطه‌ی درمانی موثقه که رابطه‌ی متقابل در اون جایی نداره: این از اون معماهای سخته. پس اشاره به این معضل، یکی از دلایل من برای پذیرش چالش فیلیپه.»

جولیوس منتظر واکنش بود. حس کرد زیادی طولانی حرف زده

است. رو کرد به فیلیپ. «حست درباره‌ی اونچه تا حالا گفتم، چیه؟»

فیلیپ که از پرسش جولیوس جا خورده بود، سرش را به طرفین جنباند. بعد از لحظه‌ای تأنی گفت: «این جور به نظر می‌یاد همه اینجا موافقند که من یکی از اونایی هستم که انتخاب کرده چیزای زیادی رو افشا کنه. این درست نیست. یه نفر در گروه چیزایی درباره‌ی رابطه‌اش با من افشا کرد و من فقط برای اینکه اون اتفاق رو درست‌تر توصیف کنم، گفتم که دقیقاً چه کرده بودم.»

تونی پرسید: «می‌خوام بدونم اینایی که گفتی چه ربطی به حرفای ما داشت؟»

استوارت گفت: «دقیقاً. فیلیپ تو از صحت و درستی حرف می‌زنی! اول بگم من از اونایی نیستم که فکر می‌کنه تو خودافشاگری کردی. ولی می‌خوام بگم جوابت خیلی بی‌ربط بود. هیچ ارتباطی با سؤال جولیوس درباره‌ی احساست نداشت.»

به نظر نمی‌آمد فیلیپ رنجیده باشد. «درسته. بسیار خوب، برگردیم به سؤال جولیوس: فکر می‌کنم سؤالش گیجم کرد چون هیچ احساسی نداشتم. در گفته‌هاش چیزی نبود که یه پاسخ هیجانی بطلبه.»

استوارت گفت: «این جوابت دست‌کم بی‌ربط نیست. جواب قبلی‌ت خیلی پرت بود.»

پم با خشم به روی رانش کوبید و با لحن تندی به فیلیپ گفت: «من از این گیج‌بازی دروغی تو در اینجا خسته شده‌ام. و حالم به هم خورد که دیدم حاضر نیستی اسم منو به زبون بیاری! این اشاره به من با عنوان "یه نفر در گروه" اهانت‌آمیز و احمقانه‌ست.»

فیلیپ با گریز از نگاه خیره‌ی پم گفت: «منظورت از گیج‌بازی

دروغی اینه که من تظاهر به جهالت می‌کنم؟»

بانی دستانش را بالا برد و گفت: «خدا رو شکر! این اولین باره که شما دوتا به هم محل می‌ذارین و با هم حرف می‌زنین.»

پم اظهار نظر بانی را نادیده گرفت و به صحبت با فیلیپ ادامه داد. «گیج‌بازی دروغی در مقایسه با کاری که داری می‌کنی، یه تعریف و تمجید به حساب می‌یاد. می‌گی چیزی در حرفای جولیوس نبود که پاسخی بطلبه. چطور کسی *می‌تونه* هیچ پاسخی برای جولیوس نداشته باشه؟» چشمان پم شعله‌ور بود.

فیلیپ پرسید: «مثلاً چی؟ روشنه که توی ذهنت چیزی هست که من باید احساس می‌کردم.»

«بیا خودت و این سؤال نسنجیده و بی‌ملاحظه‌ت رو جدی بگیریم و احساس *قدردانی و سپاس* رو امتحان کنیم. یا حس *احترام* به اونو برای اینکه سر قولش به تو ایستاد. یا مثلاً *ناراحت شدن* برای اونچه در گذشته از سر گذرونده. یا احساس *شیفتگی* یا حتا *همذات‌پنداری* با احساسات سرکش جنسی‌اش. یا *تحسینش* به دلیل اشتیاقی که به‌رغم سرطانش، برای کار با تو و با همه‌ی ما نشون می‌ده. و اینا فقط برای شروعه.» پم صدایش را بالا برد: «چطور می‌شه که هیچ احساسی نداشته باشی؟» از فیلیپ رو گرداند و ارتباط میانشان را قطع کرد.

فیلیپ پاسخی نداد. خاموش و خمیده به جلو هم‌چون بودا بر صندلی‌اش نشسته بود و به کف اتاق خیره شده بود.

در سکوت عمیقی که پس از فوران خشم پم حاکم شده بود، جولیوس مردد بود که بهترین راه ادامه‌ی بحث چیست. اغلب بهتر بود صبر کند. یکی از اصول مورد علاقه‌اش این بود که «*وقتی آهن سرد است، ضربه بزنید!*»

چشم‌انداز درمان به مثابه توالی برانگیختن هیجان و به دنبالش یکپارچگی با آن ـ آن جور که جولیوس همیشه به آن می‌نگریست ـ موجب شد جولیوس به فراوانی ابراز هیجان در این جلسه بیندیشد. شاید بیش از اندازه بود. وقتش بود که به‌سوی درک و یکپارچگی پیش روند. با گزینش مسیری غیرسرراست رو کرد به بانی: «خب، نظرت درباره‌ی اون "*خدا رو شکر*" چیه؟»

«باز فکر منو خوندی جولیوس؟ چطور این کارو می‌کنی؟ دقیقاً داشتم به اون لحظه فکر می‌کردم و احساس پشیمونی می‌کردم. متأسفم که بی‌موقع بود و یه جور دست‌انداختن به نظر اومد. شما چنین برداشتی کردین؟» به پم و بعد به فیلیپ نگاه کرد.

پم گفت: «اون لحظه این جوری فکر نکردم ولی آره، الآن که بهش فکر می‌کنم، یه جور ریشخند توش می‌بینم.»

بانی گفت: «متأسفم، ولی این جور حس کردم که اون دیگ جوشانی که اینجا بود، بدگویی‌های تو و فیلیپ از همدیگه، همه‌ی اون "به در بگو دیوار تو گوش کن" ها با صراحت و گفت‌وگوی رودررو از بین رفت. و تو؟» رو کرد به فیلیپ. «از حرفم رنجیدی؟»

فیلیپ هم‌چنان به زمین خیره بود. «متأسفم. اصلاً متوجهش نشدم. همه‌ی حواسم به نگاه خیره‌ی اون بود.»

تونی گفت: «اون؟»

فیلیپ رو کرد به پم. «نگاه پم.» صدایش برای یک لحظه لرزید: «نگاه تو، پم.»

تونی گفت: «خیلی خوبه، مرد. حالا داریم با هم راه می‌یایم.»

گیل پرسید: «فیلیپ، ترسیده بودی؟ آسون نیست آدم مخاطب *این حرفا* باشه، مگه نه؟»

«نه، همه‌ی ذهنم مشغول پیدا کردن راهی بود که نذارم نگاه

خیره‌اش، کلماتش و نظرش برام اهمیت پیدا کنه. منظورم اینه که *کلماتت*، *نظرت*، پم.»

گیل گفت: «انگار من و تو توی یه چیزی مشترکیم. تو هم مثل منی: هرکدوم مشکلات خودمون رو با پم داریم.»

فیلیپ به گیل نگاه کرد و سری تکان داد. جولیوس اندیشید شاید حرکتی از سر حق‌شناسی‌ست. وقتی روشن شد که فیلیپ نمی‌خواهد چیز بیش‌تری بگوید، جولیوس نگاهش را در گروه گرداند تا دیگران را وارد بحث کند. هرگز هیچ فرصتی را برای توسعه‌ی شبکه‌ی تعاملی از دست نمی‌داد: با اعتقاد یک مبلغ مذهبی باور داشت که هرچه اعضای بیش‌تری در تعامل شرکت کنند، گروه مؤثرتر خواهد بود. دلش می‌خواست پم را وارد بحث کند: هنوز فوران خشمش نسبت به فیلیپ در هوا موج می‌زد. بر این اساس گیل را مخاطب قرار داد و گفت: «گیل، تو گفتی مخاطب حرفای پم بودن آسون نیست... هفته‌ی پیش هم پم رو قاضی‌القضات خطاب کردی... می‌شه بیشتر توضیح بدی؟»

«اوه، یکی از اون چرندیاتم بود، می‌دونم، مطمئن نیستم و قاضی خوبی هم در این جور موارد نیستم، ولی...»

جولیوس حرفش را برید: «دست نگه دار! بذار درست همینجا نگهش داریم. در این لحظه.» رو کرد به پم: «به چیزی که گیل همین حالا گفت، دقت کن. آیا به اون گفته‌ات که نمی‌خوای یا نمی‌تونی به او گوش کنی، ربطی داره؟»

پم گفت: «دقیقاً. به این می‌گن جانمایه‌ی گیل. ببین گیل، چیزی که همین الآن گفتی، این بود: "*به چیزی که می‌خوام بگم، توجه نکنین. مهم نیست ـ من مهم نیستم ـ یکی از اون چرندیاتمه. نمی‌خوام کسی رو برنجونم. به من گوش نکنین*" نه‌تنها از خودت سلب

صلاحیت می‌کنی، بلکه حرفات بی‌مزه و چرند هم به نظر می‌یان. کاملاً کسل‌کننده. خدایا گیل! وقتی حرفی داری، فقط پاشو و حرفتو بزن!»

جولیوس پرسید: «خب، گیل، *اگه می‌خواستی* حرفت رو روراست و بی‌مقدمه بزنی، چی می‌گفتی؟» این یکی از آن ترفندهای خوب قدیمی بود.

«بهش می‌گفتم ـ بهت می‌گفتم، پم ـ تو اون قاضی‌ای هستی که اینجا ازش می‌ترسم. می‌شینی و من رو قضاوت می‌کنی. در حضورت معذبم... نه، در واقع سراپا وحشتم.»

پم گفت: «این حرفت رک‌وراسته گیل، *حالا* دارم می‌شنوم.»

جولیوس گفت: «پم، پس دو تا مرد اینجا هستن ـ فیلیپ و گیل ـ که از تو می‌ترسن. واکنشی به این قضیه داری؟»

«آره... یه واکنش بزرگ: *"این مشکل خودشونه."*»

ربه‌کا گفت: «هیچ احتمال می‌دی که مشکل تو هم باشه؟ شاید بقیه‌ی مردایی که توی زندگی‌ت بودن هم همین احساس رو داشتن.»

«درباره‌اش فکر می‌کنم.»

جولیوس گفت: «بازخورد؟ کسی درباره‌ی این جملات آخر نظری داره؟»

استوارت گفت: «فکر می‌کنم پم داره یه کم چاخان می‌کنه.»

بانی گفت: «منم موافقم. پم حسم اینه که نمی‌خوای خیلی جدی درباره‌ش فکر کنی.»

«آره، کاملاً حق با توئه. فکر می‌کنم هنوز از دست ربه‌کا دلخورم که گفت می‌خواسته فیلیپ رو از خشم من حفظ کنه.»

جولیوس گفت: «مخمصه‌ی بدیه. این‌طور نیست، پم؟ همون

جور که الآن به گیل گفتی، به این بازخوردا هیچ اهمیتی نمی‌دی. ولی وقتی دریافتشون می‌کنی، می‌رنجی.»

«حقیقت داره... پس شاید اون قدر که نشون می‌دم، پرطاقت نیستم. و ربه‌کا، حرفت واقعاً منو رنجوند.»

ربه‌کا گفت: «متأسفم، پم؛ چنین قصدی نداشتم. حمایت از فیلیپ با حمله به تو یکی نیست.»

جولیوس صبر کرد و اندیشید گروه را به کدام سو هدایت کند. گزینه‌های زیادی وجود داشت. خشم پم و داوری‌هایش روی میز بود. و سایر مردان گروه یعنی تونی و استوارت چه؟ آن‌ها کجا بودند؟ رقابت میان پم و ربه‌کا هم هنوز روی میز بود. شاید هم گروه باید به کار ناتمام بانی و جمله‌ی ریشخندآمیزش می‌پرداخت؟ یا شاید بهتر بود بر فوران خشم پم نسبت به فیلیپ بیشتر تمرکز کند؟ می‌دانست بهترین کار این است که صبور باشد؛ اشتباه بود گروه را با سرعت بیش از حد به پیش براند. پس از فقط چند جلسه، گروه به‌سوی آشتی و تشنج‌زدایی پیش می‌رفت. شاید برای امروز بس بود. ولی به‌سختی می‌شد برآورد کرد؛ فیلیپ کم افشاگری کرده بود. ولی بعد، گروه در مسیری پیش‌بینی ناپذیر افتاده بود که برای جولیوس هم غافلگیرکننده بود.

تونی گفت: «جولیوس، دارم فکر می‌کنم تو از پاسخی که در برابر افشاگری‌ت گرفتی، راضی هستی یا نه؟»

«خب، خیلی پیش نرفتیم. بذار درباره‌ی اتفاقی که افتاد فکر کنم. تو احساست رو برام گفتی، پم هم همین‌طور و بعد، اون و فیلیپ درگیر این قضیه شدند که چطور فیلیپ هیچ حسی درباره‌ی افشاگری من نداره. و تونی، در حقیقت من جواب سؤال "چرا حالا" رو ندادم. بذار به همین برگردم.» جولیوس افکارش را جمع

کرد و کاملاً آگاه بود که خودافشاگری‌اش ـ مثل خودافشاگری هر روان‌درمانگر دیگری ـ دو جور پیامد داشت: اول، آنچه خودش از این افشاگری به آن می‌رسید و دوم، الگویی که در این زمینه برای گروه فراهم می‌آورد.

«می‌تونم بگم نمی‌خواستم جلو افشاگری خودم رو بگیرم. منظورم اینه که تقریباً همه اینجا خواستند جلوی این کارو بگیرن ولی من کله‌شقی کردم و کاملاً مصمم بودم که ادامه بدم. این برای من خیلی غیرمعموله و مطمئن نیستم کاملاً درکش کرده باشم، ولی نکته‌ی مهمی درش هست. تونی، پرسش تو به این معنی بود که آیا در این کار، درخواست کمک یا شاید درخواست بخششی هم بود یا نه. نه، این نبود؛ سال‌ها پیش و بعد از اینکه مدت‌ها با دوستام و با یه روان‌درمانگر بر روی این قضیه کار کردم، خودم رو بخشیدم. از یه چیز مطمئنم: قبلاً ـ منظورم پیش از تشخیص ملانوم ـ هزار سال آزگار هم حاضر نبودم چیزی رو بگم که امروز توی گروه گفتم.»

جولیوس ادامه داد: «پیش از تشخیص ملانوم... کلید ماجرا همینجاست. حکم مرگ برای همه‌ی ما صادر شده ـ می‌دونم که شما به اندازه‌ی کافی این گفته‌های سرخوشانه رو از من شنیده‌اید ـ ولی تجربه‌ی شهادت دادن به درستی این گفته، خوردن مُهر تأیید بر پای اون و حتا تعیین زمان اجراش قطعاً توجه منو بیشتر جلب کرد. ملانوم احساس رهایی عجیبی در من ایجاد کرده که ارتباط زیادی با افشاگری امروزم داره. شاید برای همینه که آرزو کردم کاش کمک‌درمانگر می‌داشتم، فردی بی‌طرف که می‌تونست مطمئنم کنه دارم در جهت منافع شما پیش می‌رم.»

جولیوس مکثی کرد و سپس افزود: «متوجه شدم که

هیچ‌کدومتون به این حرف من که امروز چطور ازم مراقبت شده، جوابی ندادین.»

بعد از چند لحظه سکوت، جولیوس اضافه کرد: «و هنوز هم جوابی نمی‌دین. می‌بینین، برای همینه که دلم می‌خواست کمک‌درمانگر داشتم. همیشه معتقد بوده‌ام که وقتی موضوع مهمی هست که درباره‌اش حرف زده نمی‌شه، درباره‌ی هیچ موضوع مهم دیگه‌ای هم نمی‌شه حرف زد. کار من اینه که موانع رو بردارم؛ آخرین چیزی که دلم می‌خواد اینه که خودم به یک مانع بدل بشم. حالا برام سخته که از خودم بیرون بیام، ولی حس می‌کنم شما دارین از من دوری می‌کنین، یا بذارین این جوری بگم که دارین از *بیماری مهلکم* دوری می‌کنین.»

بانی گفت: «*دلم می‌خواد* درباره‌ی اتفاقی که داره برات می‌افته، حرف بزنم؛ ولی نمی‌خوام ناراحتت کنم.»

بقیه هم با او موافق بودند.

«خیلی خوب، حالا درست روش انگشت گذاشته‌اید. حالا خوب به چیزی که می‌خوام بگم گوش بدین: فقط یه راه وجود داره که بتونین ناراحتم کنین و *اون اینه که ازم فاصله* بگیرین. صحبت با کسی که به یه بیماری کشنده مبتلاست، سخته: این رو خوب می‌دونم. مردم تمایل دارن به‌نرمی از کنار قضیه رد بشن؛ نمی‌دونن چی باید بگن.»

تونی گفت: «این در مورد من صدق می‌کنه. من نمی‌دونم چی باید بگم. ولی می‌خوام سعی کنم کنارت بمونم.»

«این رو حس می‌کنم، تونی.»

فیلیپ گفت: «علتش این نیست که مردم می‌ترسن با یه مصیبت‌زده ارتباط داشته باشن چون دلشون نمی‌خواد با مرگی که

در انتظار تک‌تک‌شونه، روبه‌رو بشن؟»

جولیوس سری به تأیید تکان داد. «این مهمه، فیلیپ. بذار همینجا امتحانش کنیم.» اگر هرکسی غیر از فیلیپ چنین حرفی می‌زد، جولیوس بی‌چون‌وچرا می‌پرسید که آیا دارد احساس خودش را بازگو می‌کند یا نه. ولی در این مرحله، فقط می‌خواست از حرف به‌جا و متناسب فیلیپ حمایت کند. گروه را از نظر گذراند و منتظر پاسخ ماند.

بانی گفت: «شاید در چیزی که فیلیپ گفت، حقیقتی وجود داره چون توی این مدت یکی‌دوتا کابوس دیده‌ام که انگار چیزی می‌خواست من رو بکشه و بعد همون کابوسی که براتون تعریف کردم... که می‌خواستم سوار قطاری بشم که داشت از هم وامی‌رفت.»

استوارت گفت: «من هم می‌دونم که این روزا زیادی ترسو شده‌ام. یکی از همبازی‌های تنیسم یه متخصص پوسته و توی یک ماه اخیر، دو بار ازش خواسته‌ام پوستم رو معاینه کنه. ملانوم مدام توی فکرمه.»

پم گفت: «جولیوس، از وقتی درباره‌ی ملانومت حرف زدی، مدام بهت فکر می‌کنم. اینکه من درباره‌ی مردا سختگیرم، تا حدودی درسته، ولی تو این وسط استثنایی... تو عزیزترین مردی هستی که تا حالا شناخته‌ام. و بله، البته که احساس می‌کنم دلم می‌خواد ازت حمایت کنم. وقتی فیلیپ تو رو هدف قرار داد، این حسو پیدا کردم. فکر کردم ـ و هنوز هم فکر می‌کنم ـ این بی‌رحمی و بی‌ملاحظگی اونو می‌رسونه. و این سؤال که آیا به مرگ خودم بیشتر توجه می‌کنم یا نه... خب، شاید این جوری باشه ولی من ازش آگاه نیستم. می‌تونم بگم مدام به دنبال یافتن دلداری‌هایی هستم که می‌تونم بهت بدم. دیشب مطلب جالبی خوندم، عبارتی از

خاطرات نابوکف که زندگی رو جرقه‌ای میان دو گودال تاریک همسان توصیف کرده بود، تاریکی پیش از تولد و تاریکی پس از مرگ. و چقدر عجیبه که ما برای دومی این قدر نگرانیم و به اولی این قدر بی‌توجه. در این گفته تسلای خاطر زیادی دیدم و بلافاصله علامت زدم که برات بخونمش.»

«این یه هدیه‌ست، پم. ازت ممنونم. اندیشه‌ی فوق‌العاده‌ایه. و حقیقتاً اطمینان خاطر می‌ده، با اینکه مطمئن نیستم چرا. با اون گودال تاریک اولی راحت‌ترم ـ انگار مهربون‌تره ـ شاید اون رو با وعده و امید و احتمالات پیش رو پر می‌کنم.»

فیلیپ گفت: «این اندیشه برای شوپنهاور هم تسلای خاطر می‌آورده و اتفاقاً شکی نیست که نابوکف اون رو از شوپنهاور کش رفته. شوپنهاور گفته بعد از مرگ همانی می‌شویم که پیش از تولد بوده‌ایم و بعد ثابت می‌کنه که امکان نداره بیش از یک جور نیستی در جهان وجود داشته باشه.»

جولیوس فرصتی برای پاسخ پیدا نکرد. پم نگاه خشماگینش را به فیلیپ دوخت و فریاد زد: «همینجا یه توضیح عالی داریم برای اینکه چرا علاقه‌ت به مشاور شدن، یه شوخی وحشتناکه. ما درست وسط احساسات لطیف بودیم و چیزی که بیشترین اهمیت رو برای تو داره، *تنها* چیزی که برات مهمه، صحت منتسب کردنه. فکر می‌کنی یه موقعی شوپنهاور یه چیزی گفته که شباهت گنگی با صحبت ما داشته. واقعاً که چه موضوع مهمی!»

فیلیپ چشمانش را بست و شروع کرد به از بر خواندن: «"انسان با شگفتی تمام، پس از هزاران هزار سال نیستی، ناگهان خود را می‌یابد؛ برای مدتی زندگی می‌کند؛ و پس از آن دوباره، دوره‌ای به همان اندازه طولانی از راه می‌رسد که دیگر نباید باشد." من بخش

زیادی از گفته‌های شوپنهاور رو به خاطر سپرده‌ام: پاراگراف سوم رساله‌اش با عنوان "ملاحظات افزوده بر آموزه‌های بی‌پایگی هستی." به اندازه‌ی کافی برات گنگ هست؟»

بانی با صدای بلند گفت: «بچه‌ها، بچه‌ها، هردوتون تمومش کنین!»

تونی گفت: «بانی، قید و بندت داره کمتر می‌شه. خوشم اومد.»

جولیوس پرسید: «احساس دیگه؟ کسی نظری داره؟»

گیل گفت: «دلم نمی‌خواد گرفتار *این* آتیش‌بارون بشم. ارابه‌های بزرگ توپ به حرکت دراومده‌اند.»

استوارت گفت: «آره، هیچ‌کدومشون از هیچ فرصتی نمی‌گذرن. فیلیپ حتماً باید نظری راجع‌به کسی که از عبارت شوپنهاور استفاده کرده، می‌داد و پم هم این فرصت رو از دست نداد که فیلیپ رو یه شوخی وحشتناک بدونه.»

«من نگفتم اون یه شوخی وحشتناکه. گفتم...»

استوارت عقب ننشست: «دست بردار، پم، مته به خشخاش نذار. خودت می‌دونی منظورم چیه. و به هر حال اون همه سروصدا برای نابوکف، بی‌معنی بود، پم. تو به قهرمان اون توهین کردی و بعد از کسی نقل قول کردی که خودش جملات شوپنهاور رو قرض گرفته. چه ایرادی داره فیلیپ حرفتو اصلاح کنه؟ چه جنایت بزرگی در اشاره‌ی اون به تقدم شوپنهاور وجود داره؟»

تونی گفت: «باید یه چیزی بگم. مثل همیشه نمی‌دونم این فکلی‌ها کی‌اند... دست‌کم این نابو... نوبو؟»

پم با لحنی نرم که مختص صحبت با تونی بود، گفت «نابوکف. اون یه نویسنده‌ی بزرگ روسه. شاید اسم رمانش *لولیتا* رو شنیده باشی.»

«آره، دیدمش. خب وقتی این جور حرفا پیش می‌یاد، من توی یه چرخه‌ی معیوب می‌افتم: وقتی یه چیزی رو نمی‌دونم، باعث می‌شه احساس حماقت کنم، بعد کم‌حرف می‌شم و در نتیجه بیشتر احساس حماقت می‌کنم. برای اینکه این چرخه رو بشکنم، باید حرف بزنم.» رو کرد به جولیوس: «اگه بخوام جواب سؤالت رو درباره‌ی احساسم بدم، باید بگم یکی از حسام همینه: حماقت. یکی دیگه‌ش اینه که وقتی فیلیپ گفت "به اندازه‌ی کافی برات گنگ هست؟"، برای یه لحظه چشمم به دندوناش افتاد: دندونای تیزی‌اند، واقعاً تیز. و حس دیگه‌ای هم نسبت به پم پیدا کردم.» برگشت و به پم رو کرد. «تو زن دلخواه منی، واقعاً دوستت دارم ولی یه چیزی رو هم بهت بگم: *مطمئنم دلم نمی‌خواد سروکارم با اون روی بدت بیفته.*»

پم گفت: «می‌فهمم.»

تونی گفت: «و، و... فراموش کردم مهم‌ترین حرفمو بزنم... اینکه این جربحث ما رو از مسیر خارج کرده. ما داشتیم در این باره حرف می‌زدیم که چطور ممکنه از تو محافظت یا دوری کنیم، جولیوس. بعد با حرفای پم و فیلیپ، موضوع رو کاملاً عوض کردیم. نکنه باز هم داریم ازت دوری می‌کنیم؟»

«می‌دونی، الآن چنین حسی ندارم. وقتی داریم این جوری صمیمانه کار می‌کنیم، هیچ‌وقت توی یه مسیر نمی‌مونیم. جریان فکر وارد بسترهای تازه‌ای می‌شه. و اتفاقاً» جولیوس رو کرد به فیلیپ «این اصطلاح *صمیمانه* رو عمداً به‌کار می‌برم. فکر می‌کنم خشمت ـ که برای اولین بار خودش رو اینجا نشون داد ـ دقیقاً نشونه‌ی صمیمیته. فکر می‌کنم اون قدر به پم اهمیت می‌دی که از دستش عصبانی بشی.»

جولیوس می‌دانست فیلیپ به‌خودی‌خود پاسخی نمی‌دهد، پس ترغیبش کرد. «فیلیپ؟»

فیلیپ سری تکان داد و گفت: «نمی‌دونم این نظریه‌ت رو چه جوری ارزیابی کنم. ولی چیز دیگه‌ای هست که می‌خوام بگم. من هم اعتراف می‌کنم که مثل پم می‌خواستم دلداری‌ت بدم یا دست‌کم حرفایی مربوط به این موضوع بزنم. من عادت شوپنهاور رو در پیش گرفته‌ام که روزش را با خواندن آثار اپیکتتوس یا بخشی از اوپانیشادها به پایان می‌بُرد.» فیلیپ نگاهی به سمت تونی انداخت. «اپیکتتوس فیلسوف رومی قرن دوم میلادیه و اوپانیشادها، یکی از متون کهن و مقدس هندوهاست. دیشب قطعه‌ای از اپیکتتوس خوندم که فکر کردم به درد این کار می‌خوره و کپی‌اش کردم. ترجمه‌ی آزاد و غیردقیق اون از لاتین به زبان رایج امروزی این می‌شه.» کیفش را باز کرد و نسخه‌ها رو میان افراد تقسیم کرد و بعد، با چشمان بسته از حفظ خواند.

> وقتی در یک سفر دریایی، کشتی لنگر می‌اندازد، از کشتی خارج می‌شوی تا نفسی تازه کنی و گیاه و صدفی جمع کنی. ولی همواره باید ذهنت را معطوف به کشتی نگاه داری و مدام مراقب باشی مبادا ناخدای کشتی فراخوان دهد، و باید به آن فراخوان گوش دهی و همه‌ی آن چیزها را رها کنی و بازگردی وگرنه با تو هم‌چون گوسفندی رفتار می‌شود که با ریسمان می‌بندندش و به درون انبار کشتی می‌افکنند.
>
> زندگی انسان نیز چنین است. اگر زن و فرزند جای گیاه و صدف را بگیرند، هیچ‌چیز نباید برای حفظشان جلودارمان باشد. ولی آن‌گاه که ناخدا فرا بخواندمان، باید به‌سوی کشتی دوید، همه‌ی آن چیزها را گذاشت و رفت، و پشت سر را

هم نگاه نکرد. و اگر در کهن‌سالی باشی، هرگز از کشتی زیاد دور مشو، مبادا که ناخدا فرا بخواندت و تو آماده نباشی.

فیلیپ خواندن را تمام کرد و جوری دستانش را گشود که انگار بگوید «همین.»

گروه هم داشت قطعه را می‌خواند. همه بهت‌زده بودند. استوارت سکوت را شکست. «دارم سعی‌م رو می‌کنم، فیلیپ، ولی سر در نمی‌یارم. این چه فایده‌ای برای جولیوس داره؟ یا برای ما؟»

جولیوس اشاره‌ای به ساعتش کرد. «متأسفم بگم که وقتمون تمومه. ولی بذارین معلمانه رفتار کنم و به یه نکته اشاره کنم. خیلی پیش می‌یاد که یه جمله یا یه عمل رو از دو دیدگاه ببینم: هم از دیدگاه *محتوا* و هم از دیدگاه *فرآیند*؛ و فرآیند یعنی *آنچه درباره‌ی ماهیت رابطه‌ی میان بخش‌های درگیر سخن می‌گه*. استوارت، من هم مثل تو بلافاصله از محتوای پیغام فیلیپ سر در نیاوردم: باید مطالعه‌ش کنم و شاید این محتوا، موضوع صحبت یه جلسه باشه. ولی در مورد *فرآیند* یه چیزایی دستگیرم شد. این رو می‌فهمم که فیلیپ، تو هم مثل پم به من فکر می‌کردی، می‌خواستی چیزی به من پیشکش کنی و برای این منظور، هر کاری لازم بوده، انجام دادی: این قطعه رو حفظ کرده‌ای و از روی اون کپی گرفته‌ای. و معنی این چیه؟ محبت تو رو به من می‌رسونه. و من چه حسی درباره‌اش دارم؟ تحت تأثیر قرار گرفته‌ام، قدرش رو می‌دونم و امیدوارم زمانی برسه که محبتت رو با زبون خودت ابراز کنی.»

زندگی را می‌توان به تکه پارچه‌ای گلدوزی‌شده تشبیه کرد هرکس در نیمه‌ی نخست عمر، به تماشای رویه‌ی آن می‌نشیند و در نیمه‌ی دوم، پشت آن را می‌نگرد. پشتش چندان زیبا نیست ولی آموزنده‌تر است زیرا بیننده را قادر می‌سازد ببیند که چگونه رشته‌های نخ به هم پیوسته‌اند.

فصل ۳۰

وقتی اعضای گروه اتاق را ترک کردند، جولیوس تماشایشان کرد که چطور از پلکان جلویی وارد خیابان شدند. به جای آنکه پراکنده شوند و تک‌تک به‌سوی اتومبیل‌هایشان بروند، دسته‌جمعی راهشان را ـ بی‌شک به‌سوی کافه ـ ادامه دادند. اوه، چقدر دلش می‌خواست بادگیرش را بردارد و از پله‌ها پایین بدود و به آن‌ها بپیوندد. اندیشید این کار مختص یک روز دیگر، یک زندگی دیگر و یک جفت پای دیگر است و آهسته به‌سوی راهرو و از آنجا

به‌سمت کامپیوتر مطبش رفت تا یادداشت‌هایش را درباره‌ی جلسه‌ی گروه بنویسد. ناگهان تصمیمش عوض شد، به اتاق گروه برگشت، پیپش را برداشت و در لذت عطر خوش تنباکوی ترکی غوطه‌ور شد. هدف دیگری نداشت جز اینکه برای چند دقیقه با شعله‌هایی از جلسه‌ی گروه خود را گرم کند.

این جلسه هم مثل سه‌چهار جلسه‌ی پیش، میخ‌کوب‌کننده بود. به یاد گروه‌های بیماران دچار سرطان سینه افتاد که مدت‌ها پیش سرپرستی می‌کرد. بارها و بارها پیش می‌آمد که اعضا پس از چیرگی بر هراس ناشی از پذیرش اینکه مرگشان نزدیک است، از یک دوران طلایی حرف می‌زدند. برخی می‌گفتند زندگی با سرطان موجب شده خردمندتر شوند، به خودشکوفایی برسند، بعضی هم اولویت‌های زندگی‌شان را دوباره می‌چیدند، قوی‌تر می‌شدند، یاد می‌گرفتند به آنچه دیگر برایشان ارزشی نداشت، «نه» و به چیزهایی که واقعاً مهم بود ـ مثل عشق به خانواده و دوستان، دیدن زیبایی‌های اطرافشان، لذت مشاهده‌ی تغییر فصل ـ «آری» بگویند. ولی بسیاری افسوس می‌خوردند که تنها پس از آنکه سرطان همه‌ی بدنشان را گرفته، یاد گرفته‌اند که چطور زندگی کنند.

این دگرگونی‌ها چنان پرشور و هیجان بود ـ بیماری مدعی بود که «سرطان روان‌رنجوری را درمان می‌کند» ـ که یکی‌دوبار پیش آمد جولیوس با موذی‌گری صرفاً این دگرگونی‌های روان‌شناختی را برای دانشجویانش تعریف کرد و بعد از آن‌ها پرسید حدس بزنند چه درمانی برای این بیماران به کار گرفته شده است. دانشجویان چقدر جا می‌خوردند وقتی می‌فهمیدند این روان‌درمانی یا دارو نبوده که چنین دگرگونی‌هایی ایجاد کرده بلکه صرف رویارویی با مرگ چنین اثری داشته است. بسیار مدیون آن بیماران بود. هنگام

نیازش، چه الگوی فوق‌العاده‌ای برایش بودند. افسوس که دیگر نمی‌توانست این را به‌شان بگوید. به خود یادآوری کرد درست زندگی کن و ایمان داشته باش که نیکی از تو به دیگران جاری خواهد شد حتا اگر خود از آن نیکی‌ها آگاه نباشی.

از خود پرسید: و تو با سرطانت چه می‌کنی؟ آن دوره‌ی هراس را خیلی خوب می‌شناسم. خدا را شکر که دیگر پشت سر گذاشتمش؛ گرچه هنوز آن بیداری‌های سه صبح با حملات هراس و وحشتی وصف‌ناپذیر که هیچ لفاظی و استدلالی حریفش نمی‌شود، سر جایش است. هیچ‌چیز جز والیوم، نور سپیده‌دم یا فرو رفتن در وان آب داغ حریفش نمی‌شود.

اندیشید: ولی آیا دگرگون یا خردمندتر شده‌ام؟ به دوران طلایی‌ام پا گذاشته‌ام؟ انگار به احساساتم نزدیک‌تر شده‌ام... شاید این خود نوعی رشد باشد. فکر می‌کنم، *نه، مطمئنم* که روان‌درمانگر بهتری شده‌ام و گوش‌هایم تیزتر شده‌اند. بله، شکی نیست که درمانگر دیگری شده‌ام. پیش از ملانوم، هرگز نگفته بودم که عاشق این گروهم. حتا خوابش را هم نمی‌دیدم که جزئیات خصوصی زندگی‌ام ـ مرگ میریام، فرصت‌طلبی جنسی‌ام ـ را برای گروه آشکار کنم. اندیشید: و این وسواس مقاومت‌ناپذیر امروزم برای اعتراف در گروه ـ جولیوس سرش را به نشانه‌ی شگفتی تکان داد ـ چیزی‌ست که ازش سر در نمی‌آورم. احساس می‌کنم چیزی بر خلاف میلم، مرا به مقابله با آموزه‌ها و تعلیمات حرفه‌ای‌ام ترغیب کرد.

از یک چیز مطمئنم، آن‌ها نمی‌*خواستند* بشنوند. صحبت از مقاومت است! آن‌ها هیچ‌یک ازکاستی‌ها یا هیچ بخشی از رویه‌ی تاریک من را نمی‌خواهند. ولی وقتی آن را در معرض دیدشان قرار

دادم، اتفاقات جالبی افتاد. تونی انگار عوض شده بود! درست مثل یک درمانگر ماهر عمل کرد: پرسید که آیا از پاسخ گروه راضی شده‌ام یا نه، کوشید رفتارم را عادی جلوه دهد، بر «چرا حالا؟» اصرار کرد. کارش حرف نداشت. حتا می‌توانم تصور کنم که بعد از من گروه را سرپرستی کند. این هم برای خودش چیزی می‌شود: درمانگری که از دوره‌ی کالج ترک تحصیل کرده و محکومیت زندان در سابقه‌اش دارد. و دیگران ـ گیل، استوارت، پم ـ همه‌ی تلاش‌شان را کردند، مراقبم بودند و گروه را متمرکز نگه داشتند. یونگ از اینکه گفته تنها یک درمانگر زخمی می‌تواند حقیقتاً درمان کند، منظور دیگری داشته ولی شاید تقویت مهارت‌های درمانی در بیماران، توجیهی کافی برای درمانگران باشد تا زخم‌های خودشان را آشکار کنند.

جولیوس همان جور که آهسته راهرو را پشت سر می‌گذاشت و به اتاق دفترش رفت، هم‌چنان به جلسه می‌اندیشید. و گیل ـ امروز خودی نشان داد! اینکه پم را «قاضی‌القضات» نامید، معرکه بود ـ فوق‌العاده و دقیق عمل کرد. مجبور شدم به پم کمک کنم تا بتواند با آن بازخورد کنار بیاید. این از مواردی بود که بینش گیل از من تیزتر و دقیق‌تر عمل کرد. همه‌ی این مدت آن قدر پم را دوست داشتم که از ناهنجاری‌اش غافل مانده بودم: شاید به همین دلیل بود که نتوانسته بودم در وسواسش درباره‌ی جان کمکش کنم.

جولیوس کامپیوترش را روشن کرد و فایلی را با عنوان «طرح‌های داستان کوتاه» باز کرد: پرونده‌ای که حاوی پروژه‌ی بزرگ ناتمام زندگی‌اش بود: اینکه یک نویسنده‌ی واقعی شود. او در نوشتن مقالات تخصصی، نویسنده‌ی خوبی بود (دو کتاب و یکصد مقاله در زمینه‌ی روان‌پزشکی نوشته بود)، ولی آرزویش این بود که

یک نویسنده‌ی ادبی شود و برای دهه‌ها، طرح‌هایی را برای داستان کوتاه ـ چه تخیلی و چه برگرفته از کار بالینی‌اش ـ گرد آورده بود. با اینکه چند بار کار را شروع کرده بود، هرگز وقت کافی و نیز شجاعت کافی برای تمام کردن و فرستادن یک داستان برای چاپ پیدا نکرده بود.

فهرست طرح‌ها را از نظر گذراند و روی عنوان «قربانیان با دشمنانشان رودررو می‌شوند» کلیک کرد و دو تا از ایده‌هایش را خواند. رویارویی نخست در یک کشتی مجلل تفریحی در ساحل ترکیه روی می‌داد. یک روان‌پزشک وارد کازینوی کشتی می‌شد و در آن اتاق پر از دود به یکی از بیماران سابقش برمی‌خورد، مردی کلاهبردار که یک بار هفتادوپنج‌هزار دلار از او کلاهبرداری کرده بود. طرح رویارویی دوم هم مربوط به خانم وکیلی بود که دفاع از پرونده‌ی یک متهم به تجاوز به عنف، به‌صورت رایگان و برای امور خیریه به او واگذار شده بود. در نخستین مصاحبه‌اش در زندان، حدس می‌زند که متهم همان مردی‌ست که ده‌سال پیش به خودش تجاوز کرده است.

جولیوس مدخل تازه‌ای ایجاد کرد و نوشت: «زنی در یک گروه‌درمانی با مردی روبه‌رو می‌شود که سال‌ها پیش، استاد او بوده و از او سوءاستفاده‌ی جنسی کرده است.» بدک نیست. اندیشید ظرفیت زیادی برای تبدیل به یک داستان دارد گرچه می‌دانست این داستان هرگز نوشته نخواهد شد. مسائل اخلاقی در میان بود: نیازمند اجازه‌ی پم و فیلیپ بود که او نداشت. ولی جولیوس اندیشید ظرفیت خوبی برای یک درمان خوب هم دارد. یقین داشت که فقط اگر می‌توانست این دو را در گروه نگه دارد و درد باز شدن زخم‌های قدیمی را تاب آورد، چیزی مثبت از این درمان حاصل می‌شد.

ترجمه‌ی فیلیپ از داستان مسافران کشتی را در دست گرفت. چندین بار خواند و کوشید معنا و ربطش را بفهمد. ولی باز هم در آخر فقط سری تکان داد. فیلیپ آن را پیشکشی برای تسلا و تسکین دانسته بود. ولی تسلایش کجا بود؟

حتا وقتی محرکی در کار نیست، مدام نگرانی اضطراب‌آلودی در من هست که موجب می‌شود خطراتی را ببینم یا جست‌وجو کنم که وجود ندارند؛ این موضوع کمترین ناراحتی را برایم بی‌نهایت بزرگ می‌کند و رابطه با مردم را بی‌نهایت دشوار.

فصل ۳۱

آرتور چگونه زیست

آرتور هنگام دریافت مدرک دکترایش در برلین زندگی می‌کرد، مدت کوتاهی به درسدن، مونیخ و مانهایم رفت و بعد با گریز از همه‌گیری وبا، سی سال آخر زندگی‌اش را در فرانکفورت ماندگار شد و دیگر هرگز حتا برای سفری یک‌روزه هم ترکش نکرد. هیچ کار درآمدزایی نداشت، در خانه‌های اجاره‌ای زندگی می‌کرد، هرگز خانه‌ای، کاشانه‌ای، همسری، خانواده‌ای و دوستانی صمیمی نداشت.

متعلق به هیچ محفل اجتماعی نبود، آشنایان نزدیک و احساس تعلق به جمع در او دیده نمی‌شد؛ در واقع، اغلب موضوع ریشخند اهالی محل بود. تا چند سال آخر زندگی‌اش، هیچ شنونده، خواننده یا درآمدی از نوشته‌هایش نداشت. از آنجا که روابطش بسیار اندک و انگشت‌شمار بود، مکاتبات معدودش عمدتاً جنبه‌ی کاری و تجاری داشت.

به‌رغم نداشتن دوست، ما بیش از هر فیلسوف دیگری از زندگی خصوصی‌اش مطلعیم زیرا نوشته‌های فلسفی‌اش به طرز شگفت‌انگیزی، شخصی‌ست. برای نمونه، بندهای آغازین پیشگفتار اثر بزرگش، *جهان به مثابه اراده و بازنمود*، یادداشتی شخصی‌ست که برای یک رساله‌ی فلسفی غیرمعمول است. نثر ناب و پاکیزه‌اش بلافاصله روشن می‌سازد که مشتاق برقراری رابطه‌ای شخصی با خواننده‌ست. نخست به خواننده می‌آموزاند که کتابش را چگونه بخواند و با این درخواست می‌آغازد که کتاب دو بار خوانده شود و این کار با شکیبایی زیاد همراه باشد. سپس از خواننده می‌خواهد ابتدا کتاب قبلی‌اش، در باب *ریشه‌ی چهارگانه‌ی اصل سبب کافی*، را مطالعه کند که به‌نوعی مقدمه‌ی این کتاب به‌شمار می‌آید و به خواننده اطمینان می‌دهد که برای این توصیه، از او سپاسگزار می‌شود. بعد می‌گوید که اگر خواننده با آثار کانت و افلاطون مقدس آشنا باشد، بهره‌ی بیشتر خواهد برد. البته متذکر می‌شود که او در آثار کانت، لغزش‌های بزرگی یافته که در ضمیمه‌ی کتاب (که آن نیز باید اول خوانده شود) به بحث درباره‌شان پرداخته است؛ و سرانجام (به‌درستی) یادآور می‌شود که خواننده باید از این درخواست‌های گستاخانه، وقیحانه و وقتگیر او خشمگین و بی‌تاب شده باشد. عجبا که این شخصی‌نویس‌ترین فیلسوف، چنین

غیرشخصی و بی‌عاطفه زندگی کرده است.

شوپنهاور علاوه بر ارجاعات شخصی موجود در آثارش، در سندی با عنوان یونانی «Ειζεαυτον» (درباره‌ی خودم) مسائل زیادی درباره‌ی خود آشکار کرده است، کتابی دست‌نویس و سرشار از رمزوراز و مناقشه که داستان غریبش چنین است:

در اواخر زندگی آرتور، حلقه‌ی بسیار کوچکی از متعصبان پرشور یا «مبلغان» که شوپنهاور تحملشان می‌کرد ولی نه احترامی برایشان قائل بود و نه دوستشان داشت، پیرامونش جمع شدند. این آشنایان اغلب می‌شنیدند او از یک دفتر خاطرات با نام «درباره‌ی خودم» حرف می‌زند که در آن از مشاهدات سی ساله‌ی اخیر درباره‌ی خودش نوشته است. ولی پس از درگذشتش، اتفاقی غریب افتاد: «درباره‌ی خودم» هیچ کجا یافت نشد. پیروان شوپنهاور پس از جست‌وجویی بیهوده، به سراغ ویلهلم گویینر[1] ـ کارگزار وصیتنامه‌ی شوپنهاور ـ رفتند و درباره‌ی کتاب گمشده پرسیدند. گوینر به آنان گفت «درباره‌ی خودم» دیگر وجود ندارد چون شوپنهاور به او دستور داده بود بلافاصله پس از مرگش آن را بسوزاند.

ولی کمی بعد همان ویلهلم گویینر، نخستین زندگینامه‌ی آرتور شوپنهاور را نوشت و آن مبلغان اصرار داشتند که در این زندگینامه، بخش‌هایی از کتاب «درباره‌ی خودم» را، چه به صورت نقل قول مستقیم و چه به صورت تغییریافته، بازشناخته‌اند. آیا گویینر پیش از سوزاندن دست‌نویس، نسخه‌ای از آن تهیه کرده بود؟ یا اصلاً آن را نسوزانده بود، بلکه به یغما برده بودش تا از آن برای نوشتن

1. Wilhelm Gwinner

زندگینامه بهره ببرد؟ این حرف و حدیث‌ها دهه‌ها در دهان‌ها می‌گشت و سرانجام، محقق دیگری، «Ειζεαυτον» را بر اساس کتاب گویینر و سایر نوشته‌های شوپنهاور بازسازی کرد و در چهل‌وهفت صفحه و در پایان اثر چهارجلدی *Nachlass* (دست‌نوشته‌های بازمانده) منتشر کرد. خوانش «درباره‌ی خودم» تجربه‌ای غریب است زیرا به دنبال هر بند، توصیف خاستگاه پیچیده‌ی آن بند آمده که اغلب طولانی‌تر از خود متن است.

چرا آرتور شوپنهاور هرگز شغلی نداشت؟ داستان تدبیر کامی‌کازی‌وار[۱] آرتور در به‌دست آوردن یک مقام دانشگاهی، یکی دیگر از آن قصه‌های عجیب و غریبی‌ست که در همه‌ی روایت‌های موجود از زندگینامه‌ی شوپنهاور موجود است. کار آموزگاری برای نخستین بار در سال ۱۸۲۰ و در سن سی‌ودوسالگی به او پیشنهاد شد: موقعیتی موقتی با درآمدی بسیار پایین (*Privatdozent*) برای تدریس فلسفه در دانشگاه برلین. ولی او چه کرد؟ بی‌درنگ و عمداً برنامه‌ی سخنرانی‌اش (با عنوان «جوهر جهان») را درست در همان ساعتی قرار داد که گئورک ویلهلم هگل[۲] ـ رییس دپارتمان و مشهورترین فیلسوف زمان خود ـ درس داشت!

دویست دانشجوی مشتاق در کلاس هگل به هم چپیده بودند در حالی که تنها پنج تن آمده بودند تا به شوپنهاور گوش دهند که خود را یک خونخواه معرفی می‌کرد که آمده تا فلسفه‌ی پسا ـ کانتی را از تضادهای بی‌معنا و نیز زبان تباه و گنگ فلسفه‌ی معاصر آزاد کند. معلوم بود که منظور شوپنهاور، هگل و سلف او،

---

۱. Kamikaze در زبان ژاپنی، به خلبان‌های جان‌برکفی گفته می‌شد که هواپیماهایشان را پر از بمب کرده و به کشتی دشمن می‌زدند ـ م.

2. Georg Wilhelm Hegel

فیشته (فراموش نکنید که او فیلسوفی بود که زندگی را با غازچرانی آغاز کرد و عرض اروپا را پیمود تا کانت را ملاقات کند) است. روشن است که هیچ‌یک از این‌ها، شوپنهاور جوان را نزد هگل یا سایر اعضای دانشکده محبوب نمی‌کرد و وقتی در نیمسال بعدی، هیچ دانشجویی در درس شوپنهاور ثبت نام نکرد، حرفه‌ی دانشگاهی کوتاه و بی‌پروایش به پایان رسید: هرگز دوباره سخنرانی عمومی نگذاشت.

شوپنهاور در سی سالی که در فرانکفورت بود تا زمان مرگش در سال ۱۸۶۰، برنامه‌ی روزانه‌ی منظمی را که تقریباً به دقت برنامه‌ی روزانه‌ی کانت بود، رعایت کرد. روزش با سه ساعت نوشتن آغاز می‌شد و به‌دنبال آن یک و گاهی دو ساعت فلوت می‌زد. هر روز در رودخانه‌ی سرد ماین شنا می‌کرد و به‌ندرت یک روز را حتا در میانه‌ی زمستان از دست می‌داد. همیشه در باشگاه انگلیشر هاف ناهار می‌خورد، فراک می‌پوشید و کراوات سفید می‌زد، لباسی که در جوانی‌اش باب روز بود ولی در فرانکفورت میانه‌ی قرن نوزدهم آشکارا از رواج افتاده بود. هرکس که می‌خواست این فیلسوف عجیب و عیب‌جو را ملاقات کند، باید به همان باشگاه ناهارش می‌رفت.

در انگلیشر هاف حرف‌وحدیث‌ها درباره‌ی شوپنهاور فراوان بود: اشتهای فوق‌العاده‌اش که اغلب غذای دو نفر را می‌خورد (هرگاه کسی به این موضوع اشاره می‌کرد، می‌گفت او به جای دو نفر هم فکر می‌کند)، همیشه پول دو غذا را می‌داد تا مطمئن شود کسی کنارش نمی‌نشیند، مکالمه‌های خشن ولی زیرکانه‌اش، فوران‌های مکرر خشمش، فهرست سیاهش از افرادی که حاضر نبود با آن‌ها سخن بگوید، تمایلش به بحث درباره‌ی موضوعات نامتناسب و ناپسند.

گرچه از گفت‌وگوهای جدی لذت می‌برد، به‌ندرت در حین غذا خوردن مصاحبانی می‌یافت که آن‌ها را شایسته‌ی وقت‌گذرانی با خود بداند. تا مدتی عادت داشت در حین غذا خوردن، سکه‌ی طلایی روی میز بگذارد و هنگام رفتن، آن را بر دارد. یک‌بار یکی از افسران ارتش که معمولاً بر سر همان میز غذا می‌خورد هدف او را از این کار پرسید. شوپنهاور پاسخ داد روزی که بشنود افسران گفت‌وگویی جدی دارند که پیرامون چیزی جز اسب‌ها، سگ‌ها یا زنانشان می‌گردد، آن سکه‌ی طلایی را به فقرا خواهد بخشید. در حین غذا، ممکن بود سگ پودلش، آتمن، را «هی آقا» صدا بزند و اگر آتمن بدرفتاری می‌کرد، «هی آدم» خطابش می‌کرد!

داستان‌های زیادی هم درباره‌ی تیزهوشی‌اش گفته‌اند. یک‌بار یکی از مدعوین به ناهار پرسشی از او کرد که آرتور به سادگی پاسخ داد: «نمی‌دانم.» مرد جوان گفت: «عجب، عجب، من فکر می‌کردم شما که فرزانه‌ی بزرگی هستید، همه‌چیز می‌دانید!» شوپنهاور پاسخ داد: «نه، دانش محدود است، فقط حماقت است که حدی ندارد!» پرسش زنان از شوپنهاور یا پرسش درباره‌ی زنان و ازدواج، بی‌چون‌وچرا پاسخی تند و تلخ در پی داشت. یک‌بار مجبور شده بود هم‌نشینی با زنی بسیار پرحرف را تاب آورَد که مصیبت ازدواجش را با آب‌وتاب تعریف می‌کرد. با شکیبایی گوش داد ولی وقتی زن پرسید آیا درکش می‌کند یا نه، پاسخ داد: «نه، ولی همسرتان را خوب می‌فهمم.»

در گفت‌وگوی دیگری از او می‌خواهند ازدواج کند.

«هیچ انگیزه‌ای برای ازدواج ندارم، چون این کار فقط باعث نگرانی‌ام می‌شود.»

«و چرا این جور است؟»

«دچار حسادت می‌شوم چون همسرم به من خیانت خواهد کرد.»

«از کجا این قدر مطمئنید؟»

«چون سزاوار خیانتم.»

«چرا؟»

«چون ازدواج کرده‌ام.»

سخنان تندوتیزی هم درباره‌ی پزشکان دارد؛ یک‌بار گفته پزشکان دو دست‌خط دارند: به‌زحمت خوانا برای نوشتن نسخه‌ها و روشن و خوانا برای نوشتن صورتحساب‌ها.

نویسنده‌ای که شوپنهاور را در سال ۱۸۴۶ در پنجاه‌وهشت‌سالگی و حین ناهار ملاقات کرده بود، او را چنین وصف کرده است:

خوش‌اندام... کاملاً خوش‌لباس ولی با طرحی از رواج افتاده... متوسط‌القامه با موهای نقره‌ای کوتاه... چشمان آبی‌فام خندان و فوق‌العاده باهوش... که درونگرایی‌اش را به نمایش می‌گذاشت و به‌شیوه‌ی پرطمطراق باروک سخن می‌گفت و با همین شیوه، هر روز میزان قابل توجهی هجو مبتذل برای هم‌نشینانش می‌گفت. به این ترتیب این هجوهای اغلب به طرز مضحکی برخورنده ولی بی‌آزار و خشن و در عین حال همراه با خوش‌طینتی، هم‌نشین را آماج شوخی‌های مردان فرومایه‌ای قرار می‌داد که مدام مسخره‌اش می‌کردند گرچه هجوها به راستی معنای بدی نداشتند.

شوپنهاور پس از ناهار، به یک پیاده‌روی طولانی می‌رفت که اغلب به تک‌گویی یا گفت‌وگویی قابل شنیدن با سگش می‌گذشت و ریشخند کودکان را به همراه داشت. عصرها را به مطالعه در اتاق‌هایش می‌گذراند و هرگز بازدیدکننده‌ای نمی‌پذیرفت. شواهدی

دال بر وجود رابطه‌ای عاشقانه در فرانکفورت وجود ندارد و در سال ۱۸۳۱ در سن چهل‌وسه‌سالگی در «درباره‌ی خودم» نوشته «خطر زندگی بدون شغل با درآمدی کم را تنها می‌توان با تجرد پذیرفت.»

او هرگز مادرش را پس از قطع رابطه‌شان در سی‌ویک‌سالگی ندید، ولی دوازده سال بعد، در سال ۱۸۱۳، چند نامه‌ی مرتبط با مسائل مالی میانشان ردوبدل شد و مادر در سال ۱۸۳۵ از دنیا رفت.

یک‌بار که بیمار شده بود، مادرش عبارتی خصوصی و نادر برایش نوشت: «اینکه دو ماه را در اتاقت گذرانده‌ای بی‌آنکه حتا یک تن را ببینی، اصلاً خوب نیست پسرم و غمگینم می‌کند. یک مرد نمی‌تواند و نباید خود را این جور منزوی کند.»

گهگاه نامه‌هایی میان آرتور و خواهرش آدل ردوبدل می‌شد که در آن‌ها، آدل بارها و بارها کوشید به برادرش نزدیک‌تر شود و در تمام مدت به او اطمینان خاطر می‌داد که هرگز از او چیزی نخواهد خواست. ولی آرتور مکرراً پس می‌کشید. آدل که هرگز ازدواج نکرد، با نومیدی فراوان زیست. وقتی به خواهرش گفت برای فرار از وبا برلین را ترک می‌کند، او نوشت از وبا استقبال خواهد کرد چون به بدبختی‌اش پایان خواهد داد. ولی آرتور باز هم بیشتر پا پس کشید و مطلقاً حاضر نشد به‌سوی زندگی و افسردگی خواهرش کشیده شود. پس از آنکه آرتور خانه را ترک کرد، آن‌ها فقط یک‌بار در سال ۱۸۴۰ و در دیداری کوتاه و ناخوشایند یکدیگر را ملاقات کردند و آدل نُه سال بعد درگذشت.

پول، دغدغه‌ی همیشگی زندگی شوپنهاور بود. مادرش ملک کوچکش را برای آدل گذاشت و آدل بی‌آنکه ملکی از خود به جای گذارد، از دنیا رفت. آرتور بیهوده کوشید شغلی به عنوان مترجم

بیابد و کتاب‌هایش فقط در آخرین سال‌های زندگی‌اش، فروش رفتند و به‌وسیله‌ی مطبوعات نقد شدند.

خلاصه، آرتور بدون تمامی راحتی‌ها یا پاداش‌هایی که فرهنگش برای تعادل و حتا بقا ضروری می‌دید، زندگی کرد. چطور این کار را کرد؟ چه بهایی پرداخت؟ این‌ها ـ همان جور که خواهیم دید ـ همان رموزی بود که در «درباره‌ی خودم» آشکار کرد.

آثار جاویدان، ایده‌هایی که از کسانی هم‌چون من بر جای می‌مانند، بزرگ‌ترین لذتم در زندگی‌اند. بدون کتاب‌ها، من مدت‌ها پیش گرفتار نومیدی شده بودم.

فصل ۳۲

جولیوس هفته‌ی بعد هنگام ورود به اتاق گروه با صحنه‌ای عجیب روبه‌رو شد. اعضا ولو بر صندلی‌هایشان، به‌دقت در حال مطالعه‌ی حکایت فیلیپ بودند. استوارت نسخه‌ی خودش را روی تخته‌ی رسم گذاشته بود و همان جور که می‌خواند، زیر جملات خط می‌کشید. تونی که فراموش کرده بود نسخه‌ی خودش را بیاورد، از روی شانه‌ی پم سرک کشیده بود و از روی نسخه‌ی او می‌خواند.

ربه‌کا با نشانی از خشم در صدایش، جلسه را آغاز کرد: «من اینو با جدیت کافی خوندم» برگه‌ای که فیلیپ به همه داده بود را بالا

گرفت و بعد آن را تا کرد و در کیفش گذاشت. «وقت کافی براش گذاشتم، فیلیپ، در واقع، زیادی براش وقت گذاشتم و حالا دلم می‌خواد ربط این متن رو با من یا گروه یا جولیوس روشن کنی.»

فیلیپ پاسخ داد: «فکر می‌کنم اگه اول کلاس درباره‌ش بحث کنه، فایده‌ی تمرین بیشتر می‌شه.»

ربه‌کا در حالی که کیفش را با سر و صدا می‌بست، پرسید: «کلاس؟ پس برای همینه که این شبیه تکلیف درسیه؟ فیلیپ تو این جوری مشاوره می‌دی؟ مثل یه معلم توی کلاس؟ من برای چنین چیزی اینجا نیستم؛ من اومدم درمان بشم، کلاس اکابر که نیومدم.»

فیلیپ توجهی به حساسیت و زودرنجی ربه‌کا نکرد. «مرز بین آموزش و درمان در بهترین حالت هم خیلی مبهمه. یونانی‌ها ـ سقراط، افلاطون، ارسطو، رواقیون و اپیکوری‌ها ـ همه معتقد بودند که آموزش و منطق ابزارهای لازم برای پیکار با رنج انسانی‌اند. بیشتر مشاوران فلسفی، آموزش را اساس درمان می‌دانند. تقریباً همگی به شعار *caritas sapientis* لایب‌نیتس به‌معنای "خرد و محبت" استناد می‌کنند.» فیلیپ رو کرد به تونی. «لایب‌نیتس یه فیلسوف آلمانی در قرن هفدهم بود.»

پم گفت: «این کارت به نظر من هم کسل‌کننده‌س و هم گستاخانه. وانمود می‌کَنی که داری به جولیوس کمک می‌کنی، ولی» ـ صدایش را یک اکتاو بالاتر برد ـ «فیلیپ، دارم باهات حرف می‌زنم...» فیلیپ که بی‌حرکت به سقف خیره شده بود، از جا پرید، صاف نشست و رو کرد به پم. «اول این تکلیف سطحی رو بین همه پخش می‌کنی و حالا داری با شانه خالی کردن از بیان تفسیر خودت از این قطعه، گروه رو کنترل می‌کنی.»

گیل گفت: «دوباره داری سعی می‌کنی فیلیپ رو خراب کنی. تو

رو خدا، پم، اون یه مشاور و یه فیلسوفه. لازم نیست دانشمند اتمی باشی تا بفهمی که اون می‌خواد به کمک چیزی که توش مهارت داره، روی گروه تأثیر بذاره. چرا با همه‌چیزش مخالفت می‌کنی؟»

پم دهانش را باز کرد تا پاسخ دهد، ولی انگار کلامی نیافت و دوباره آن را بست. به گیل خیره شد که اضافه کرد: «تو بازخورد مستقیم می‌خواستی، پم. بفرما. و نه، چیزی ننوشیده‌ام، اگه داری به این موضوع فکر می‌کنی. روز چهاردهم هشیاری‌مه ـ دوبار در هفته با جولیوس جلسه دارم ـ اون هیجان لازم رو ایجاد کرد، پیچ‌ها رو سفت کرد و وادارم کرد هر روز به جلسات AA برم، هفت روز هفته، چهارده جلسه توی چهارده روز. اینو هفته‌ی پیش نگفتم چون مطمئن نبودم بتونم ادامه بدم.»

همه‌ی اعضا جز فیلیپ با سر تکان دادن و تبریک گفتن، واکنش‌های پرمایه‌ای نشان دادند. بانی گفت به او افتخار می‌کند. حتا پم هم گفت: «برات خوشحالم.» تونی گفت: «شاید منم باید همرات بیام.» به گونه‌های کبودش اشاره کرد. «سیاه‌مستیام کبودی به بار می‌یاره.»

جولیوس پرسید: «تو چی فیلیپ؟ جوابی داری به گیل بدی؟» فیلیپ سری به نفی تکان داد: «اون به اندازه‌ی کافی از بقیه حمایت دریافت کرد. اون هشیاره، حرف می‌زنه و داره قوی می‌شه. گاهی حمایت زیادی کار رو بدتر می‌کنه.»

جولیوس گفت: «من از شعار *caritas sapientis* لایب‌نیتس خوشم می‌یاد ـ خرد و محبت ـ ولی دلم می‌خواد بخش "*caritas*" رو فراموش نکنی. اگه گیل سزاوار حمایته، *چرا تو باید همیشه ته صف باشی؟* و یه چیز دیگه، تو اطلاعات منحصربه‌فردی داری: چه کسی جز خودت می‌تونه به جای تو احساساتت رو درباره‌ی دفاع

گیل از تو و ایستادنش در برابر پم وصف کنه؟»

فیلیپ پاسخ داد: «خوب گفتی. احساسات درهم‌برهمی دارم. از حمایت گیل خوشم اومد و هم‌زمان با این خوش آمدن، محتاطانه برخورد می‌کنم. برای جنگیدن به دیگران تکیه کردن همان و تحلیل رفتن عضلات، همان.»

تونی با اشاره به برگه گفت: «خب، من می‌خوام جهالتمو بیشتر رو کنم. فیلیپ، من واقعاً این داستان قایقو نمی‌فهمم. هفته‌ی پیش گفتی می‌خوای چیزی تسکین‌دهنده به جولیوس بدی، ولی این داستان قایق و مسافراش... رک بگم نمی‌فهمم چی به آدم می‌ده.»

بانی گفت: «عذرخواهی نکن، تونی، قبلاً هم بهت گفته‌ام که همیشه از زبون من حرف می‌زنی... من هم بیشتر از تو از این کشتی و صدف‌جمع‌کنی سر در نمی‌یارم.»

استوارت گفت: «منم همین طور. نمی‌فهمم.»

پم گفت: «بذارین کمک کنم. بالاخره تفسیر ادبیات راه پول درآوردن منه. قدم اول اینه که از وجه عینی متن یعنی کشتی، صدف، گوسفند و غیره شروع کنین و به وجه انتزاعی اون برسین. به عبارت دیگه، از خودتون بپرسین: این کشتی یا سفر یا بندر نماد چی‌اند؟»

استوارت با نگاهی به تخته‌ی رسمش گفت: «فکر کنم کشتی نماد مرگه... یا سفر به‌سوی مرگ.»

پم گفت: «خیلی خب، از این به چه نتیجه‌ای می‌رسی؟»

استوارت پاسخ داد: «به نظرم در اصل می‌خواد بگه *خیلی به جزئیات ساحل اهمیت نده وگرنه از کشتی جا می‌مونی.*»

تونی گفت: «خب، اگه زیادی مشغول ساحل بشی ـ حتا زن و بچه پیدا کنی ـ ممکنه کشتی بدون تو حرکت کنه... به عبارت

دیگه، ممکنه از مرگت جا بمونی. خب این به نظر شما فاجعه‌ی بزرگیه؟»

ربه‌کا گفت: «آره، آره، حق با توئه تونی، منم کشتی رو نماد مرگ دیدم، ولی آخه این جوری بی‌معنی می‌شه.»

گیل گفت: «منم نمی‌فهمم ولی نمی‌گه از مرگ جا می‌مونی؛ می‌گه مثل گوسفند طناب‌پیچت می‌کنن و می‌برنت.»

ربه‌کا گفت: «حالا هرچی، ولی این بازم شبیه درمان نیست.» رو کرد به جولیوس: «این قراره به درد تو بخوره. تو باهاش تسکین پیدا کردی؟»

«فیلیپ، چیزی رو که هفته‌ی پیش بهت گفتم، تکرار می‌کنم. برداشت من اینه که تو می‌خوای چیزی به من بدی که عبور از این هفت‌خان رو برام آسون‌تر کنه. و به‌علاوه، خجالت می‌کشی این کارو صریح انجام بدی. به‌جای اون، یه راه کمتر شخصی رو انتخاب می‌کنی. فکر می‌کنم برنامه‌ام برای آینده‌ات این خواهد بود که روی ابراز شخصی‌تر محبتت کار کنیم.»

جولیوس ادامه داد: «درباره‌ی محتوا، من هم گیجم ولی برداشتم اینه که از اونجایی که قایق هر لحظه ممکنه راه بیفته ـ یعنی مرگ هر لحظه می‌تونه از راه برسه و ما رو به خودش بخونه ـ باید از وابستگی زیادی به چیزای دنیوی پرهیز کنیم. شاید بهمون هشدار می‌ده که وابستگی عمیق، مرگ رو دردناک‌تر می‌کنه. فیلیپ اینه اون پیام تسکین‌دهنده‌ای که سعی می‌کنی به من بدی؟»

پیش از آنکه فیلیپ بتواند پاسخ گوید، پم به میان صحبت دوید: «فکر می‌کنم این جوری بهتر جا می‌افته اگه کشتی و سفر رو نماد مرگ ندونیم، بلکه نمادی از زندگی اصیل و معتبر بدونیم. به عبارت دیگه، هرچی بیشتر بر حقیقت بنیادین "بودن محض" یا

معجزه‌ی هستی تمرکز کنیم، اصیل‌تر زندگی خواهیم کرد. اگه بر "بودن" تمرکز کنیم، چندان مجذوب سرگرمی‌های زندگی یعنی اشیاء مادی جزیره که باعث می‌شن خود هستی رو نبینیم، نمی‌شیم.»

سکوتی کوتاه. سرها به‌سوی فیلیپ برگشت.

فیلیپ با اثری از اشتیاق در صدایش پاسخ داد: «دقیقاً. نظر من هم دقیقاً همینه. ایده‌ی اصلی اینه که فرد باید آگاه باشه که داره خودش رو در سرگرمی‌های زندگی از دست می‌ده. هایدگر این حالت رو مجذوب شدن در روزمرگی زندگی می‌نامید. می‌دونم تاب تحمل هایدگر رو نداری، پم، ولی معتقدم گمراهی‌ش در عالم سیاست، نباید ما رو از بینش‌های فلسفی‌ش محروم کنه. به قول هایدگر نتیجه‌ی افتادن در روزمرگی، از دست دادن رهایی و گرفتار شدن مثل یه گوسفنده.»

فیلیپ ادامه داد: «منم مثل پم معتقدم این حکایت به ما درباره‌ی وابستگی‌ها هشدار می‌ده و وادارمون می‌کنه با معجزه‌ی بودن همراه بمونیم: نگران چگونگی بودن چیزها نباشیم بلکه در مرحله‌ی شگفتی از بودن چیزها ـ یعنی صِرف بودنشون ـ بمونیم.»

بانی گفت: «فکر کنم حالا منظورت رو می‌فهمم ولی خیلی سرد و بی‌احساس و انتزاعیه. چه تسکینی توی این هست؟ برای جولیوس؟ یا هرکس دیگه؟»

«برای من، تسکین در این ایده‌ست که مرگم از زندگی‌م تأثیر می‌گیره.» فیلیپ با تب‌وتابی غیرمعمول حرف می‌زد: «تسکین در این ایده‌ست که اجازه ندم چیزای پیش‌پاافتاده ـ موفقیت‌ها یا شکست‌های بی‌اهمیت، چیزایی که در تملک منه، نگرانی درباره‌ی محبوبیت و اینکه کی از من خوشش می‌یاد و کی خوشش نمی‌یاد ـ جوهر هستی‌م رو ببلعه. برای من، آزاد موندن و قدردانی از

معجزه‌ی بودن یه جور تسکینه.»

استوارت گفت: «صدات پرانرژی شده ولی منم فکر می‌کنم این شیوه سرد و بی‌خون و بی‌رحمانه‌ست. یه تسکین سرد. لرز می‌یاره.»

اعضا هاج‌وواج مانده بودند. حس می‌کردند فیلیپ چیزی ارزشمند برای پیشکش داشته، ولی شیوه‌ی غریب او مثل همیشه سردرگمشان کرده بود.

پس از سکوتی گذرا، تونی از جولیوس پرسید: «به دردت می‌خوره؟ منظورم این چیزیه که بهت پیشکش شده. کمکت می‌کنه؟»

«کمکی به من نمی‌کنه، تونی. با این حال همون جور که گفتم» رو کرد به فیلیپ و ادامه داد: «تو دستت رو پیش آوردی تا چیزی رو به من بدی که به خودت کمک کرده. این رو هم می‌فهمم که این دومین باره که چیزی رو به من پیشکش می‌کنی که نتونستم ازش بهره‌ای ببرم و این باید تو رو سرخورده کرده باشه.»

فیلیپ سری تکان داد ولی ساکت ماند.

پم گفت: «بار دوم! اولی رو یادم نمی‌یاد. مربوط به موقعیه که من نبودم؟»

چند سر به نشانه‌ی نفی تکان خورد. هیچ‌کس بار اول را به یاد نمی‌آورد. پس پم از جولیوس پرسید: «جاخالی‌هایی این وسط هست که باید پر بشه؟»

جولیوس گفت: «یه تاریخچه‌ی قدیمی میون من و فیلیپ هست. خیلی از معماهای امروز به‌وسیله‌ی این تاریخچه حل می‌شه. ولی حس می‌کنم انتخاب با توئه، فیلیپ. هر وقت آماده بودی.»

فیلیپ گفت: «دلم می‌خواد همه‌چیز مطرح بشه. تو اختیار تام داری.»

«نه، منظورم اینه که این من نیستم که باید این کارو بکنم. با نقل به مضمون از خودت، *تمرین بهتری می‌شه اگه خودت مطرحش کنی*. فکر می‌کنم این نیاز خودت و مسئولیت خودته.»

فیلیپ سرش را بالا برد، چشمانش را بست و با استفاده از همان لحن و شیوه‌ای که هنگام خواندن یک متن ازبرشده به کار می‌برد، این جور شروع کرد: «بیست‌وپنج‌سال پیش برای چیزی که امروز اون رو *اعتیاد* جنسی می‌نامند، به جولیوس مراجعه کردم. درنده‌ی سیری‌ناپذیر بودم با نیاز بالا و کمتر می‌شد به چیز دیگه‌ای فکر کنم. همه‌ی وجودم صرف یافتن زن‌ها می‌شد و به محض دست یافتن یک زن علاقه‌ام رو بهش از دست می‌دادم. وقتی این اتفاق می‌افتاد، برای مدت کوتاهی از شر این اجبار وسواسی خلاص می‌شدم ولی خیلی زود ـ گاهی فقط چند ساعت بعد ـ دوباره نیاز به پرسه‌زنی رو حس می‌کردم. گاهی در عرض یک روز با دو یا سه زن بودم. مستأصل شده بودم. دلم می‌خواست ذهنم رو از این آخور بیرون بکشم، به چیزای دیگه فکر کنم، اذهان بزرگ گذشتگان رو درک کنم. اون موقع شیمی خونده بودم، ولی در حسرت خرد حقیقی بودم. دنبال کمک گشتم، بهترین و گرانقیمت‌ترین کمک در دسترس رو پیدا کردم، هر هفته با جولیوس جلسه داشتم، گاهی هم هفته‌ای دو جلسه؛ سه سال تمام و بی‌نتیجه.»

فیلیپ مکثی کرد. اعضا حرکتی به خود دادند. جولیوس پرسید: «چطور می‌گذره فیلیپ؟ می‌تونی جلوتر بری یا برای امروز کافیه؟»

فیلیپ پاسخ داد: «من خوبم.»

بانی گفت: «وقتی چشماتو می‌بندی، فهمیدن حالِت مشکل می‌شه. برای این می‌بندیشون که از عدم تأیید بقیه می‌ترسی؟»

«نه، چشمامو می‌بندم تا بتونم درون خودم رو ببینم و افکارم رو

جمع‌وجور کنم. و مطمئناً برای خودم روشنه که فقط تأیید خودم برام اهمیت داره.»

باز هم گروه مسحور همان حس لمس‌ناپذیری فیلیپ شد که انگار به این جهان تعلق نداشت. تونی کوشید این حس را زائل کند و زیر لب زمزمه کرد: «تلاش خوبی بود، بانی.»

فیلیپ بدون گشودن چشمانش ادامه داد: «چیزی از کنار گذاشتن درمانم با جولیوس نگذشته بود که میزان قابل توجهی پول از حساب وراثتی‌ای که پدرم برایم گذاشته بود، به ارث بردم. این پول باعث شد بتونم شغل شیمیدانی رو ترک کنم و همه‌ی وقتم رو به خوندن فلسفه‌ی غرب اختصاص بدم؛ تا حدودی به دلیل علاقه‌ی همیشگی‌م به این رشته ولی در اصل به این دلیل که اعتقاد داشتم جایی در این خرد جمعی متفکران بزرگ جهان، درمانی برای خودم پیدا خواهم کرد. وقتی فلسفه می‌خوندم، انگار توی خونه‌ی خودم بودم و خیلی زود متوجه شدم که حرفه‌ی حقیقی خودم رو پیدا کرده‌ام. درخواست دادم و در رشته‌ی دکترای فلسفه‌ی دانشگاه کلمبیا پذیرفته شدم. همون موقع بود که پم این بداقبالی رو آورد که سر راهم قرار بگیره.»

فیلیپ با چشمان هم‌چنان بسته مکثی کرد و نفس عمیقی کشید. چشمان همه به او بود البته هرازگاهی نگاه‌های دزدانه‌ای به پم می‌انداختند که به زمین خیره شده بود.

«کم‌کم تصمیم گرفتم توجهم رو بر سه فیلسوف حقیقتاً بزرگ معطوف کنم: افلاطون، کانت و شوپنهاور. ولی در تحلیل نهایی، فقط شوپنهاور بود که کمکم کرد. نه‌فقط کلماتش برام حکم طلای ناب رو داشت، بلکه کشش شخصی زیادی هم نسبت به اون حس می‌کردم. به عنوان یه موجود منطقی، اعتقادی به تناسخ به معنای

عامیانه‌ش ندارم، ولی اگر در گذشته به دنیا *آمده* بودم، یه آدمی مثل شوپنهاور شده بودم؛ به این دلیل ساده که زندگی‌ش با درد تنهایی من خیلی جوره.

«بعد از خوندن و دوباره خوندن آثارش در عرض چند سال، متوجه شدم که بر مشکلات جنسی‌م غلبه کرده‌ام. اون موقع دکترای فلسفه‌م رو گرفته بودم، میراث پدرم ته کشیده بود و باید خرج زندگی‌م رو در می‌آوردم. چندجایی در کشور تدریس کردم و چند سال پیش دوباره به سن‌فرانسیسکو برگشتم و پیشنهاد کاری دانشگاه کوستال[1] رو پذیرفتم. در نهایت، علاقه‌ام رو به تدریس از دست دادم چون هیچ‌وقت به دانشجویی که شایسته‌ی من و موضوع مورد علاقه‌م باشه، برنخوردم و بعد حدود سه‌سال پیش، به نظرم اومد حالا که فلسفه من رو درمان کرده، شاید بشه از اون برای درمان افراد دیگه هم استفاده کرد. در یه دوره‌ی آموزشی مشاوره نام‌نویسی کردم و بعد هم یه کار بالینی کوچیک رو شروع کردم. و همینه که حالا اینجام.»

پم گفت: «جولیوس دردی از تو دوا نکرد، ولی دوباره باهاش تماس گرفتی. چرا؟»

«من چنین کاری نکردم. اون بود که با من تماس گرفت.»

پم غرید: «اوه، آره، جولیوس کاملاً غیرمنتظره *باهات* تماس گرفت؟»

بانی گفت: «نه، نه، پم، راست می‌گه؛ جولیوس وقتی تو نبودی، این رو تأیید کرد. نمی‌تونم در این باره متقاعدت کنم چون خودم هم هیچ‌وقت درست نفهمیدم چرا.»

---

1. Coastal University

جولیوس گفت: «خب، بذارین اینجا رو من بگم. سعی می‌کنم به بهترین وجه ممکن بازسازی‌ش کنم. چند روز اول بعد از دریافت خبر بد از دکترم، گیج و سراسیمه بودم و سعی می‌کردم راهی پیدا کنم تا با این موضوع که به یه سرطان کشنده دچارم، کنار بیام. یه شب وقتی داشتم به معنای زندگی‌م فکر می‌کردم، خیلی دلگیر و بدخلق شدم. به این فکر می‌کردم که مقدر شده به نیستی بپیوندم و برای همیشه همون جا بمونم. و اگه این جوریه، چه فرقی می‌کنه که آدم چی کار کرده باشه یا کی باشه؟

«همه‌ی رشته افکار بیمارگونه‌م رو یادم نیست ولی می‌دونم یا باید به یه معنایی چنگ می‌زدم یا توی اون ناکجاآباد گرفتار می‌موندم. وقتی به مرور زندگی‌م پرداختم، متوجه شدم معنای زندگی‌م رو قبل از این *تجربه کرده* بودم: این معنا همیشه این بوده که از خودم بیرون بیام و به دیگران کمک کنم زندگی کنن و به آرزوهاشون برسن. محوری بودن کارم به عنوان یه روان‌درمانگر رو روشن‌تر از همیشه دریافتم و بعد ساعت‌ها به کسانی فکر کردم که کمکشون کرده بودم؛ همه‌ی بیمارانم، جدید و قدیم، از جلو چشمانم رژه رفتند.

«افراد زیادی رو می‌شناختم که کمکشون کرده بودم ولی آیا تأثیری *پایدار* بر زندگی‌شون گذاشته بودم؟ این سؤالی بود که به جانم افتاد. فکر می‌کنم پیش از آمدن پم، برای گروه گفتم که بدجوری لازم بود جواب این سؤالو پیدا کنم و برای همین تصمیم گرفتم با بعضی بیماران قدیمی‌م تماس بگیرم تا بفهمم آیا واقعاً تغییری ایجاد کرده‌ام یا نه. می‌دونم به نظر احمقانه می‌یاد.

«بعد همین جور که پرونده‌ی بیماران قدیمی‌م رو جسته‌گریخته می‌خوندم، شروع کردم به فکر کردن درباره‌ی اونایی که نتونستم

کمکشون کنم. چه اتفاقی *براشون* افتاده بود؟ نمی‌دونستم. کار بیشتری براشون از دستم برمی‌اومد؟ و بعد این فکر ـ این آرزو ـ شکل گرفت که شاید بعضی از شکست‌هام، تأثیری دیررس به همراه داشته، شاید اون افراد از کاری که با هم انجام داده بودیم، تأثیر تأخیری و دیررسی دریافت کرده باشن. اون وقت بود که چشمم به پرونده‌ی فیلیپ افتاد و یادمه به خودم گفتم "اگه دنبال شکست می‌گردی، بفرما! *این هم یه شکست واقعی*، این یکی از اوناییه که *اصلاً* کمکشون نکردی، حتا یه ذره هم نتونستی از مشکلاتش کم کنی." از اون لحظه به بعد، این وسوسه‌ی مقاومت‌ناپذیر رو پیدا کردم که با فیلیپ تماس بگیرم و بفهمم چه اتفاقایی براش افتاده و ببینم بالاخره براش مفید بوده‌ام یا نه.»

پم گفت: «پس این جوری شد که بهش تلفن کردی. ولی چی شد که اون وارد گروه شد؟»

جولیوس گفت: «فیلیپ، می‌خوای از اینجا به بعد رو تو ادامه بدی؟»

فیلیپ با رد مختصری از لبخند بر لبانش گفت: «معتقدم تمرین بهتری می‌شه اگه تو ادامه‌ش بدی.»

جولیوس به‌سرعت گروه را در جریان باقی ماجرا قرار داد: ارزیابی فیلیپ از درمان او که آن را بی‌ارزش دانسته و اینکه شوپنهاور روان‌درمانگر اصلی او بوده، دعوت ایمیلی فیلیپ از او برای شرکت در سخنرانی‌اش، درخواست فیلیپ برای سرپرستی او...

تونی به میان صحبت دوید: «من نمی‌فهمم، فیلیپ. اگه درمان جولیوس هیچ فایده‌ای برات نداشت، چه دلیلی داشت که سرپرستی اون رو برای خودت بخوای؟»

فیلیپ گفت: «جولیوس هم این سؤال رو چندین بار مطرح کرده؛ جوابم اینه که گرچه کمکی بهم نکرده بود، دست‌کم مهارت فوق‌العاده‌اش رو در کارش قبول داشتم. شاید من یه بیمار کله‌شق و بدقلق و مقاوم بودم یا شاید مشکل من با رویکرد اون حل‌شدنی نبود.»

تونی گفت: «خیلی خب، فهمیدم. حرفت رو قطع کردم، جولیوس.»

«داشتم تمومش می‌کردم. موافقت کردم سرپرستی‌ش کنم ولی با یه شرط: که اول شش ماه در گروه‌درمانی من شرکت کنه.»

ربه‌کا گفت: «فکر نمی‌کنم هیچ‌وقت توضیح داده باشی که چرا چنین شرطی گذاشتی؟»

«شیوه‌ی ارتباط اون رو با خودم و با دانشجوهاش مشاهده کردم و بهش گفتم شیوه‌ی غیرشخصی، بی‌احساس و بی‌اعتنای اون اجازه نمی‌ده درمانگر خوبی از کار در بیاد. برداشت خودت هم همینه، فیلیپ؟»

«جمله‌ی تو دقیقاً این بود: "چطور می‌تونی روان‌درمانگر بشی وقتی اصلاً حالیت نیست بین خودت و دیگران چه اتفاقی داره می‌افته؟"»

پم گفت: «بینگو!»

بانی گفت: «انگار حق کاملاً با جولیوسه.»

استوارت گفت: «این درست شبیه حرفای جولیوسه وقتی یکی حرصش رو در می‌یاره. تو حرصش رو درآورده بودی؟»

فیلیپ پاسخ داد: «عمداً نه.»

ربه‌کا گفت: «جولیوس، هنوزم برام روشن نیست. می‌فهمم چرا با فیلیپ تماس گرفتی و چرا بهش توصیه کردی وارد گروه‌درمانی

بشه. ولی چرا اون رو در گروه خودت وارد کردی یا موافقت کردی سرپرستی‌ش کنی؟ تو به اندازه‌ی کافی مسئولیت داری. چرا این وظیفه رو هم به عهده گرفتی؟»

«شماها امروز دارین خیلی خوب و حسابی کار می‌کنین. این سؤال بزرگیه و مطمئن نیستم بتونم جواب بدم، ولی باید یه ارتباطی با رستگاری و سروسامون دادن به کارام داشته باشه.»

پم گفت: «می‌دونم بیشتر این بحث برای این بود که من در جریان قرار بگیرم و به این خاطر ممنونم. فقط یه سؤال دیگه دارم. تو گفتی فیلیپ دوبار تو رو تسلا داده یا سعی کرده این کارو بکنه. من هنوز از اولی چیزی نشنیده‌ام.»

جولیوس پاسخ داد: «درسته، از اینجا شروع کردیم، ولی به جواب نرسیدیم. من در یکی از سخنرانی‌های فیلیپ شرکت کردم و کم‌کم متوجه شدم اون این سخنرانی رو فقط برای این ترتیب داده بود که به من کمک کنه. اون درباره‌ی قطعه‌ای از یه رمان به تفصیل صحبت کرد که در اون مرد محتضری از خوندن عبارتی از شوپنهاور، آرامش پیدا کرده بود.»

پم پرسید: «کدوم رمان؟»

جولیوس پاسخ داد: «*بودنبروک‌ها*»

بانی پرسید: «و برات مفید نبود؟ چرا؟»

«به چند دلیل. اول اینکه شیوه‌ی فیلیپ برای تسکین من خیلی غیرسرراست بود، درست شبیه همین قطعه‌ی اپیکتتوس...»

تونی گفت: «جولیوس، نمی‌خوام ادای آدمای باهوش رو در بیارم، ولی فکر نمی‌کنی بهتر باشه مستقیم با فیلیپ حرف بزنی... اگه گفتی اینو از کی یاد گرفته‌ام؟»

«ممنون تونی، صددرصد حق با توئه.» جولیوس این را گفت و

رو کرد به فیلیپ. «شیوه‌ی تو برای مشاوره دادن به من در روند یه سخنرانی ناراحت‌کننده بود: این قدر غیرمستقیم و این قدر عمومی؛ و خیلی هم غیرمنتظره چون ما فقط یه ساعت رو به ملاقات چهره‌به‌چهره با هم گذرونده بودیم که در طی اون به نظر می‌اومد کاملاً نسبت به وضعیت من بی‌اعتنایی. این یه مسئله. و مسئله‌ی دیگه، محتوای کمک توئه. نمی‌تونم اون قطعه رو اینجا تکرار کنم ـ من حافظه‌ی تو رو ندارم ـ ولی مرگ بزرگ یک خاندان رو توصیف می‌کرد که به این ادراک ناگهانی رسیده بود که مرز موجود میون اون و دیگران از بین رفته؛ در نتیجه از یگانگی با همه‌ی زندگی و این ایده که بعد از مرگ به همون نیروی حیات و همونجایی برمی‌گرده که از اون اومده بود و در نتیجه ارتباطش رو با موجودات زنده حفظ می‌کنه، به آرامش رسیده بود. درست می‌گم؟» جولیوس به فیلیپ نگریست و او هم سری تکان داد.

«خب، همون جور که قبلاً هم بهت گفتم این ایده آرامشی به من نمی‌ده: هیچی. اگه خودآگاهی من از بین بره، دیگه برام اهمیتی نداره که انرژی حیاتی‌م یا مولکول‌های بدنم یا دی‌اِن‌اِی من هم‌چنان جایی در فضا باقی بمونه. و اگه هدف حفظ ارتباطه، در اون صورت ترجیح می‌دم، شخص خودم در اون دخیل باشم، با گوشت و پوستم. خلاصه» برگشت و گروه را از نظر گذراند و نگاهش را روی پم نگه داشت. «این اولین آرامشی بود که فیلیپ به من پیشکش کرد و حکایتی که در دست دارین، دومی‌ش.»

پس از سکوتی گذرا، جولیوس افزود: «حسم اینه که امروز زیادی حرف زدم. شماها به اونچه که تا حالا گذشته، چه واکنشی دارین؟»

ربه‌کا گفت: «برام جالبه.»

بانی گفت: «آره.»

تونی گفت: «با اینکه اتفاقای سطح بالایی داره می‌افته، ازشون جا نموندم.»

استوارت گفت: «متوجه شدم که تنشی اینجا در جریانه.»

تونی پرسید: «تنش بین کی و کی؟»

«معلومه، بین پم و فیلیپ.»

گیل دوباره به کمک فیلیپ آمد و اضافه کرد: «و همین جور بین فیلیپ و جولیوس. فیلیپ! دلم می‌خواد بدونم هیچ حس می‌کنی حرفات شنیده می‌شه؟ حس می‌کنی پیشکشی‌هات همون توجهی رو که سزاوارشند، دریافت می‌کنن؟»

«این جور به نظرم می‌یاد که... که... خب...» فیلیپ به طرز غیرمعمولی دودل بود ولی خیلی زود شیوایی گفتارش را بازیافت. «فکر نمی‌کنی داری شتابزده و سریع از...»

تونی پرسید: «داری با کی حرف می‌زنی؟»

فیلیپ پاسخ داد: «درسته، جولیوس! فکر نمی‌کنی داری شتابزده و سریع از مفهومی می‌گذری که برای هزاره‌ها به نوع بشر آرامش پیشکش کرده؟ این ایده‌ی اپیکتتوس و همین طور شوپنهاوره که دلبستگی زیاد به مادیات یا آدم‌های دیگه یا حتا دلبستگی به مفهوم "من"، سرچشمه‌ی اصلی رنج انسانیه. و آیا در پی این ایده، نمی‌شه به این نتیجه رسید که با پرهیز از دلبستگی، می‌شه از رنج کاست؟ در واقع، این ایده‌ها در کانون آموزه‌های بودا هم جا داره.»

«به نکته‌ی خوبی اشاره کردی، فیلیپ و به خاطر می‌سپرمش. چیزی که من می‌شنوم اینه که داری می‌گی تو چیزای خوبی به من پیشکش کرده‌ای ولی من دارم ازشون می‌گذرم و از دست می‌دمشون... و این به تو حس بی‌ارزش بودن می‌ده. درسته؟»

«نه دقیقاً. شهودم بهم می‌گه چنین پاسخی انسانیه. گمان می‌کنم اگه در درون خودت غور کنی، اونجا پیداش می‌کنی.»

ربه‌کا گفت: «پم، داری چشم‌غره می‌ری. نکنه صحبت از دلبستگی، تو رو یاد دوره‌ی مراقبه‌ت توی هند انداخته؟ جولیوس، فیلیپ، شما دو تا اون روز که پم داشت از اقامتش در آشرام می‌گفت، توی کافه نبودین.»

پم گفت: «آره، دقیقاً. از ترک همه‌ی دلبستگی‌ها و این ایده‌ی چرند که می‌تونیم دلبستگی‌هامون رو از ایگوی شخصی‌مون جدا کنیم، گوشم پُره. آخرش این احساس قوی در من شکل گرفت که همه‌ی اینا یه جورایی انکار زندگیه. و اون حکایتی که فیلیپ بینمون پخش کرد... پیغامش چی بود؟ منظورم اینه که این چه جور سفر و چه جور زندگی‌ای می‌شه که اون قدر حواست به رفتن باشه که نتونی از اطرافت و از آدمای دیگه لذت ببری؟ و این همون چیزیه که من در تو می‌بینم، فیلیپ.» پم برگشت و فیلیپ را مخاطب قرار داد. «راه حل تو برای مشکلاتت، یه راه حل کاذبه؛ اصلاً راه حل نیست ـ یه چیز دیگه‌س ـ ترک زندگیه. تو زنده نیستی؛ واقعاً به دیگران گوش نمی‌دی و وقتی صداتو می‌شنوم، حس نمی‌کنم دارم به یه آدم زنده‌ای که نفس می‌کشه، گوش می‌دم.»

گیل برای دفاع از فیلیپ خیز برداشت: «پم، حالا که از گوش دادن حرف می‌زنی، باید بگم مطمئن نیستم *تو* خودت خوب گوش بدی. شنیدی که اون چندین سال پیش چه مصیبتی داشته؟ که بر اون همه مشکل و وسوسه غلبه کرده؟ که *سه سال* تموم به درمان جولیوس جواب نداده؟ که همون کاری رو کرده که تو ماه پیش انجام دادی ـ کاری که هرکدوم ما ممکن بود انجام بدیم ـ یعنی

درمان دیگه‌ای رو امتحان کرده؟ و اینکه آخر کار از شیوه‌ی متفاوتی کمک گرفته، شیوه‌ای که یه راه حل کاذب و بوالهوسانه‌ی نیو ایج نیست؟ و حالا داره سعی می‌کنه به‌وسیله‌ی اون شیوه، چیزی رو به جولیوس پیشکش کنه که به خودش کمک کرده؟»

گروه با طغیان گیل در سکوت فرو رفت. پس از چند لحظه تونی گفت: «گیل، امروز یه چیز دیگه شده‌ای! به پم گیر می‌دی که از این کارت خوشم نمی‌یاد ولی مطمئنم این جور حرف زدنت رو می‌پسندم. کاش توی زندگی خونوادگی‌ت با رز هم همین جوری باشی.»

ربه‌کا گفت: «فیلیپ، می‌خوام از برخورد تحقیرآمیز امروزم معذرت بخوام. منظورم اینه که نظرم درباره‌ی این... داستان... چیز... اپیتوس...»

فیلیپ با لحن نرم‌تری گفت: «اپیکتتوس»

ربه‌کا ادامه داد: «ممنون، اپیکتتوس، داره عوض می‌شه. هرچی بیشتر درباره‌ش فکر می‌کنم، وقتی با این دید که منظور دلبستگی‌هاست، بهش نگاه می‌کنم، خیلی مسائل خودم رو روشن‌تر می‌بینم. فکر می‌کنم چیزی که مایه‌ی دردسرمه، همین دلبستگی زیادیه: نه به چیزها یا دارایی‌هام بلکه به ظاهرم. انگار همه‌ی عمرم یه چهره‌ی زیبا، کار بلیت مجانی رو برام کرده. از این بابت کلی تأیید از بقیه گرفته‌ام: ملکه‌ی جشن فارغ‌التحصیلی، ملکه‌ی میهمانی‌های سالگرد فارغ‌التحصیلی، مسابقه‌های زیبایی... و حالا این زیبایی داره از بین می‌ره...»

بانی گفت: «از بین می‌ره؟ فقط کافیه همونایی رو که باقی مونده بدی به من.»

پم گفت: «به من هم. هر وقت بگی حاضرم باهات معامله کنم و

همه‌ی جواهراتم... و بچه‌هامو در مقابل بدم، البته اگه داشتم...»

«ممنونم. واقعاً ممنونم. ولی همه‌چیز نسبیه. من زیادی دلبسته‌ام. چهره‌ام همه‌ی منه، و حالا که از زیبایی‌ش کم شده، من هم حس می‌کنم کم شده‌ام. اگه این بلیت مجانی رو از دست بدم، خیلی دردسر پیدا می‌کنم.»

فیلیپ گفت: «یکی از فرمول‌های شوپنهاور که خیلی به من کمک کرد، این ایده بود که شادی نسبی از سه منبع سرچشمه می‌گیره: آنچه هستی، آنچه داری و آنچه در چشم مردم جلوه می‌کنی. اون اصرار داره که ما باید فقط بر اولی تمرکز کنیم و بر دومی و سومی ـ بر *داشته‌ها* و بر *وجهه‌مان* ـ سرمایه‌گذاری نکنیم چون کنترلی بر اون دو تا نداریم؛ چون از ما گرفته می‌شن ـ درست مثل پیری گریزناپذیر که داره زیبایی تو رو ازت می‌گیره. در واقع، شوپنهاور گفته "داشتن" معکوس می‌شه: *آنچه داریم، اغلب صاحبمان می‌شود.*»

«جالبه، فیلیپ. هر سه بخش ـ آنچه هستی، آنچه داری و آنچه در چشم مردم جلوه می‌کنی ـ درباره‌ی من صدق می‌کنه. بیشتر عمرم رو برای بخش سوم زندگی کرده‌ام یعنی اونچه که مردم درباره‌م فکر می‌کنن. بذار یه راز دیگه رو هم اعتراف کنم: عطر جادویی‌ام. هیچ‌وقت درباره‌ش با کسی حرف نزده‌ام، ولی از وقتی یادمه، درباره‌ی ساختن یه عطر به نام ربه‌کا خیال‌پردازی می‌کردم که از عصاره‌ی خودم ساخته بشه و پایداری طولانی داشته باشه و هرکس رو که بوش کنه، بی‌چون‌وچرا به فکر زیبایی من بندازه.»

پم گفت: «ربه‌کا، خیلی داری ریسک می‌کنی. خوشم می‌یاد.»

استوارت گفت: «منم همین طور. ولی بذار یه چیزی رو بهت بگم که خودم هم تا همین الآن نمی‌دونستم. من نگاه کردن به تو رو دوست دارم ولی حالا متوجه می‌شم که خوشگلی تو مانعیه در برابر

دیدن یا شناختنت، شاید به همون اندازه که وقتی زنی زشت یا بدهیکله، این قضیه مانع شناختنش می‌شه.»

«اوه، این هیجان‌انگیزه. ممنون، استوارت.»

جولیوس گفت: «ربه‌کا، دلم می‌خواد بدونی که من از این همه اعتمادت به ما برای صحبت از خیال‌پردازی‌ت درباره‌ی عطر تحت تأثیر قرار گرفته‌ام. این مسئله به چرخه‌ی معیوبی که درش قرار گرفته‌ای، اشاره می‌کنه. تو زیبایی‌ت رو با عصاره‌ت (یعنی ماهیتت) اشتباه می‌گیری. و همون جور که استوارت گفت اتفاقی که می‌افته اینه که دیگران هم به جای ماهیت تو، با زیبایی‌ت ارتباط برقرار می‌کنن.»

«چرخه‌ی معیوبی که باعث می‌شه شک کنم اصلاً چیز دیگه‌ای هم در من وجود داره. جولیوس، من هنوز تحت تأثیر عبارت هفته‌ی پیشت یعنی "زن توخالی زیبا" هستم. این دقیقاً منم.»

گیل گفت: «می‌دونم که اگه این چرخه‌ی معیوب شکسته بشه، چیزهای بیشتری از تو رو می‌بینم. توی این چند هفته‌ی اخیر نسبت به کل سال گذشته، عمق بیشتری در تو دیدم.»

تونی گفت: «آره، منم همین جور. و این بار دارم جدی حرف می‌زنم: می‌خوام بگم درباره‌ی اون پول شمردنم موقعی که داشتی درباره‌ی ماجرای لاس وگاس حرف می‌زدی، واقعاً متأسفم. مثل یه آشغال رفتار کردم.»

ربه‌کا گفت: «عذرخواهی‌ت رو شنیدم و پذیرفته شد.»

جولیوس گفت: «امروز بازخوردهای زیادی گرفته‌ای، ربه‌کا. چه حسی داری؟»

«یه حس خیلی خوب. حس می‌کنم رفتار آدما باهام عوض شده.»

تونی گفت: «این ما نیستیم که عوض شده‌ایم. تویی. حرف حساب بزن، جواب حسابی بگیر!»

ربه‌کا گفت: «*حرف حساب بزن، جواب حسابی بگیر*. خوشم اومد، تونی.»

جولیوس گفت: «هی، تونی، حسابی داری توی کار گروه‌درمانی وارد می‌شی؛ شاید حالا این منم که باید پول دربیارم و بشمرم. حق‌الزحمه‌ت چقدره؟»

تونی لبخندی به پهنای صورتش زد. «جولیوس، حالا که روی دور افتاده‌ام بذار حدس بزنم که چرا دوباره به کار با فیلیپ برگشتی. شاید وقتی چندین سال پیش فیلیپ رو می‌دیدی، به اون وضعیت ذهنی‌ت که هفته‌ی پیش برامون گفتی ـ نزدیک‌تر بودی.»

جولیوس سری تکان داد: «ادامه بده.»

«خب، توی این قضیه شک دارم: نمی‌دونم شاید تو هم مسائلی شبیه به فیلیپ داشتی ـ نه کاملاً مثل اون ولی یه چیزی توی همون مایه‌ها ـ و این مانع تأثیر درمانت بر فیلیپ شده؟»

جولیوس روی صندلی‌اش راست نشست. فیلیپ هم جابه‌جا شد و صاف نشست. «واقعاً داری مجذوبم می‌کنی، تونی. حالا داره یادم می‌یاد که چرا درمانگرا در خودافشاگری دودلند. منظورم اینه که افشاگری درمانگر فراموش نمی‌شه: وقتی چیزی رو افشا کردی، بارها و بارها برمی‌گرده و گرفتارت می‌کنه.»

«ببخش، جولیوس، من واقعاً نمی‌خواستم تو رو به دردسر بندازم.»

«نه، نه، من روبه‌راهم. جدی می‌گم. گله نمی‌کنم؛ شاید فقط دارم طفره می‌رم. اظهار نظرت خوب بود، شاید *زیادی* خوب بود، زیادی به هدف زد و حالا من دارم یه کم در برابرش مقاومت می‌کنم.»

جولیوس مکث کرد و لحظه‌ای به فکر فرو رفت. «خیلی خوب، چیزی که به نظرم می‌یاد، اینه: یادم می‌یاد از اینکه کمکی به فیلیپ نکرده بودم، متعجب و دلسرد بودم. *بایست* کمکش می‌کردم. وقتی کارمون رو شروع کردیم، شرط می‌بستم که می‌تونم کمکش کنم. فکر می‌کردم رد پایی درونی برای کمک بهش می‌شناسم. یقین داشتم تجربه‌ی شخصی خودم ریل راه‌آهن این مسیر رو روغن‌کاری می‌کنه.»

تونی گفت: «شاید، شاید برای همین به این گروه دعوتش کردی: یه بار دیگه سعی کنی، بختت رو امتحان کنی. درسته؟»

جولیوس گفت: «از زبون من حرف زدی. دقیقاً می‌خواستم همین رو بگم. شاید برای همین بود که چند ماه پیش وقتی می‌خواستم بدونم به کی کمک کرده‌ام و به کی نه، این جور روی فیلیپ متمرکز شدم. در واقع، وقتی فیلیپ رو به یاد آوردم، علاقه‌ام رو به تماس با بقیه‌ی بیماران از دست دادم.

«هی، یه نگاهی به ساعت بندازین. اصلاً دلم نمی‌خواد این جلسه رو تموم کنم، ولی باید تمومش کنیم. جلسه‌ی خوبی بود. می‌دونم چیزای زیادی دارم که باید درباره‌شون فکر کنم. تونی تو یه چیزایی رو برام روشن کردی. ممنون.»

تونی با نیشخندی گفت: «خب، پس من امروز از پول دادن معافم؟»

جولیوس گفت: «خدا آدمای دست‌ودلباز رو حفظ کنه. ولی کسی چه می‌دونه؟ اگه همین جور ادامه بدی، بعید نیست چنین روزی از راه برسه.»

اعضا پس از ترک اتاق و پیش از پراکنده شدن، کمی بیرون

خانه‌ی جولیوس گپ زدند. فقط تونی و پم به سمت کافه راه افتادند.

پم همه‌ی تمرکزش بر فیلیپ بود. این گفته‌اش که پم بداقبال بوده که او را ملاقات کرده، خشمش را فرو ننشانده بود. به‌علاوه، تعریف و تمجید فیلیپ از تفسیر او از حکایت، مایه‌ی انزجارش بود و مشمئزکننده‌تر اینکه، از این تمجید لذت برده بود. نگران بود که نکند گروه به فیلیپ متمایل شود و از او و از جولیوس دور بیفتد.

تونی شاد و سرخوش بود. خودش را ارزشمندترین بازیکن این جلسه‌ی گروه لقب داده بود؛ شاید امشب دیگر سراغ میخانه نمی‌رفت و می‌کوشید یکی از کتاب‌هایی را که پم به او داده بود، بخواند.

گیل پم و تونی را تماشا کرد که داشتند در کنار هم در امتداد خیابان دور می‌شدند. او (و البته فیلیپ) تنها کسانی بودند که پم در پایان جلسه در آغوش نگرفته بود. نکند زیادی با او مخالفت کرده بود؟ گیل حواسش را به برنامه‌ی شراب‌چشی فردا ـ یعنی یکی از شب‌های مهم رز ـ معطوف کرد. جمعی از دوستان رز همیشه در این موقع از سال گرد هم می‌آمدند تا بهترین شراب‌های هر سال را بچشند. چطور با این قضیه کنار بیاید؟ فقط شراب را هورت بکشد و بعد تف کند؟ گذشتن از آن خیلی سخت بود. یا اینکه صاف با حقیقت مواجه شود؟ به راهنمایش در گروه الکلی‌های بی‌نام فکر کرد: می‌دانست چه جور گفت‌وگویی میانشان ردوبدل خواهد شد:

راهنما: اولویت‌هات کجا رفته؟ از این مهمونی بگذر، توی جلسه‌ی خودت شرکت کن.

گیل: ولی شراب‌چشی بهانه‌ایه برای اینکه این دوستا دور هم جمع بشن.

راهنما: جداً؟ یه برنامه‌ی دیگه بهشون پیشنهاد کن.
گیل: فایده نداره. قبول نمی‌کنن.
راهنما: پس دوستای تازه پیدا کن.
گیل: رز از این کار خوشش نمی‌یاد.
راهنما: خب نیاد! که چی؟

ربه‌کا به خودش گفت: *حرف حساب بزن، جواب حسابی بگیر. حرف حساب بزن، جواب حسابی بگیر.* باید به خاطر بسپرمش. وقتی به یاد پول شمردن تونی افتاد، خنده‌اش گرفت. انگار در دل بدش نیامده بود. آیا با پذیرش عذرخواهی‌اش، ریا نکردم؟

بانی مثل همیشه از پایان یافتن جلسه دلخور بود. او در آن نود دقیقه زنده و بشاش بود. باقی زندگی‌اش خیلی بی‌اشتیاق و سرد می‌گذشت. چرا این جور بود؟ چرا *باید* زندگی کتابدارها این قدر خسته‌کننده باشد؟ بعد به حرف فیلیپ درباره‌ی چیزی که هستی، چیزی که داری و چیزی که در چشم دیگران جلوه می‌کنی، فکر کرد. برانگیزاننده بود!

استوارت این جلسه را پسندیده بود. با دل و دماغ وارد گروه شده بود. کلمات خودش را به ربه‌کا در این باره که ظاهرش مانع شناختنش شده و تازه توانسته بود دید عمیق‌تری نسبت به او پیدا کند، با خود تکرار کرد. خوب بود. خوب بود. و اینکه به فیلیپ گفته بود تسکین‌های سرد و خالی از عاطفه‌اش، او را به لرز انداخته است. *این یعنی چیزی بیش از یک دوربین بودن.* و بعد هم شیوه‌ی اشاره‌اش به تنش میان پم و فیلیپ. نه، نه، این یکی در مایه‌ی همان دوربین بود.

فیلیپ همان جور که پیاده به‌سوی خانه می‌رفت، با خود می‌جنگید تا به جلسه فکر نکند، ولی رویدادها چنان قوی و پرشور

بودند که به راحتی از صحنه بـه در نمـی‌رفتنـد. بـرای چنـد لحظـه تسلیم شد و بـه افکـارش اجـازه داد پـیش براننـد. اپیکتتـوس پیـر توجهشان را جلب کرده بود. همیشه همین جور بود. بعد تصور کرد دست‌ها به‌سوی او دراز شده و چهره‌ها به‌سـوی او برگشـته اسـت. گیل دفاعش را بر عهده گرفته بـود ولـی نبایـد او را چنـدان جـدی می‌گرفت. گیل *طرف* او نبود، بلکه *مخالف* پم بـود، مـی‌کوشـید یـاد بگیرد چطور در برابـر او و در برابـر رز و در برابـر همـه‌ی زنـان از خود دفاع کند. ربه‌کا از حرف‌های او خوشـش آمـده بـود. چهـره‌ی زیبایش برای مدتی کوتاه در ذهنش این سو و آن سو رفـت. و بعـد به تونی فکر کرد: خالکوبی‌ها و گونه‌ی کبودش. هرگز کسـی ماننـد او ندیده بود: یک انسان اولیه، انسان اولیه‌ای که شروع کـرده اسـت بـه درک جهـانِ ورای روزمرگـی خـود. و جولیـوس: نکنـد دارد تیزبینی‌اش را از دَست می‌دهد؟ چطور توانسـت از دلبسـتگی دفـاع کند در حالی کـه هـم‌زمـان بـه مشـکلاتی اعتـراف مـی‌کـرد کـه از سرمایه‌گذاری بیش از حد بر فیلیپ به عنـوان یـک بیمـار دچـارش شده بود؟

فیلیپ رعشه‌ای آزاردهنده در خود حـس کـرد. انگـار در خطـر ازهم‌پاشیدگی باشد. چرا می‌بایست به پم می‌گفت بداقبال بـوده کـه به او برخورده؟ آیا برای همین بود که پم چنـدین بـار نـام او را در جلسه بر زبان آورد و از او خواست به او رو کند؟ آن «خود» سـابق پست و فرومایه‌اش هم‌چون شبح در پیرامونش می‌پلکید. حضورش را که تشنه‌ی زندگی بود، حس مـی‌کـرد. ذهـنش را آرام کـرد و در مراقبه‌ای حین پیاده‌روی غرق شد.

به فرزانگان و فیلسوفان اروپا: برای شما، مرد وراجی چون فیشته با کانت ـ برترین اندیشمند همه‌ی زمان‌ها ـ برابر است و شیاد بی‌شرمی چون هگل را اندیشمندی پرمغز می‌دانید. از این رو برای شما نیست که می‌نویسم.

فصل ۳۳

رنج، خشم، پایداری

اگر آرتور شوپنهاور امروز زنده بود، آیا مورد مناسبی برای روان‌درمانی به‌شمار می‌آمد؟ قطعاً! او پر از نشانه‌های بیماری بود. در «درباره‌ی خودم» افسوس می‌خورد که طبیعت، طبعی مضطرب به او ارزانی داشته و «شکاکیت، حساسیت، حرارت و غرور را در مقیاسی به او بخشیده که به سختی می‌تواند با خونسردی و تعادل لازم برای یک فیلسوف سازگار شود.»

نشانه‌هایش را با زبانی گویا وصف می‌کند:

آنچه از پدر به ارث برده‌ام، اضطرابی‌ست که نفرینش می‌کنم و با همه‌ی اراده‌ام با آن به ستیز برمی‌خیزم... در جوانی از بیماری‌های خیالی رنج می‌بردم... . وقتی در برلین درس می‌خواندم، فکر می‌کردم مسلولم... این ترس به جانم افتاده بود که به زور به سربازی برده شوم... . از ترس آبله از ناپل و از ترس وبا از برلین گریختم... . در ورونا ناگهان این فکر بر من مستولی شد که گردی سمی بو کشیده‌ام... در مانهایم وحشتی توصیف‌ناپذیر بر من چیره شد بی‌آنکه علتی بیرونی در کار باشد... . سال‌ها ترس از جنایت در وجودم بود... . اگر در شب سروصدایی به گوش می‌رسید، از تخت پایین می‌پریدم و شمشیر و تپانچه‌ای را که همیشه آماده و پر نگه می‌داشتم، محکم در دست می‌گرفتم... . همواره دلواپسی و اضطرابی با من بود که باعث می‌شد در جست‌وجوی خطراتی باشم که وجود نداشتند: این دلواپسی کوچک‌ترین دردسر را بزرگ می‌کرد و مصاحبت با مردم را برایم بسیار دشوار.

او به امید تسکین بدبینی و ترس مزمنی که همراهش بود، لشکری از احتیاط‌ها و تشریفات را به کار می‌بست: سکه‌های طلا و اوراق قرضه را برای روز مبادا در میان نامه‌های قدیمی و مخفیگاه‌های دیگر پنهان می‌کرد، عنوان‌هایی دروغین برای یادداشت‌های شخصی‌اش می‌گذاشت تا افراد فضول را گیج کند، نظم‌وترتیبی به‌شدت وسواس‌گونه داشت، اصرار داشت همیشه فقط یک کارمند بانک در خدمت او باشد، به هیچ‌کس اجازه نمی‌داد به تندیس بودایش دست بزنند.

تسکین میل جنسی نیرومندش کار آسانی نبود؛ حتا در جوانی از

سپردن اختیارش به دست شهوت حیوانی افسوس می‌خورد. در سن سی‌وشش‌سالگی، بیماری اسرارآمیزی او را به مدت یک‌سال در اتاقش حبس کرد. یک پزشک و تاریخ‌نگار طب، صرفاً بر اساس داروهایی که در سال ۱۹۰۶ برایش تجویز شده و نیز تاریخچه‌ی فعالیت جنسی غیرمعمول شوپنهاور، بیماری‌اش را سیفیلیس تشخیص داده است.

آرتور آرزو داشت از قید نیروی جنسی آزاد شود. از لحظات آرام و متینی که قادر بود به‌رغم شهوتی که خود مادی‌اش را شکنجه می‌داد، با آرامش به مشاهده‌ی دنیا بنشیند، لذت می‌بُرد. او شهوت جنسی را با نور خورشید مقایسه می‌کرد که نور ستارگان را در خود پنهان می‌کرد. وقتی پا به سن گذاشت، از کاهش میل جنسی و آسودگی ملازمش خشنود بود.

از آنجا که ژرف‌ترین شور و اشتیاق را به کارش داشت، نیرومندترین و ماندگارترین ترسش این بود که نکند منابع مالی‌اش را که امکان حیاتی اندیشمندانه را به او می‌دادند، از دست بدهد. حتا در سالخوردگی یاد پدرش را برای فراهم ساختن امکان این جور زندگی گرامی می‌داشت و زمان و انرژی زیادی را صرف محافظت از دارایی و سبک‌سنگین کردن سرمایه‌گذاری‌هایش می‌کرد. از این رو گوش‌به‌زنگ هرگونه تهدید و تلاطمی بود که سرمایه‌اش را تحت تأثیر قرار می‌داد و در فعالیت‌هایش به‌شدت محتاط بود. شورش ۱۸۴۸ که آلمان را نیز هم‌چون باقی اروپا درنوردید، او را ترساند. وقتی سربازان وارد خانه‌اش شدند تا از جایگاهی مناسب به جماعت شورشی شلیک کنند، او دوربین اپرایش را در اختیارشان قرار داد تا به دقت نشانه‌گیری‌شان بیفزاید. دوازده سال بعد تقریباً همه‌ی دارایی‌اش را در وصیتنامه‌ای به

سازمان خیریه‌ی کمک به سربازان معلول پروسی که در آن شورش جنگیده بودند، بخشید.

نامه‌های کاری پراضطرابش اغلب آراسته به خشم و تهدید بود. وقتی بانکداری که پول خانواده‌ی شوپنهاور را سرپرستی می‌کرد، به وقفه‌ی مالی مصیبت‌باری دچار شد و برای فرار از ورشکستگی، پیشنهاد عرضه‌ی فقط بخش کوچکی از سرمایه‌ی هریک از سرمایه‌گذارانش را داد، شوپنهاور با چنان عواقب قانونی ظالمانه‌ای تهدیدش کرد که بانکدار ۷۰ درصد پول او را بازگرداند در حالی که مجبور بود به سایر سرمایه‌گذاران (از جمله مادر و خواهر شوپنهاور) کمتر از میزانی که از ابتدا پیشنهاد کرده بود، بپردازد. نامه‌های تندی که به ناشرش می‌نوشت سرانجام به گسستگی دائمی این رابطه انجامید. ناشر نوشت: «دیگر نباید هیچ‌یک از نامه‌های شما را بپذیرم زیرا گستاخی و زمختی آن‌ها بیشتر یک کالسکه‌چی را به ذهن می‌آورد تا یک فیلسوف... . فقط امیدوارم ترسم از اینکه با چاپ آثار شما کاغذ حرام کنم، به حقیقت نپیوندد.»

خشم شوپنهاور افسانه‌ای بود: خشم بر کارشناسان امور مالی که دارایی‌هایش را سرپرستی می‌کردند، بر ناشرانی که نمی‌توانستند کتاب‌هایش را بفروشند، بر تهی‌مغزانی که می‌خواستند با او وارد گفت‌وگو شوند، بر دوپایانی که خود را با او برابر فرض می‌کردند، بر کسانی که در کنسرت سرفه می‌کردند و بر مطبوعات که او را نادیده می‌گرفتند. ولی خشم واقعی ـ خشم خشم‌ها ـ که حرارتش هنوز هم مبهوتمان می‌کند و از شوپنهاور، فردی مطرود از جامعه‌ی روشنفکری زمانه‌ی خود ساخت، خشمی بود نسبت به اندیشمندان معاصر خویش به‌ویژه دو ذهن درخشان فلسفه‌ی قرن نوزدهم یعنی فیشته و هگل.

او در کتابی که بیست سال پس از مرگ هگل ـ که در همه‌گیری وبا در برلین از پا درآمد ـ منتشر شد، هگل را این گونه نامیده: «مبتذل، تهی، منزجرکننده، نفرت‌آور و شیادی جاهل که با وقاحتی بی‌همتا، منظومه‌ای از چرندیات احمقانه تدوین کرده که پیروان مزدورش، با عنوان خرد جاودان به دنیا عرضه کرده‌اند.»

این فوران‌های خشم مفرط نسبت به فیلسوفان برایش گران تمام شد. نخستین جایزه در سال ۱۸۳۷ و در مسابقه‌ای که انجمن سلطنتی علم نروژ ترتیب داده بود، برای مقاله‌ای در باب آزادی اراده به او تعلق گرفت. شوپنهاور برای این جایزه شعفی کودکانه از خود نشان داد (این نخستین افتخارش بود) و کنسول نروژ در فرانکفورت را با هیاهوی بی‌صبرانه‌اش برای دریافت مدال، بسیار به دردسر انداخت. ولی سال بعد، مقاله‌اش در باب شالوده‌ی اخلاقیات که به مسابقه‌ی انجمن سلطنتی علم دانمارک عرضه شده بود، سرنوشتی کاملاً متفاوت یافت. گرچه استدلال مقاله‌اش بی‌نظیر بود و تنها مقاله‌ای بود که در این باب پذیرفته شده بود، داوران به دلیل اظهار نظرهای نامعتدلش درباره‌ی هگل، حاضر نشدند جایزه را به او اعطا کنند. داوران گفتند: «نمی‌توانیم در برابر این واقعیت سکوت کنیم که به چند تن از فیلسوفان برجسته‌ی دوران مدرن اشاراتی چنان ناشایست شده که می‌تواند رنجشی جدی و به‌جا را موجب شود.»

با گذشت سال‌ها، بسیاری با نظر شوپنهاور در این باره که نثر هگل به‌شکلی غیرضروری مبهم و گیج‌کننده‌ست، کاملاً هم‌داستان شدند. در واقع، آثار او چنان دشوار است که یکی از شوخی‌های رایج قدیمی در گروه فلسفه‌ی دانشگاه‌ها این است که آزاردهنده‌ترین و پرابهت‌ترین پرسش فلسفی این نیست که «زندگی

معنایی دارد؟» یا «خودآگاهی چیست؟»، بلکه این است که: «امسال قرار است هگل را چه کسی درس بدهد؟» با این حال، شدت و حدت خشم شوپنهاور، میان او و سایر منتقدان فاصله انداخت.

هرچه آثارش را بیشتر نادیده می‌گرفتند، تندوتیزتر می‌شد و همین به نوبه‌ی خود، نادیده‌انگاری بیشتری را به همراه می‌آورد و در نظر بسیاری کسان اسباب مضحکه‌اش می‌کرد. ولی شوپنهاور به‌رغم اضطراب و تنهایی‌اش، جان به در برد و به عرضه‌ی نشانه‌هایی از خودبسندگی ادامه داد. و در کارش ایستادگی به خرج داد و تا پایان عمر، دانشمندی نوآور و نواندیش باقی ماند. هرگز ایمانش به خویش را از دست نداد. خود را به درخت بلوط جوانی تشبیه می‌کرد که به گیاهی معمولی و پیش‌پاافتاده هم‌چون گیاهان دیگر می‌ماند ولی «تنهایش بگذار: او نخواهد مرد. زمان موعود خواهد آمد و کسانی را با خود خواهد آورد که می‌دانند چگونه قدرش را بدانند.» پیش‌بینی کرد نبوغش سرانجام تأثیری شگرف بر نسل آینده‌ی اندیشمندان خواهد گذاشت. و حق با او بود؛ همه‌ی آنچه پیش‌بینی کرده بود، محقق شده است.

از چشم‌انداز جوانی که بنگری، زندگی آینده‌ای دراز و بی‌پایان است؛ ولی از چشم‌انداز پیری، تنها گذشته‌ای بسیار کوتاه به چشمت می‌آید. وقتی با کشتی دور می‌شویم، اجزای ساحل ریز و ریزتر می‌شوند و امکان شناسایی و تمایزشان نیز کمتر؛ هم‌چون سال‌هایی که پس پشت نهاده‌ایم با همه‌ی رویدادها و تکاپوهایشان.

فصل ۳۴

هرچه زمان بیشتر می‌گذشت، اشتیاق جولیوس برای فرارسیدن روز جلسات هفتگی گروه بیشتر می‌شد. شاید تجربه‌ی گروه برایش پرمعناتر و دل‌انگیزتر می‌شد چون این هفته‌ها، متعلق به تنها «سال خوب»ی بود که در اختیار داشت. ولی موضوع فقط رویدادهای گروه نبود؛ همه‌چیز زندگی‌اش ـ چه بزرگ و چه کوچک ـ لطیف‌تر و پرشورتر به نظر می‌آمد. البته که هفته‌ها همیشه به پای عمرش شمرده شده بود، ولی انگار قبلاً این شمارش تا ابد ادامه داشت و

هرگز با اتمام این هفته‌هایی که در اختیار دارد، رویاروی نشده بود.

پایان‌های مرئی و مشهود همواره ما را به توقف وا می‌دارند. خوانندگان، هزاران صفحه از برادران کارامازوف را با اشتیاق و سرعت می‌خوانند ولی فقط تا ده‌بیست صفحه‌ی آخر؛ از آنجا به بعد ناگهان از شتابشان می‌کاهند، هر بند را به آهستگی مزمزه می‌کنند و عصاره‌ی هر عبارت و هر واژه را می‌مکند. ضیق وقت موجب شده بود جولیوس زمان را بسیار گرامی بدارد؛ هرچه بیشتر می‌گذشت، بیشتر در مکاشفه‌ی شگفت‌انگیز جریان جادویی وقایع روزانه فرو می‌رفت.

چندی پیش نتیجه‌گیری یک حشره‌شناس را خوانده بود که هماهنگی موجود در یک قطعه خاک محصور دو در دو را بررسی کرده بود. پس از کندن گودالی عمیق در آن، حیرت خویش را از دنیای پرتکاپو و پرهیاهوی شکار و شکارچی، از کرم‌ها گرفته تا هزارپاها، دم‌فنری‌ها، سوسک‌های زره‌دار و کارتونک‌ها وصف کرده بود. اگر چشم‌اندازمان را درست انتخاب کنیم، توجهمان را معطوف کنیم و دانشمان را وسعت ببخشیم، هر روز را با شگفتی و حیرتی ابدی نسبت به روزمرگی‌هایش آغاز می‌کنیم.

این شگفتی را جولیوس در گروه حس می‌کرد. ترس‌هایش از عود ملانوم فروکش کرده بود و حملات هراسش کم و کمتر می‌شد. شاید بیشتر آرامش ناشی از این بود که تخمین «یک سال خوب» دکترش را زیادی جدی گرفته بود و آن را نوعی ضمانت تلقی کرده بود. ولی مهم‌تر از آن شیوه‌ی زندگی‌اش بود که راه را باز می‌کرد. در مسیر زرتشت گام نهاده بود، پختگی‌اش را با دیگران شریک شده بود، با کمک به دیگران از خود برگذشته بود و جوری زندگی کرده بود که می‌توانست مشتاقانه و تا ابدیت همین زندگی

را تکرار کند.

همواره درباره‌ی جهتی که درمان‌های گروهی در هفته‌ی بعد به خود می‌گیرند، کنجکاو بود. حالا که آخرین سال خوبش به‌وضوح رو به پایان بود، همه‌ی احساسات تشدید شده بود: کنجکاوی‌اش بدل شده بود به چشم‌انتظاری و بی‌قراری کودکانه‌ای برای فرا رسیدن جلسه‌ی بعد. سال‌های دور تدریس گروه‌درمانی را به یاد می‌آورد که چگونه دانشجویان تازه‌کار از مشاهده‌ی نود دقیقه گفت‌وگوی اعضا، ابراز ملالت می‌کردند. بعدها، وقتی می‌آموختند چگونه به ماجرای زندگی هر بیمار گوش کنند و برای تعامل پیچیده‌ی میان اعضا ارزش قائل شوند، آن ملالت ناپدید می‌شد و همه‌ی دانشجویان پیش از زمان موعود جلسه در جایگاه خود حاضر می‌شدند و به انتظار می‌نشستند.

پایان مشخص‌شده‌ی گروه، اعضا را به جلو می‌راند تا با اشتیاق و حرارت بیشتری به مسائل اصلی‌شان بپردازند. یک پایان مشخص برای درمان، همیشه چنین نتیجه‌ای دارد؛ به همین دلیل بود که درمانگران پیش‌کسوتی چون اوتو رنک[1] و کارل راجرز در همان آغاز درمان، تاریخ پایان آن را تعیین می‌کردند.

استوارت در این ماه‌ها، بیش از همه‌ی سه سال قبلی درمانش کار کرده بود. شاید فیلیپ هم‌چون آینه‌ای برای استوارت عمل کرده بود و راهش انداخته بود. او در انسان‌گریزی فیلیپ، بخش‌هایی از خود را دید و دریافت هریک از اعضای گروه ـ به جز آن دو نفر ـ از جلسات لذت می‌برند و گروه را هم‌چون پناهگاهی می‌بینند: جایگاه دریافت حمایت و محبت. فقط او و فیلیپ بودند که به زور

1. Otto Rank

در این جلسات شرکت می‌کردند، فیلیپ برای آنکه جولیوس سرپرستی‌اش را بپذیرد و او به خاطر اتمام حجت همسرش.

پم در یکی از جلسات گفت گروه هرگز یک حلقه‌ی حقیقی تشکیل نداده چون صندلی استوارت همیشه کمی عقب‌تر قرار داشته ـ گاهی فقط یکی‌دو اینچ ـ ولی اینچ‌هایی که به چشم می‌آمدند. بقیه موافق بودند؛ همگی همیشه این عدم تقارن در نشستن را حس کرده بودند ولی هرگز آن را به پرهیز استوارت از نزدیکی و صمیمیت نسبت نداده بودند.

در یک جلسه‌ی دیگر استوارت شروع کرد به همان گله و شکایت‌های معمول: از دلبستگی زیاد همسرش به پدر خود گفت، پزشکی که از استادی گروه جراحی به ریاست دانشکده‌ی پزشکی و ریاست دانشگاه ارتقا یافته بود. همین جور که استوارت داشت مثل جلسات پیشین در این باره می‌گفت که امکان ندارد بتواند احترام و توجه همسرش را به دست آورَد چون مدام او را با پدرش مقایسه می‌کند، جولیوس صحبتش را قطع کرد و پرسید متوجه هست که این داستان را قبلاً بارها تعریف کرده است؟

استوارت پاسخ داده بود: «خب آخه ما باید از چیزایی حرف بزنیم که هم‌چنان به اذیت و آزارشون ادامه می‌دن. مگه نه؟» و اینجا بود که جولیوس پرسش قدرتمندی را مطرح کرده بود: «هیچ‌وقت فکر کردی ما در برابر این تکرارهای تو چه حسی پیدا می‌کنیم؟»

«تصورم اینه که براتون خسته‌کننده و ملال‌آوره.»

«درباره‌ش فکر کن، استوارت. خسته‌کننده و ملال‌آور بودن برای تو چه فایده‌ای داره؟ و بعد هم فکر کن چرا هیچ‌وقت نشده که با شنوندگانت همدلی داشته باشی.»

استوارت مدت زمان زیادی را در طول هفته به این موارد فکر

کرد و بعد گزارش داد چقدر از اینکه تا حالا چنین پرسشی را در نظر نگرفته، شگفت‌زده شده است. «می‌دونم که از نظر همسرم خیلی وقتا خسته‌کننده‌م؛ صفت مورد علاقه‌اش برای توصیف من *غایبه* و فکر می‌کنم گروه هم داره همین رو به من می‌گه. می‌دونین، فکر می‌کنم من همدلی‌هام رو یه جای خیلی عمیقی انبار کرده‌ام.»

کمی بعد استوارت یک مشکل اصلی را بر زبان آورد: خشمی مداوم و توجیه‌ناپذیر نسبت به پسر دوازده‌ساله‌اش. تونی با پرسشی جعبه‌ی پاندورا را گشود: «وقتی به سن پسرت بودی، چه حال و روزی داشتی؟»

استوارت گفت در فقر بزرگ شده است؛ پدرش وقتی او هشت‌ساله بود، از دنیا رفت و مادرش که مجبور بود دو کار هم‌زمان داشته باشد، هرگز هنگام بازگشت او از مدرسه، خانه نبود. بنابراین او کودکی تنها بود که خود غذایش را آماده می‌کرد و گاه چندین روز متوالی با لباس‌های کثیف به مدرسه می‌رفت. او موفق شده بود بخش عمده‌ای از خاطرات کودکی‌اش را از خاطر بزداید ولی حضور پسرش او را به ترس‌هایی بازگردانده بود که سال‌ها فراموش‌شان کرده بود.

گفت: «سرزنش پسرم دیوانگی‌ست ولی وقتی رفاه اون رو می‌بینم، غیظ و حسادت همه‌ی وجودم رو می‌گیره.» این تونی بود که با مداخله‌ای مؤثر و شکل‌دهنده، خشم استوارت را در هم شکست: «چطوره یه کم از وقتت رو صرف احساس غرور برای فراهم کردن شرایط بهتر برای زندگی پسرت بکنی؟»

تقریباً همه‌ی اعضا پیشرفت داشتند. جولیوس پیش از این هم شاهد چنین وضعیتی بود؛ وقتی گروه به مرحله‌ی پختگی می‌رسد، انگار حال همه‌ی اعضا هم‌زمان بهتر می‌شود. بانی در تکاپوی کنار

آمدن با یک پارادوکس محوری بود: احساس خشم نسبت به همسر سابقش به‌خاطر ترک او و در برابر احساس رهایی از رابطه با مردی که تا آن اندازه از او بیزار بود.

گیل در جلسات روزانه‌ی الکلی‌های بی‌نام شرکت می‌کرد ـ هفتاد جلسه در هفتاد روز ـ ولی مشکلات زناشویی‌اش در این دوره‌ی هشیاری، به جای کاهش، رو به افزایش بود. این البته برای جولیوس عجیب نبود: هرگاه یکی از زوجین با درمان بهبود یابد، تعادل و ثبات رابطه‌ی زناشویی به هم می‌خورد و اگر قرار است زندگی مشترک ادامه پیدا کند، طرف مقابل هم باید تغییر کند. گیل و رز زوج‌درمانی را آغاز کرده بودند ولی گیل متقاعد نشده بود که رز می‌تواند عوض شود. با این حال، دیگر از فکر پایان این زندگی مشترک نمی‌ترسید؛ برای نخستین بار معنای یکی از تکیه‌کلام‌های مورد علاقه‌ی جولیوس را می‌فهمید: «*تنها راه حفظ زندگی مشترکتان، تمایل و (داشتن توانایی) رها کردن آن است.*»

تونی با سرعتی شگفت‌آور کار می‌کرد: انگار نیرویی که در جولیوس تحلیل می‌رفت، مستقیماً به درون او راه می‌یافت و تراوش می‌کرد. با تشویق پم و پشتیبانی سایر اعضا، تونی تصمیم گرفت تجاهل و شکایت از بیسوادی را کنار بگذارد و به‌جای آن، کاری کند و تحصیل را شروع کند. پس در سه کلاس شبانه در کالج محلی ثبت‌نام کرد.

با وجود شور و شعف و خشنودی حاصل از این دگرگونی‌های گسترده، توجه اصلی جولیوس هم‌چنان بر پم و فیلیپ معطوف بود. نمی‌دانست چرا رابطه‌ی این دو تا این حد برایش مهم شده است ولی معتقد بود دلایل از اصل موضوع پیشی گرفته‌اند. گاهی هنگام

اندیشیدن درباره‌ی پم و فیلیپ، به یاد این عبارت تلمودی[1] می‌افتاد که «نجات یک تن، نجات همه‌ی دنیاست.» نجات رابطه‌ی این دو، خیلی زود اهمیت زیادی یافت. در واقع، به علت وجودی او بدل شد: انگار که با بیرون کشیدن چیزی انسانی از ویرانه‌های آن رویارویی وحشت‌انگیز چندین سال پیش، می‌توانست زندگی خویش را هم نجات دهد. همان جور که داشت درباره‌ی معنای عبارت تلمود می‌اندیشید، به یاد کارلوس افتاد. چند سال پیش مرد جوانی به نام کارلوس را درمان می‌کرد. نه، باید خیلی وقت پیش بوده باشد، دست‌کم ده‌سال پیش، چون درباره‌ی کارلوس با میریام حرف زده بود. کارلوس مردی بود ناخوشایند، خشن، خودمحور و سطحی با میل جنسی بالا که هنگامی برای درمان مراجعه کرده بود که تشخیص لنفوم بدخیم[2] برایش داده بودند. کمک جولیوس به دگرگونی‌های زیادی در کارلوس ـ خصوصاً در حیطه‌ی ارتباط ـ انجامید و آن دگرگونی‌ها موجب شد با نگاهی گذشته‌نگر به زندگی‌اش، همه‌ی عمرش را غرق در معنا ببیند. چند ساعت پیش از مرگ به جولیوس گفت: «ممنونم که زندگی‌م رو نجات دادی.» جولیوس بارها به کارلوس اندیشیده بود، ولی حالا در این لحظه، داستانش تازه می‌نمود و معنایی خطیر می‌یافت: نه فقط برای فیلیپ و پم، بلکه برای نجات زندگی خودش.

فیلیپ از بسیاری جهات در گروه کمتر متفرعن و بیشتر خوش‌برخورد جلوه می‌کرد و حتا تماس چشمی گاه و بیگاهی با

---

۱. منتسب به تلمود که عبارت است از مجموعه‌ی قوانین مدنی و شرعی یهود ـ م.

۲. نوعی سرطان بافت لنفاوی ناشی از تکثیر سرطانی لنفوسیت‌ها (یکی از انواع گلبول‌های سفید) ـ م.

بیشتر اعضا ـ به جز پم ـ برقرار می‌کرد. شش ماه گذشت و رفت بی‌آنکه فیلیپ مسئله‌ی کناره‌گیری از گروه را به دلیل پایان قرارداد شش‌ماهه‌شان مطرح کند. وقتی هم که جولیوس این موضوع را مطرح کرد، فیلیپ پاسخ داد: «برام جالبه که گروه‌درمانی پدیده‌ایه خیلی پیچیده‌تر از اونی که قبلاً فکر می‌کردم. من ترجیح می‌دادم در حین اینکه کارم رو با مراجعانم سرپرستی می‌کنی، هم‌چنان در گروه شرکت کنم. ولی تو این پیشنهاد رو به دلیل مشکلات "روابط دوجانبه" نپذیرفتی. انتخاب من اینه که برای یک سال کامل در گروه بمونم و بعد از اون ازت درخواست سرپرستی کنم.»

جولیوس موافقت کرد: «با این نقشه موافقم ولی قطعاً بستگی به وضع مزاجی‌م داره. چهار ماه دیگه به پایان گروه مونده و بعد از اون باید ببینیم چی می‌شه. ضمانت سلامتی من یکساله بود.»

تغییر عقیده‌ی فیلیپ نسبت به شرکت در گروه، غیرمعمول نبود. اعضا اغلب با یک هدف مشخص و محدود در ذهن مثلاً بهتر خوابیدن، کابوس نداشتن یا غلبه بر هراس‌زدگی وارد گروه می‌شوند. بعد، در عرض چند ماه، اهداف دیگری را در نظر می‌گیرند که دوررس‌تر و فراگیرترند مثلاً یاد بگیرند چطور دوست داشته باشند، شوق‌وذوق زندگی را دوباره به‌دست آورند، بر تنهایی غلبه کنند یا برای خود ارزش قائل شوند.

گهگاه گروه فیلیپ را تحت فشار قرار می‌داد تا بیشتر بگوید که چطور وقتی روان‌درمانی جولیوس مطلقاً شکست خورده بود، شوپنهاور توانسته بود کمکش کند. از آنجا که برای او سخت بود به این پرسش‌ها درباره‌ی شوپنهاور پاسخ دهد بی‌آنکه پس‌زمینه‌ی فلسفی لازم را فراهم کند، از گروه خواست به او اجازه دهد یک سخنرانی سی‌دقیقه‌ای درباره‌ی موضوع داشته باشد. گروه به غرغر و

شکایت افتاد و جولیوس از او خواست مطالبش را موجز و به شکل گفت‌وگو و محاوره تدارک ببیند.

جلسه‌ی بعد فیلیپ خطابه‌ی کوتاهی را آغاز کرد و قول داد خیلی مختصر به این پرسش پاسخ دهد که شوپنهاور چطور کمکش کرده بود.

با اینکه یادداشت‌هایی در دست داشت، بدون ارجاع به آن‌ها صحبت کرد. خیره به سقف کلامش را این گونه آغاز کرد: «نمی‌شه درباره‌ی شوپنهاور حرف زد و از کانت آغاز نکرد، فیلسوفی که شوپنهاور در کنار افلاطون، بیشترین احترام رو براش قائل بود. کانت که در سال ۱۸۰۴ ـ یعنی وقتی شوپنهاور شانزده‌ساله بود ـ از دنیا رفت، انقلابی در فلسفه پدید آورد با این بینش که تجربه‌ی واقعیت به معنای راستینش برای ما ناممکنه چون تمامی برداشت‌ها و داده‌های حسی ما از صافی دستگاه عصبی‌تشریحی ما می‌گذره و پردازش می‌شه. همه‌ی داده‌ها از طریق ساختارهای مطلق و دلخواهانه‌ای چون فضا و زمان برای ما مفهوم پیدا می‌کنن...»

تونی میان حرفش دوید: «دست بردار فیلیپ! برو سر اصل مطلب. این فکلی چه جوری کمکت کرد؟»

«صبر کن. به اون هم می‌رسم. تازه سه دقیقه حرف زده‌ام. اخبار تلویزیون که نیست! نمی‌تونم نتیجه‌گیری‌های یکی از بزرگترین متفکران جهان رو توی یه جمله توضیح بدم.»

ربه‌کا گفت: «هی، هی، درست زدی به هدف، فیلیپ. از این جوابت خوشم اومد.»

تونی لبخندی زد و حرفش را پس گرفت.

«پس کشف کانت این بود که ما به جای آنکه دنیا رو اون جور که واقعاً هست، تجربه کنیم، نسخه‌ی پردازش‌شده‌ی شخصی‌مون

رو از آنچه هست تجربه می‌کنیم. مؤلفه‌هایی مثل زمان، مکان، کمیت، علیت در *ماست* نه آنجا: این ماییم که اونا رو بر واقعیت تحمیل می‌کنیم. پس در این صورت واقعیت ناب و خالص و پردازش‌نشده چیه؟ آنچه واقعاً آنجاست، آن جوهر خام پیش از پردازش ما چیست؟ کانت گفت آن جوهر همواره برای ما ناشناخته خواهد ماند.»

تونی گفت: «قرار بود بگی شوپنهاور چطور بهت کمک کرد! یادت که نرفته؟ داری گرم می‌شی دیگه؟»

«نود ثانیه‌ی دیگه بهش می‌رسم. کانت و دیگران در آثار بعدی‌شون، همه‌ی توجهشون رو بر شیوه‌های ما برای پردازش واقعیت نخستین معطوف کردند.

«ولی شوپنهاور ـ دیدین! داریم بهش می‌رسیم ـ راهی کاملاً متفاوت رو در پیش گرفت. استدلالش این بود که کانت گونه‌ای از داده‌های بنیادین و بلافصل ما رو نادیده گرفته که همون تن‌های ما و احساسات ماست. او اصرار داشت که ما می‌تونیم خود رو از درون بشناسیم. ما دانشی بی‌واسطه و بلافصل و غیر وابسته به دریافت و ادراکمون داریم. در نتیجه، او نخستین فیلسوفی بود که *از درون* به تکانه‌ها، امیال و احساسات ما نگریست و در باقی زندگی حرفه‌ای‌ش، به تفصیل درباره‌ی دلواپسی‌ها و موضوعات درونی انسانی نوشت: سکس، عشق، مرگ، رؤیاها، رنج، دین، خودکشی، رابطه با دیگران، غرور، اعتمادبه‌نفس. او بیش از هر فیلسوف دیگه‌ای به امیال و تکانه‌های تاریک موجود در عمق وجود ما اشاره کرد که تاب آگاهی یافتن از اونا رو نداریم و در نتیجه باید سرکوبشون کنیم.»

بانی گفت: «یه کم فرویدی به نظر می‌یاد.»

«برعکسش درسته. بهتره بگیم فروید، شوپنهاوری بوده. بخش بزرگی از روان‌شناسی فروید رو می‌شه در آثار شوپنهاور دید. با اینکه فروید به‌ندرت به این تأثیرپذیری اذعان کرده، شکی نیست که کاملاً با نوشته‌های شوپنهاور آشنا بوده: در وین دهه‌ی ۱۸۶۰ و ۷۰، یعنی وقتی فروید مدرسه می‌رفته، اسم شوپنهاور بر سر زبونا بوده. من معتقدم بدون شوپنهاور، نه فرویدی در کار بود و نه نیچه اونی بود که ما می‌شناسیمش. در واقع، تأثیر شوپنهاور بر فروید ـ به‌خصوص نظریه‌ی رؤیاها، ناخودآگاه و سازکار دفاعی واپس‌رانی ـ عنوان رساله‌ی دکترای من بود.»

فیلیپ نگاهی گذرا به تونی انداخت و با هول و شتاب ادامه داد مبادا صحبتش را قطع کند: «شوپنهاور میل جنسی من رو عادی و بهنجار کرد. وادارم کرد ببینم چطور سکس در همه‌جا حاضره و چطور در عمیق‌ترین مرتبه، هدف اصلی همه‌ی رفتارهای ماست، به هر رابطه‌ای تراوش می‌کنه و حتا بر همه‌ی مسائل رسمی و دولتی اثر می‌ذاره. به نظرم چند ماه پیش در این باره ازش نقل قول کردم.»

تونی گفت: «در تأیید حرفت، پریروز توی روزنامه خوندم پورنوگرافی، از مجموع دو صنعت موسیقی و فیلم‌سازی بیشتر پول جذب می‌کنه. این خیلیه.»

ربه‌کا گفت: «فیلیپ، می‌تونم حدس بزنم ولی هنوز ازت نشنیده‌م که بگی شوپنهاور دقیقاً چطور کمکت کرد تا از اجبار وسواسی یا... ام... *اعتیاد* جنسی‌ت دست برداری. عیبی نداره از این اصطلاح استفاده کنم؟»

فیلیپ گفت: «باید درباره‌ش فکر کنم. مطمئن نیستم اصطلاح دقیقی باشه.»

ربه‌کا پرسید: «چرا؟ چیزی که توصیف کردی، از نگاه من شبیه یه اعتیاده.»

«خب، برای اینکه حرف تونی رو پی بگیرم، تا حالا یه نگاهی به تعداد مردایی که توی اینترنت پورنوگرافی تماشا می‌کنند، انداختی؟»

ربه‌کا پرسید: «تو هم سراغ پورنوی اینترنتی رفته‌ای؟»

«من نه، ولی اگه وضعم مثل قبل بود، می‌تونستم مثل بیشتر مردا چنین مسیری رو پیش بگیرم.»

تونی گفت: «حق با توئه. اعتراف می‌کنم، من یکی که دو یا سه بار توی هفته نگاه می‌کنم. اگه بخوام راستشو بگم، کسی رو نمی‌شناسم که این کارو نکنه.»

گیل گفت: «من هم همین طور. این یکی دیگه از دلایل غیظ و بدخلقی‌های رزه.»

سرها به‌سوی استوارت برگشت: «بله، بله، من هم گناهکارم... یه کمی هم زیاده‌روی کرده‌ام.»

فیلیپ گفت: «منظورم همین بود. پس باید بگیم همه معتادند؟»

ربه‌کا گفت: «خب، حالا منظورتو می‌فهمم. فقط پورن نیست، دعوی‌های اذیت و آزار هم همه‌گیر شده. خودم از چندین پرونده‌ی این‌چنینی دفاع کرده‌ام. چند روز پیش مقاله‌ای خوندم درباره‌ی رییس یکی از دانشکده‌های بزرگ حقوق که به دلیل اتهام اذیت و آزار جنسی استعفا داده. و البته ماجرای کلینتون که از اون برای ساکت‌کردن صدای بالقوه مؤثرش استفاده کردن. حالا ببین چند تا از شاکیان کلینتون همون جور رفتار می‌کنن.»

تونی گفت: «همه‌ی آدما یه زندگی تاریک جنسی هم دارن. بیشتر برمی‌گرده به اینکه کی بداقبال باشه. شاید مردا فقط بلدن مرد

باشن. یه نگاهی به من بندازین، زندونی شدم فقط برای اینکه روی خواسته‌ام در رابطه با لیزی زیادی اصرار کردم. صدها مردو می‌شناسم که کارای بدتری کردن ـ و هیچ عواقبی هم براشون نداشته ـ نمونه‌ش همین شوارتزنگر.»

ربه‌کا گفت: «تونی، با این حرفا پیش زنایی که اینجا هستن ـ یا دست‌کم پیش من ـ محبوب نمی‌شی. ولی نمی‌خوام تمرکزم رو از دست بدم. فیلیپ، ادامه بده، هنوز به نکته‌ی اصلی‌ت نرسیده‌ای.»

فیلیپ بی‌معطلی ادامه داد: «اولاً شوپنهاور دویست سال پیش به جای نچ‌نچ کردن درباره‌ی این رفتار وحشتناک و فاسد مردانه، علت واقعی اون رو درک کرد: قدرت محض، شگفت‌انگیز و بی‌چون‌وچرای سائق جنسی. بنیادی‌ترین نیرویی که در ما هست ـ میل به زندگی، به تولید مثل ـ و نمی‌شه خاموشش کرد. و نمی‌شه با منطق کنارش گذاشت. پیش از این گفتم تراوش میل جنسی به هرچیزی رو چطور توصیف کرده. یه نگاهی به رسوایی کشیشای کاتولیک بندازین، اصلاً به هر جدوجهد انسانی، هر حرفه، هر فرهنگ و هر دوره‌ای از زندگی آدما نگاه کنین. وقتی اولین بار با نوشته‌های شوپنهاور آشنا شدم، این دیدگاهش برام به‌شدت مهم جلوه کرد: یکی از بزرگ‌ترین اذهان تاریخ بود که داشت اینو می‌گفت و من برای اولین بار در زندگی‌م حس کردم کاملاً درک شده‌ام.»

پم که در تمام طول جلسه ساکت بود، پرسید: «و؟»

فیلیپ که مثل همه‌ی مواقعی که پم را مخاطب قرار می‌داد، به‌وضوح عصبی می‌نمود، گفت: «و چی؟»

«بقیه‌اش؟ همه‌ش همین بود؟ همین اوضاع رو خوب کرد؟ همینکه شوپنهاور این حس رو بهت داد که فهمیده شدی، حالت بهتر شد؟»

فیلیپ با لحنی آرام و بی‌غل‌وغش جوری که انگار متوجه طعنه‌ی پم نشده، پاسخ داد. «چیزای خیلی بیشتری بود. شوپنهاور متوجهم کرد که ما محکوم شده‌ایم تا ابد با چرخ امیالمون بچرخیم: چیزی رو آرزو می‌کنیم، به‌دستش می‌یاریم و از لحظه‌ی گذرای خشنودی لذت می‌بریم، لحظه‌ای که خیلی زود به دلزدگی ختم می‌شه و بعد بی‌چون‌وچرا آرزوی بعدی و "می‌خواهم" بعدی از راه می‌رسه. راه برون‌رفت، برآورده‌سازی و فرونشانی آرزوها نیست. باید به‌طور کامل از چرخ پایین جهید. این کاری بود که شوپنهاور کرد و کاری بود که من کردم.»

پم پرسید: «باید از چرخ پایین جهید؟ این یعنی چی؟»

«یعنی باید کاملاً از آرزو و خواستن گریخت. یعنی کاملاً بپذیریم که در سرشت درونی‌مان، تکاپویی تسلیم‌ناپذیر در جریانه، این رنج از آغاز در ما نهاده شده و ما محکوم به داشتن چنین سرشت و طبیعتی هستیم. یعنی اول باید پوچی بنیادین این دنیای پراوهام رو درک کنیم و بعد به دنبال راهی باشیم برای دست رد زدن به سینه‌ی خواسته‌ها. باید ـ مثل همه‌ی هنرمندای بزرگ ـ هدفمون زیستن در دنیای ناب اندیشه‌های افلاطونی باشه. بعضی از راه هنر این کار رو می‌کنن، بعضی از راه ریاضت مذهبی. شوپنهاور با پرهیز از دنیای آرزوها، پیوند با اذهان بزرگ تاریخ و با ژرف‌اندیشی زیبایی‌شناسانه این کارو کرد: روزی یکی‌دو ساعت فلوت می‌زد. یعنی آدم باید هم بازیگر بشه و هم تماشاچی. باید نیروی حیاتی رو که در طبیعت ما وجود داره و خودش رو در هستی تک‌تک ما آدما نشون می‌ده، به رسمیت بشناسیم. این کار باعث می‌شه در نهایت ـ یعنی وقتی که اون فرد به عنوان یه موجود مادی دیگه وجود نداره ـ اون نیرو احیا بشه.

«من الگوی اون رو به‌دقت سرمشق خودم کرده‌ام. روابط اصلی‌م با متفکران بزرگیه که نوشته‌هاشون رو هر روز می‌خونم. ذهنم رو درگیر روزمرگی نمی‌کنم و تمرینای روزانه‌ی فکری مثل شطرنج یا گوش دادن به موسیقی برای خودم ترتیب داده‌ام چون بر خلاف شوپنهاور توانایی نواختن هیچ سازی رو ندارم.»

جولیوس مسحور این گفت‌وگو شده بود. واقعاً فیلیپ از بغض و کینه‌ی پم بی‌خبر بود؟ یا از خشم و غضبش می‌ترسید؟ و این راه حل فیلیپ برای اعتیادش؟ چند باری پیش آمد که جولیوس در دل تحسینش کرد ولی بیشتر موارد را با ریشخند گوش داد. و آن گفته‌ی فیلیپ که هنگام *خواندن شوپنهاور برای اولین بار حس کرد درک شده*، درست مثل سیلی به صورت او نواخته شده بود. جولیوس اندیشید *پس من چه کاره‌ام؟ سه سال تمام خودم رو کشتم که درکش کنم و با او همدلی داشته باشم*. ولی چیزی نگفت و ساکت ماند؛ فیلیپ داشت به‌آرامی تغییر می‌کرد. گاهی بهتر است بعضی چیزها را ذخیره کنیم و در زمانی مساعد در آینده به آن‌ها بازگردیم.

***

چند هفته بعد گروه دوباره موضوع را پیش کشید آن هم در طول جلسه‌ای که در آغاز آن، ربه‌کا و بانی به پم گفتند از وقتی فیلیپ به گروه آمده، او عوض شده یعنی بدتر شده است. همه‌ی بخش‌های مطبوع، دوست‌داشتنی، پربار و بلندنظرانه‌اش ناپدید شده‌اند در حالی که خشمش ـ گرچه به شدت نخستین رویارویی‌اش با فیلیپ نیست ـ به گفته‌ی بانی، هم‌چنان همیشه با اوست و به چیزی سنگدل، بی‌رحم و خشن بدل شده است.

ربه‌کا گفت: «به نظر من فیلیپ در چند ماه اخیر خیلی تغییر کرده ولی تو همونجایی که بودی گیر کرده‌ای درست مثل وضعی

که یه موقعی با ارل و جان داشتی. می‌خوای این خشم رو تا ابد با خودت نگهداری؟»

بقیه اشاره کردند که فیلیپ مؤدب بوده و به تک‌تک پرسش‌های پم ـ حتا طعنه‌آمیزترینشان ـ پاسخ کامل داده است.

پم گفت: «مؤدب باش، بعد می‌تونی بقیه رو هر جور که بخوای بازی بدی. درست مثل موم که فقط وقتی گرمش کردی، می‌تونی باهاش کار کنی.»

استوارت پرسید: «چی؟» پرسش و شگفتی در چهره‌ی سایر اعضا هم موج می‌زد.

«فقط دارم از مربی فیلیپ نقل قول می‌کنم. این یکی از توصیه‌های خوشایند و مطلوب شوپنهاوره... و من هم درباره‌ی رفتار مؤدبانه‌ی فیلیپ همین فکرو می‌کنم. هیچ‌وقت اینجا نگفته‌ام ولی موقع فارغ‌التحصیلی اول فکر کردم روی آثار شوپنهاور کار کنم. ولی بعد از چند هفته مطالعه‌ی نوشته‌ها و زندگی‌ش، اون قدر از این مرد بیزار شدم که این ایده رو به کل کنار گذاشتم.»

بانی گفت: «پس تو فیلیپ رو با شوپنهاور یکی می‌دونی؟»

«یکی می‌دونم؟ فیلیپ ذهن دوقلوی شوپنهاوره، تجسم زنده‌ی اون مرد پست و منفور. می‌تونم چیزایی از زندگی و فلسفه‌ی اون براتون بگم که خون رو توی تنتون منجمد کنه. و بعله، من واقعاً اعتقاد دارم که فیلیپ به جای اینکه ارتباط برقرار کنه، افراد رو بازی می‌ده... و بذارین اینو هم بگم: از اینکه فکر کنم اون می‌خواد با آموزه‌های اززندگی‌بیزار شوپنهاور دیگران رو ارشاد کنه، لرزه به اندامم می‌افته.»

استوارت گفت: «می‌شه فیلیپ رو اون جوری که الآن هست، ببینی؟ اون همون آدم پونزده‌سال پیش نیست. اون اتفاقی که بین

شما افتاده، همه‌چیزو تحریف کرده؛ نمی‌تونی از اون اتفاق بگذری و برای همین هم نمی‌تونی ببخشی‌ش.»

«اون "اتفاق"؟ یه جوری ازش حرف می‌زنی که انگار فقط یه تیکه پوسته که از کنار ناخن آویزون شده. اون خیلی بیشتر از یه اتفاق بود. و درباره‌ی بخشش، فکر نمی‌کنی یه چیزایی هست که نمی‌شه بخشیدشون؟»

فیلیپ با صدایی که به طرزی غیرمعمول هیجان‌زده بود، گفت: «اگه تو نمی‌تونی ببخشی، معنی‌ش این نیست که بعضی چیزا رو نمی‌شه بخشید. سال‌ها پیش من و تو یه قرارداد اجتماعی کوتاه‌مدت بستیم. حقیقت اینه که هم من و هم تو چیزی به دست آوردیم. من به لذت و رهایی رسیدم؛ تو هم همین جور. من چیزی بهت بدهکار نیستم. در گفت‌وگویی که بعد از این اتفاق با هم داشتیم، به وضوح گفتم عصر لذت‌بخشی رو گذروندم ولی آرزو نکردم که اون رابطه ادامه پیدا کنه. چطور می‌تونستم واضح‌تر از این صحبت کنم؟»

پم جواب داد: «من از وضوح حرف نمی‌زنم. من دارم از گذشت... عشق، نوع‌دوستی و علاقه به دیگران حرف می‌زنم.»

«تو اصرار داری که من هم در جهان‌بینی تو شریک بشم و زندگی رو همون جوری تجربه کنم که تو می‌کنی.»

«من فقط آرزو می‌کنم که تو هم در اون درد و رنجی که من کشیدم، شریک می‌بودی.»

«در این مورد، خبرای خوبی برات دارم. حتماً خوشحال می‌شی اگه بدونی بعد از اون اتفاق، دوستت مولی نامه‌ای در محکومیت من به تک‌تک اعضای گروه فلسفه و همین طور رییس دانشگاه و شورای دانشکده نوشت. با اینکه دکترام رو با درجه‌ی ممتاز گرفتم

و با اینکه ارزشیابی دانشجویان ـ که اتفاقاً تو هم یکی از اونا بودی ـ از من عالی بود، حتا یه نفر از اعضای دانشکده حاضر نشد یه نامه در حمایت از من بنویسه یا به نحوی کمکم کنه شغلی پیدا کنم. به همین دلیل هرگز نتونستم کار مناسبی در زمینه‌ی تدریس پیدا کنم و همه‌ی این سالا مثل یه سخنران دربه‌در و آواره در یک سری دانشکده‌ی بی‌ارزش درجه سه درس داده‌ام.»

استوارت که سخت می‌کوشید حس همدلی در خودش ایجاد کند، گفت: «حتماً حس می‌کنی به سزای کارت رسیده‌ای و اون جمع تاوان سنگینی رو بهت تحمیل کرده.»

فیلیپ با شگفتی نگاهش را بالا آورد و بر استوارت دوخت. سری تکان داد و گفت: «نه به سنگینی تاوانی که خودم برای خودم بریدم.»

فرسوده و بی‌رمق به پشتی صندلی تکیه داد. پس از چند لحظه چشم‌ها به‌سوی پم برگشت که ناآرام گروه را مخاطب قرار داد: «متوجه نیستین که من درباره‌ی یه کار منفرد مجرمانه در گذشته حرف نمی‌زنم؟ من دارم درباره‌ی یه شیوه‌ی مداوم زندگی توی این دنیا حرف می‌زنم. همین الآن که فیلیپ از عشق‌ورزی ما به عنوان "تعهدات یک قرارداد اجتماعی" حرف زد، همه‌تون چندشتون نشد؟ و اون گفته‌اش که بعد از سه‌سال کار با جولیوس، فقط وقتی شوپنهاور خونده، حس کرده برای "اولین بار" درک شده. همه‌ی شما جولیوس رو می‌شناسین. باورتون می‌شه که بعد از سه‌سال جولیوس اون رو درک نکرده باشه؟»

گروه ساکت ماند. بعد از چند لحظه پم رو کرد به فیلیپ. «می‌خوای بدونی چرا حس کردی شوپنهاور درکت کرده و جولیوس نه؟ برات می‌گم چرا: چون شوپنهاور مرده، بیش از

صدوچهل سال پیش مرده و جولیوس زنده‌ست. و تو بلد نیستی چطور با زنده‌ها ارتباط برقرار کنی.»

به نظر نمی‌آمد فیلیپ بخواهد پاسخی دهد، پس ربه‌کا با دستپاچگی گفت: «پم، داری زیادی سخت می‌گیری. چی می‌تونه آرومت کنه؟»

بانی گفت: «فیلیپ ابلیس نیست، پم. از پا دراومده. نمی‌بینی؟ فرقش رو متوجه نمی‌شی؟»

پم سری تکان داد و گفت: «امروز نمی‌تونم بیشتر از این پیش برم.»

پس از سکوتی که به شکل محسوسی عذاب‌آور بود، تونی که تا آن زمان به طرز غیرمعمولی ساکت مانده بود، پادرمیانی کرد. «فیلیپ، نمی‌خوام برات طناب نجات بندازم، ولی برام سؤاله. می‌خوام ببینم بعد از اینکه جولیوس چند ماه پیش برامون از مسئله‌ی جنسی بعد از فوت همسرش گفت، هیچ احساسی پیدا نکردی؟»

فیلیپ انگار از عوض شدن موضوع ممنون بود. «چه جور حسی *بایست* می‌داشتم؟»

«"*بایست*"ش رو نمی‌دونم. دارم می‌پرسم هیچ حسی *داشتی*؟ چیزی که برام سؤاله اینه که اگه همون اولی که جولیوس رو دیدی، برات می‌گفت که اون هم فشار جنسی رو شخصاً تجربه کرده، ممکن بود حس کنی درکت کرده؟»

فیلیپ سری به تأیید تکان داد. «سؤال جالبیه. جوابش اینه که شاید بله. شاید بهم کمک می‌شد. دلیلی برای ارائه ندارم ولی نوشته‌های شوپنهاور به من فهموند احساسات جنسی اون هم از لحاظ شدت و حدت مثل من بوده. معتقدم همین باعث شد حس

کنم درکم کرده.

«ولی چیز دیگه‌ای هم هست که از دوره‌ی درمانی‌م با جولیوس نگفته‌ام و می‌خوام گزارش رو کامل کنم. وقتی بهش گفتم درمانش هیچ تأثیری بر من نداشته، منو با سؤالی مواجه کرد که کمی پیش در گروه هم مطرح شد: چرا می‌خوام درمانگری که هیچ سودی به حالم نداشته، حالا سرپرستم بشه؟ این سؤالش کمکم کرد دو چیز از اون دوره‌ی درمانی رو به یاد بیارم که روی من اثر گذاشت و در واقع برام مفید بود.»

تونی پرسید: «مثلاً چی؟»

«وقتی یک عصر معمولی‌ام را برایش توصیف کردم و ازش پرسیدم از این توصیف جا خورده یا مشمئز شده، فقط گفت به نظر می‌یاد عصر فوق‌العاده خسته‌کننده‌ای داشته‌ام. این پاسخ شوکه‌ام کرد. باعث شد متوجه بشم شیوه‌ی تکراری به هیجان رسیدنم، چقدر بیخودی تخدیرم کرده.»

تونی پرسید: «و اون یکی؟»

«جولیوس یه بار ازم پرسید دلم می‌خواد روی سنگ قبرم چی حک کنن. وقتی به هیچ جوابی نرسیدم، یه پیشنهاد داد: "مردی که خیلی کر..." و این رو هم اضافه کرد که این جمله رو روی سنگ قبر سگم هم می‌شه نوشت.»

بعضی اعضا سوت یا لبخند زدند. بانی گفت: «جولیوس، این بدجنسیه.»

فیلیپ گفت: «نه، این رو با لحن بدی نگفت، منظورش این بود که شوکه‌م کنه. و این کارو هم کرد و فکر می‌کنم این جمله در تصمیمی که برای دگرگون کردن زندگی‌م گرفتم، نقش داشت. ولی حدس می‌زنم می‌خواستم این وقایع رو فراموش کنم. روشنه که دلم

نمی‌خواد اعتراف کنم درمانش برام مفید بوده.»

تونی پرسید: «می‌دونی چرا؟»

«درباره‌ش فکر کرده‌ام. شاید باهاش احساس رقابت می‌کنم. اگه اون ببره، من می‌بازم. شاید دلم نمی‌خواد اعتراف کنم رویکرد اون در مشاوره که با مال من خیلی متفاوته، مؤثره. شاید دلم نمی‌خواد خیلی بهش نزدیک بشم. شاید اون» فیلیپ با سر به پم اشاره کرد. «حق داره: من نمی‌تونم با زنده‌ها ارتباط برقرار کنم.»

جولیوس گفت: «دست‌کم راحت نمی‌تونی ارتباط برقرار کنی. ولی داری موفق می‌شی.»

***

و گروه چند هفته‌ی دیگر هم به همین شکل ادامه یافت: حضور بی‌عیب‌ونقص، کار سخت پربار و به‌رغم پرسش‌های مضطربانه‌ی مکرر درباره‌ی وضع سلامتی جولیوس و تنش جاری میان پم و فیلیپ، پشتگرمی، صمیمیت، خوش‌بینی و حتا آرامش بر گروه حکمفرما بود.

هیچ‌کس برای بمبی که قرار بود به گروه بخورد، آمادگی نداشت.

وقتی مردی مثل من زاده می‌شود، فقط یک چیز دیگر می‌توان خواست: اینکه در همه‌ی عمرش بتواند تا آنجا که ممکن است خودش باشد و برای نیروهای فکری‌اش زندگی کند.

فصل ۳۵

خوددرمانی

خودزندگینامه‌ی «درباره‌ی خودم» بیش از هرچیز دیگر، رساله‌ی فشرده و خیره‌کننده‌ای‌ست در باب تدابیر خوددرمانگرانه‌ای که به شوپنهاور کمک کردند از لحاظ روان‌شناختی سر پا بماند. گرچه برخی از این تدابیر را در طوفان‌های اضطراب سه صبح ابداع می‌کرد و با سرزدن خورشید، به‌سرعت به دور می‌افکند چون دیگر گذرا و ناکارآمد می‌نمودند، برخی دیگر، سنگرهای ماندگاری از پشتیبانی و حمایت از کار درآمدند. یکی از این‌ها، باور محکم،

دیرپا و تغییرناپذیر او به نبوغش بود:

> حتا در جوانی متوجه شده بودم در حالی که دیگران برای دارایی‌های بیرونی می‌جنگیدند، من مجبور نبودم به چنین چیزهایی رو کنم چون در درون خود گنجی حمل می‌کردم که بی‌نهایت ارزشمندتر از دارایی‌های بیرونی بود؛ و مسئله‌ی عمده‌ام افزودن بر این گنج بود که شروط اصلی‌اش، تکامل ذهنی و استقلال کامل است... . من باید بر خلاف طبیعت و حقوق انسانی، به جای معطوف کردن نیروهایم بر بهبود رفاه خویش، آن‌ها را صرف خدمت به بشریت می‌کردم. خرد من متعلق به خودم نیست، بلکه متعلق به همه‌ی دنیاست.

گفته است باری که نبوغش بر او تحمیل کرده، موجب شده مضطرب‌تر و مشوش‌تر از آنی باشد که بر اساس ساختار توارثی‌اش می‌توانست باشد. یکی از دلایلش این است که نازک‌طبعی نوابغ، باعث می‌شود از درد و اضطراب بیشتری رنج ببرند. در واقع، شوپنهاور خود را متقاعد می‌کند که رابطه‌ی مستقیمی میان اضطراب و هوش وجود دارد. پس نوابغ نه‌تنها متعهدند استعدادشان را به نفع بشریت به کار گیرند، بلکه از آنجا که خود را به طور کامل وقف این مأموریت می‌کنند، ناچارند از بسیاری از رضایتمندی‌ها (خانواده، دوستان، خانه، جمع‌آوری ثروت) که در دسترس سایر انسان‌هاست، چشم بپوشند.

بارها و بارها خود را با خواندن وردهایی که به نبوغش اشاره داشتند، آرام کرده است: «زندگی من، حیاتی قهرمانانه‌ست و با معیارهای نافرهیختگان، کاسبکاران یا مردمان عادی قابل قیاس نیست... . پس نباید از نداشتن چیزهایی که بخشی از روند معمول

زندگی افراد است، افسرده شوم... پس عجیب نیست اگر زندگی شخصی‌ام نامنسجم و بی‌برنامه به نظر آید.» باور شوپنهاور به نبوغش، معنای پایداری در زندگی‌اش پدید آورد: در تمام عمر خود را مُبلِغ حقیقت برای گونه‌ی انسان می‌دانست.

تنهایی دیوی بود که بیش از هرچیز شوپنهاور را به تنگ می‌آورد و دفاع‌هایی ماهرانه در برابر آن افراشته بود. ارزنده‌ترینشان این اعتقاد راسخ بود که او ارباب سرنوشت خویش است: خودش تنهایی را برگزیده؛ نه اینکه تنهایی او را برگزیده باشد. وقتی جوان‌تر بود، می‌گفت تمایل دارد معاشرتی باشد ولی بعد: «علاقه به تنهایی کم‌کم در من پدید آمد، عمداً مردم‌گریز شدم و تصمیم گرفتم باقی این زندگی زودگذر و ناپایدار را وقف خودم کنم.» بارها به خود یادآوری می‌کند «من در زادبوم خود نیستم و در میان موجوداتی همسنگ خود زندگی نمی‌کنم.»

به این ترتیب دفاع‌هایش در برابر تنهایی قدرتمند و عمیق بود: او تنهایی را داوطلبانه برگزیده بود، سایر موجودات، ارزش مصاحبت با او را نداشتند، مأموریتی که با محوریت نبوغش در زندگی بر عهده گرفته بود، فرمان به تنهایی و انزوا داده بود، زندگی نوابغ باید یک «نمایش یک‌نفره» باشد و زندگی خصوصی یک نابغه باید فقط در خدمت یک هدف باشد: تسهیل زندگی اندیشمندانه (بر این اساس «هرچه زندگی خصوصی کوچک‌تر، امن‌تر و بهتر.»)

شوپنهاور گاه از فشار تنهایی شکوه می‌کرد. «همه‌ی عمر به‌شدت احساس تنهایی کرده‌ام و همیشه از عمق وجودم آه برآورده‌ام که "اکنون دیگر یک انسان به من بده" ولی دریغ از یک نفر. در انزوا مانده‌ام ولی صادقانه و شرافتمندانه می‌گویم که خطا از من نبوده است زیرا از هیچ‌کسی که انسان بوده باشد، نه پرهیز

کرده‌ام و نه روی گردانده‌ام.»

همچنین می‌گفت حقیقتاً تنها نبوده است زیرا ـ این هم یکی دیگر از تدابیر قدرتمند خوددرمانی‌ست ـ حلقه‌ی دوستان نزدیک خویش را داشته است: اندیشمندان بزرگ جهان.

فقط یکی از این موجودات یعنی گوته با او معاصر بوده؛ بیشتر آن‌ها به تاریخ باستان به‌ویژه رواقیون ـ که از آنان بسیار نقل قول می‌کند ـ تعلق داشته‌اند. تقریباً تک‌تک صفحات «درباره‌ی خودم» حاوی کلمات قصار یک ذهن بزرگ است در جهت تأیید باورهای خودش. نمونه‌هایش:

> بهترین یاری به ذهن آن است که یک‌بار برای همیشه تمامی پیوندهای عذاب‌دهنده‌ای که دل را در بند خویش گرفتار کرده، بگسلید. اُوید[1]

> هرآنکس که در پی صلح و آرامش است، باید از زنان که سرچشمه‌ی دیرپای مزاحمت و مشاجره‌اند، دوری جوید. پترارک[2]

> برای کسی که تنها به خویش وابسته‌ست و همه‌ی آنچه او را فرا می‌خوانَد، در خود دارد، شادی تمام‌عیار ممکن نیست. سیسرو[3]

یکی از تکنیک‌های مورد استفاده‌ی بعضی سرپرستان

---

۱. Ovid: شاعر رومی ـ م.

۲. Petrarch: شاعر و دانشمند ایتالیایی ـ م.

۳. Cicero: سخنور و دولتمرد رومی ـ م.

گروه‌درمانی یا گروه‌های رشد فردی، تمرین «من که هستم؟» است؛ اعضا هفت پاسخ جداگانه به پرسش «من که هستم؟» بر هفت کارت جداگانه می‌نویسند و سپس کارت‌ها را به ترتیب اهمیت مرتب می‌کنند. بعد از آن‌ها خواسته می‌شود هربار یک کارت را برگردانند، از فرعی‌ترین پاسخ آغاز کنند و تمرکزشان را بر این قرار دهند که چه می‌شود اگر اجازه دهند آن پاسخ از آن‌ها دور شود (یعنی در آن زمینه از خود سلب هویت کنند) تا زمانی که به صفات خودِ «اصلی یا محوری»شان برسند.

شوپنهاور هم شیوه‌ای مشابه داشته و صفات گوناگونی را که به خود نسبت می‌داده، یک به یک دور افکنده تا به آنچه خود محوری‌اش دانسته، رسیده است:

> گاه به این دلیل احساس ناراحتی می‌کردم که خود را غیر از آنچه بودم، می‌پنداشتم و بعد بر فلاکت و رنج آن موجود افسوس می‌خوردم. مثلاً خود را سخنران و مدرسی فرض می‌کردم که به استادی دانشگاه نرسیده و شنونده‌ای ندارد؛ یا خود را کسی می‌دیدم که این نافرهیختگان درباره‌اش سخنان ناشایست می‌گویند یا شایعه‌پراکنان درباره‌اش وراجی می‌کنند؛ یا خود را عاشقی می‌دیدم که دختر محبوبش به او گوش نمی‌دهد؛ یا خود را بیماری می‌دیدم که بیماری خانه‌نشینش کرده؛ و یا خود را کسان دیگری فرض می‌کردم که دچار فلاکت‌هایی از این دستند. من هیچ‌یک از این‌ها نبودم؛ این‌ها پارچه‌های سازنده‌ی تن‌پوشی‌اند که مدتی کوتاه بر تن کرده‌ام و بعد آن تن‌پوش را به دور افکنده‌ام و چیزی دیگر پوشیده‌ام.

پس *من که هستم؟* من آن مردی هستم که کتاب *جهان*

به‌مثابه اراده و بازنمود را نوشته و راه حلی برای مشکل بزرگ هستی پیشنهاد کرده است که شاید تمامی راه حل‌های پیشین را از رواج بیندازد... . من آن مرد هستم و چه‌چیز می‌تواند چنین مردی را در چند سالی که هنوز جان در بدن دارد، بیازارد؟

یک تدبیر آرامش‌بخش مرتبط دیگر باور او به این مسئله بود که دیر یا زود ـ شاید پس از مرگش ـ آثار او شناخته خواهد شد و روند پژوهش فلسفی را به‌شدت دگرگون خواهد کرد. او ابراز این نظر را از جوانی آغاز کرد و باورش به موفقیت نهایی هرگز متزلزل نشد. در این مقوله همانند نیچه و کیرکگور ـ دو اندیشمند مستقل دیگر که در زمان خویش قدرشان شناخته نشد ـ بود. این دو نیز کاملاً (و به درستی) به شهرت پس از مرگشان باور داشتند.

او از هرگونه تسلای ماورای طبیعی دوری می‌کرد و تنها تسلاهایی را می‌پذیرفت که مبتنی بر یک جهان‌بینی طبیعت‌گرایانه بودند. برای نمونه باور داشت رنج حاصل این خطاست که فرض می‌کنیم بسیاری از وضعیت‌های اضطراری زندگی، اتفاقی و در نتیجه اجتناب‌پذیرند. به مراتب بهتر است حقیقت را دریابیم: اینکه درد و رنج، بخشی جدایی‌ناپذیر، گریزناپذیر و ضروری از زندگی‌اند: «بپذیریم چیزی به بخت و اقبال وابسته نیست مگر شکل محض بخت که خودش، خودش را آشکار می‌کند و رنج فعلی ما جایی را می‌آکَنَد که بدون آن، به‌وسیله‌ی رنج دیگری آکنده می‌شد. اگر این طرز فکر به باور زندگی فرد بدل شود، درجات قابل ملاحظه‌ای از بردباری خویشتن‌دارانه را موجب می‌شود.»

او اصرار دارد *هم‌اکنون* زندگی را تجربه کنیم به‌جای آنکه به «امید» آینده‌ای بهتر زندگی کنیم. دو نسل بعد نیچه این فراخوان را

دریافت کرد. او امید را بزرگ‌ترین آفت برای ما به‌شمار آورد و از افلاطون، سقراط و مسیحیت خرده می‌گیرد که چرا توجه ما را از تنها زندگی‌ای که مالک آن هستیم، برمی‌گردانند و آن را به دنیایی واهی در آینده معطوف می‌کنند.

کجایند تک‌همسران واقعی؟ همه‌ی ما برای مدت زمانی و بیشتر ما برای همه‌ی عمر زندگی چندجفتی داریم. و از آنجا که هر مرد به زنان زیادی نیاز دارد، چیزی منصفانه‌تر از این نیست که او را متعهد کنیم زنان زیادی را تأمین کند. این کار زن را به جایگاه حقیقی و طبیعی‌اش به‌عنوان یک موجود زیردست و دون‌پایه تنزل می‌دهد.

فصل ۳۶

جلسه‌ی بعد را پم آغاز کرد. «امروز باید چیزی رو اعلام کنم.»
همه‌ی سرها به‌سوی او برگشت.
«امروز، روز اعترافه. بجنب تونی.»
تونی از جا پرید و صاف نشست، برای مدت زمانی طولانی به پم خیره شد، بعد به پشتی صندلی تکیه داد، دست‌به‌سینه نشست و

چشمانش را بست. اگر کلاه فدورایی[۱] بر سر داشت، حتماً آن را تا روی صورت پایین می‌کشید.

پم با این گمان که تونی قصد اظهار نظر ندارد، با لحن جسور و راحت خود ادامه داد: «مدتیه من و تونی با هم وارد رابطه شده‌ایم و برای من سخته مرتب بیام اینجا و در این باره هیچی نگم.»

پس از سکوت کوتاه و پرهیجانی، پرسش‌ها با تته‌پته از راه رسیدند: «چرا؟» «چی باعث شد شروع بشه؟» «چند وقته؟» «چطور تونستین؟» «چطور پیش می‌ره؟»

پم به‌سرعت و با خونسردی پاسخ داد: «چند هفته‌ای هست. از آینده چیزی نمی‌دونم و نمی‌دونم چی شد که شروع شد؛ قبلاً روش فکر نکرده بودیم ولی یه روز عصر بعد از جلسه اتفاق افتاد.»

ربه‌کا به نرمی پرسید: «تو نمی‌خوای به ما بپیوندی، تونی؟»

تونی به‌آرامی چشمانش را گشود. «برای منم یه خبر تازه‌ست.»

«خبر تازه؟ یعنی می‌گی واقعیت نداره؟»

«نه. منظورم روز اعترافه. این "بجنب، تونی": این برام خبر تازه بود.»

استوارت گفت: «به نظر نمی‌یاد خوشت اومده باشه.»

تونی چرخید و رو به پم گفت: «منظورم اینه که من دیشب پیشت بودم. می‌دونی؟ منظورم صمیمی بودنه. صمیمیت: چند بار اینجا شنیده باشم خوبه که زنا خیلی حساس‌ترن و بیشتر از رابطه‌ی جنسی محض، خواهان صمیمیت بیشترن؟ پس چرا اون قدر صمیمی نبودی که با من درباره‌ش حرف بزنی و این "روز اعتراف"

---

۱. کلاهی نمدین و نرم و دارای فرورفتگی در فرق سر و لبه‌ای که به طرف بالا خمیدگی دارد ـ م.

رو اول با من در میون بذاری؟»

پم با لحنی بدون تأسف گفت: «متأسفم، اوضاعم جفت‌وجور نبود. بعد از اینکه تو رفتی، بیشتر شب رو بیدار و توی فکر بودم. به گروه فکر کردم و متوجه شدم که زمان خیلی کمی باقی مونده: فقط شش جلسه‌ی دیگه باقی مونده. درست شمرده‌ام، جولیوس؟»

«درسته. شش جلسه‌ی دیگه به‌جز این جلسه.»

«خب، یهو متوجه شدم چقدر به تو نارو زده‌ام، جولیوس. و همین جور به قراری که اینجا با همه داشته‌ام. و همین جور به خودم.»

بانی گفت: «هیچ‌وقت نتیجه‌گیری نکردم ولی حس می‌کردم توی این چند جلسه‌ی اخیر یه‌چیزی سر جای خودش نیست. تو عوض شده بودی، پم. یادمه ربه‌کا بیش از یه بار این رو حس کرد. به‌ندرت درباره‌ی مسائل شخصی‌ت حرف می‌زدی: من دیگه نمی‌دونستم بین تو و جان چی می‌گذره یا همسر سابقت هنوز توی صحنه هست یا نه. بیشترین کاری که می‌کردی، حمله به فیلیپ بود.»

گیل افزود: «تونی، تو هم همین طور. حالا که درباره‌ش فکر می‌کنم، می‌بینم تو هم واقعاً عوض شده بودی. یه جورایی قایم می‌شدی. دلم برای اون تونی سابق که راحت برای خودش جولون می‌داد، تنگ شده.»

جولیوس گفت: «چند تا مسئله دارم. اول، چیزی که پم با به‌کار بردن واژه‌ی *قرارداد* ازش حرف زد. می‌دونم حرفم تکراریه، ولی ارزش تکرارو داره به‌خصوص برای اونایی که بعدها ممکنه در گروهی شرکت کنن» ـ جولیوس نگاهی گذرا به فیلیپ انداخت ـ «یا حتا گروهی رو سرپرستی کنن. تنها قراردادی که تک‌تک ما باید

بهش متعهد باشیم اینه که همه‌ی تلاشمونو برای بررسی رابطه‌مون با تک‌تک اعضای گروه بکنیم. خطر یه رابطه‌ی خارج‌ازگروه اینه که *کارِ درمانی رو به مخاطره می‌ندازه*. چطور این کارو می‌کنه؟ *افرادی که توی یه رابطه‌ی تنگاتنگ قرار می‌گیرن، در بیشتر موارد به اون رابطه بیش از کارِ درمانی اهمیت می‌دن*. ببینین دقیقاً چه اتفاقی اینجا افتاده: نه‌فقط تونی و پم رابطه‌شون رو مخفی کرده‌اند ـ که این قابل‌فهمه ـ بلکه در نتیجه‌ی درگیری شخصی‌شون، از کارِ درمانی‌شون در اینجا هم عقب افتاده‌اند.»

پم گفت: «البته تا امروز.»

«دقیقاً. تا امروز: و من کاری رو که امروز کردی، تحسین می‌کنم؛ تصمیمت رو برای مطرح کردن موضوع در گروه تحسین می‌کنم. خوب می‌دونی که می‌خوام چه سؤالایی از تو و تونی بپرسم: *چرا حالا*؟ شماها دوسال‌ونیمه که همدیگه رو توی گروه می‌شناسین. ولی *حالا* اوضاع عوض شده. چرا؟ چند هفته پیش چه اتفاقی افتاد که شما رو به این تصمیم وا داشت که با هم وارد رابطه‌ی نزدیک بشین؟»

پم به‌سوی تونی برگشت، ابروها را بالا برد و به او اشاره کرد پاسخ دهد. تونی ترجمه کرد. «اول آقایون؟ بازم نوبت منه؟ باشه، اشکالی نداره؛ من دقیقاً می‌دونم چی عوض شد: پم رضایت داد و بهم علامت داد "قبول". من از همون اول آماده بودم و اگه اون شش ماه پیش یا دوسال پیش رضایت داده بود، من همون موقع شروع می‌کردم. می‌تونین اسمم رو بذارین "آقای در دسترس."»

گیل گفت: «هی، این همون تونی سابقه که من می‌شناسمش و دوستش دارم. خوش اومدی.»

ربه‌کا گفت: «آسون می‌شه فهمید که چرا عوض شده بودی،

تونی. داشتی با پم راه می‌اومدی و نمی‌خواستی همه‌چیز رو خراب کنی. منطقیه. پس قایم شدی و برای نشون دادن بخش‌های نه‌چندان‌خوبت محتاط شدی.»

تونی گفت: «منظورت بخش جنگلی‌مه؟ شاید آره، شایدم نه. موضوع این قدر هم ساده نیست.»

ربه‌کا پرسید: «یعنی چی؟»

«یعنی اینکه همون "بخش نه‌چندان‌خوب" بود که پم رو تحریک کرد. ولی نمی‌خوام بهش بپردازم.»

«چرا که نه؟»

«دست بردار، ربه‌کا، موضوع روشنه. چرا منو نشونه رفتی؟ اگه من همین جوری به حرف زدن ادامه بدم، باید رابطه‌م با پم رو ببوسم بذارم کنار.»

ربه‌کا سماجت کرد: «مطمئنی؟»

«تو چی فکر می‌کنی؟ اصلاً فکر نمی‌کردم این جوری موضوع رو توی گروه مطرح کنه و اون رو یه قرار قبلی به حساب بیاره و بگه تصمیمش رو گرفته. داره گرمم می‌شه: صندلی داغ[1] داره جدی‌جدی داغ می‌شه.»

جولیوس سؤالش را از پم درباره‌ی زمان شروع رابطه با تونی تکرار کرد و پم در برابر آن به شکل غیرمعمولی دودل بود. «نمی‌تونم از دور نگاهش کنم. هنوز زیادی بهش نزدیکم. اینو می‌دونم که هیچ فکر قبلی و نقشه‌ای براش نداشتم... یه عمل تکانه‌ای یعنی یه جور هوس بود. بعد از یه جلسه با هم قهوه

---

۱. صندلی داغ اصطلاحی‌ست در گروه‌درمانی زمانی که گروه در یک یا چند جلسه، بر یکی از اعضا متمرکز می‌شود ـ م.

خوردیم، فقط ما دو تا بودیم چون بقیه‌ی شما هرکدوم به راه خودتون رفته بودین. دعوتم کرد شام بگیره ـ که این کارو قبلاً خیلی کرده بود ـ ولی این بار من پیشنهاد کردم بیاد خونه‌ی من و یه سوپ خونگی بخوره. اون هم اومد و همه‌چیز از کنترل خارج شد. چرا اون روز و نه زودتر؟ نمی‌تونم بگم. ما قبلاً هم با هم وقت می‌گذروندیم. من درباره‌ی ادبیات با تونی حرف می‌زدم، بهش کتاب می‌دادم بخونه، تشویقش می‌کردم درس خوندن رو دوباره از سر بگیره، و اون هم به من نجاری یاد داد و کمکم کرد یه میز تلویزیون بسازم، یه میز کوچولو. اینا رو تو می‌دونی. چرا رابطه‌مون به اینجا رسید؟ نمی‌دونم.»

جولیوس گفت: «دلت می‌خواد سعی کنی علتش رو پیدا کنی؟ می‌دونم صحبت درباره‌ی چیزی این قدر خصوصی اون هم در حضور یه معشوق آسون نیست.»

«من امروز مصمم اومدم اینجا که کار کنم.»

«خیلی خب، سؤال اینه: به گروه فکر کن: وقتی این رابطه شروع شد، چه چیزای مهمی اینجا در جریان بود؟»

«از وقتی از هند برگشته‌ام، دو تا چیز برام بزرگ شده. اول وضع سلامتی تو. یه بار یه مقاله‌ی عجیب و غریب خوندم که می‌گفت افراد در گروه‌ها جفت پیدا می‌کنن با این امید ناخودآگاه که از زادورودشون یه سرپرست جدید بیرون بیاد، ولی این خیلی دور از ذهنه. جولیوس نمی‌دونم چطور ممکنه مریضی تو منو وادار کرده باشه که بیشتر درگیر رابطه با تونی بشم. شاید ترس از تموم شدن گروه باعث شده من به دنبال پیوند شخصی بادوام‌تری باشم؛ شاید هم خیلی غیرمنطقی تصور کرده‌ام این مسئله باعث می‌شه گروه بعد از یه سال هم ادامه پیدا کنه. فقط دارم حدس می‌زنم.»

جولیوس گفت: «گروها هم مثل آدمان: دلشون نمی‌خواد بمیرن. شاید رابطه‌ت با تونی یه راه پرپیچ‌وخم بوده برای زنده نگه داشتن گروه. همه‌ی گروه‌های درمانی سعی می‌کنن ادامه پیدا کنن، گردهمایی‌های منظم داشته باشن... ولی به‌ندرت این کارو می‌کنن. همون جور که قبلاً بارها اینو گفته‌ام، گروه زندگی نیست؛ یه *تمرین نهایی برای نمایش زندگیه*. همه‌ی ما باید راهی پیدا کنیم تا چیزایی رو که اینجا یاد گرفته‌ایم، به زندگی‌مون در دنیای واقعی منتقل کنیم. پایان سخنرانی.»

جولیوس ادامه داد: «ولی پم، تو گفتی دو تا چیز برات بزرگ شده: یکی‌ش سلامتی من و اون یکی...؟»

«اون یکی فیلیپه. ذهنم رو مشغول کرده. متنفرم که اینجاست. تو گفتی ممکنه حضور اون در نهایت یه نعمت برام باشه، و من بهت اعتماد می‌کنم، ولی تا اینجا چیزی جز بلا نبوده، البته شاید با یه استثنا؛ اون قدر مسحور تنفرم از اون شده‌ام که دلمشغولی‌م با اِرل و جان ناپدید شده. و فکر هم نمی‌کنم دوباره برگرده.»

جولیوس سماجت کرد: «خب پس فیلیپ برات بزرگ شده. آیا ممکنه حضور فیلیپ نقشی در زمان شروع رابطه‌ت با تونی ایفا کرده باشه؟»

«هرچیزی ممکنه.»

«حدست چیه؟»

پم سری به نفی تکان داد. «من ارتباطی نمی‌بینم. بیشتر فکر می‌کنم حشری شده بودم. ماه‌ها بود که با هیچ مردی نبودم. این برای من کم پیش می‌یاد. فکر نمی‌کنم موضوع خیلی پیچیده باشه.»

جولیوس اعضای گروه را از نظر گذراند: «واکنش؟»

استوارت به میان پرید، ذهن تیز و منظمش به نتیجه‌ای رسیده

بود. «قضیه بیشتر از تعارض بین پم و فیلیپه... کلی رقابت این وسط مطرحه. شاید زیادی دارم کشش می‌دم، ولی نظریه‌ی من اینه: پم همیشه جایی کلیدی، یه جایگاه محوری توی گروه داشت: استاد دانشگاه، علامه‌ی دهر، کسی که مسئولیت تعلیم تونی رو به عهده گرفته بود. بعد چه اتفاقی می‌افته؟ چند هفته از گروه می‌ره و وقتی برمی‌گرده، می‌بینه فیلیپ جاش چمباتمه زده. به نظر من این قضیه آدمو درمونده می‌کنه.» استوارت رو کرد به پم. «هر گله و شکایتی که از پونزده سال پیش ازش داشتی، حالا با چیزای دیگه هم قاطی شده و بدتر شده.»

جولیوس پرسید: «و ارتباطش با تونی؟»

«خب، شاید این هم شیوه‌ای برای رقابت بوده. اگه درست یادم مونده باشه، همون موقع‌ها بود که پم و فیلیپ هردو سعی می‌کردن پیشکش‌های تسکین‌دهنده به تو بدن. فیلیپ اون داستان کشتی متوقف توی یه جزیره رو بین همه پخش کرد و یادم می‌یاد تونی خیلی محو اون بحث شده بود.» رو کرد به پم. «شاید این برای تو تهدیدکننده بود؛ شاید دلت نمی‌خواست نفوذتو روی تونی از دست بدی.»

پم جواب داد: «ممنون، استوارت، خیلی روشن‌کننده بود. منظورت اینه که من باید برای رقابت با این زامبی با همه‌ی مردای گروه رابطه برقرار کنم! نگاه تو به توانایی زنا اینه؟»

گیل گفت: «واقعاً که آدم تشویق می‌شه بازخورد بده! و اون شوخی زامبی هم خیلی بی‌ربط بود. من آرامش فیلیپ رو به این ناسزاگویی هیستریک هرروزی ترجیح می‌دم! پم، تو یه خانوم عصبانی هستی. نمی‌تونی مثل دیوونه‌ها رفتار نکنی؟»

جولیوس گفت: «اینا حسای خیلی نیرومندی‌ان، گیل. چه اتفاقی داره می‌افته؟»

«فکر می‌کنم توی این پم جدید عصبانی، خیلی از خصوصیات همسرم رو می‌بینم. و تصمیم گرفته‌ام از بدجنسی هیچ‌کدومشون نگذرم.»

گیل کمی بعد اضافه کرد: «و یه چیز دیگه هم هست. فکر می‌کنم از این همه نامرئی موندن برای پم رنجیده‌ام.» رو کرد به پم. «دارم شخصی و رک‌وراست باهات برخورد می‌کنم؛ می‌خوام بدونی درباره‌ت چه حسی دارم، بهت می‌گم چطوری تو رو قاضی‌القضات می‌بینم ولی تو اصلاً منو نمی‌بینی، هیچی ثبت نمی‌شه، من هم‌چنان مهم نیستم. تو فقط چشمت دنبال فیلیپ و... تونیه. و فکر می‌کنم دارم مسائل مهمی رو باهات در میون می‌ذارم که این هم یکی دیگه از اوناست: فکر می‌کنم می‌دونم چرا جان از قفس پرید: *به دلیل بزدلی‌ش نبود. دلیلش خشم تو بود.*»

پم غرق در فکر خاموش ماند.

جولیوس گفت: «یه عالمه احساسات نیرومند داره می‌ریزه بیرون. بیاین یه نگاهی بهشون بندازیم و سعی کنیم درکشون کنیم. کسی نظری داره؟»

بانی گفت: «من صراحت امروز پم رو تحسین می‌کنم و می‌تونم بفهمم چقدر احساس ناشی بودن می‌کنه. برای دست‌وپنجه نرم کردن گیل با پم هم ارزش قائلم. این یه تغییر مبهوت‌کننده در تونه، گیل و من تحسینش می‌کنم ولی بعضی وقتا آرزو می‌کنم کاش می‌ذاشتی فیلیپ خودش از خودش دفاع کنه. نمی‌فهمم چرا این کارو نمی‌کنه.» رو کرد به فیلیپ. «چرا این کارو نمی‌کنی؟»

فیلیپ سری تکان داد و خاموش ماند.

پم گفت: «اگه حرف نزنه، من به جاش جواب می‌دم. اون داره دستورات آرتور شوپنهاور رو اجرا می‌کنه.» یادداشتی از کیفش

درآورد، آن را مرور کرد و خواند:

- *بدون هیجان صحبت کنید.*
- *خودانگیخته نباشید.*
- *مستقل از دیگران بمانید.*
- *فکر کنید در شهری زندگی می‌کنید که شما مالک تنها ساعت آن شهر هستید که درست کار می‌کند... این خدمت زیادی به شما می‌کند.*
- *بی‌اعتنایی راه کسب احترام است.*

فیلیپ سری به قدردانی تکان داد و گفت: «مطالبی رو که خوندی، تأیید می‌کنم. به نظر می‌یاد نصیحت خوبی برام باشه.»

استوارت پرسید: «اینجا چه خبره؟»

پم یادداشت‌هایش را بالا گرفت و پاسخ داد: «یه نگاه جسته‌گریخته به نوشته‌های شوپنهاور انداخته‌ام.»

پس از سکوتی گذرا، ربه‌کا گروه را از بن‌بست درآورد. «تونی، کجایی؟ توی سرت چی می‌گذره؟»

تونی با تکان دادن سر گفت: «امروز برام حرف زدن سخته. حس می‌کنم دست‌وپام بسته‌ست، انگار منجمد شده باشم.»

در عین غافلگیری همه، فیلیپ پاسخ داد: «فکر می‌کنم می‌فهمم چی دست‌وپات رو بسته. همون جور که جولیوس گفت مثل این می‌مونه که بین دو خواست متضاد گیر کرده باشی: ازت انتظار می‌ره برای کار در گروه، آزادانه احساست رو به زبون بیاری و هم‌زمان داری سعی می‌کنی به تعهدت نسبت به پم وفادار بمونی.»

تونی گفت: «آره، اینو می‌فهمم، ولی فهمیدن کافی نیست، منو از وضعی که توش هستم، در نمی‌یاره. ولی بازم ممنون. و این هم یکی برای تو: چیزی که یه دقیقه پیش گفتی ـ منظورم تأیید حرف

جولیوسه ـ خب، این اولین باره ـ اینکه باهاش نجنگیدی ـ به نظرم این تغییر بزرگیه، مرد.»

فیلیپ پرسید: «گفتی فهمیدن کافی نیست. چه چیز دیگه‌ای لازمه؟»

تونی سری تکان داد. «امروز برام آسون نیست.»

جولیوس رو به تونی گفت: «فکر کنم می‌دونم چی کمکت می‌کنه. تو و پم امروز دارین از هم دوری می‌کنین و احساسات‌تون رو نشون نمی‌دین. شاید نگهشون داشتین که بعداً ازشون حرف بزنین. می‌دونم ناخوشاینده، ولی می‌شه سر صحبت رو همینجا باز کنین؟ می‌شه سعی کنین با هم حرف بزنین نه با ما؟»

«متأسفم. ولی هردوی ما می‌دونستیم این موضوع باید یه وقتی آشکار بشه. درباره‌ش حرف زده بودیم.»

«همین؟ همینو داری بگی؟ و امشب چی می‌شه؟ هنوز با همیم؟»

«ادامه‌ی دیدارمون خیلی ناجوره. قانون اینجا اینه که درباره‌ی همه‌ی روابط حرف بزنیم، و من می‌خوام به قراردادم با گروه پایبند باشم. نمی‌تونم ادامه‌ش بدم؛ شاید بعد از اینکه گروه تموم شد...»

فیلیپ حرف پم را با نشانه‌های غیرمعمولی از سراسیمگی برید: «تو آسون‌ترین و انعطاف‌پذیرترین برخورد رو با قراردادها داری. فقط تا جایی بهشون پایبندی که به نفعت باشن. وقتی من از قرارداد اجتماعی‌ای که در گذشته بین ما بوده، حرف می‌زنم، بهم بدوبیراه می‌گی. ولی خودت قوانین گروهو زیر پا می‌ذاری، وارد بازی‌های پنهانی می‌شی و بوالهوسانه از تونی استفاده می‌کنی.»

پم با صدای بلند بر سر فیلیپ فریاد زد: «تو کی هستی که

بخوای از قرارداد حرف بزنی؟ پس قرارداد بین استاد و دانشجو چی؟»

فیلیپ نگاهی به ساعتش انداخت، از جا برخاست و اعلام کرد: «ساعت ششه. تعهد زمانی من تموم شده.» و اتاق را ترک کرد در حالی که زیر لب می‌غرید: «امروز به اندازه‌ی کافی توی لجن غلت زده‌ام.»

این نخستین باری بود که کسی جز جولیوس جلسه را به پایان می‌برد.

هر عاشقی پس از آنکه سرانجام به وصل رسید، دلسردی و سرخوردگی فوق‌العاده‌ای را تجربه می‌کند؛ و مبهوت می‌ماند که چگونه آنچه با چنان اشتیاقی در پی‌اش بوده، حاصلی بیش از سایر خشنودی‌های جنسی ندارد و در نتیجه، حس نمی‌کند منفعت چندانی نصیبش شده باشد.

فصل ۳۷

ترک اتاق، ذهن فیلیپ را از لجن پاک نکرد. خیابان فیلمور را در حالی قدم‌زنان پایین رفت که اضطراب سراپایش را فراگرفته بود. چه بر سر مجموعه‌ی شگردهای خودآرام‌سازی‌اش آمده بود؟ همه‌ی آنچه این همه مدت برایش سازمندی و آراستگی به ارمغان آورده بود، فرو ریخته بود: نظم و انضباط ذهنی‌اش و چشم‌انداز کیهانی‌اش. در تقلا برای رسیدن به آرامش، به خود دستور داد: تقلا نکن، مقاومت نداشته باش، ذهنت را پاک کن؛ کاری جز تماشای

افکاری که از ذهنت می‌گذرد، نکن. فقط بگذار افکارت از این در وارد خودآگاه شوند و از آن در بیرون بروند.

افکار به راحتی وارد می‌شدند، ولی خروجی در کار نبود. در عوض، تصاویر در ذهنش چمدان می‌گشودند، جامه می‌آویختند و برای خود جا باز می‌کردند. چهره‌ی پم در دیدرس قرار گرفت. بر تصویر او تمرکز کرد و با حیرت متوجه شد این تصویر نشان گذشت این سال‌ها را از خود می‌زداید: جوان و جوان‌تر شد و خیلی زود همان پمی شد که او چندین سال پیش شناخته بود و جلوش ایستاد. بازیابی جوان در پیر چه کار عجیبی بود. او معمولاً مسیر عکس را می‌پیمود یعنی آینده را در حال می‌دید: جمجمه‌ای در زیر پوست صاف و بی‌عیب جوانی.

چه صورت درخشانی داشت! چه صافی و شفافیت مبهوت‌کننده‌ای! چگونه ممکن بود از میان صدها زنی که چهره‌هایشان مدت‌ها پیش محو شده بود، به هم آمیخته بود و به یک چهره‌ی کهن‌نمونه‌ای بدل شده بود، چهره‌ی پم با همه‌ی جزئیاتش این جور در ذهنش مانده باشد؟

بعد با شگفتی متوجه شد که تکه‌خاطرات واضح‌تری از پم جوان در دیدرس قرار گرفته: زیبایی‌اش، حس بیان‌ناپذیر پر شعف و پیروزمندی. نیز یادش آمد که زمانی دراز در آغوش او ـ مانده بود. و دقیقاً به همین دلیل بود که او را خطرناک قلمداد کرده بود و به این نتیجه رسیده بود که دیگر او را نبیند. او نماد تهدید آزادی‌اش بود. فیلیپ آزادی می‌خواست؛ می‌خواست از قیدوبند اشتیاق بگریزد تا بلکه ـ هرچند کوتاه ـ به وادی حقیقی دادوستد بی‌اختیار فیلسوفان راه یابد. تنها پس از رهایی از تنش جنسی بود که می‌توانست به افکار متعالی بیندیشد و به دوستانش ـ اندیشمندان

بزرگی که کتاب‌هایشان را نامه‌های خصوصی به خود می‌پنداشت ـ بپیوندد.

خیال‌پردازی‌های بیشتری به ذهنش راه یافت؛ اشتیاق او را در بر گرفت و با حرکتی ناگهانی از تماشاگاه دور فیلسوفان بیرون کشید. طلب کرد؛ مشتاق شد، می‌خواست. و بیش از هرچیز می‌خواست صورت پم را در دستانش بگیرد. ارتباط محکم و منظم میان افکارش سست شد. یک شیر دریایی را تصور کرد که به‌وسیله‌ی انبوهی از ماده‌گاوان احاطه شده، بعد موجود دورگه‌ای را که بارها و بارها با سروصدای فراوان خود را به نرده‌ی پولادینی می‌کوبد که او را از ماده‌های فحل جدا می‌کند. خود را غارنشین وحشی چماق‌به‌دستی تصور کرد که برای رقبایش خرناس می‌کشد و به آن‌ها اخطار می‌دهد. به ساعدهای عضلانی تونی فکر کرد: به پاپای[1]، ملوان زبلی که اسفناج او را می‌بلعید و قوطی خالی کنسرو را پشت سر رها می‌کرد. حال تهوع داشت. او هم یک دوپا بود.

فیلیپ راهش را عوض کرد و در امتداد بندرگاه پیش رفت، سپس از راه کریسی فیلد به ساحل رسید و در امتداد اقیانوس آرام به راه افتاد، جایی که امواج آرام و رایحه‌ی ابدی نمک اقیانوس آرامَش کرد. از سرما لرزید و دکمه‌های کتش را بست. باد سرد اقیانوس آرام در نور رنگ‌پریده‌ی روز از روی پل گلدن گیت وزیدن گرفت و از او عبور کرد، درست مانند ساعات زندگی‌اش که برای همیشه از او عبور کرده بود بی آنکه گرما یا لذتی بر جای گذارد. باد خبر از سرمای روزهای بی‌پایانی می‌داد که در پیش بود،

---

۱. پاپای نام قهرمان انیمیشنی‌ست که در ایران با عنوان «ملوان زبل» معروف شده است و با خوردن کنسرو اسفناج نیرو می‌گیرد ـ م.

برخاستن در صبح روزهایی قطبی و منجمد که بدون امیدی به خانه، عشق، لمس شدن و شادی آغاز می‌شد. کاخ اندیشه‌های نابش سرد و بدون وسیله‌ی گرمایش بود. چقدر عجیب که هرگز پیش از این متوجه نشده بود. به قدم زدن ادامه داد ولی با این کورسوی آگاهی که خانه‌اش، همه‌ی زندگی‌اش، بر بنیان‌هایی سست و دروغین استوار است.

باید در برابر هر نابخردی، کاستی و پلیدی انسانی گذشت داشته باشیم و به خاطر بسپاریم که آنچه در پیش روی داریم، در واقع نابخردی‌ها، کاستی‌ها و پلیدی‌های خود ماست.

فصل ۳۸

فیلیپ در جلسه‌ی بعد نه از تجربه‌ی وحشتناکش صحبتی به میان آورد و نه از دلایل ترک ناگهانی جلسه‌ی پیش گفت. گرچه حالا حضور فعال‌تری در بحث‌های گروه داشت، همیشه خودش بود که انتخاب می‌کرد در کدام بحث شرکت کند و اعضا آموخته بودند صرف انرژی برای واداشتن فیلیپ به صحبت، فقط هدر دادن انرژی‌ست. بنابراین توجهشان را به جولیوس معطوف کردند و پرسیدند آیا حرکت ناگهانی فیلیپ برای تمام کردن جلسه‌ی هفته‌ی پیش، باعث نشده حس کند جایش را غصب کرده‌اند؟

او پاسخ داد: «هم تلخ بود و هم شیرین. بخش تلخش، احساس جانشین پیدا کردن بود. از دست دادن نفوذ و نقشی که اینجا دارم، نماد همه‌ی پایان‌ها و چشم‌پوشی‌های قریب‌الوقوعه. بعد از جلسه‌ی پیش، شب بدی رو گذروندم. ساعت سه صبح همه‌چیز آدمو ناراحت می‌کنه. غصه‌ی همه‌ی پایان‌هایی که در پیش دارم، به دلم ریخت: پایان گروه، پایان درمان بقیه‌ی بیمارانم و پایان آخرین سال خوب زندگی‌م. خلاصه این بخش تلخش بود. بخش شیرینش افتخارم به شماها بود، و این شامل تو هم می‌شه، فیلیپ. افتخار به دلیل مستقل شدن شماها. درمانگرا مثل پدرمادرا می‌مونن. یه پدر یا مادر خوب کاری می‌کنه که بچه‌ش به اون میزان از استقلال و خودمختاری برسه که خونه رو ترک کنه و مثل یه بزرگسال عمل کنه؛ یه درمانگر خوب هم هدفش اینه که بیماراش رو برای ترک درمان توانمند کنه.»

فیلیپ اعلام کرد: «پس با این حساب یه سوء تفاهم پیش اومده، دلم می‌خواد برطرفش کنم. جلسه‌ی پیش قصد من این نبود که جای تو رو تصاحب کنم. عملم صرفاً برای محافظت از خودم بود: احساس سراسیمگی غیرقابل‌وصفی می‌کردم. خودمو مجبور کردم تا آخر بمونم ولی بعدش دیگه باید می‌رفتم.»

«اینو می‌فهمم، فیلیپ. ولی این روزا دلمشغولی من با هر پایانی اون قدر قویه که ممکنه در موقعیت‌های مساعد و بی‌آزار هم هشداری برای پایان و جانشینی ببینم. این رو هم درک می‌کنم که توی دل این انکارت، محبت و ملاحظه‌ای پنهان شده. و به این دلیل ازت ممنونم.»

فیلیپ به آرامی سر خم کرد.

جولیوس ادامه داد: «به نظر می‌یاد این سراسیمگی و پریشونی‌ای

که ازش حرف زدی، مهمه. می‌خوای بهش بپردازیم؟ فقط پنج جلسه در پیش داریم؛ ازت می‌خوام تا هنوز وقت باقیه، از وجود این گروه استفاده کنی.»

گرچه فیلیپ در سکوت سری تکان داد به نشانه‌ی اینکه هنوز این پرداختن برایش ممکن نیست، مقدر نبود برای همیشه ساکت بماند. در جلسات بعد، بی‌رحمانه به قلب بحث کشیده شد.

***

پم جلسه‌ی بعدی را سرخوشانه و با مخاطب قرار دادن گیل آغاز کرد: «وقت عذرخواهیه! من این مدت بهت فکر کرده‌ام و فکر می‌کنم یه... نه، مطمئنم که یه عذرخواهی بهت بدهکارم.»

گیل هوشیار و کنجکاو بود. «بیشتر بگو.»

«چند ماه پیش به‌شدت بهت انتقاد کردم که هیچ‌وقت اینجا حضور نداری و همیشه اون قدر غایبی و غیرشخصی حرف می‌زنی که نمی‌تونم تحمل کنم حرفاتو گوش بدم. یادته؟ اینا حرفای خیلی خشنی بود...»

گیل به میان صحبت دوید: «خشن، بله، خشن ولی ضروری بود. دوای خوبی بود. باعث شد مسیرم رو پیدا کنم... می‌دونی از اون روز به بعد حتا یه بار هم لب به مشروب نزده‌ام؟»

«ممنون، ولی *این* چیزی نبود که می‌خواستم به خاطرش عذرخواهی کنم... موضوع اتفاقیه که بعد از اون حرفا افتاد. تو عوض *شده‌ای*: حضور داری؛ در اینجا با من بیش از سایرین، صریح و روراست شده‌ای و من اون قدر به فکر خودم بودم که اعتنا نکردم. برای اینه که متأسفم.»

گیل عذرخواهی را پذیرفت. «و بازخوردهایی که بهت دادم، چی؟ هیچ‌کدومش برات مفید بودن؟»

«خب، اون اصطلاح *قاضی‌القضات* روزهای متوالی منو تکون داد. به هدف زدی؛ باعث شد کلی فکر کنم. ولی چیزی که بیشتر توی ذهنم مونده، اینه که گفتی این بزدلی نبود که باعث شد جان حاضر نشه همسرش رو ترک کنه، این کارو نکرد چون نمی‌خواست با خشم من روبه‌رو بشه. این حرف حسابی روم اثر گذاشت، *واقعاً* وادارم کرد فکر کنم. نمی‌تونستم کلماتت رو از سرم بیرون کنم. و می‌دونی؟ به این نتیجه رسیدم که کاملاً حق با توئه و جان حق داشت از من فاصله بگیره. من اونو نه به خاطر نقص‌های *اون*، که به خاطر نقص‌های خودم از دست دادم... . به اندازه‌ی کافی منو شناخته بود. چند روز پیش گوشی تلفنو برداشتم، بهش زنگ زدم و همه‌ی اینا رو بهش گفتم.»

«چطور برخورد کرد؟»

«خیلی خوب... البته بعد از اینکه تونست خودشو از روی زمین جمع کنه. حرفمون با یه گپ دوستانه تموم شد: حرفای معمولی، صحبت درباره‌ی درسایی که باید بدیم، دانشجوهای مشترک، تدریس مشترک. خوب بود. بهم گفت انگار فرق کرده‌ام.»

جولیوس گفت: «خبر خیلی خوبیه، پم. خشمو از سر بیرون کردن، پیشرفت بزرگیه. منم موافقم که تو به کینه‌هات زیادی چسبیده بودی. کاش می‌تونستیم یه تصویر درونی از این فرایند از سر بیرون کردن داشته باشیم تا در آینده بهش بپردازیم... دقیقاً چه جوری این کارو کردی؟»

«کاملاً غیرارادی بود. فکر می‌کنم یه جورایی با ضرب‌المثل تو ـ *وقتی آهن سرده ضربه بزنید* ـ مربوط بود. احساسات من نسبت به جان اون قدر آروم گرفته بود که بتونم عقب بایستم و منطقی فکر کنم.»

ربه‌کا پرسید: «و چسبیدنت به کینه‌ای که از فیلیپ داری، چی؟»

«فکر می‌کنم تو هیچ‌وقت ماهیت اهریمنی رفتار اون رو نسبت به من تصدیق نکردی.»

«درست نیست. درکت کردم... وقتی اولین بار ازش حرف زدی، باهات همدردی کردم... تجربه‌ی خیلی بد و وحشتناکی بوده. ولی آخه پونزده سال؟ معمولاً حسا بعد از پونزده سال آروم می‌گیرن. چه چیزی این آهن رو قرمز و تفته نگه داشته؟»

«دیشب داشتم ـ توی یه خواب خیلی سبک ـ به سرگذشتم با فیلیپ فکر می‌کردم و این تصویر به ذهنم اومد که همه‌ی فکرای وحشتناک مربوط به اون رو جمع می‌کنم و می‌کوبم به زمین تا خرد بشن و بعد خم می‌شم و اون خرده‌ها رو بررسی می‌کنم. می‌تونستم چهره‌ش رو ببینم، آپارتمان مخروبه‌ش رو، جوونی لوث‌شده‌ی خودمو، سرخوردگی‌م از زندگی دانشگاهی رو؛ دوست ازدست‌داده‌ام ـ مولی ـ رو دیدم و همون طور که به اون توده‌ی متلاشی نگاه می‌کردم، می‌دونستم اتفاقی که از سر گذروندم، فقط... فقط غیرقابل بخششه.»

استوارت گفت: «یادمه فیلیپ می‌گفت نبخشیدن و غیرقابل‌بخشش بودن دو تا چیز متفاوته. درست می‌گم، فیلیپ؟»

فیلیپ سر تکان داد.

تونی گفت: «مطمئن نیستم درست فهمیده باشم.»

فیلیپ گفت: «بخشش‌ناپذیر یا غیرقابل‌بخشش، مسئولیت رو بیرون از فرد نگه می‌داره، ولی نبخشیدن، مسئولیت رو بر عهده‌ی فردی می‌ذاره که حاضر نیست ببخشه.»

تونی سر تکان داد: «فرق بین اینکه مسئولیت کارت رو بپذیری یا دیگری رو براش سرزنش کنی؟»

فیلیپ گفت: «دقیقاً. و اون طور که از جولیوس شنیده‌ام درمان وقتی شروع می‌شه که سرزنش تموم بشه و مسئولیت خودشو نشون بده.»

تونی گفت: «بازم از جولیوس نقل قول کردی، خوشم اومد.»

جولیوس گفت: «تو باعث می‌شی کلمات من بهتر به چشم بیان. و دوباره حس می‌کنم داری خودتو نزدیک‌تر می‌کنی. و اینو دوست دارم.»

فیلیپ لبخندی تقریباً نامحسوس زد. وقتی روشن شد که نمی‌خواهد پاسخی دهد، جولیوس پم را مخاطب قرار داد: «پم، چه حسی داری؟»

«راستشو بگم، هاج‌وواج موندم که چطور همه دارن سعی می‌کنن تغییر رو توی فیلیپ ببینن. اون دماغشو پاک می‌کنه و همه کلی آه و اوه می‌کنن. خنده‌داره که حرفای پرطمطراق و مبتذلش این همه عزت و احترام به دنبال می‌یاره.» به تقلید از فیلیپ با لحنی مصنوعی و یکنواخت گفت: «*درمان وقتی شروع می‌شه که سرزنش تموم بشه و مسئولیت خودشو نشون بده.*» بعد با صدای بلند گفت: «و مسئولیت تو چی می‌شه، فیلیپ؟ حتا یه کلمه هم ازش حرف نزدی البته به‌جز اون مزخرفاتی که درباره‌ی عوض شدن سلولای مغزت گفتی و نتیجه گرفتی که این تو نیستی که اون کارا رو مرتکب شده‌ای. نه، اونی که اون کارا رو کرد، تو نبودی.»

پس از سکوتی ناراحت‌کننده، ربه‌کا به نرمی گفت: «پم، دلم می‌خواد اینو بگم که تو *می‌تونی* ببخشی. تو خیلی چیزا رو بخشیده‌ای. گفتی منو برای اون سفرم بخشیدی.»

پم به‌سرعت پاسخ داد: «توی اون ماجرا کسی جز خودت قربانی نشده بود.»

ربه‌کا ادامه داد: «و همه‌ی ما یادمونه که چطور بی‌ملاحظگی‌های جولیوس رو درجا بخشیدی. تو اون رو بخشیدی بدون اینکه بدونی یا بپرسی که آیا هیچ‌کدوم از دوستاش از کار اون صدمه خورده‌ان یا نه.»

پم لحنش را ملایم کرد. «همسرش تازه مرده بوده. شوکه بوده. تصور کنین کسی رو که از دبیرستان عاشقش بودین، از دست بدین. بهش حق بدین.»

بانی وارد بحث شد: «تو ماجراجویی جنسی استوارت رو با زنی که بیمار بوده، بخشیدی و حتا گیل رو برای اینکه مدت‌ها الکلی بودنش رو از ما مخفی کرده بود، بخشیدی. تو بخشش‌های زیادی کرده‌ای. چرا فیلیپ نه؟»

پم سرش را به نفی تکان داد. «بخشیدن گناه یک نفر برای خطایی که در حق دیگری مرتکب شده، یه چیزه و بخشیدنش وقتی خودت قربانی‌ش باشی، یه چیز دیگه... کاملاً یه چیز دیگه‌ست.»

گروه با همدردی گوش داد ولی با وجود این ادامه داد. ربه‌کا گفت: «و پم، من تو رو به این دلیل که تلاش کردی جان دو تا بچه‌ی کوچیکش رو ول کنه، می‌بخشم.»

گیل گفت: «منم همین طور. و بالاخره کاری رو که اینجا با تونی کردی، می‌بخشم. تو چی؟ خودت رو برای اون اعلام "روز اعتراف" و رها کردنش میون جمع بخشیدی یا نه؟ اون کارت خیلی تحقیرکننده بود.»

«من میون همین جمع ازش برای مشورت نکردن درباره‌ی اعتراف عذر خواستم. گناهم بی‌فکری و بی‌ملاحظگی مفرط بود.»

گیل سماجت کرد: «ولی یه چیز دیگه هم هست: خودت رو برای استفاده از تونی می‌بخشی؟»

پم گفت: «استفاده از تونی؟ من از تونی استفاده کردم؟ چی داری می‌گی؟»

«این جوری به نظر می‌یاد که کل این رابطه برای اون یه چیز بود ـ و چیز خیلی مهمی هم بود ـ و برای تو یه چیز دیگه. انگار تو اون قدر که *از طریق* تونی با دیگران حتا فیلیپ ارتباط برقرار کردی، با خودش رابطه نداشتی.»

پم گفت: «اوه، استوارت، ایده‌ی خیلی بنجلیه... اصلاً قبولش ندارم.»

تونی به میان صحبت دوید: «استفاده؟ تو فکر می‌کنی از من استفاده شده؟ هیچ شکایتی از این مسئله ندارم... در واقع همیشه حاضرم این جوری ازم استفاده کنن.»

ربه‌کا گفت: «دست بردار، تونی. بازی در نیار. این قدر با سر کوچیکت فکر نکن.»

یه کم جدی شو، تونی، دیگه وقت زیادی برامون باقی نمونده. واقعاً نمی‌تونی بگی اتفاقی که با پم افتاد، روت اثر نذاشت.»

تونی دست از لبخند زدن برداشت. «خب، حس کردم یهو ولم کردن... می‌دونی، انداختنم دور. ولی هنوز امیدوارم.»

ربه‌کا گفت: «تونی، هنوز خیلی چیزا هست که باید در زمینه‌ی رابطه با یه زن یاد بگیری. التماس رو کنار بذار... باید درخواست کرد نه التماس. انگار داری می‌گی اونا هرجوری که دلشون بخواد می‌تونن با تو رفتار کنن این جوری هم خودتو تحقیر می‌کنی هم اونا رو.»

پم گفت: «من فکر نمی‌کردم که دارم از تونی استفاده می‌کنم. همه‌چیز به نظرم متقابل و دونفره بود. ولی راستش اون موقع زیاد هم در این مورد فکر نمی‌کردم. انگار سپرده بودم به خلبان خودکار.»

فیلیپ به‌آرامی گفت: «همون کاری که من خیلی سال پیش کرده بودم. سپرده بودم به خلبان خودکار»

پم جا خورد. نگاهش چندثانیه بر فیلیپ ماند و بعد به پایین خیره شد.

فیلیپ گفت: «یه سؤال ازت دارم.»

وقتی پم نگاهش را بالا نیاورد، اضافه کرد: «یه سؤال از تو، پم.»

پم سرش را بالا آورد و به او رو کرد. سایر اعضا نگاه‌هایی با هم رد و بدل کردند.

«بیست دقیقه پیش گفتی "سرخوردگی‌م از زندگی دانشگاهی". ولی چند هفته پیش گفته بودی وقتی برای تحصیل دانشگاهی اقدام کردی، خیلی جدی روی رشته‌ی فلسفه و حتا کار روی شوپنهاور فکر می‌کردی. اگه این‌طوره، سؤالم ازت اینه: یعنی *من این قدر معلم بدی بودم؟*»

«من هیچ‌وقت نگفتم تو معلم بدی بودی. تو یکی از بهترین معلمایی بودی که من در عمرم داشتم.»

فیلیپ با شگفتی به پم خیره ماند.

جولیوس اصرار کرد: «فیلیپ درباره‌ی احساست حرف بزن.»

وقتی فیلیپ حاضر نشد پاسخ دهد، جولیوس گفت: «تو همه‌ی حرفای پم، تک‌تک کلماتش رو به خاطر سپردی. من فکر می‌کنم اون برای تو خیلی مهمه.»

فیلیپ خاموش ماند.

جولیوس به‌سوی پم برگشت. «دارم به کلمات تو فکر می‌کنم... اینکه فیلیپ یکی از بهترین معلمایی بوده که تا حالا داشتی. این باید حس یأس و سرخوردگی‌ت رو تشدید کرده باشه.»

«خدا رو شکر که تو همیشه به‌موقع حاضری.»

استوارت کلمات پم را تکرار کرد: «*یکی از بهترین معلمایی که تا حالا داشتی!* من واقعاً هاج‌وواج مونده‌ام. متعجبم که همچین حرف... حرف بلندنظرانه‌ای به فیلیپ زدی. این قدم بزرگیه.»

پم گفت: «زیادی بزرگش نکن. جولیوس درست حدس زد: اینکه اون معلم خوبی بوده، تأثیر منفی کارش رو دوچندان می‌کنه.»

***

تونی تحت تأثیر اظهار نظر گیل درباره‌ی رابطه‌ی او و پم، جلسه‌ی بعد را با مخاطب قرار دادن پم آغاز کرد. «این... برام ناخوشاینده، ولی مدتیه جلوی یه چیزی رو گرفته‌ام. دلم می‌خواد بگم بیشتر از اونی که تا حالا گفته‌ام، نسبت به رابطه‌مون احساس بدی دارم. من هیچ بدی‌ای در حق تو نکرده‌ام... من و تو توی رابطه با هم... همراه بودیم ولی حالا من شده‌ام آدم نامطلوب...»

فیلیپ به‌نرمی زمزمه کرد: «عنصر نامطلوب.»

تونی ادامه داد: «آهان، عنصر نامطلوب. و حس می‌کنم دارم تنبیه می‌شم. دیگه با هم صمیمی نیستیم و فکر می‌کنم دلم برای صمیمیتمون تنگ شده. انگار یه موقعی با هم دوست بوده‌ایم، بعد عاشق و معشوق شده‌ایم و حالا... انگار... توی برزخیم... هیچی باقی نمونده... ازم دوری می‌کنی. و حق با گیله: اون ول کردنم میون جمع خیلی تحقیرکننده بود. حالا هم هیچی ازت گیرم نمی‌یاد، نه رابطه‌ای، نه دوستی‌ای.»

«اوه تونی، خیلی خیلی متأسفم. می‌دونم. اشتباه کردم. من... ما... نباید همچین کاری می‌کردیم. برای منم ناخوشاینده.»

«خب پس چطوره برگردیم به همون جایی که قبل از این ماجرا بودیم؟»

«برگردیم به چی؟»

«فقط دوست باشیم، همین. فقط بعد از گروه با هم باشیم، مثل بقیه که این کارو می‌کنن البته به‌جز این رفیقمون فیلیپ که اون هم قراره همراه بشه.» تونی دست دراز کرد و شانه‌ی فیلیپ را با محبت فشرد. «می‌دونی، درباره‌ی گروه حرف بزنی، برام از کتابا بگی، از این چیزا.»

پم پاسخ داد: «به نظر پخته و بالغانه می‌یاد و... این برای من اولین باره... معمولاً بعد از هر رابطه‌ای، یه قطع رابطه‌ی پرسروصدا و کامل داشته‌ام.»

بانی گفت: «پم، فکر می‌کنم تو به این دلیل از تونی فاصله گرفتی که ترسیدی اون پیشنهاد دوستی رو دعوت دوباره به یه رابطه تلقی کنه.»

«آره، دقیقاً ـ درسته ـ این یه دلیل مهم بود. تونی یه کم زیادی یکدنده و مصممه.»

گیل گفت: «خب، پس راه علاجش روشنه: شک و شبهه‌ها رو برطرف کن. باهاش روراست باش. ابهام همه‌چی رو خراب‌تر می‌کنه. یادمه دوهفته پیش این احتمالو مطرح کردی که شاید شما دو تا بتونین بعد از پایان گروه دوباره با هم باشین... این حرفت واقعی بود یا بیخودی یه چیزی گفتی که از سرخوردگی‌ش کم کنی؟ این کار فقط آب رو گل‌آلود می‌کنه. تونی رو پادرهوا نگه می‌داره.»

تونی گفت: «آره، کاملاً درسته! اون جمله‌ی دوهفته‌پیشت درباره‌ی احتمال ادامه‌ی رابطه‌مون در آینده برام خیلی مهم بود. همه‌ش دارم سعی می‌کنم همه‌چی رو متعادل نگه دارم که اون احتمال رو از دست ندم.»

جولیوس گفت: «و با این کارت، داری از فرصت کار کردن

روی خودت محروم می‌شی اون هم در زمانی که این گروه و من هنوز در اختیارت هستیم.»

ربه‌کا گفت: «می‌دونی چیه، تونی؟ این جور رابطه مهم‌ترین چیز و *تنها* چیز توی دنیا نیست.»

«می‌دونم، می‌دونم، برای همین هم امروز این موضوعو مطرح کردم. بهم فرصت بده.»

جولیوس پس از سکوتی کوتاه گفت: «پس کارتو ادامه بده، تونی.»

تونی رو کرد به پم. «بیا همون کاری رو بکنیم که گیل گفت. مثل آدمای بالغ شک و شبهه‌ها رو برطرف کنیم. تو چی می‌خوای؟»

«من دلم می‌خواد به همون‌جایی برگردیم که قبلاً بودیم. دلم می‌خواد منو برای اعلام اعتراف ببخشی. تو خیلی عزیزی، تونی، و من بهت علاقه دارم. پریروز شنیدم دانشجوهام از اصطلاح *رفیق رختخواب* استفاده می‌کنن... شاید این همون چیزیه که ما بودیم و برای اون موقع هم خوب بود، ولی ایده‌ی خوبی برای حالا یا آینده نیست... گروه در اولویته. بذار روی کارمون در اینجا تمرکز کنیم.»

«من مشکلی باهاش ندارم. موافقم.»

جولیوس گفت: «خب، تونی، پس آزاد شدی. حالا آزادی که از همه‌ی اون چیزایی که قبلاً پیش خودت نگه می‌داشتی، حرف بزنی... درباره‌ی خودت، پم یا گروه.»

***

تونی آزادشده در جلسات باقیمانده به همان نقش مفید خودش بازگشت. پم را واداشت که با احساساتش نسبت به فیلیپ کنار بیاید. وقتی پیشرفت بالقوه‌ای که پس از تمجید او از فیلیپ به‌عنوان یک معلم ممکن بود، به‌وقوع نپیوست، پم را تحت فشار قرار داد

تا سخت‌تر کار کند و ببیند چرا رنجشش از فیلیپ را هم‌چنان داغ و پرحرارت نگه می‌دارد ولی می‌تواند سایر اعضای گروه را ببخشد.

پم پاسخ داد: «قبلاً هم گفته‌ام که بخشیدن دیگران مثل ربه‌کا یا استوارت یا گیل آسون‌تره چون من قربانی خطاهای اونا نبودم. زندگی من با کارای اونا عوض نشده. ولی یه چیز دیگه هم هست. می‌تونم بقیه رو ببخشم چون نشون دادن پشیمونن و مهم‌تر از اون، عوض شده‌ان.

«من هم عوض شده‌ام. حالا دیگه معتقدم می‌شه یه آدم رو بخشید ولی عمل قابل بخشش نیست. فکر می‌کنم شاید بتونم یه فیلیپ تغییریافته رو ببخشم. *ولی اون تغییر نکرده.* می‌پرسین چرا می‌تونم جولیوس رو ببخشم... خب یه نگاه بهش بندازین: اون مدام در حال بخشیدن و دادنه. و من مطمئنم که همه‌تون متوجه شده‌این که اون داره آخرین هدیه‌ی عشقش رو به ما می‌ده: داره بهمون یاد می‌ده چطوری بمیریم. من فیلیپ قدیمی رو می‌شناختم و می‌تونم شهادت بدم اون همون مردیه که اینجا نشسته. حتا شاید سردتر و متکبرتر هم شده.»

پس از مکثی کوتاه افزود: «و بیرون اومدن یه عذرخواهی از دهنش، اونو نمی‌کشه.»

تونی گفت: «فیلیپ عوض نشده؟ من فکر می‌کنم تو همون چیزیو می‌بینی که دلت می‌خواد ببینی. اون همه زنی که قبلاً دنبالشون می‌افتاد... *این تغییره دیگه.*» تونی رو کرد به فیلیپ. «هیچ‌وقت رسماً به زبون نیاوردی، ولی وضعت عوض شده دیگه. درست می‌گم؟»

فیلیپ سری تکان داد. «زندگی من قبلاً خیلی متفاوت بود... دوازده‌ساله که من با هیچ زنی نیستم.»

تونی از پم پرسید: «تو به *این* نمی‌گی تغییر؟»

گیل گفت: «یا اصلاح؟»

پیش از آنکه پم بتواند پاسخی دهد، فیلیپ به میان صحبت دوید. «اصلاح؟ نه، این درست نیست. ایده‌ی *اصلاح* اصلاً در میان نبود. بذارین موضوع رو روشن کنم: من زندگی‌م یا اون جوری که اینجا عنوان شد، اعتیاد جنسی‌م رو به دلایل اخلاقی تغییر نداده‌ام. من عوض شدم چون زندگی‌م یه جور شکنجه بود... دیگه قابل تحمل نبود.»

جولیوس پرسید: «چطوری اون قدم آخر رو برداشتی؟ آیا اتفاق نهایی دیگه‌ای هم در کار بود که با پیش اومدنش، قضیه تحمل‌ناپذیر بشه؟»

فیلیپ تأملی کرد انگار می‌خواست ببیند پاسخ جولیوس را بدهد یا نه. بعد نفس عمیقی کشید و با لحنی بی‌احساس ـ انگار کوکش کرده باشند ـ شروع به سخن گفتن کرد. «یه شب همین جور که داشتم بعد از یه عیاشی طولانی به سمت خونه رانندگی می‌کردم، فکر کردم حالا دیگه به همه‌ی اون چیزی که می‌خواستم، رسیده‌ام. زیاده‌روی کرده بودم. از خود بی‌خود شدم. همه‌چی بوی تعفن گوشت گندیده می‌داد: هوا، دستام، موهام، لباسام، نفسم. و بعد چیزی که به یادم مونده اینه که شهوت قدرت گرفت و آماده بود دوباره سر بلند کنه. *اتفاق نهایی* همون لحظه افتاد. ناگهان زندگی‌م حالم رو به هم زد و شروع کردم به بالا آوردن. و همون موقع بود که» فیلیپ رو کرد به جولیوس «حرفت درباره‌ی نوشته‌ی سنگ قبر به یادم اومد. و همون موقع بود که متوجه شدم حق با شوپنهاوره: زندگی همیشه یه شکنجه‌ست و شهوت، سیراب‌نشدنی. چرخ شکنجه تا ابد می‌چرخه؛ باید برای پایین پریدن از چرخ راهی پیدا

می‌کردم و همون موقع بود که آگاهانه تصمیم گرفتم زندگی‌م رو به سبک اون بنا کنم.»

جولیوس گفت: «و همه‌ی این سال‌ها کمکت کرد؟»

«تا حالا، تا وقتی پام به این گروه باز شد.»

بانی گفت: «ولی فیلیپ، تو حالا خیلی بهتر شده‌ای. خیلی بیشتر ارتباط برقرار می‌کنی، بیشتر می‌شه بهت نزدیک شد. راستشو بگم... اگه اون جوری که اول کار بودی، باقی می‌موندی... اصلاً نمی‌تونم تصورش رو بکنم که من یا هیچ‌کس دیگه‌ای به عنوان مشاور انتخابت کنیم.»

فیلیپ پاسخ داد: «متأسفانه "ارتباط برقرار کردن" توی اینجا یعنی من باید با غم دیگران شریک بشم. همین بدبختی منو بیشتر می‌کنه. بگو ببینم این "ارتباط برقرار کردن" اصلاً چه فایده‌ای داره؟ وقتی "توی زندگی" بودم، بدبخت بودم. در این دوازده سال فقط بازدیدکننده‌ی زندگی بودم، تماشاچی نمایشی که در جریان بود و» ـ فیلیپ انگشتانش را باز کرد و دستش را برای تأکید بالا برد و پایین آورد ـ «در آرامش زندگی می‌کردم. حالا این گروه وادارم کرده دوباره "توی زندگی" قرار بگیرم، و اضطراب و دلهره دوباره سراغم اومده. چند هفته پیش از پریشونی و اضطرابم براتون گفتم. هنوز به تعادل و آرامش سابقم برنگشته‌ام.»

استوارت گفت: «فکر می‌کنم استدلالت یه ایرادی داره، فیلیپ؛ اونجایی که می‌گی قبلاً "توی زندگی" بودی.»

بانی پرید وسط حرف: «منم می‌خواستم همینو بگم. من باور نمی‌کنم که تو هیچ‌وقت *راستی راستی* توی زندگی بوده باشی. تو تا حالا از داشتن یه رابطه‌ی عاشقانه حرف نزده‌ای. تا حالا چیزی از داشتن دوستای مرد یا زن ازت نشنیده‌ام. خودت می‌گفتی که

همیشه فقط شکارچی بوده‌ای.»

گیل پرسید: «حقیقت داره، فیلیپ؟ هیچ‌وقت هیچ رابطه‌ی واقعی‌ای نداشتی؟»

فیلیپ سری به نفی تکان داد. «هرکسی که توی زندگی‌م بوده، فقط مایه‌ی دردسر بوده.»

استوارت پرسید: «پدر و مادرت چی؟»

«پدرم سرد و نچسب بود و فکر می‌کنم افسردگی مزمن داشت. وقتی سیزده‌سالم بود، خودشو کشت. مادرم چند سال پیش مرد، ولی بیست سال بود که ازش دور بودم. در خاکسپاری‌ش هم شرکت نکردم.»

تونی پرسید: «برادر و خواهر چی؟»

فیلیپ سر تکان داد: «تک‌فرزندم.»

تونی حرفش را قطع کرد. «می‌دونی یاد چی افتادم؟ وقتی بچه بودم، بیشتر غذاهایی رو که مامانم می‌پخت، نمی‌خوردم. همیشه می‌گفتم "دوست ندارم"، و اون همیشه جواب می‌داد "وقتی تا حالا نچشیدی‌ش، از کجا می‌دونی دوست نداری؟" حرفای تو درباره‌ی زندگی، منو یاد اون ماجرا می‌ندازه.»

فیلیپ جواب داد: «خیلی چیزا رو می‌شه صرفاً با منطق شناخت. مثل علم هندسه. یا مثلاً قرار گرفتن نصفه‌نیمه در معرض یه تجربه‌ی دردناک، باعث می‌شه آدم تا آخرش رو بخونه. یا مثلاً وقتی آدم یه نگاهی به دوروبرش می‌ندازه، درباره‌ی زندگی دیگران می‌خونه یا زندگی‌شون رو می‌بینه.»

تونی گفت: «ولی مگه اون استاد فکلی‌ت، شوپنهاور، نگفته به تنتون گوش بدین، به ـ چی می‌گفتی؟ تجربه‌ی آنی‌تون؟ ـ اطمینان کنین؟»

«تجربه‌ی بلافصل.»

«آهان، *تجربه‌ی بلافصل*. ولی مگه غیر از اینه که تو داری یه تصمیم بزرگ رو بر اساس اطلاعات درجه‌دو یا دست دوم می‌گیری، منظورم اطلاعاتیه که نتیجه‌ی تجربه‌ی بلافصل خودت نیست؟»

«منظورتو فهمیدم، تونی، ولی من بعد از اون جلسه‌ی "روز اعتراف" یه دل سیر تجربه‌ی مستقیم داشتم.»

جولیوس گفت: «فیلیپ، دوباره برگشتی به اون جلسه. انگار یه نقطه‌ی عطف برات بوده. شاید وقتشه بگی اون روز چه اتفاقی برات افتاد.»

فیلیپ مثل بار قبل، مکثی کرد، نفس عمیقی کشید و بعد به شیوه‌ای روشمند شروع کرد به توصیف تجربه‌اش پس از پایان آن جلسه. همان جور که از پریشانی‌اش و ناتوانی‌اش در به‌کارگیری شیوه‌های آرام‌سازی ذهن حرف می‌زد، آشکارا پریشان و سراسیمه شد. بعد وقتی تعریف کرد که چطور خاطرات زنده‌شده در ذهنش به‌جای آنکه به‌تدریج دور شوند، در ذهنش لانه کردند، قطره‌های عرق روی پیشانی‌اش درخشیدن گرفت. و بعد همان جور که از ظهور دوباره‌ی خوی حیوانی و درنده‌اش می‌گفت، زیر بغل پیراهن قرمز رنگ‌وررورفته‌اش، سراسر مرطوب شد و رگه‌های باریک عرق از چانه و بینی‌اش سرازیر شد و تا گردن پایین رفت. کسی در اتاق مژه نمی‌زد؛ همه مبهوت تراوش کلمات و قطره‌های عرق از دهان و تن فیلیپ بودند.

مکثی کرد، نفس عمیق دیگری کشید و ادامه داد: «افکارم انسجام خودشونو ازدست داده بودن؛ تصاویر درهم‌برهمی به ذهنم هجوم آوردن: خاطراتی که مدت‌ها بود فراموش کرده بودم. چیزایی از

رابطه‌م با پم به یادم اومد. و صورتش رو دیدم، نه صورت فعلی‌ش رو، بلکه صورت پونزده‌سال پیشش با وضوحی استثنایی به ذهنم اومد. صورتش می‌درخشید؛ دلم می‌خواست توی دستم بگیرمش و...» فیلیپ خود را آماده کرده بود که چیزی را ناگفته نگذارد، نه حسادت وقیحانه‌اش را و نه ذهنیت غارنشینی‌اش برای تصاحب پم را و نه حتا تصویر تونی را با ساعدهای ملوان زبل؛ ولی این تعریق شدید اختیار از کفش ربوده بود و سراپا خیسش کرده بود. از جا برخاست و در حالی که می‌گفت: «خیس خیس شدم؛ باید برم»، با گام‌های بلند از اتاق خارج شد.

تونی به دنبال او از جا پرید. سه‌چهار دقیقه بعد هر دو مرد دوباره به اتاق برگشتند؛ حالا فیلیپ ژاکت سن‌فرانسیسکو جاینتز تونی را بر تن داشت و تونی فقط تی‌شرت سیاه چسبانش را.

فیلیپ بی‌آنکه به کسی نگاه کند، فقط با خستگی و فرسودگی آشکار خود را روی صندلی‌اش انداخت.

تونی گفت: «زنده برش گردوندم.»

ربه‌کا گفت: «اگه متأهل نبودم، با این کاری که کردین، می‌تونستم عاشق هردوتون بشم.»

فیلیپ گفت: «حرفی ندارم. برای امروزم کافیه... . شیره‌مو کشیدین.»

ربه‌کا گفت: «شیره‌م؟ این اولین شوخی‌ت توی گروهه فیلیپ، خوشم اومد.»

ای بسا کس که زنجیر خویش نتواند گسست، ولی بندگسل دوست خویش تواند بود. نیچه

فصل ۳۹

سرانجام، شهرت

کمتر چیزی هست که شوپنهاور از آن به اندازه‌ی ولع شهرت بد گفته باشد. و با این حال، چه ولعی برای شهرت داشت!

شهرت در آخرین کتاب او، *تلخیص‌ها و تکمله‌ها* ـ که مجموعه‌ای دوجلدی‌ست از گفتارها، جستارها و کلمات قصار و در سال ۱۸۵۱ یعنی نُه سال پیش از مرگش تکمیل شد ـ نقش بسیار مهمی دارد. او کتاب را با احساس تحقق آرزو و آرامش عمیق به پایان رساند و گفت: «قلمم را خشک می‌کنم و می‌گویم "باقی، سکوت است."»

ولی یافتن ناشر خود چالشی بود: هیچ‌یک از ناشران پیشینش

حاضر نبودند به کتاب دست بزنند، چون بابت آثار خوانده‌نشده‌ی دیگرش، پول زیادی تلف کرده بودند. حتا از شاهکارش، *جهان به‌مثابه اراده و بازنمود*، تنها چند نسخه فروخته بودند و فقط یک نقد نه چندان درخشان درباره‌اش نوشته شده بود. سرانجام یکی از همان «مبلغان» باوفایش، یک کتابفروش برلینی را متقاعد کرد ۷۵۰ نسخه از کتاب را در سال ۱۸۵۳ چاپ کند. قرار بود شوپنهاور ده نسخه‌ی رایگان دریافت کند ولی حق تألیفی در کار نبود.

نخستین جلد *تلخیص‌ها و تکمله‌ها* حاوی جستارهای چشمگیر سه‌گانه‌ای‌ست در باب ارزش نهادن بر خود و حفظ آن. جستار نخست با عنوان «آدمی چیست؟» تعریف می‌کند که چگونه تفکر خلاق حس داشتن ثروتی درونی را در انسان پدید می‌آورَد. چنین شیوه‌ای، اعتمادبه‌نفس می‌آفریند و فرد را قادر می‌سازد بر پوچی و ملال زندگی که خود موجب جست‌وجوی بی‌پایان فتح‌های جنسی، سفر و قمار می‌شود، غلبه کند.

جستار دوم با عنوان «آدمی چه دارد؟»، به موشکافی یکی از شیوه‌های مهمی که برای جبران فقر درونی به کار می‌رود یعنی جمع‌آوری بی‌پایان ثروت که در نهایت ثروت را مالک آدمی می‌کند، می‌پردازد.

در جستار سوم یعنی «آدمی چه می‌نماید؟» است که دیدگاه‌هایش درباره‌ی شهرت را آشکارا بیان می‌کند. ارزشی که فرد برای خود قائل است یا همان ارزش درونی، اصلی‌ترین مزیت فردی‌ست، در حالی که شهرت چیزی ثانوی‌ست، سایه‌ی محض آن ارزش. «ارزش حقیقی نه در شهرت، بلکه در چگونگی ارزش نهادن بر آن است... بزرگ‌ترین شادی یک انسان این نیست که آیندگان چیزی درباره‌اش بدانند، بلکه در آن است که اندیشه‌هایی

بیافریند که شایسته‌ی قرن‌ها تأمل و پاسداری باشد.» عزت نفس و احترام‌به‌خودی که بر ارزشی درونی پایه‌گذاری شود، موجب خودمختاری و نوعی استقلال فردی‌ست که نمی‌توانند از ما بگیرند ـ در اختیار ماست ـ در حالی که شهرت هرگز در اختیار ما نیست.

او می‌دانست چیرگی بر اشتیاق شهرت آسان نیست؛ آن را به «بیرون کشیدن خاری دیرپا و دردناک از تنمان» تشبیه کرده است و با تاکیتوس[۱] هم‌نظر بود که می‌گفت: «عطش شهرت، آخرین چیزی‌ست که خردمندان کنار می‌گذارند.» و خودش هرگز نتوانست عطش شهرت را کنار بگذارد. تلخی حاصل از نبود موفقیت از آثارش می‌تراود. مدام روزنامه‌ها و مجلات را جست‌وجو می‌کرد تا بلکه اشاره‌ای هرچند مختصر به خود یا نوشته‌هایش بیابد. هرگاه در سفر بود، این وظیفه‌ی جست‌وجو را به وفادارترین مبلغش، یولیوس فراوئنشتات[۲]، می‌سپرد. گرچه نتوانست از آزردگی حاصل از نادیده‌گرفته شدن دست بردارد، سرانجام پذیرفت تا زمانی که زنده‌ست، به شهرت نخواهد رسید. در دیباچه‌هایی که بعدها بر آثارش نوشت، آشکارا به نسل‌های آینده‌ای اشاره کرد که او را کشف خواهند کرد.

و آن‌گاه بود که ناممکن، ممکن شد. *تلخیص‌ها و تکمله‌ها*، همان کتابی که در آن به بیهودگی در پی شهرت بودن پرداخته بود، مشهورش کرد. در این آخرین کتاب، بدبینی‌اش را تعدیل کرده بود، جلو شِکوه‌ها و مرثیه‌هایش را گرفته بود و رهنمود خردمندانه‌ای برای چگونه زیستن عرضه کرده بود. اگرچه هرگز از باورش بر اینکه زندگی چیزی نیست جز «لایه‌ی نازکی از کپک که سطح

---

۱. Tacitus مورخ رومی ـ م.

2. Julius Frauenstädt

زمین را پوشانده است» و «پرده‌ی مزاحم و بیهوده‌ای از نمایش آرمیدگی خلسه‌وار نیستی»، دست بر نداشت، در *تلخیص‌ها و تکمله‌ها* مسیر عملگرایانه‌تری را در پیش گرفت. می‌گفت ما چاره‌ای نداریم جز آنکه محکوم به زندگی باشیم پس باید بکوشیم با کمترین میزان درد زندگی کنیم. (شوپنهاور همواره نگاهی منفی‌بافانه به شادی داشت ـ آن را نبود رنج می‌دید ـ و برای این گفته‌ی ارسطو ارزش زیادی قائل بود که: «فرد محتاط در آرزوی بی‌دردی‌ست و نه لذت.»)

بنابراین، *تلخیص‌ها و تکمله‌ها* حاوی درس‌هایی‌ست در باب مستقل اندیشیدن، حفظ هم‌زمان شک‌گرایی و خردپذیری، پرهیز از تسکین‌های التیام‌بخش ماورای طبیعی، درست اندیشیدن به خودمان، کمتر خطر کردن با پرهیز از دلبستگی به آنچه از دست خواهد رفت. با اینکه «همه باید در خیمه‌شب‌بازی بزرگ زندگی بازی کنند و نخی را که ما را به حرکت درمی‌آورد احساس کنند»، با این حال در حفظ چشم‌انداز رفیع فیلسوف همیشه آرامشی هست زیرا از دیدگاه ابدیت، هیچ‌چیز حقیقتاً اهمیتی ندارد و همه‌چیز در گذر است.

تلخیص‌ها و تکمله‌ها معرف سبک تازه‌ای‌ست. در عین آنکه بر رنج فاجعه‌بار و غم‌انگیز هستی تأکید دارد، بُعدی از پیوند و ارتباط بر آن می‌افزاید: ما بی‌چون‌وچرا از طریق همانندی رنجمان به یکدیگر پیوند خورده‌ایم. این مردم‌گریز بزرگ در قطعه‌ای استثنایی، نگاهی دلپذیرتر و ملایم‌تر به همتایان دوپایش می‌افکند:

> برای مخاطب قرار دادن یک مرد دیگر، تنها واژه‌ی واقعاً مناسب به‌جای آقا، موسیو و...، همرنج من است. اگرچه عجیب به نظر می‌رسد، ولی با حقایق همخوانی دارد،

درست‌ترین درک را از آن فرد دیگر به دست می‌دهد و به ما یادآوری می‌کند ضروری‌ترین چیز، مدارا، بردباری، گذشت و عشق به همسایه‌ست؛ اینکه همگی نیازمندیم و از همین رو، همگی مدیون یکدیگر.

چند جمله بعد، شوپنهاور اندیشه‌ای را بر این نوشته می‌افزاید که می‌توانست پاراگراف آغازین یک درسنامه‌ی امروزی روان‌درمانی باشد:

باید در برابر هر نابخردی، کاستی و پلیدی انسانی گذشت داشته باشیم و به خاطر بسپاریم که آنچه در پیش روی داریم، در واقع نابخردی‌ها، کاستی‌ها و پلیدی‌های خود ماست. زیرا این‌ها کاستی‌های گونه‌ی بشر است که ما نیز متعلق به آنیم و در نتیجه همان کاستی‌ها را در درون خویش نهفته داریم. نباید به دلیل این پلیدی‌ها از دیگران آزرده شویم تنها به این علت که تاکنون در ما پدیدار نشده‌اند.

تلخیص‌ها و تکمله‌ها کامیابی بزرگی بود و چندین مجموعه از گزیده‌های آن جداگانه و با عناوینی مردم‌پسندتر منتشر شد (*کلمات قصاری در باب خرد عملی*، *اندرزها و گفته‌ها*، خرد زندگی، *اندیشه‌های پویای شوپنهاور*، *هنر ادبیات*، *دین: یک گفت‌وگو*). خیلی زود کلمات شوپنهاور بر زبان تحصیلکردگان آلمانی جاری شد. حتا در همسایگی آلمان، دانمارک، کیرکگور در سال ۱۸۵۴ در دفترچه‌ی خاطراتش نوشت: «همه‌ی خبرچینان ادبی، روزنامه‌نگاران و جوجه‌نویسنده‌ها خود را با شوپنهاور مشغول کرده‌اند.»

سرانجام تعریف و تمجیدها به جراید سرازیر شد. بریتانیای کبیر، که در واقع زادگاه نویسنده هم بود، نخستین کشوری بود که با نقد درخشانی بر تمامی آثارش (با عنوان «شمایل‌شکنی در فلسفه‌ی

آلمان») در نقدنامه‌ی پرآوازه‌ی *وستمینیستر ریویو*[1] از او تجلیل کرد. کمی بعد این نقد در آلمان ترجمه شد و خوانندگان بسیاری یافت. مقالات مشابهی به‌سرعت در فرانسه و ایتالیا منتشر شد و زندگی شوپنهاور را دستخوش دگرگونی عظیمی کرد.

دیدارکنندگان کنجکاو در انگلیشر هاف گرد می‌آمدند تا فیلسوف را هنگام ناهار ببینند. ریچارد واگنر اپرانامه‌ی اصلی *حلقه‌ی نیبلونگ‌ها* را با تقدیم‌نامه‌ای برایش فرستاد. دانشگاه‌ها شروع کردند به تدریس آثارش، انجمن‌های علمی، دعوت‌نامه‌ی عضویت برایش فرستادند، نامه‌های ستایش‌آمیز به دستش می‌رسید، کتاب‌های قبلی‌اش در کتابفروشی‌ها دوباره ظاهر شد، اهالی شهر هنگام پیاده‌روی‌هایش با او احوال‌پرسی می‌کردند و فروشگاه‌های حیوانات خانگی، با تقاضای زیاد برای پودل‌هایی شبیه سگ شوپنهاور روبه‌رو شدند.

شعف و ازخودبی‌خودی شوپنهاور بسیار آشکار بود. نوشت: «وقتی گربه‌ای مورد توجه قرار می‌گیرد، خرخر می‌کند؛ و بی‌شک زمانی هم که انسان ستایش و تمجید می‌شود، شعف و ازخودبی‌خودی دل‌انگیزی را در چهره‌اش می‌توان دید.» و این امید را بر زبان می‌آورَد که «خورشید صبحگاهی شهرت من با نخستین پرتوهایش، شامگاه زندگی‌ام را روشن کند و تیرگی‌اش را از میان بردارد.» وقتی پیکرتراش پرآوازه، الیزابت نی، برای چهار هفته به فرانکفورت آمده بود تا نیم‌تنه‌ای از او بسازد، آرتور با لذت نوشت: «او همه‌ی روز در خانه‌ی من مشغول کار است. وقتی به خانه می‌رسم، با هم قهوه می‌خوریم، کنار هم بر کاناپه می‌نشینیم و من

---

1. Westminister Review

حس می‌کنم متأهل هستم.»

آرتور بعد از بهترین سال‌های زندگی‌اش ـ دو سالی که در کودکی در لوهاور نزد خانواده‌ی بلزیمر گذرانده بود ـ هرگز از زندگی درون خانه‌اش با چنین مهر و رضایتی سخن نگفته بود.

هیچ انسانی نیست که در پایان عمر ـ در صورتی که سالم باشد و قدرت دماغی‌اش را حفظ کرده باشد ـ آرزو داشته باشد زندگی را از سر گیرد. بیشتر ترجیح خواهد داد که نیستی کامل را برگزیند.

فصل ۴۰

اعضا با احساسات متضادی به جلسه‌ی ماقبل آخر گروه وارد شدند: برخی برای از راه رسیدن پایان گروه غمگین بودند، بعضی به مشکلات شخصی حل‌نشده‌شان می‌اندیشیدند، بعضی جوری به چهره‌ی جولیوس نگاه می‌کردند که انگار می‌خواهند در ذهن نقشش کنند؛ و همگی به‌شدت درباره‌ی پاسخ پم به افشاگری‌های فیلیپ در جلسه‌ی پیش کنجکاو بودند.

ولی پم کنجکاوی‌شان را ارضا نکرد؛ در عوض یک برگ کاغذ از کیفش بیرون کشید، آهسته آن را گشود و بلند بلند خواند:

هرگز یک نجار نزد من نمی‌آید و نمی‌گوید که «به من گوش کن! این خطابه‌ای‌ست درباره‌ی هنر چوب‌بُری.» به جای این کار، قراردادی می‌بندد و خانه را می‌سازد... . شما هم همین کار را بکنید: مثل آدمیزاد بخورید؛ مثل آدمیزاد بنوشید... . ازدواج کنید، بچه‌دار شوید، در گرداندن شهر سهیم شوید، یاد بگیرید چطور با توهین‌ها کنار بیایید و دیگران را تحمل کنید.

بعد رو کرد به فیلیپ و گفت: «حدس بزن نوشته‌ی کیه؟»

فیلیپ با بی‌اعتنایی شانه بالا انداخت.

«استادت، اپیکتتوس. برای همین هم آوردمش اینجا. می‌دونم برات محترمه... یکی از حکایتاش رو برای جولیوس آورده بودی. چرا از اون نقل قول می‌کنم؟ منظورم اشاره به نکته‌ایه که تونی و استوارت و دیگران هفته‌ی قبل پیش کشیدن: اینکه تو هیچ‌وقت "توی زندگی" نبوده‌ای. من معتقدم تو قطعاتی رو از فیلسوفای مختلف دست‌چین و انتخاب می‌کنی تا از موضع خودت دفاع کنی و...»

گیل به میان صحبتش دوید: «پم، این جلسه‌ی یکی مونده به آخر ماست. اگه این هم یکی از اون نطقای آتشین تو برای محکوم کردن فیلیپه، شخصاً فکر نمی‌کنم براش وقت داشته باشم. همون کاری رو بکن که از من خواستی. واقعی باش و از احساساتت حرف بزن. باید نسبت به چیزایی که فیلیپ هفته‌ی پیش درباره‌ت گفت، واکنش‌های شدیدی داشته باشی.»

پم به‌سرعت گفت: «نه، نه، گوش کن ببین چی می‌گم. این کاری به محکومیت و این جور حرفا نداره. انگیزه‌هام فرق کرده. آهن سرد شده. دارم سعی می‌کنم یه چیز مفید به فیلیپ بگم. فکر می‌کنم

خودداری از زندگی فیلیپ با جلب حمایت از فلسفه تشدید شده. اون حرف اپیکتتوس رو وقتی پیش می‌کشه که بهش نیاز داره و وقتی نیازی نداره، همین اپیکتتوس رو نادیده می‌گیره.»

ربه‌کا گفت: «این نکته‌ی مهمیه، پم. روی چیز مهمی انگشت گذاشته‌ای. می‌دونی؟ من از یه دست‌دوم‌فروشی یه نسخه از یه کتاب کوچیک با عنوان خرد *شوپنهاور* خریدم و این چند شب یه نگاهی بهش انداختم. همه جور چیزی توش هست: بعضی‌هاش معرکه‌ان و بعضی‌هاش وحشتناک. یه قطعه توش بود که منو هاج‌وواج کرد. می‌گه اگه بریم قبرستون و به سنگ‌قبرا بکوبیم و از ارواح ساکن در اونا بپرسیم دلشون می‌خواد دوباره زندگی کنن یا نه، همه‌شون به اصرار جواب رد می‌دن.» رو کرد به فیلیپ. «تو این حرفو باور می‌کنی؟» ربه‌کا بی‌آنکه منتظر پاسخ او بشود، ادامه داد: «خب، من که نمی‌کنم. حرفش به کار من نمی‌یاد. من دلم می‌خواد برگردم. می‌شه اینجا رأی بگیریم؟»

تونی گفت: «من که انتخاب می‌کنم دوباره زندگی کنم. زندگی سخته ولی کیف هم داره.» گروه همصدا گفت «منم همین طور.» جولیوس گفت: «فکر تحمل دوباره‌ی درد مرگ همسرم باعث می‌شه یه لحظه شک کنم؛ ولی با این حال جواب من هم بله‌ست. من عاشق زنده بودنم.» فقط فیلیپ ساکت مانده بود.

بعد گفت: «متأسفم ولی من با شوپنهاور موافقم. زندگی از اول تا آخرش رنجه. اصلاً بهتر بود زندگی، کل زندگی از اول نمی‌بود.»

پم پرسید: «برای کی بهتر بود؟ منظورت برای شوپنهاوره؟ روشنه که برای جمعی که توی این اتاقند، بهتر نیست.»

«شوپنهاور در این اعتقاد تنها نیست. میلیون‌ها بودایی رو در نظر بگیر. یادت باشه که اولین حقیقت از چهار حقیقت برتر بودا اینه که

زندگی رنج است.»

«داری جدی حرف می‌زنی، فیلیپ؟ چه بلایی سرت اومده؟ وقتی شاگردت بودم، سخنرانی درخشانی درباره‌ی شیوه‌های مختلف برهان فلسفی داشتی. این چه جور برهانیه؟ اعلام حقیقت؟ اثبات حقیقت با توسل به قدرت؟ و مطمئنم تو هم در بی‌خدایی پیرو شوپنهاوری. و می‌دونی که شوپنهاور افسردگی مزمن داشت و بودا در زمان و مکانی زندگی می‌کرد که رنج انسانی ـ طاعون، گرسنگی ـ فراوون بود و معلومه که اون موقع بیشتر زندگی رنج مطلق بود؟ می‌دونی که...»

فیلیپ با طعنه و بی‌معطلی گفت: «این دیگه چه جور برهان فلسفیه؟ هر دانشجوی نیمچه باسوادی هم فرق بین تکوین و صحت یه نظریه رو می‌دونه.»

جولیوس به میان صحبت دوید: «دست نگه دارین، دست نگه دارین. بذارین همینجا نگهش داریم و یه بررسی کنیم.» گروه را از نظر گذراند. «شماها توی این چند دقیقه‌ی اخیر چه حسی داشتین؟»

تونی گفت: «خوب بود. واقعاً داشتن همدیگه رو مُشتکاری می‌کردن. ولی البته با دستکشای نرم و بالشتک‌دار.»

گیل گفت: «درسته، بهتر از اون ساکت و چپ‌چپ نگاه کردن و خنجر قایم کردنه.»

بانی هم تأیید کرد: «آره، من هم بیشتر پسندیدم. جرقه‌ها همین جور بین پم و فیلیپ در حال پروازن ولی یه کم کوچیک‌تر و ملایم‌تر شدن.»

استوارت گفت: «منم همین طور. ولی تا همین چند دقیقه پیش.»

جولیوس گفت: «استوارت. یادته جلسه‌ی اول گفتی همسرت متهمت می‌کنه که تلگرافی حرف می‌زنی؟»

بانی گفت: «آره، امروز خسیس شده‌ای. چند کلمه بیشتر حرف زدن که خرج نداره.»

«حق با شماهاست. شاید دارم پسرفت می‌کنم چون... می‌دونین این جلسه‌ی یکی مونده به آخره. مطمئن نیستم... احساس ناراحتی نمی‌کنم؛ مثل همیشه باید احساسم رو خودم به وجود بیارم. ولی چیزی که می‌دونم، اینه، جولیوس. من عاشق اینم که این جوری مراقبم باشی، حواست بهم باشه، به مشکلم توجه کنی. چطوره؟»

«عالیه و من هم به این کار ادامه می‌دم. گفتی از حرفای پم و فیلیپ خوشت اومده ولی "تا همین چند دقیقه پیش". خب اون چند دقیقه‌ی آخر چه اتفاقی افتاد؟»

«اول به نظر می‌اومد حسن نیت در کاره... بیشتر شبیه یه مشاجره‌ی خانوادگی بود. ولی اون جمله‌ی آخر فیلیپ، طعنه‌ی زننده‌ای توش بود. منظورم اون جمله‌ایه که با "هر دانشجوی نیمچه باسوادی" شروع شد. ازش خوشم نیومد، فیلیپ. یه جور تحقیر توش بود. اگه این حرفو به من می‌زدی، بهم برمی‌خورد. و یه جور هشدار تلقی‌ش می‌کردم... من حتا نمی‌دونم برهان فلسفی یعنی چی.»

ربه‌کا گفت: «منم با استوارت موافقم. بگو ببینم، فیلیپ، خودت *اون لحظه* چه حسی داشتی؟ می‌خواستی به پم توهین کنی؟»

فیلیپ پاسخ داد: «بهش توهین کنم؟ نه، اصلاً. این آخرین کاری بود که دلم می‌خواست بکنم. از اینکه گفت آهن دیگه داغ و تفته نیست، حس... اِم... *رها شدن* یا *رهایی* داشتم ـ مطمئن نیستم کلمه‌ی درستی رو به کار برده باشم ـ بذار ببینم دیگه چه حسی هست؟ می‌دونستم یکی از انگیزه‌هاش برای نقل قول از اپیکتتوس گیر انداختن و هاج‌واج کردن منه. این روشن بود. ولی اون حرفی هم

که جولیوس وقتی اون حکایتو براش آورده بودم، بهم زد توی ذهنم بود: اینکه از تلاشم و محبتی که پشت این عمل هست، خوشحاله.»

تونی گفت: «خب، پس بذار من خودمو جای جولیوس جا بزنم. چیزی که می‌شنوم اینه که تو نیت دیگه‌ای داشتی ولی نتیجه‌ی حرفت یه چیز کاملاً متفاوتی شد.»

فیلیپ هاج‌وواج مانده بود.

تونی گفت: «منظورم اینه که گفتی توهین به پم آخرین چیزی بود که توی دنیا می‌خواستی. ولی دقیقاً بهش توهین کردی. غیر از اینه؟»

فیلیپ با بی‌میلی سری به تأیید تکان داد.

تونی با لحن وکیلی که بازپرسی موفقی انجام داده، ادامه داد: «پس لازمه که نیتت رو با رفتارت هم‌جهت کنی. باید با هم *همخوانی* داشته باشن. کلمه‌ش رو درست گفتم؟» تونی نگاهی به جولیوس انداخت که سرش را به نشانه‌ی تأیید تکان می‌داد. «و به همین *دلیله* که باید درمان بشی. همخوانی هدف هر درمانیه.»

فیلیپ گفت: «برهان خوبی بود. من برهانی برای رد کردنش ندارم. حق با توئه. برای همینه که نیاز به درمان دارم.»

تونی مطمئن نبود درست شنیده باشد: «چی؟» نگاهی به جولیوس انداخت که داشت سرش را به نشانه‌ی تحسین تکان می‌داد.

ربه‌کا خودش را روی صندلی رها کرد و گفت: «یکی منو بگیره، دارم غش می‌کنم.»

بانی و گیل هم همین کار را کردند و یکصدا گفتند: «منم همین طور.»

فیلیپ نگاهش را در اتاق گرداند و با دیدن نیمی از گروه که

خود را به بیهوشی زده بودند، برای نخستین بار از زمانی که وارد گروه شده بود، لبخند زد.

فیلیپ با برگشت به شیوه‌ی خودش در مشاوره، به سبک‌سری گروه پایان داد. «بحث ربه‌کا درباره‌ی نظر شوپنهاور درباره‌ی سنگ‌قبر و مرده‌ها نشون می‌ده رویکرد من یا هر رویکردی که بر اساس دیدگاه اون بنا شده باشه، بی‌ارزشه. ولی شماها یادتون رفته که من سال‌ها با مصیبتی دست‌به‌گریبان بودم که جولیوس هم نتونسته بود درمانش کنه و من فقط با پیروی از شوپنهاور درمان شدم.»

جولیوس بی‌درنگ به حمایت از فیلیپ برخاست. «انکار نمی‌کنم که کارت خیلی خوب بوده. بیشتر روان‌درمانگرا معتقدن ممکن نیست کسی بتونه سر خود از پس اعتیاد شدید جنسی بر بیاد. درمان امروزی یه درمان طولانی‌مدت ـ منظورم چندین ساله ـ ست با برنامه‌ی ساختاریافته‌ی دوازده مرحله‌ای برای بهبودی که هم جلسات فردی و هم جلسات گروهی چند بار در هفته رو شامل می‌شه. ولی اون موقع چنین برنامه‌هایی در کار نبود و بی‌تعارف، بعید می‌دونم که اگر هم بود، تو باهاش کنار می‌اومدی.»

جولیوس ادامه داد: «بنابراین می‌خوام بگم تو شاهکار کرده‌ای: شیوه‌هایی که برای کنترل غریزه‌ی مهارنشدنی‌ت به کار گرفتی، نتیجه دادن و خیلی بهتر از شیوه‌های من بودن با اینکه من همه‌ی سعی‌ام رو کرده بودم.»

فیلیپ گفت: «خودم هم هیچ‌وقت غیر از این فکر نکردم.»

«ولی یه سؤالی اینجا مطرحه، فیلیپ: آیا این احتمال رو می‌دی

که شیوه‌ی تو حالا دیگه منسوخ[1] شده باشه؟»

تونی پرسید: «من... چی چی؟»

فیلیپ که کنار تونی نشسته بود، زمزمه کرد: «یه ترکیب لاتینه. یعنی *ازمدافتاده، کهنه، بلااستفاده*.»

تونی با اشاره‌ی سر تشکر کرد.

جولیوس ادامه داد: «یه روز که داشتم فکر می‌کردم چطور این مسئله رو باهات مطرح کنم، یه تصویری به ذهنم اومد. یه شهر باستانی رو تصور کن که دیوارهای بلندی دورتادورش ساخته باشند تا از سیلاب وحشی رودخونه‌ی مجاورش در امان باشه. قرن‌ها بعد، با اینکه اون رودخونه مدت‌هاست خشک شده، شهر هنوز داره سرمایه‌ی زیادی رو برای حفظ اون دیوار صرف می‌کنه.»

تونی گفت: «منظورت ادامه‌ی استفاده از یه راه حله زمانی که مسئله مدت‌هاست از بین رفته... درست مثل پانسمان زخمی که مدت‌هاست خوب شده.»

جولیوس گفت: «دقیقاً. شاید این پانسمان زخم تشبیه خیلی مناسب‌تری باشه.»

فیلیپ، تونی و جولیوس را مخاطب قرار داد: «موافق نیستم که زخمم خوب شده یا اون دیوار زیادیه. همین ناراحتی بیش از اندازه‌ی من توی این گروه هم برای اثباتش کافیه.»

جولیوس گفت: «معیار خوبی نیست. تو تجربه‌ی کمی از صمیمیت، ابراز مستقیم احساسات، بازخورد گرفتن و خودافشاگری داری. اینا همه‌شون برات تازه‌ان؛ تو سال‌ها در عزلت بودی و من ناگهان پرتابت کردم وسط این گروه پرزور. معلومه که نباید

---

1. superannuated

احساس خوشایندی داشته باشی. ولی اشاره‌ی من در واقع به مسئله‌ی اصلیه، به اجبار جنسی‌ت... شاید دیگه از بین رفته باشه. سنت رفته بالا، اصلاً شاید دیگه به سرزمین آرامش غدد جنسی قدم گذاشته باشی. جای قشنگیه، آب‌وهوای آفتابی خوبی داره. من سال‌هاست که با آسایش تمام ساکنشم.»

تونی افزود: «می‌خوام بگم شوپنهاور درمانت کرده ولی حالا دیگه نیاز داری یکی در برابر درمان شوپنهاور ازت حفاظت کنه.»

فیلیپ دهانش را گشود تا پاسخ دهد ولی دوباره آن را بست و به جمله‌ی تونی فکر کرد.

جولیوس افزود: «یه چیز دیگه: وقتی به تنشت در گروه فکر می‌کنی، وظیفه‌ی سنگین و احساس گناهی رو که اینجا باهاش روبه‌رو شدی ـ برخورد اتفاقی‌ت رو با یه نفر که از گذشته‌ت اومده بود ـ فراموش نکن.»

پم گفت: «من چیزی درباره‌ی احساس گناه از فیلیپ نشنیدم.»

فیلیپ بی‌درنگ و رو به پم پاسخ داد: «اگه اون موقع چیزی رو که الآن می‌دونم، می‌دونستم ـ یعنی درد و رنجی رو که سال‌ها تحمل کردی ـ *هرگز کاری رو که اون موقع کردم، نمی‌کردم*. همون جور که قبلاً گفتم، تو بدشانس بودی که سر راه من قرار گرفتی. من اون موقع آدمی بودم که به عواقب کارش فکر نمی‌کرد. خلبان خودکار... اون آدم فقط یه خلبان خودکار بود.»

پم سری تکان داد و نگاهش با نگاه فیلیپ تلاقی کرد. فیلیپ لحظه‌ای این نگاه را تاب آورد و بعد توجهش را به جولیوس معطوف کرد. «من منظورت رو از میزان تنش بین فردی در این گروه می‌فهمم. ولی اصرار دارم بگم که این فقط بخشی از تصویره. و علت اینکه جهت‌گیری اصلی ما تا این حد با هم متفاوته هم

همینه. قبول دارم که ارتباط با موجودات دیگه تنش داره. شاید پاداشی هم در بین باشه ولی اعتراف می‌کنم که خودم این دومی رو هرگز تجربه نکرده‌ام. برعکس، متقاعد شده‌ام که هستی مساوی‌ست با تراژدی و رنج. اجازه بده فقط برای دو دقیقه به شوپنهاور استناد کنم.»

فیلیپ بی‌آنکه معطل گرفتن پاسخ شود، خیره به سقف شروع کرد به از بر خواندن:

در اصل یک انسان هرگز شاد نیست بلکه همه‌ی عمرش را به پیکار برای دستیابی به چیزی می‌گذارند که می‌اندیشد شادی می‌آورد؛ به‌ندرت به هدفش می‌رسد و وقتی هم می‌رسد، نتیجه‌اش فقط یأس و نومیدی‌ست: سرانجامش ناکامی و کشتی‌شکستگی‌ست و بی دکل و بادبان به بندر رسیدن. و آن‌گاه فرقی نمی‌کند که شاد باشد یا فلک‌زده؛ چون زندگی‌اش هرگز چیزی جز لحظه‌ی اکنون نبوده که همواره در حال از دست رفتن است؛ و اکنون نیز به پایان رسیده است.

پس از سکوتی طولانی ربه‌کا گفت: «لرزه به تنم انداخت.»

بانی گفت: «منظورتو می‌فهمم.»

پم خطاب به گروه گفت: «می‌دونم دارم شبیه یه استاد زبان انگلیسی عصاقورت‌داده رفتار می‌کنم ولی اصرار دارم مراقب باشین این لفاظی گمراهتون نکنه. این نقل قول هیچ چیز به‌دردخوری به چیزایی که فیلیپ تا حالا گفته، اضافه نمی‌کنه؛ فقط همونا رو به زبونی متقاعدکننده‌تر بیان می‌کنه. شوپنهاور نویسنده‌ی فوق‌العاده و صاحب‌سبکی بود و نثرش از همه‌ی فیلسوفا ـ البته به‌جز نیچه ـ بهتر بود... هیچ‌کس به پای نیچه نمی‌رسه.»

جولیوس گفت: «فیلیپ، می‌خوام به صحبتت درباره‌ی جهت‌گیری‌های اصلی‌مون جواب بدم. من باور ندارم اون قدری که تو فکر می‌کنی، از هم فاصله داریم. من با تراژدی موقعیت انسانی که تو و شوپنهاور ازش گفتین، مخالفتی ندارم. ولی وقتی به سؤال چه *باید* کرد می‌رسیم، تو به مشرق می‌ری و من به مغرب. اینکه چطور باید زندگی کنیم؟ با میرایی‌مون چطور کنار بیاییم؟ چطور با این آگاهی زندگی کنیم که ما فقط پیکره‌های زنده‌ای هستیم که به درون جهانی کاملاً بی‌اعتنا به ما و بدون هدفی ازپیش‌تعیین‌شده پرتاب شده‌ایم؟»

جولیوس ادامه داد: «همون جور که می‌دونی، با اینکه بیشتر از سایر روان‌درمانگرا به فلسفه علاقه دارم، ولی متخصص این رشته نیستم. با این حال، متفکران جسور دیگه‌ای رو می‌شناسم که از این حقایق غیرمنصفانه‌ی زندگی جا نخوردن و به راه حل‌هایی کاملاً متفاوت با راه حل شوپنهاور رسیدن. مشخصاً دارم به کامو، سارتر و نیچه فکر می‌کنم که همه‌شون به‌جای کناره‌گیری بدبینانه‌ی شوپنهاور، طرفدار درگیر شدن با زندگی بودند. یکی‌شون که خوب می‌شناسمش، نیچه بود. می‌دونی، وقتی تازه سرطانم رو تشخیص داده بودن و من گرفتار دلهره و دستپاچگی بودم، کتاب چنین گفت زرتشت رو باز کردم که هم آرومم کرد و هم الهام‌بخشم شد ـ به‌خصوص اون گفته‌اش در بزرگداشت زندگی که می‌گه باید جوری زندگی کنیم که اگر فرصت دوباره و دوباره زیستن همین زندگی رو بهمون پیشکش کنند، بگوییم آری.»

فیلیپ پرسید: «چطور این جمله آرومت کرد؟»

«به زندگی‌م نگاه کردم و حس کردم درست زندگی کرده‌ام: هیچ پشیمونی درونی ندارم گرچه از وقایع بیرونی که همسرم رو ازم

گرفت، بیزارم. بهم کمک کرد تصمیم بگیرم روزهای باقیمونده از زندگی‌م رو چطور زندگی کنم: باید دقیقاً همون کاری رو ادامه می‌دادم که همیشه به زندگی‌م رضایت و معنی بخشیده بود.»

پم گفت: «من از این رابطه‌ات با نیچه خبر نداشتم، جولیوس. این باعث شد خودم رو بهت نزدیک‌تر حس کنم چون زرتشت با وجود غلوآمیز بودنش، یکی از محبوب‌ترین کتابای منه. بذار عبارت محبوبم رو هم برات بگم. اونجایی که زرتشت می‌گه: "همین بود زندگی؟ پس یک بار دیگر!" من عاشق آدمایی‌ام که زندگی رو با آغوش باز می‌پذیرن و کسانی که ازش دوری می‌کنن، حوصله‌م رو سر می‌برن ـ یاد وجای توی هند افتادم ـ برنامه‌ام برای ستون شخصی‌م که توش می‌نویسم اینه که شاید گفته‌ی نیچه رو کنار گفته‌ی شوپنهاور بذارم و از پاسخگوها بخوام بین این دو انتخاب کنند. این کار "نه‌گویان" رو جدا می‌کنه.»

پم رو کرد به فیلیپ و گفت: «یه فکر دیگه هم دارم که می‌خوام با بقیه سهیم بشم. فکر کنم واضحه که بعد از جلسه‌ی قبل خیلی درباره‌ت فکر کردم. دارم یه واحد زندگینامه‌نویسی رو تدریس می‌کنم و هفته‌ی پیش توی مطالبی که براش می‌خوندم به یه قطعه‌ی فوق‌العاده در زندگینامه‌ی مارتین لوتر اثر اریک اریکسون برخوردم. می‌گفت: "*لوتر روان‌نژندی‌اش را تا درجه‌ی یک بیماربودگی جهانی بالا برد و سپس کوشید آنچه را نمی‌توانست برای خود حل کند، برای دنیا حل کند.*" معتقدم شوپنهاور هم مثل لوتر در دام همین اشتباه افتاد و تو هم داری از اون پیروی می‌کنی.»

فیلیپ با لحنی آشتی‌جویانه پاسخ داد: «شاید روان‌نژندی یه ساختار اجتماعی باشه و شاید ما برای مزاج‌های مختلف، به گونه‌ی متفاوتی از درمان و گونه‌ی متفاوتی از فلسفه نیاز داریم: یه رویکرد

برای اونایی که از نزدیک شدن به دیگران انرژی می‌گیرن و یه رویکرد دیگه برای اونایی که زندگی ذهنی رو انتخاب می‌کنن. مثلاً تعداد بالای افرادی رو در نظر بگیر که برای مراقبه به خلوتگاه‌های بودایی می‌رن.»

بانی گفت: «فیلیپ، این حرفت منو یاد چیزی انداخت که می‌خواستم بهت بگم. فکر می‌کنم در نگاهت به آیین بودا یه چیز رو از قلم انداخته‌ای. من به خلوتگاه‌های بودایی‌ای رفته‌ام که توی اونا تمرکز رو به دنیای بیرون یعنی به‌سوی مهربانی و ارتباط هدایت می‌کنن و نه تنهایی و انزوا. یه بودایی خوب می‌تونه برای محبت به دیگران توی دنیا فعالیت کنه، حتا فعال سیاسی باشه.»

جولیوس گفت: «پس داره روشن می‌شه که خطای گزینشی تو روابط انسانی رو هدف گرفته. یه مثال دیگه می‌زنم: تو درباره‌ی مرگ یا تنهایی از چند تا فیلسوف نقل قول کردی ولی هیچ‌وقت نگفتی همین فیلسوفا ـ منظورم فیلسوفان یونانیه ـ از لذت و شادی حاصل از *فیلیا* یا دوستی چی گفته‌اند. یادمه یکی از سرپرستانم عبارتی از اپیکور رو نقل می‌کرد که می‌گفت دوستی مهم‌ترین عنصر یه زندگی شاده و خوردن بدون حضور یه دوست صمیمی، به زندگی شیر یا گرگ بیشتر شبیهه. و تعریف ارسطو از دوست ـ کسی که هرچی رو بهتر و سالم‌تره در دیگری تشویق می‌کنه ـ به تعریف من از روان‌درمانگر آرمانی خیلی نزدیکه.»

جولیوس پرسید: «فیلیپ، همه‌ی حرفای امروز چه حسی در تو ایجاد کرده؟ نکنه داریم زیادی تحت فشار می‌ذاریمت؟»

«وسوسه شده‌ام این جوری از خودم دفاع کنم که هیچ کدوم از فیلسوفای بزرگ هیچ‌وقت ازدواج نکرده‌ان جز مونتنی که اون قدر به خونواده‌ش بی‌علاقه بود که حتا نمی‌دونست چند تا بچه داره.

ولی حالا که فقط یه جلسه از گروه باقی مونده، فایده‌ش چیه؟ وقتی به همه‌ی آموزه‌م و همه‌ی نقشه‌هایی که برای مشاور شدنم کشیده بودم، حمله شده سخته یه شنونده‌ی راهگشا و مصلح باقی بمونم.»

«از طرف خودم می‌گم که حرفت درست نیست. خیلی چیزا هست که می‌تونی در اختیار دیگران بذاری، تا همینجا هم کمک‌ای زیادی به اعضای گروه کرده‌ای. درست نمی‌گم؟» جولیوس گروه را از نظر گذراند.

پس از آنکه دیگران با سر تکان دادن‌های محکم برای فیلیپ، حرف او را تأیید کردند، جولیوس ادامه داد: «ولی اگه قراره مشاور بشی، *باید* وارد جامعه بشی. می‌خوام بهت یادآوری کنم خیلی از کسایی که به تو مراجعه می‌کنن - شرط می‌بندم بیشترشون - درباره‌ی روابط بین‌فردی‌شون ازت کمک می‌خوان و اگه می‌خوای به‌عنوان یه درمانگر خودت رو تقویت کنی، *باید* در این زمینه تبحر پیدا کنی؛ راه دیگه‌ای نداری. فقط یه نگاهی به این گروه بنداز: همه به دلیل روابط پرکشمکش وارد گروه شده‌اند. پم به دلیل مشکلی که با مردان حاضر در زندگی‌اش داشت، به گروه پیوست، ربه‌کا اومد چون ظاهرش روی رابطه‌ش با دیگران اثر می‌ذاشت، تونی به ما پیوست چون رابطه‌ی ویرانگری با لیزی داشت و با مردای دیگه هم مدام دعوا می‌کرد و بقیه هم همین جور.»

جولیوس مکثی کرد و بعد تصمیم گرفت از همه‌ی اعضا بگوید: «گیل به دلیل مشکلات زناشویی وارد گروه شد. استوارت اومد چون زنش تهدید کرده بود ترکش می‌کنه؛ بانی هم به دلیل تنهایی و مشکلاتی که با دختر و همسر سابقش داشت، اینجاست. می‌بینی که نمی‌شه روابط رو نادیده گرفت. و فراموش نکن مسئله‌ی ارتباط

مهم‌ترین دلیلی بود که باعث شد بهت اصـرار کـنم پـیش از اونکـه سرپرستی‌ت رو به عهده بگیرم، به گروه بپیوندی.»

«شاید امیدی برام وجود نداره. فهرست روابط مـن در گذشـته و حال، کاملاً سفیده. نه با خونواده، نه با دوسـتان رابطـه‌ای نداشـته‌ام. تنهایی‌م برام عزیزه ولی فکر می‌کـنم وسـعتش اون قـدر زیـاده کـه شماها رو شوکه می‌کنه.»

تونی گفت: «یکی‌دوبار بعد از گروه ازت پرسیدم دلت مـی‌خـواد یه چیزی با هم بخوریم. تو همیشـه رد کـردی و مـن ایـن جـوری برداشت کردم که برنامه‌ی دیگه‌ای داری.»

«دوازده‌ساله که با یه آدم دیگه غذا نخورده‌ام. شاید تصادفی و بـا عجله یه ساندویچ با کسی خورده باشم، ولی نه غذای واقعـی. حـق با توئه، جولیوس، فکر کنم اپیکور اگه من رو می‌شناخت، می‌گفـت مثل یه گرگ زندگی می‌کنم. چند هفته پیش، بعـد از اون جلسـه‌ای که خیلـی ناراحـت شـده بـودم، یکـی از فکرایـی کـه تـوی ذهـنم می‌گشت این بود که کاخی که تـوی فکـرم بـرای زنـدگی‌م سـاخته بودم، هیچ گرمایی نداره. گروه گرمه. این اتاق گرمه ولی بـر جـایی که من زندگی می‌کنم، سرمای قطب حاکمه. عشق هم همین جـور، کاملاً با من بیگانه‌ست.»

تونی گفت: «بین اون صدها زنی که ازشـون گفتـی، حتمـاً بایـد عشقایی در کار بوده باشه. باید حسشون کرده باشی. بعضـی از اونـا شاید عاشقت بوده‌اند.»

«اون مال خیلی وقت پیشه. از هر کدوم که عشقی به من داشتند، با همه‌ی وجود دوری کردم. حتا اگه عشقی حس کرده باشن، عشق به من نبوده ـ بـه مـن واقعـی ـ بلکـه عشـق بـه نـوع عمـل مـن و شگردایی بوده که به کار می‌بردم.»

جولیوس پرسید: «توی واقعی چیه؟»

لحن فیلیپ به‌طرز شدیدی جدی شد. «یادت می‌یاد وقتی تازه همدیگه رو دیده بودیم، شغلم چی بود؟ یه سمپاش بودم: یه شیمی‌دان زرنگ که راه‌هایی برای کشتن حشرات یا عقیم کردنشون ابداع می‌کرد، اون هم به‌وسیله‌ی هورمون‌های خودشون. این به نظرت چطوره؟ قاتلی که با تفنگ هورمونی می‌کشه.»

جولیوس اصرار کرد: «فیلیپ واقعی چیه؟»

فیلیپ مستقیم به چشم‌های جولیوس خیره شد: «یه هیولا. یه شکارچی. تنها. قاتل حشرات.» چشمانش پر از اشک شده بود. «پر از خشم کور. نجس و ناپاک. هیچ کدوم از کسایی که منو می‌شناختن، هیچ‌وقت دوستم نداشتن. هیچ‌وقت. هیچ‌کس *نمی‌تونست* عاشقم باشه.»

ناگهان پم برخاست و به‌سوی فیلیپ رفت. به تونی اشاره کرد صندلی‌اش را با او عوض کند، کنار فیلیپ نشست، دست فیلیپ را در دستانش گرفت و با لحن ملایمی گفت: «من می‌تونستم عاشقت باشم، فیلیپ. تو زیباترین و بهترین مردی بودی که تا اون موقع دیده بودم. هفته‌ها بعد از اینکه حاضر نشدی منو ببینی، بهت زنگ می‌زدم و برات نامه می‌نوشتم. من می‌تونستم عاشقت باشم، ولی تو آلوده‌ش کردی...»

«ششش.» جولیوس دستش را بر شانه‌ی پم گذاشت تا ساکتش کند. «نه، پم، به اون بخش نپرداز. توی همون اولی بمون، تکرارش کن.»

«من می‌تونستم عاشقت باشم.»

جولیوس تشویقش کرد: «تو...»

«تو زیباترین و بهترین مردی بودی که تا اون موقع دیده بودم.»

جولیوس زمزمه کرد: «دوباره.»

پم که هنوز دست فیلیپ را گرفته بود و به صورت پراشکش نگاه می‌کرد، تکرار کرد: «من می‌تونستم عاشقت باشم. تو زیباترین و بهترین مردی...»

در این لحظه فیلیپ دستانش را جلو صورتش گرفت، از جا برخاست و از اتاق بیرون زد.

تونی بی‌درنگ به‌سوی در راه افتاد. «این یکی با من.»

جولیوس که همراه با او برخاسته بود، تونی را متوقف کرد. «نه تونی، این یکی کار منه.» با گام‌های بلند از اتاق بیرون رفت و فیلیپ را دید که در انتهای راهرو، رو به دیوار ایستاده، پیشانی‌اش را بر ساعد گذاشته و هق‌هق گریه می‌کند. بازوانش را به دور شانه‌های فیلیپ حلقه کرد و گفت: «خوبه که بذاری همه‌ش بریزه بیرون، ولی باید برگردیم.»

فیلیپ که حالا با صدای بلندتری می‌گریست، سعی کرد نفسی تازه کند ولی فقط آهی از سینه‌اش خارج شد و سرش را به نشانه‌ی نفی به‌شدت تکان داد.

«باید برگردی، پسرم. تو برای همین اینجا اومدی، برای همین لحظه و نباید از دستش بدی. امروز خوب کار کردی... درست همون کاری رو کردی که برای درمانگر شدن باید بکنی. فقط چند دقیقه از جلسه باقی مونده. فقط با من بیا و با بقیه توی اتاق بشین. من مراقبتم.»

فیلیپ دست دراز کرد و فقط برای یک لحظه‌ی گذرا دستش را بر دست جولیوس گذاشت، بعد قد راست کرد و همراه جولیوس به گروه بازگشت. وقتی نشست، پم بازویش را لمس کرد تا تسکینش دهد و گیل که طرف دیگرش نشسته بود، دستی به شانه‌اش کوبید.

بانی پرسید: «جولیوس حالت چطوره؟ به نظر خیلی خسته می‌یای.»

«توی سرم احساس فوق‌العاده‌ای دارم. کاری رو که این گروه انجام داده، حسابی تحسین می‌کنم و احساس پیروزی دارم... خیلی خوشحالم که بخشی از این گروه بوده‌ام. آره، اعتراف می‌کنم که از لحاظ جسمی حالم خوش نیست و خسته‌ام. ولی هنوز برای جلسه‌ی بعدی که آخرین جلسه‌مونه، جون توی تنم هست.»

بانی گفت: «جولیوس، عیبی نداره برای جلسه‌ی آخرمون، یه کیک بیارم؟»

«حتماً، هرجور کیک هویجی که خواستی، با خودت بیار!»

***

ولی جلسه‌ی خداحافظی رسمی‌ای در کار نبود. روز بعد جولیوس گرفتار سردردهای شدیدی شد. در عرض چند ساعت به اغما رفت و سه روز بعد درگذشت. اعضا دوشنبه عصر در ساعت مقرر گروه، در کافه گرد هم آمدند و کیک هویج را در اندوه و سکوت میان هم تقسیم کردند.

می‌توانم این فکر را تاب آورم که کرم‌ها در مدت کوتاهی بدنم را بخورند، ولی از تصور اینکه استادان فلسفه، ذره‌ذره فلسفه‌ام را بجوند، بر خود می‌لرزم.

فصل ۴۱

مرگ به‌سراغ آرتور شوپنهاور می‌آید

شوپنهاور همان گونه با مرگ روبه‌رو شد که با چیزهای دیگر زندگی‌اش: در نهایت روشن‌بینی و هوشیاری. هرگز چشم از چشم مرگ برنداشت، هرگز در برابر التیام حاصل از باورهای ماورای طبیعی تسلیم نشد و تا آخرین لحظه‌ی زندگی به خرد و منطق وفادار ماند. می‌گفت ما ابتدا از راه منطق و خرد مرگمان را درمی‌یابیم: مرگ دیگران را به مشاهده می‌نشینیم و با قرینه‌سازی درمی‌یابیم که مرگ باید به سراغ ما هم بیاید. و از راه خرد است که به این نتیجه‌ی منطقی آشکار می‌رسیم که مرگ توقف

خودآگاهی‌ست و نابودی بازگشت‌ناپذیر خود.

می‌گفت: دو راه برای رویارویی با مرگ هست: راه خرد یا راه اوهام و مذهب با امیدش به تداوم آگاهی و زندگی راحت پس از مرگ. به این ترتیب، حقیقت مرگ و ترس از آن، سرچشمه‌ی افکار ژرف است و مادر فلسفه و مذهب.

شوپنهاور در سراسر زندگی‌اش با حضور همه‌جایی مرگ دست‌به‌گریبان بود. در نخستین کتابش که در بیست‌وچندسالگی نوشته است، می‌گوید: «زندگی تن‌های ما، صرفاً مرگی‌ست که مدام باز داشته شده و همواره به تأخیر انداخته شده است... هر نفسی که فرو می‌بریم، مرگی را که مدام به ما دست‌اندازی می‌کند، پس می‌زند و به این ترتیب هر لحظه با آن دست‌به‌گریبانیم.»

مرگ را چگونه تصویر می‌کرد؟ استعاره‌های رویارویی با مرگ در نوشته‌هایش فراوان است؛ ما گوسفندانی هستیم که در مزرعه به جست‌وخیز مشغولیم و مرگ، قصابی‌ست که هوسبازانه ما را یک‌به‌یک برای سلاخی برمی‌گزیند. یا کودکانی هستیم که مشتاقانه در انتظار آغاز نمایش در تماشاخانه‌ایم و خوشبختانه نمی‌دانیم قرار است چه بلایی بر سرمان بیاید. یا دریانوردانی هستیم که کشتی‌هایمان را با اشتیاق و حرارت هدایت می‌کنیم تا از صخره‌ها و گرداب‌ها در امان بمانند در حالی که مستقیم و بدون خطا به سوی کشتی‌شکستگی مصیبت‌بار نهایی پیش می‌رویم.

توصیفش از چرخه‌ی زندگی همواره سفری به‌شدت نومیدانه را به تصویر می‌کشد:

> چه تفاوتی‌ست میان آغاز و پایانمان! آغازمان با جنون اشتیاق و خلسه‌ی لذت جسمانی‌ست؛ پایانمان در ویرانی همه‌ی اجزا و بوی تعفن اجساد. در مسیر تولد تا مرگ،

سلامت و لذت زندگی همواره در سراشیبی‌ست؛ کودکی رؤیایی سرشار از شادی و شعف، نوجوانی سرخوشانه، بزرگسالی شاق و پرزحمت، پیری رنجورانه و اغلب ترحم‌انگیز، عذاب آخرین بیماری و سرانجام سکرات موت.
آیا دقیقاً مثل این نیست که هستی گامی نادرست است که پیامدهایش به‌تدریج بیشتر و بیشتر نمایان می‌شود؟

آیا از مرگ خویش می‌ترسید؟ در سال‌های پایانی، با آرامش زیادی از مرگ سخن می‌گفت. این آرامش را از کجا آورده بود؟ اگر ترس از مرگ همه‌جایی‌ست، اگر همه‌ی عمر مسحورمان می‌کند، اگر مرگ چنان خوف‌انگیز است که این همه دین برای مهار آن پدید آمده، پس شوپنهاور تنها و بی‌دین چگونه وحشت آن را در خود فرو نشانده است؟

شیوه‌ی او بر تحلیل منطقی سرچشمه‌های اضطراب مرگ ریشه دارد. آیا به این دلیل از مرگ می‌ترسیم که بیگانه و ناآشناست؟ اگر چنین است، او اصرار می‌ورزد که ما در اشتباهیم زیرا مرگ بسیار بیش از آنچه فکر می‌کنیم با ما آشناست. نه تنها طعم مرگ را هر روز در خواب یا دوره‌های ناهشیاری می‌چشیم، بلکه همگی ما پیش از آنکه هست شویم، از یک ابدیت نیستی گذر کرده‌ایم.

آیا از مرگ می‌هراسیم چون شر و اهریمنی است؟ (به پیکرنگاری هولناک و نفرت‌انگیز رایج که مرگ را به تصویر می‌کشد، دقت کنید.) او در اینجا نیز اصرار دارد که در اشتباهیم: «بی‌معناست که هستی را یک شر بدانیم: زیرا پیش‌فرض هر شر، مانند هر خیر، هستی و آگاهی‌ست... روشن است که در از دست دادن آنچه نمی‌توان از آن گریخت، شری نیست.» و از ما می‌خواهد به خاطر بسپاریم که زندگی رنج است و به‌خودی‌خود شر. پس

چطور ممکن است که از دست دادن یک شر، خود شر باشد؟ می‌گوید مرگ را باید یک نعمت شمرد: رهایی از رنج بی‌امان هستی دوپایان: «باید به‌جای ترس و واهمه در رویارویی با مرگ ـ چنانچه مرسوم است ـ هم‌چون رویدادی لذت‌بخش و شادی‌آور به آن خوشامد گفت.» این زندگی‌ست که باید به دلیل بر هم زدن نیستی سعادت‌آمیزمان ناسزاباران شود و در همین زمینه، ادعای بحث‌انگیزش را مطرح می‌کند: «اگر بر سنگ قبرها بکوبیم و از مردگان بپرسیم که آیا می‌خواهند دوباره برخیزند، آنان سری به نفی تکان خواهند داد.» او گفته‌های مشابهی از افلاطون، سقراط و ولتر نقل می‌کند.

به‌علاوه، شوپنهاور در بحث‌های منطقی‌اش نکته‌ای را مطرح می‌کند که به عرفان بسیار نزدیک است. او با گونه‌ای از جاودانگی بازی می‌کند (گرچه با آن درنمی‌آمیزد). از دیدگاه او، طبیعت درونی ما تباهی‌ناپذیر است زیرا ما چیزی نیستیم جز تجلی نیروی زندگی (خیزش حیاتی)، اراده و شیء ـ در ـ ذات ـ خود که تا ابد باقی می‌ماند. پس مرگ نابودی حقیقی نیست؛ وقتی زندگی ناچیز ما به پایان رسد، به نیروی زندگی نخستین که بیرون از زمان است، خواهیم پیوست.

واضح است که ایده‌ی پیوستن به نیروی زندگی پس از مرگ، شوپنهاور و بسیاری از خوانندگانش (برای نمونه توماس مان و قهرمان داستانش توماس بودنبروک) را تسکین می‌داد ولی از آنجا که این ایده یک «خود» شخصی دوام‌یافته را شامل نمی‌شود، برای بسیاری نیز تنها تسکینی دلسردکننده‌ست. (حتا تسکینی که توماس بودنبروک تجربه می‌کند نیز گذراست و چند صفحه بعد از بین می‌رود.) آنچه شوپنهاور به عنوان گفت‌وگویی میان دو فیلسوف

یونانی می‌نگارد این پرسش را پدید می‌آورد که از این دست باورها تا چه حد به کار شوپنهاور می‌آمده است. در این گفت‌وگو، فیلالتس[1] می‌کوشد تراسیماخوس[2] (یک شک‌گرای تمام‌عیار) را مجاب کند که مرگ به دلیل جوهر تباهی‌ناپذیر هر فرد، وحشتی ندارد. هریک از این دو فیلسوف چنان روشن‌بینانه و قدرتمند استدلال می‌کند که خواننده نمی‌تواند مطمئن شود نویسنده به کدامیک گرایش دارد. سرانجام تراسیماخوس شک‌گرا مجاب نمی‌شود و اوست که سخن نهایی را بر زبان می‌راند:

فیلالتس: «وقتی می‌گویی من، من، من می‌خواهم زندگی کنم، این تنها تو نیستی که این حرف را می‌زنی. همه‌چیز همین را می‌گوید، مطلقاً هرچیزی که ناچیزترین ردپایی از آگاهی در آن باشد. این آوای یک فرد نیست بلکه آوای خود هستی‌ست... . به‌تمامی دریاب که چه هستی و حقیقت هستی‌ات چیست، به عبارت دیگر، اراده‌ی جهان بر زندگی‌ست پس تمامی پرسش در نظرت کودکانه و بسیار مضحک جلوه خواهد کرد.»

تراسیماخوس: «این تویی که مانند همه‌ی فیلسوفان کودکانه و بسیار مضحک می‌اندیشی و اگر مردی به سن من به خود اجازه می‌دهد دقایقی را به گفت‌وگو با چنین ابلهانی بگذراند، فقط به این دلیل است که این سخنان سرگرمم می‌کند و مایه‌ی وقت‌گذرانی‌ست. من کارهای مهم‌تری برای رسیدگی دارم. پس خدانگهدار.»

شوپنهاور شیوه‌ی دیگری هم برای در پستو نگهداشتن اضطراب مرگ داشت: بیشترین خودشکوفایی با کمترین اضطراب مرگ

---

1. Philalethes
2. Thrasymachos

همراه است. اگر دیدگاهش بر پایه‌ی یگانگی جهان برای بعضی کم‌جان و کم‌نیروست، در عوض شکی در نیرومندی این دفاع نهایی نیست. پزشکانی که با بیماران محتضر سروکار دارند دیده‌اند که اضطراب مرگ در کسانی که احساس می‌کنند زندگی کام‌برآورانه‌ای را سپری نکرده‌اند، بیشتر است. حس کامیابی در به‌قول نیچه «به کمال رساندن زندگی خویش» از اضطراب مرگ می‌کاهد.

و شوپنهاور؟ آیا درست و معنی‌دار زیست؟ مأموریتش را به اتمام رساند؟ خودش شکی در این باره نداشت. آخرین بخش یادداشت‌های زندگینامه‌ای‌اش را در نظر بگیرید:

> همواره آرزو کرده‌ام راحت بمیرم زیرا کسی که همه‌ی عمر تنها بوده، برای پرداختن به این وظیفه‌ی فردی داور بهتری در مقایسه با دیگران است. به‌جای درگیر شدن در بلاهت‌ها و دلقک‌بازی‌ها ـ که از ظرفیت‌های ترحم‌انگیز انسان‌های دوپا به‌شمار می‌آید ـ باید زندگی را با هوشیاری و آگاهی سرخوشانه به پایان برم و به همان جایی بازگردم که از آن آغازیده‌ام... و مأموریتم را به اتمام رسانم.

و همین احساس ـ غرور ناشی از پی گرفتن مسیر خلاقانه‌ی خویش ـ در قطعه‌ای کوتاه در آخرین سطرهای آخرین کتابش خود را آشکار می‌سازد:

اکنون فرسوده در پایان راه ایستاده‌ام
پیشانی وامانده‌ام تاج افتخار را به‌سختی تاب می‌آورد
گرچه با شادمانی به آنچه کرده‌ام، می‌نگرم
همواره بی‌پروا در برابر سخنان دیگران.

وقتی آخرین کتابش، *تلخیص‌ها و تکمله‌ها*، منتشر شد، گفت: «از

مشاهده‌ی تولد آخرین فرزندم عمیقاً شادمانم. انگار باری که از بیست‌وچهارسالگی بر دوش داشته‌ام، از شانه‌هایم برداشته شده است. کسی نمی‌تواند بفهمد این یعنی چه.»

در صبح روز بیست‌ویک سپتامبر سال ۱۸۶۰ مستخدمه‌ی شوپنهاور صبحانه‌اش را آماده کرد، آشپزخانه را مرتب کرد، پنجره‌ها را گشود و پادوها را به‌دنبال کارشان فرستاد و در حالی شوپنهاور را ترک کرد که حمام آب سردش را گرفته بود و بر مبل راحتی اتاق نشیمنش ـ اتاقی بزرگ و دلباز با اثاثیه‌ای ساده ـ مشغول مطالعه بود. جلو مبل راحتی بر کف اتاق فرشی از پوست خرس سیاه پهن بود و آتمن ـ سگ پودل محبوبش ـ بر آن نشسته بود. یک نقاشی رنگ‌وروغن بزرگ از گوته بر دیوار روبه‌روی مبل راحتی و چند پرتره از سگ‌ها، شکسپیر، کلودیوس و عکس‌هایی از خودش که با کلیشه‌ی داگر چاپ شده بود، به سایر دیوارهای اتاق آویزان بود. نیم‌تنه‌ای از کانت بر میز تحریر خودنمایی می‌کرد. نیم‌تنه‌ی کریستف ویلانت ـ فیلسوفی که شوپنهاور جوان را تشویق کرد فلسفه بخواند ـ بر میزی در یک گوشه از اتاق قرار داشت و در گوشه‌ی دیگر، مجسمه‌ی آب‌طلاکاری‌شده‌ای از بودا که مورد احترام او بود.

کمی بعد پزشکش که ملاقات‌های دوره‌ای منظمی با او داشت، وارد اتاق شد و او را دید که به پشتی مبل راحتی تکیه داده است. یک «سکته‌ی ریوی» (امبولی ریه) او را بی درد و رنج از این جهان برده بود. چهره‌اش از شکل نیفتاده بود و نشانه‌ای از درد مرگ بر خود نداشت.

مراسم خاکسپاری‌اش در یک روز بارانی به دلیل بوی گوشت فاسدشده‌ی مانده در مرده‌شویخانه کوچک دربسته به‌مراتب

نامطبوع‌تر از معمول بود. شوپنهاور ده سال پیش از آن دستور روشنی داده بود مبنی بر اینکه جسدش مستقیم به خاک سپرده نشود بلکه دست‌کم پنج روز در سردخانه بماند تا پوسیدگی آغاز شود: شاید این آخرین نشانه‌ی انسان‌گریزی‌اش بود یا حاصل ترس از حیات معلق. خیلی زود مرده‌شویخانه چنان دم کرد و هوا چنان بویناک شد که برخی تشییع‌کنندگان ناچار شدند حین موعظه‌ی طولانی کارگزارش ویلهلم گوئینر اتاق را ترک کنند. موعظه این گونه آغاز شد:

> این مرد که عمری میان ما زیست و با این حال در بین ما غریبه ماند، همدردی غریبی برمی‌انگیزد. هیچ‌یک از حاضران در اینجا، پیوند خونی با او ندارند، همان قدر تنها از دنیا رفت که تنها در دنیا زیست.

گور شوپنهاور با سنگ خارای بلژیکی سنگینی پوشانده شد. وصیت کرده بود که فقط نامش ـ آرتور شوپنهاور ـ بر سنگ قبرش نوشته شود: «نه چیزی بیشتر و نه کمتر، نه تاریخ، نه سال و نه هیچ‌چیز دیگر.»

مردی که زیر این سنگ قبر ساده و بی‌زرق‌وبرق آرمیده، می‌خواست آثارش به‌جای او سخن بگویند.

نوع بشر چیزهای اندکی از من آموخته که هرگز فراموش نخواهد کرد.

فصل ۴۲

سه سال بعد

نور خورشید عصرگاهی از پنجره‌های کشویی بزرگ و گشوده‌ی کافه فلوریو به درون جاری بود. نوای تک‌خوانی‌های *آرایشگر سویل* از صفحه‌نواز سکه‌ای بیرون می‌تراوید و با صدای فش‌فش دستگاه اسپرسو که شیر را برای کاپوچینو به جوش آورده بود، می‌آمیخت.

پم، فیلیپ و تونی بر سر همان میزی نشستند که از زمان مرگ جولیوس، جلسات قهوه‌خوری هفتگی‌شان را بر آن برگزار می‌کردند. در سال اول سایر اعضای گروه هم به آن‌ها می‌پیوستند ولی در دو سال اخیر فقط آن سه نفر یکدیگر را می‌دیدند. فیلیپ گفت‌وگویشان را قطع کرد تا به یک تک‌خوانی گوش بسپارد و

خود نیز زیر لب زمزمه‌اش کرد. وقتی دوباره صحبتشان را از سر گرفتند، گفت: «*"Una voce poco fa"* اینو خیلی دوست دارم.» تونی مدرکش را که از مدرسه‌ی عالی فنی‌حرفه‌ای گرفته بود، نشانشان داد. فیلیپ اعلام کرد که حالا دیگر دو روز در هفته در باشگاه شطرنج سن فرانسیسکو شطرنج بازی می‌کند: از زمان مرگ پدرش، این نخستین باری بود که رودررو با حریف بازی می‌کرد. پم از رابطه‌ی جاافتاده و خوشایندش با مرد تازه‌ی زندگی‌اش حرف زد که روی میلتون[1] تحقیق می‌کرد و نیز از حضور در مرکز خدماتی گرین گالچ بودایی‌ها در مارین.

نگاهی به ساعتش انداخت. «و حالا نوبت شما دوتاست.» دو مرد را از نظر گذراند. «هردو تون خوش‌لباس و خوش‌تیپین. هردو تون فوق‌العاده‌این، فقط فیلیپ این کت» سری تکان داد، «دیگه خیلی خوب نیست... مخمل کبریتی دیگه مد نیست، بیست سال ازش گذشته، اون وصله‌های سر آرنج هم همین طور. هفته‌ی بعد می‌ریم خرید.» نگاهی به چهره‌های آن دو انداخت. «هردوتون خوب از پسش بر می‌یاین. فیلیپ اگه زیادی هیجان‌زده شدی، یاد صندلی‌ها بیفت. هردوتون یادتون نره که جولیوس عاشقتون بود. من هم عاشقتونم.» یک اسکناس بیست‌دلاری روی میز گذاشت و گفت: «امروز یه روز استثناییه، مهمون من.» و از کافه خارج شد.

ساعتی بعد هفت عضو برای نخستین جلسه‌ی گروهشان به‌ترتیب وارد دفتر فیلیپ شدند و محتاطانه بر صندلی‌های جولیوس نشستند. فیلیپ در بزرگسالی دوبار گریسته بود: یک‌بار در آخرین جلسه‌ی گروه‌درمانی با جولیوس و یک‌بار وقتی دریافت جولیوس

---

۱. منظور تحقیق در زمینه‌ی اشعار جان میلتون، شاعر انگلیسی و سبک نگارش اوست ـ م.

این نُه صندلی را برای او به ارث گذاشته است.

فیلیپ این گونه آغاز کرد: «خب، به گروه ما خوش اومدین. توی جلسه‌ی غربالگری‌ای که با تک‌تک‌تون داشتیم، سعی کرده‌ایم شما رو با اصول گروه آشنا کنیم. حالا وقتشه که شروع کنیم.»

جیسن، مرد میانسال کوتاه‌قد و خوش‌هیکلی که تی‌شرت نایکی سیاه و چسبانی بر تن داشت، گفت: «همین؟ همین جوری؟ هیچ دستور کار دیگه‌ای نداره؟»

تونی که بر صندلی‌اش به جلو خم شده بود، گفت: «یادم می‌یاد من هم توی اولین جلسه‌ی گروهم خیلی ترسیده بودم.» تمیز و آراسته لباس پوشیده بود: پیراهن آستین‌کوتاه سفید، شلوار خاکی‌رنگ و کفش قهوه‌ای.

جیسن پاسخ داد: «من حرفی از ترس نزدم. دارم به کمبود راهنمایی اشاره می‌کنم.»

تونی پرسید: «خب، چی کمکت می‌کنه شروع کنی؟»

«اطلاعات. دنیا داره روی اطلاعات می‌چرخه. این مثلاً یه گروه مشاوره‌ی فلسفیه... شما دوتا فیلسوفین؟»

فیلیپ گفت: «من فیلسوفم و دکترام رو از دانشگاه کلمبیا گرفته‌ام و تونی، کمک‌درمانگرم، دانشجوی مشاوره‌ست.»

جیسن درجا گفت: «دانشجو؟ سر در نمی‌یارم. شما دوتا چه جوری اینجا رو می‌گردونین؟»

تونی گفت: «خب، فیلیپ بر اساس شناختش از فلسفه، ایده‌های خوب و مفید رو مطرح می‌کنه و من هم اینجام که هم یاد بگیرم و هم هرجور که می‌تونم به کار انرژی بدم... من توی در دسترس قرار دادن هیجانات خبره‌ام. درسته شریک؟»

فیلیپ سری به تأیید تکان داد.

جیسن پرسید: «در دسترس قرار دادن هیجانات؟ ببینم قراره من معنی اینو بدونم؟»

یکی از اعضا به میان صحبت دوید: «جیسن، اسم من مارشاست و می‌خوام بگم این پنجمین جمله‌ی مبارزه‌طلبانه‌ایه که توی پنج دقیقه‌ی اول اولین جلسه‌ی گروهمون گفتی.»

«و؟»

«و تو از اون مردای خودنمایی هستی که خیلی احساس مردی بهشون دست می‌ده و من باهاشون کلی مشکل دارم.»

«و تو هم از اون دخترای اطواری و بهونه‌گیری هستی که همیشه برام دردسرن.»

تونی گفت: «دست نگه دارین، دست نگه دارین، بذارین کار رو همینجا نگه داریم و بازخورد بقیه‌ی اعضای گروه رو از همین پنج دقیقه‌ی اول بگیریم. اول خودم می‌خوام یه چیزی به تو بگم جیسن و همین جور به تو مارشا... چیزی که من و فیلیپ از معلم‌مون، جولیوس یاد گرفتیم. می‌دونم الآن هردوی شما حس می‌کنین این یه شروع طوفانیه ولی من حدس می‌زنم ـ و حدسم هم خیلی قویه ـ که در پایان این گروه، هر کدوم شما چیزای ارزشمند زیادی رو به اون یکی ثابت می‌کنین. درسته، فیلیپ؟»

«حق با توئه، شریک.»

یادداشت‌ها

Page 13. "Every breath we draw wards..." Arthur Schopenhauer, *The World as Will and Representation*, trans. E. F. J. Payne, 2 vols. (New York: Dover Publications, 1969), vol. 1., p. 311 / § 57.
Page 39. "Ecstasy in the act of copulation...": Arthur Schopenhauer, *Manuscript Remains in Four Volumes*, ed. Arthur Hübscher, trans. E. F. J. Payne (Oxford: Berg Publishers, 1988-90), vol. 3. P. 262 / § 111.
Page 46. "Life is a miserable thing...": Eduard Grisebach, ed., *Schopenhauer's Gespräche und Selbstgespräche* (Berlin: E. Hofmann,1898), p. 3.
Page 60. "Talent is like a marksman...": Schopenhauer, *World as Will*, vol. 2, p. 391 / chap. 31, "On Genius."
Page 64. "No one helped me,...": Rüdiger Safranski, *Schopenhauer and the Wild Years of Philosophy*, trans. Ewald Osers (Cambridge: Harvard University Press, 1991), p. 11.
Page 65. "A happy life is impossible...": Arthur Schopenhauer, *Parerga and Paralipomena*, trans. E. F. J. Payne, 2 vols. (Oxford: Clarendon Press, 2000), vol. 2, p. 322 / § 172a.
Page 74. "The solid foundation of our view...": Ibid., vol. 1, p. 478 / chap. 6, "On the Different Periods of Life."
Page 75. "Splendor, rank, and title exercise...": Safranski, *Schopenhauer*, p. 14.
Page 76. "I no more pretended ardent love...": Ibid., p. 13.

Page 77. "If we look at life in its details...": T. Bailey Saunders, trans., *Complete Essays of Schopenhauer: Seven Books in One Volume* (New York: Wiley, 1942), book 5, p. 24. See also Schopenhauer, *Parerga and Paralipomena*, vol. 2, p. 290 / § 147a
Page 86. "In the near and penetrating eye of death...": Thomas Mann, *Buddenbrooks*, trans. H. T. Lowe-Porter (New York: Vintage Books, 1952), p. 509.
Page 86. "A master-mind could lay hold...": Ibid., p. 510.
Page 87-88. "Have I hoped to live on...": Ibid., p. 513.
Page 88. "so perfectly consistently clear..." Thomas Mann, *Essays of Three Decades*, trans. H. T. Lowe-Porter (New York: Alfred A. Knopt, 1947), p. 373.
Page 88. "emotional breath-taking, playing between violent contrasts...": Ibid., p. 373.
Page 89. "letting that dynamic, dismal genius work...": Ronald Hayman, *Nietzsche*: A Critical Life (New York: Penguin, 1982), p. 72.
Page 96. "Religion has everything on its side...": Schopenhauer, *World as Will*, vol. 2, p. 166 / chap. 17, "On Man's Need for Metaphysics."
Page 99. "Could we foresee it...": Saunders, *Complete Essays*, book 5, p. 3. See also Schopenhauer, *Parerga and Paralipomena*, vol. 2, p. 298 / § 155a.
Page 100. "In endless space countless luminous spheres...": Schopenhauer, *World as Will*, vol. 2. P. 3 / chap. 1, "On the Fundamental View of Idealism."
Page 117. "Just because the terrible activity...": Ibid., vol. 2, p. 394 / chap. 31, "On Genius."
Page 118. "by far the happiest part...": Safranski, *Schopenhauer*, p. 26.
Page 119. "Remember how your father permits...": Ibid. p. 29.
Page 119. "feeling of two friends meeting...": Schopenhauer, *Parerga and Paralipomena*, vol. 2, p. 299 / § 156.
Page 119-120. "I found myself in a country unknown to me...": Safranski, *Schopenhauer*, p. 280.
Page 121. "The greatest wisdom is to make..." Schopenhauer, *Parerga and Paralipomena*, vol. 2, p. 284 / § 143.
Page 143. "The kings left their crowns and scepters behind...": Safranski, *Schopenhauer*, p. 44.
Page 147. "put aside all these authors for a while...": Ibid., p. 37.
Page 148. "In my seventeenth year...": Ibid., p. 41.
Page 148. "This world is supposed to have been made...": Ibid., 58.
Page 148. "When at the end of their lives...": Schopenhauer, *Parerga and Paralipomena*, vol. 2, p. 285 / § 145.
Page 172. "A person of high, rare mental gifts...": Schopenhauer, *World as Will*, vol. 2. P. 388 / chap. 31, "On Genius."
Page 174. "Noble excellent spirit to whom I owe everything...": Safranski,

Schopenhauer, p. 278.
Page 174-175. "Dancing and riding do not make..." and other quotations from Heinrich's letters: Ibid., pp. 52-53.
Page 175. "I know too well how little you had...": Ibid., p. 81.
Page 175-176. "I continued to hold my position...": Ibid., p. 55.
Page 176. "Your character...": Arthur Schopenhauer. Johanna Schopenhauer to Arthur Schopenhauer (April 28, 1807). In *Der Briefwechsel Arthur Schopenhauer Hrsg. v. Carl Gebhardt Drei Bände. Erste Band* (1799) München: R. Piper & Co. p. 129ff. Trans. by Felix Reuter and Irvin Yalom.
Page 176. "I will always choose the most exciting option...": Der Briefwechsel Arthur Schopenhauers. Herausgegeben von Carl Gebhardt. Erster Band (1799-1849). München: R. Piper, 1929. Aus: Arthur Schopenhauer: Sämtliche Werke. Herausgegeben von Dr. Paul Deussen. Vierzehnter Band. Erstes und zweites Tausend. Munich: R. Piper, 1929. Pp. 129ff. Nr.71. Correspondence, Gebhardt and Hübscher, eds. Letter from Johanna Schopenhauer, April 28, 1807, trans. by Felix Reuter and Irvin Yalom.
Page 177-179. "The serious and calm tone...": Ibid.
Page 179. "That you have so quickly come to a decision...": Safranski, *Schopenhauer*, p. 84.
Page 180. "It is noteworthy and remarkable to see...": Schopenhauer, *World as Will*, vol. 1, p. 85 / § 16.
Page 192. "Only the male intellect...": Schopenhauer, *Parerga and Paralipomena*, vol. 2, p. 619 / § 369.
Page 192. "Your eternal quibbles, your laments...": Safranski, *Schopenhauer*, pp. 92, 94.
Page 197. "I know women. They regard marriage only...": Arthur Schopenhauer: Gespräche. Hrsg. v. Arthur Hübscher, Stuttgart-Bad Cannstatt 1971, p. 152. Trans. by Felix Reuter and Irvin Yalom.
Page 198. "Mark now on what footing...": Safranski, p. 94.
Page 200. "Fourfold root? No doubt this...": Ibid., p. 169.
Page 200-201. "The door which you slammed so noisily...": Paul Deusen, ed., *Journal of the Schopenhauer Society, 1912-1944*, trans. Felix Reuter, Frankfurt: n.p. 1973, p. 128.
Page 204. "Most men allow themselves to be seduced...": Schopenhauer, *Manuscript Remains*, vol. 4, p. 504 / "Ειζεαυτον," § 25. Trans. modified by Felix Reuter and Irvin Yalom.
Page 202. "Great sufferings render lesser ones...": Schopenhauer, *World as Will*, vol. 1, p. 316 / § 57. Trans. modified by Walter Sokel and Irvin Yalom.
Page 221. "Nothing can alarm or move him any more...": Ibid., vol. 1, p. 390 / § 68.
Page 239. "One must have chaos...": Friedrich Nietzsche, *Thus Spoke*

Zarathustra, trans. R. J. Hollingdale (New York: Penguin, 1961), p. 46.
Page 243. "The flower replied:...": Schopenhauer, *Parerga and Paralipomena*, vol. 2, p. 649 / chap. 314 § 388.
Page 267. "The cheerfulness and buoyancy of our youth...": Ibid., vol. 1, p. 483 / chap. 6, "On the different Periods of Life."
Page 268. "half mad through excesses...": Arthur Hübscher, *Arthur Schopenhauer: Ein Lebensbild. Dritte Auflage, durchgesehen von Angelika Hübscher, mit einer Abbildung und zwei Handscheriftproben.* (Mannheim: F. A. Brockhaus, 1988), S. 12.
Page 268. "little though I care for stiff etiquette...": Safranski, *Schopenhauer*, p. 40.
Page 268. "I only wish you had learned...": Ibid., p. 40.
Page 269. "Next to the picture were...": Ibid., p. 42.
Page 269. "I find that a panorama from a high mountain...": Ibid., p. 51.
Page 270. "Philosophy is a high mountain road...": Schopenhauer, *Manuscript Remains*, vol. 1, p. 14 / § 20.
Page 270. "We entered a room of carousing servants...": Safranski, *Schopenhauer*, p. 51.
Page 270-271. "The strident singing of the multitude..." and subsequent quotations in this paragraph: Ibid., p. 43.
Page 271. "I am sorry that your stay...": Ibid., p. 45.
Page 271. "Every time I went out among men...": Schopenhauer, *Manuscript Remains*, vol. 4, p. 512 / "Ειζεαυτον," § 32.
Page 271. "Be sure your objective judgements...": Safranski, *Schopenhauer*, p. 167.
Page 272. "He is a happy man...": Saunders, *Complete Essays*, book 2, p. 63. See also Schopenhauer, *Parerga and Paralipomena*, vol. 1, p. 445 / chap. 5, "Counsels and Maxims."
Page 289. "Sex does not hesitate to intrude...": Schopenhauer, *World as Will*, vol. 2, p. 533 / chap. 44, "The Metaphysics of Sexual Love."
Page 291. "Obit anus, abit onus...": Bryan Magee, *The Philosophy of Schopenhauer* (Oxford: Clarendon Press, 1983; revised 1997), p. 13, footnote.
Page 291. "Industrious whore": Safranski, *Schopenhauer*, p. 66.
Page 291. "I was very fond of them...": Ibid., p. 67.
Page 292. "But I didn't want them, you see...": Arthur Schopenhauer: Gespräche. Herausgegeben von Arthur Hübscher. Neue, stark erweiterte Ausg. Stuttgart-Bad Cannstatt, 1971, p. 58. Tans. By Felix Reuter.
Page 292. "May you not totally lose the ability...": Safranski, *Schopenhauer*, p. 245.
Page 292. "For a woman, limitation to one man...": Ibid., p. 271.
Page 292. "Man at one time has too much...": Ibid., p. 271.
Page 293. "All great poets were unhappily married...": Schopenhauer,

Manuscript Remains, vol. 4, p. 505 / "Ειζεαυτον," § 25.
Page 293. "To marry at a late age...": Schopenhauer, *Manuscript Remains*, vol. 4, p. 505 / "Ειζεαυτον," § 24.
Page 294. "Next to the love of life...": Schopenhauer, *World as Will*, vol. 2, p. 513 / chap. 42, "Life of the Species."
Page 293-294. "If we consider all this...": Ibid., vol. 2, p. 534 / chap. 44, "The Metaphysics of Sexual Love."
Page 294-295. "The true end of the love story...": Ibid., vol. 2, p. 535 / chap. 44, "The Metaphysics of Sexual Love."
Page 295. "Therefore what here guides man...": Ibid., vol. 2, p. 539 / chap. 44, "The Metaphysics of Sexual Love."
Page 295. "The man is taken possession of by the spirit...": Ibid., vol. 2, pp. 554, 555 / chap. 44, "The Metaphysics of Sexual Love."
Page 295. "For he is under the influence...": Ibid., vol. 2, p. 556 / chap. 44, "The Metaphysics of Sexual Love."
Page 295. "What is not endowed with reason...": Ibid., vol. 2, p. 557 / chap. 44, "The Metaphysics of Sexual Love."
Page 297. "If I maintain my silence about my secret...": Schopenhauer, *Parerga and Paralipomena*, vol. 1, p. 466 / chap. 5, "Counsels and Maxims."
Page 317. "If we do not want to be a plaything...": Schopenhauer, *Manuscript Remains*, vol. 4, p. 499 / "Ειζεαυτον," § 20.
Page 319. "If you have an earnest desire...": Epictetus: Discourses and Enchiridion, trans. Thomas Wentworth Higginson (New York: Walter J. Black, 1944), p. 338.
Page 321. "By the time I was thirty...": Schopenhauer, *Manuscript Remains*, vol. 4, p. 513 / "Ειζεαυτον," § 33.
Page 321-322. "One cold winter's day...": Schopenhauer, *Parerga and Paralipomena*, vol. 2, p. 651 / § 396.
Page 322-323. "Yet whoever has a great deal of internal warmth...": Ibid., vol. 2, p. 652 / § 396.
Page 323. "highest class of mankind": Schopenhauer, *Manuscript Remains*, vol. 4, p. 498 / "Ειζεαυτον," § 20.
Page 323. "My intellect belong not to me...": Ibid., vol. 4, p. 484 / "Ειζεαυτον," § 3.
Page 323-324. "Young Schopenhauer seems to have changed...": Safranski, *Schopenhauer*, p. 120.
Page 324. "Your friend, our great Goethe...": Ibid., p. 177.
Page 324-325. "We discussed a good many things...": Ibid., p. 190.
Page 325. "But the genius lights on his age...": Schopenhauer, *World as Will*, vol. 2, p. 390 / chap. 31, "On Genius."
Page 326. "If in daily intercourse we are asked...": Schopenhauer, *Parerga and Paralipomena*, vol. 2, p. 268 / § 135.

Page 326. “It is better not to speak...”: Schopenhauer, *Manuscript Remains*, vol. 4, p. 512 / “Ειζεαυτον,” § 32.
Page 326. “miserable wretches, of limited intelligence...”: Ibid., vol. 4, p. 501 / “Ειζεαυτον,” § 22.
Page 327. “Almost every contact with men...”: Ibid., vol. 4, p. 508 / “Ειζεαυτον,” § 29.
Page 327. “Do not tell a friend what your enemy...”: Schopenhauer, *Parerga and Paralipomena*, vol. 1, p. 466 / chap. 5, “Counsels and Maxims.”
Page 327. “Regard all personal affairs as secrets...”: Ibid., vol. 1, p. 465 / chap. 5, “Counsels and Maxims.”
Page 327. “Giving way neither to love nor to hate...”: Ibid., vol. 1, p. 466 / chap. 5, “Counsels and Maxims.”
Page 327. “Distrust is the mother of safety...”: Schopenhauer, *Manuscript Remains*, vol. 4, p. 495 / “Ειζεαυτον,” § 17.
Page 327. “To forget at any time the bad traits...”: Schopenhauer, *Parerga and Paralipomena,* vol. 1, p. 466 / chap. 5, “Counsels and Maxims.”
Page 328. “The only way to attain superiority...”: Saunders, *Complete Essays*, book 2, p. 72. See also Schopenhauer, *Parerga and Paralipomena*, vol. 1, p. 451 / § 28.
Page 328. “To disregard is to win regard”: Ibid., p. 72. See also Schopenhauer, *Parerga and Paralipomena*, vol. 1, p. 451 / § 28.
Page 328. “If we really think highly...”: Ibid., p. 72. See also Schopenhauer, *Parerga and Paralipomena*, vol. 1, p. 451 / § 28.
Page 328. “Better to let men be what they are...”: Schopenhauer, *Manuscript Remains*, vol. 4, p. 508 / “Ειζεαυτον,” § 29, footnote.
Page 328. “We must never show anger and hatred...”: Schopenhauer, *Parerga and Paralipomena*, vol. 1, p. 466 / chap. 5, “Counsels and Maxims.”
Page 328. “By being polite and friendly…”: Ibid., p. 463.
Page 329. “There are few ways by which…”: Schopenhauer, *Parerga and Paralipomena,* vol. 1, p. 459 / chap. 5, “Counsels and Maxims.”
Page 350. “We should set a limit to our wishes…”: Ibid., vol. 1, p. 438 / chap. 5, “Counsels and Maxims.”
Page 356. “No rose without a thorn…”: Saunders, *Complete Essays,* book 5, p. 97. See also Schopenhauer,*Parerga and Paralipomena,* vol. 2, p. 648 / § 385.
Page 358. Bodies are material objects…: See discussion in Magee, *Philosophy of Schopenhauer,* pp. 440–53.
Page 360. “Every place we look in life…”: Schopenhauer, *World as Will,* vol. 1, p. 309 / § 56.
Page 360-361. “Work, worry, toil and trouble…”: Schopenhauer, *Parerga and Paralipomena,* vol. 2, p. 293 / § 152.
Page 361-362. “In the first place a man never is happy…”: Saunders,

Complete Essays, book 5, p. 21. See also Schopenhauer,*Parerga and Paralipomena,* vol. 2, p. 284 /§ 144.

Page 362. "We are like lambs playing in the field…": Schopenhauer, *Parerga and Paralipomena,* vol. 2, p. 292 /§ 150

Page 363. "I have not written for the crowd…": Schopenhauer, *Manuscript Remains,* vol. 4, p. 207 /"Pandectae II," § 84.

Page 378. "A man finds himself…": Saunders, *Complete Essays,* book 5, p. 19. See also Schopenhauer,*Parerga and Paralipomena,* vol. 2, p. 283 / § 143.

Page 381-382. "When, on a sea voyage…": Epictetus, *Discourses and Enchiridion,* p. 334.

Page 383. "Life can be compared to a piece of embroidered material…": Schopenhauer, *Parerga and Paralipomena,* vol. 1, p. 482 / chap. 6, "On the Different Periods of Life."

Page 389. "Even when there is no particular provocation…": Schopenhauer, *Manuscript Remains,* vol. 4, p. 507 /"Ειζεαυτον," § 28.

Page .392-393 Schopenhauer's daily schedule: Magee, *Philosophy of Schopenhauer,* p. 24.

Page 393. Schopenhauer's table talk: Safranski, *Schopenhauer,* p. 284.

Page 394. The gold piece for the poor: Arthur Hübscher, ed., *Schopenhauer's Anekdotenbuchlein* (Frankfurt, 1981), p. 58. Trans. Felix Reuter and Irvin Yalom.

Page 394. Many anecdotes of his sharp wit…: Ibid.

Page 395. "Well built…invariably well dressed…": Safranski, *Schopenhauer,* p. 284.

Page 396. "The risk of living without work…": Schopenhauer, *Manuscript Remains,* vol. 4, p. 503 /"Ειζεαυτον," § 24.

Page 396. "Two months in your room…": Safranski, *Schopenhauer,* p. 288.

Page 398. "The monuments, the ideas left behind…": Schopenhauer, *Manuscript Remains,* vol. 4, p. 487 /"Ειζεαυτον," § 7.

Page 423. "To the learned men and philosophers of Europe…": Ibid., vol. 4, p. 121 / "Cholera-Buch," § 40.

Page 423. "suspiciousness, sensitiveness, vehemence, and pride…": Ibid., vol. 4, p. 506 / "Ειζεαυτον," § 28.

Page 424. "Inherited from my father…": Ibid., vol. 4, p. 506 /"Ειζεαυτον," § 28.

Page 424. Schopenhauer's precautions and rituals: Safranski, *Schopenhauer,* p. 287.

Page 425. A physician and medical historian suggested…: Iwan Bloch, "Schopenhauers Krankheit im Jahre 1823" in *Medizinische Klinik,* nos. 25–26 (1906).

Page 426. "I shall not accept any letters…": Safranski, *Schopenhauer,* p. 240.

Page 427. "commonplace, inane, loathsome, repulsive...": Schopenhauer, *Parerga and Paralipomena,* vol. 1, p. 96 / §12.

Page 427. "We cannot pass over in silence...": Safranski, *Schopenhauer,* p. 315.

Page 428. "But let him alone...": Saunders, *Complete Essays,* book 5, p. 97. See also Schopenhauer,*Parerga and Paralipomena,* vol. 2, p. 647, para. 387.

Page 429. "Seen from the standpoint of youth...": Ibid., vol. 1, pp. 483–84 / chap. 6, "On the Different Periods of Life."

Page 442. "It means to escape from willing entirely": See discussion in Magee, *Philosophy of Schopenhauer,* pp. 220–25.

Page 450. "When a man like me is born...": Schopenhauer, *Manuscript Remains,* vol. 4, p. 510 /"Ειζεαυτον," § 30.

Page 451. "Even in my youth I noticed...": Ibid., vol. 4, p. 484 /"Ειζεαυτον," § 3.

Page 451-452. "My life is heroic...": Ibid., vol. 4, pp. 485–86 /"Ειζεαυτον," § 4.

Page 452. "I gradually acquired an eye...": Ibid., vol. 4, p. 492 /"Ειζεαυτον," § 12.

Page 452. "I am not in my native place...": Ibid., vol. 4, p. 495 /"Ειζεαυτον," § 17.

Page 452. "the smaller the personal life...": Grisenbach, *Schopenhauer's Gespräche,* p. 103.

Page 452-453. "Throughout my life I have felt terribly lonely...": Schopenhauer, *Manuscript Remains,* vol. 4, p. 501 /"Ειζεαυτον," § 22.

Page 453. "The best aid for the mind...": Ibid., vol. 4, p. 499/ § 20.

Page 453. "Whoever seeks peace and quiet...": Ibid., vol. 4, p. 505/ § 26.

Page 453. "It is impossible for anyone...": Ibid., vol. 4, p. 517 /"Ειζεαυτον — Maxims and Favourite Passages."

Page 454-455. "When, at times, I felt unhappy...": Ibid., vol. 4, p. 488 /"Ειζεαυτον," § 8.

Page 455. "that nothing but the mere form...": Schopenhauer, *World as Will,* vol. 1, p. 315 / § 57.

Page 457. "Where are there any real monogamists?...": Saunders, *Complete Essays,* book 5, p. 86. See also Schopenhauer,*Parerga and Paralipomena,* vol. 2, p. 624 /§ 370.

Page 469. "Everyone who is in love...": Schopenhauer, *World as Will,* vol. 2, p. 540 / chap. 44, "The Metaphysics of Sexual Love."

Page 473. "We should treat with indulgence...": Schopenhauer, *Parerga and Paralipomena,* vol. 2, p. 305 / chap. 11, § 156a.

Page 491. "Some cannot loosen their own chains...": Nietzsche,*Thus Spake Zarathustra,* p. 83. F. Nietzche, *Thus Spake Zarathustra* (New York: Penguin Books, 1961), p.83. Translation modified by Walter Sokel and Irvin Yalom.

Page 491. "I will wipe my pen and say...": Magee, *Philosophy of Schopenhauer,* p. 25.
Page 492-493. "It is not fame...": Schopenhauer, *Parerga and Paralipomena,* vol. 1, pp. 397, 399 / chap. 4, "What a Man Represents."
Page 493. "extracting an obstinate painful thorn...": Ibid., vol. 1, p. 358 / chap. 4, "What a Man Represents."
Page 493-494. "mouldy film on the surface of the earth...": Schopenhauer, *World as Will,* vol. 2, p. 3 / chap. 1, "On the Fundamental View of Idealism."
Page 494. "A useless disturbing episode...": Schopenhauer, *Parerga and Paralipomena,* vol. 2, p. 299 / § 156.
Page 494. "Not to pleasure but to painlessness...": Schopenhauer, *Manuscript Remains,* vol. 4, p. 517 /"Ειζεαυτον,"—Maxims and Favourite Passages."
Page 494. "everyone must act in life's great puppet play...": Schopenhauer, *Parerga and Paralipomena,* vol. 2, p. 420 /§ 206.
Page 494-495. "The really proper address...": Ibid., vol. 2, pp. 304, 305 /§ 156, 156a.
Page 495. "We should treat with indulgence...Schopenhauer, *Parerga and Paralipomena,* vol.2, p. 305 / chap. 11, § 156a.
Page 495. "all the literary gossips...": Magee, *Philosophy of Schopenhauer,* p. 26.
Page 496. "If a cat is stroked it purrs...": Schopenhauer, *Parerga and Paralipomena,* vol. 1, p. 353 / chap. 4, "What a Man Represents."
Page 496. "the morning sun of my fame...": Schopenhauer, *Manuscript Remains,* vol. 4, p. 516 /"Ειζεαυτον," § 36.
Page 496-497. "She works all day at my place...": Safranski, *Schopenhauer,* p. 348.
Page 498. "At the end of his life, no man...": Schopenhauer, *World as Will,* vol. 1, p. 324 / § 59.
Page 499. "A carpenter does not come up to me...": Pierre Hadot, *Philosophy as a Way of Life: Spiritual Exercises from Socrates to Foucault,* ed. Arnold Davidson, trans. Michael Chase (Oxford: Blackwell, 1995).
Page 507. "In the first place a man...": Schopenhauer, *Parerga and Paralipomena,* vol. 2, p. 284 / § 144.
Page 516. "I can bear the thought...": Schopenhauer, *Manuscript Remains,* vol. 4, p. 393, "Senilia," § 102.
Page 517. "The life of our bodies...": Schopenhauer, *World as Will,* vol. 1, p. 311 / § 57.
Page 517-518. "What a difference there is...": Schopenhauer, *Parerga and Paralipomena,* vol. 2, p. 288 / § 147.
Page 518. Schopenhauer's final thoughts on death...: Safranski, *Schopenhauer,* p. 348.
Page 518. "It is absurd to consider nonexistence...": Schopenhauer, *World as*

Will, vol. 2, p. 467 / chap. 41, "On Death and Its Relation to the Indestructibility of Our Inner Nature."

Page 519. "We should welcome it…": Schopenhauer, *Parerga and Paralipomena,* vol. 2, p. 322 / § 172a.

Page 519. "If we knocked on the graves…": Schopenhauer, *World as Will,* vol. 2, p. 465 / chap. 41, "On Death and Its Relation to the Indestructibility of Our Inner Nature."

Page 520. The dialogue between two Hellenic philosophers: Schopenhauer, *Parerga and Paralipomena,* vol. 2, p. 279 /§ 141.

Page 520. "When you say I, I, I…": Ibid., vol. 2, p. 281 / § 141.

Page 521. "I have always hoped to die easily…": Schopenhauer, *Manuscript Remains,* vol. 4, p. 517 /"Ειζεαυτον," § 38.

Page 521. "I now stand weary at the end of the road…": Schopenhauer, *Parerga and Paralipomena,* vol. 2, p. 658 / "Finale."

Page 521-522. "I am deeply glad to see…": Magee, *Philosophy of Schopenhauer,* p. 25. Page 532. "This man who lived among us a lifetime…": Karl Pisa, *Schopenhauer* (Berlin: Paul Neff Verlag, 1977), p. 386.

Page 524. "Mankind has learned…": Schopenhauer, *Manuscript Remains,* vol. 4, p.328, "Spicegia," § 122.

درباره‌ی کتاب

حکایت نوشتن *درمان شوپنهاور* از زبان نویسنده

پیش از آنکه بگویم چرا تصمیم گرفتم این رمان بـه‌خصـوص را بنویسم، باید به پرسش اساسی‌تری بپـردازم و آن اینکـه اصـلاً چـرا رمان می‌نویسـم؟ در همـه‌ی عمـر حرفـه‌ای‌ام، آموزگـار، پزشـک و روان‌درمانگر بوده‌ام. داستان‌نویسی را چگونه می‌توان با ایـن هویـت مرتبط کرد؟

پانزده‌سال نخسـت زنـدگی‌ام در محلـه‌ای پرخطـر در واشـنگتن دی‌سی گذشت، جایی که امن‌تـرین نقطـه‌اش، کتابخانـه‌ی عمـومی موجود در خیابان‌های هفتم و «ک» بود؛ آنجا بود کـه یکشـنبه‌هـایم می‌گذشت و برای نخستین بار افسون سـپری کـردن زمـان در یـک دنیای تخیلی متفاوت را تجربه کردم. از آن زمان تاکنون همـواره بـا داستان سروکار داشته‌ام. در نوجوانی به ایـن بـاور رسـیدم ـ و ایـن

باور را تا به امروز حفظ کرده‌ام ـ که نوشتن یک رمان خوب، یکی از بهترین کارهایی‌ست که یک آدمیزاد می‌تواند در عمرش انجام دهد.

حال بگذارید بگویم چرا رمان‌هایی از این دست می‌نویسم. در حرفه‌ام به عنوان یک روان‌پزشک، دو دلبستگی عمده‌ی جداگانه ولی موازی داشته‌ام: گروه‌درمانی و درمان اگزیستانسیال. هریک از این دو رویکرد، چارچوب‌های خاص خود را دارند.

گروه‌درمانی بر نظریه‌ی بین‌فردی بنیان گذاشته شده و بر این فرض استوار است که افراد در دام نومیدی می‌افتند چون نمی‌توانند روابطی دیرپا، معنی‌دار و حمایت‌گر با دیگران برقرار کنند. پس درمان در مسیر کاوش علت کژراهه رفتن تلاش بیمار برای برقراری ارتباط با دیگران هدایت می‌شود. گروه، عرصه‌ی آرمانی چنین بررسی‌هایی‌ست زیرا با قدرتمندی تمام بر شیوه‌ی ارتباط اعضا با یکدیگر تمرکز می‌کند. مسئله این نیست که اعضا پس از پایان گروه، آشنایی و دوستی با یکدیگر را ادامه می‌دهند. این اتفاق نادر است. مسئله این است که گروه *نمونه‌ی کوچکی از جامعه* است یعنی مشکلاتی که فرد در روابطش دارد، با گذشت زمان، بی‌چون‌وچرا در اینجا و اکنون گروه تکرار می‌شود. پس وقتی سرپرستان گروه بر رابطه‌ی میان اعضا تمرکز می‌کنند، در واقع به مشکلات موجود در روابط مهم زندگی اعضا توجه می‌کنند (فرض و تلاش سرپرستان بر این است که اعضا آنچه را که در گروه آموخته‌اند به موقعیت‌های مختلف زندگی تعمیم دهند). به‌علاوه، تمرکز بر اینجاواکنون و بر رویدادهای بلافصل گروه، داده‌هایی غنی‌تر، نیرومندتر و بسیار دقیق‌تر فراهم می‌آورَد: دیگر لازم نیست درمانگران بر توصیف (اغلب نادرست و غیردقیق) اعضا از مشکلات بین‌فردی حال و

گذشته‌شان تکیه کنند؛ بلکه مشکلات بین‌فردی را در جلسات گروه بر پرده‌ای پویا و با رنگ‌هایی زنده به تماشا می‌نشینند.

درمان اگزیستانسیال بر فرضی متفاوت استوار است: اینکه آدم‌ها به دلیل رویارویی با درد و رنج موجود در ذات موقعیت انسانی به دام نومیدی می‌افتند. افراد *نه‌تنها* به این دلیل که والدینشان چنان در رنج و کشمکش‌های روان‌نژندانه‌ی خویش گرفتار بوده‌اند که حمایت و توجه لازم را از کودک خویش دریغ کرده‌اند، *نه فقط* به دلیل تکه‌پاره‌هایی از تجربه‌ی تروماتیک نیمه‌ازیادرفته و *نه فقط* به دلیل فشار روانی بین‌فردی، اقتصادی و شغلی فعلی‌شان گرفتار رنجند، *بلکه* اضطراب موجود در ذات واقعیت‌های پردازش‌نشده‌ی هستی نیز به‌خودی‌خود دردآفرین است. چیستند این واقعیت‌های پردازش‌نشده؟ اینکه فانی هستیم، با مرگ گریزناپذیر روبه‌رو می‌شویم، تنها به هستی پا می‌گذاریم و تنها ترکش می‌کنیم، بیش از آنچه می‌پنداریم مؤلف طرح زندگانی خویش و شکل واقعیت موجود در آنیم، موجوداتی ذاتاً در جست‌وجوی معناییم که بدبختانه به درون جهانی فاقد معنایی ذاتی افکنده شده‌ایم پس ناچاریم خود معنای زندگی‌مان را بسازیم: معنایی چنان محکم و استوار که یک زندگی را تاب بیاورد.

در نخستین دوره‌ی زندگی حرفه‌ای‌ام، همان کاری را کردم که از استادان دانشگاه انتظار می‌رفت. پژوهش‌هایی را در زمینه‌های مورد علاقه‌ام به اجرا درآوردم و مقالاتی در مجلات تخصصی منتشر کردم که عمری کوتاه داشتند. دو درسنامه‌ی مادر یکی در زمینه‌ی گروه‌درمانی (*روان‌درمانی گروهی: مباحث نظری و کاربردی*[1]) و

---

۱. *روان‌درمانی گروهی: مباحث نظری و کاربردی* /اروین د. یالوم/ مهشید یاسایی/ نشر دانژه

دیگری در باب رویکردی اگزیستانسیال به روان‌درمانی (*روان‌درمانی اگزیستانسیال*[1]) تألیف کردم.

گرچه هردو این کتاب‌ها، درسنامه‌هایی موفق از کار درآمدند و مورد استفاده‌ی فراوان بنیادهای آموزشی قرار گرفتند، احساس می‌کردم این دو کتاب کاری را ناتمام گذاشته‌اند: نتوانسته‌اند وجه انسانی آنچه را که *حقیقتاً* در روان‌درمانی روی می‌دهد به نمایش بگذارند. نثر تخصصی به من اجازه نمی‌داد آنچه را که حقیقتاً بخش حیاتی تجربه‌ی درمان بود، به بیان درآورم: ویژگی عمیق، صمیمانه، انسانی، پرمخاطره و محبت‌آمیز رابطه‌ی درمانگر ــ مراجع. در پی شیوه‌ی نگارش دیگری بودم و سرانجام به ابزار ادبی روی آوردم: بایست نثر تخصصی و اصطلاحات حرفه‌ای را دور می‌ریختم و ادبیات و ترفندهای داستانی را برای آموزش به کار می‌گرفتم و دنیای درونی مراجع و درمانگر را بر خوانندگانم آشکار می‌کردم. الگوهای خوبی داشتم: سایر اندیشمندان اگزیستانسیال هم همین مسیر را رفته بودند. سارتر و کامو را در نظر بیاورید. امروزه کمتر کسی آثار رسمی فلسفی آن‌ها را خوانده یا به خاطر دارد: این داستان‌ها و نمایش‌نامه‌های آن‌هاست که به افکارشان زندگی بخشیده است و با این ابزار بیانی‌ست که در خاطرها مانده‌اند.

و این شد که در سال ۱۹۹۰ نوشتنی دیگرگونه را آغاز کردم. دو جلد داستان آموزشی (*جلاد عشق*[2] و *مامان و معنی زندگی*[3]) و سه

---

۱. *روان‌درمانی اگزیستانسیال*/اروین د. یالوم/ سپیده حبیب/نشر نی

۲. گزیده‌ای از داستان‌های این کتاب با عنوان دژخیم عشق با ترجمه‌ی مهشید یاسایی و از سوی نشر آمون وارد بازار نشر ایران شده است.

۳. مامان و معنی زندگی/ اروین یالوم/ سپیده حبیب/ نشر کاروان و قطره.

رمان آموزشی (*وقتی نیچه گریست*[۱]، *دراز کشیدن/دروغ گفتن بر مبل راحتی*[۲] و *درمان شوپنهاور*) را با این قصد نوشتم که وجوه گوناگون رویکرد روان‌درمانی اگزیستانسیال را به بیان درآورم. برای مثال *وقتی نیچه گریست* به واکاوی این مسئله می‌پردازد که اگر نیچه‌ی فیلسوف ـ شاعر به‌جای فروید پزشک ـ دانشمند روان‌درمانی را ابداع می‌کرد، این درمان چه شکلی به خود می‌گرفت. *دراز کشیدن/دروغ گفتن بر مبل راحتی* به بررسی ماهیت رابطه‌ی بیمار ـ درمانگر و به‌ویژه به این مسئله می‌پردازد که آیا درمانگر باید خودافشاگر باشد یا نه و اگر آری، تا کجا.

این کتاب‌ها را برای مخاطبانی که در ذهن داشتم ـ یعنی روان‌درمانگران جوان ـ به نگارش درآوردم. ولی از آنجا که روان‌درمانی فرایندی انسانی‌ست و افراد زیادی خواهان کشف خویشتن، خودیابی و رشد فردی‌اند، نوشته‌هایم دامنه‌ی گوناگون خوانندگان ـ از روان‌درمانگر گرفته تا مردم معمولی ـ را به خود جلب کرد.

بر خلاف نویسندگانی که کتابشان را با طرح داستانی ویژه‌ای که در ذهن دارند (یا با آفرینش شخصیت‌هایی خاص یا در مکان‌هایی خاص) آغاز می‌کنند، نقطه‌ی آغاز من همیشه انبوهی از ایده‌هاست. *درمان شوپنهاور* را با این امید آغاز کردم که به واکاوی چهار مقوله بپردازد:

۱. گروه‌درمانی چگونه اثر می‌کند؛
۲. فلسفه به‌طور عام و فلسفه‌ی آرتور شوپنهاور به‌طور خاص

---

۱. وقتی نیچه گریست/ اروین یالوم/ سپیده حبیب/ نشر کاروان و قطره.

2. *Lying on the coach*

چگونه می‌توانست روان‌درمانی را تحت تأثیر قرار دهد؛

۳. زندگی غریب آرتور شوپنهاور و نابهنجاری مهم فردی‌اش چگونه نتایج فلسفی‌اش را تحت تأثیر قرار داد.

۴. مرگ‌آگاهی چگونه بر زندگی و رفتار فرد اثر می‌گذارد.

چهل سال است که گروه‌های درمانی را سرپرستی کرده‌ام و درباره‌ی آن‌ها نوشته‌ام و قدرت و تأثیرگذاری این نوع درمان را محترم شمرده‌ام. ولی در سال‌های اخیر، وضعیت رشته‌ی گروه‌درمانی به‌شدت نگرانم کرده است. دو رویداد به‌طور خاص ذهنم را برآشفته است: یکی تصویر نادرستی که از گروه‌درمانی در رسانه‌ها عرضه می‌شود؛ دیگری اثر زیانباری که صرفه‌جویی در هزینه‌های پزشکی بر کار گروه‌درمانی می‌گذارد.

رسانه‌های جمعی گاه تصویری دقیق و خوشایند از روان‌درمانی فردی به نمایش می‌گذارند (کیست که نخواهد زیر نظر درمانگری که رابین ویلیامز در فیلم گود *ویل هانتینگ*[1] به تصویر کشیده، وارد روان‌درمانی فردی شود؟) ولی گروه‌درمانی بی‌بروبرگرد به طرزی مسخره و از آن مهم‌تر، به شیوه‌ای به‌شدت نادرست تصویر می‌شود. (برای نمونه گروه‌درمانی *شو باب نیوهارت*[2] را در نظر بیاورید.)

علاوه بر این‌ها، در این رشته‌ی تخصصی پسرفت قابل ملاحظه‌ای روی داده است. مسئولان سازمان بیمه‌ی سلامتی[3] به دلایل اقتصادی تصمیم گرفته‌اند گروه‌های درمانی را به‌شیوه‌ای محدود برگزار کنند. کار بخش عمده‌ای از گروه‌هایی که امروزه سازمان‌های بزرگ مراقبت‌های بهداشتی آن‌ها را اداره می‌کنند، «اطلاع‌رسانی در زمینه‌های روان‌شناختی»ست و اطلاعاتی درباره‌ی

---

1. *Good Will Hunting*
2. *Bob Newhart Show*
3. HMO: Health Maintenance Organization

اختلالات روان‌شناختی به اعضای گروه عرضه می‌کنند. ارزش این اطلاعات در درمان محدود است، در حالی که گروه‌های درمانی ساز کارهای بسیار نیرومندتری برای کمک به افرادند. هر گروه‌درمانگر ماهری با اثر درمانی گروه‌هایی که اعضایشان خود را وقف بررسی همه‌ی وجوه رابطه‌شان با یکدیگر می‌کنند، آشناست. می‌شود تجربه‌ی گروه‌درمانی را به سفینه‌ی دوستی و مهربانی تشبیه کرد که افراد زیادی را به جایی بهتر و امن‌تر منتقل می‌کند. در *درمان شوپنهاور* کوشش فراوانی کرده‌ام که گروه‌درمانی را به شیوه‌ای دقیق و درست و واقع‌گرایانه به تصویر بکشم. در ویرایش تازه‌ی درسنامه‌ی گروه‌درمانی‌ام، دانشجویان روان‌درمانگری را اغلب به برخی صفحات *درمان شوپنهاور* ارجاع داده‌ام تا تصویری گویا از جنبه‌هایی که نظریه‌ی بالینی را با کار عملی مرتبط می‌کند، پیش چشم داشته باشند.

ولی چرا آرتور شوپنهاور؟ و ارتباط او با روان‌درمانی چیست؟ (او در سال ۱۸۶۰ یعنی دهه‌ها پیش از ظهور روان‌درمانی معاصر از دنیا رفت.) نخستین بار زمانی به او علاقه‌مند شدم که برای نوشتن رمان *وقتی نیچه گریست* مشغول تحقیق درباره‌ی نیچه بودم. این دو تن هرگز دیداری نداشته‌اند ـ نیچه شانزده‌ساله بوده که شوپنهاور از دنیا رفته است ـ ولی نیچه بسیار از شوپنهاور آموخت و ابتدا با تحسین از او یاد کرد. ولی بعدها با شور فراوان به او تاخت. من مسحور این جدایی شدم. نیچه و شوپنهاور شباهت‌های فراوانی داشتند: هردو در زمینه‌ی کندوکاو در وضعیت انسان سرسخت و نترس بودند، از همه‌ی صاحبان قدرت دوری جستند و از تمامی اوهام و پندارهای پوچ درباره‌ی هستی دست کشیدند. با این حال به دو نگرش کاملاً متضاد نسبت به زندگی رسیدند: نیچه زندگی را با

آغوش باز پذیرفت و آن را جشن گرفت؛ شوپنهاورِ عبوس، بدبین شد و به نفی زندگی پرداخت.

علت چه بود؟ شرایط زندگی و ساختار شخصیتی این دو تا چه اندازه بر نتیجه‌گیری‌های فلسفی‌شان تأثیر داشت؟ هرچه بیشتر زندگی و آثار شوپنهاور را مطالعه کردم، بیشتر تحت تأثیر گستره و عمق فوق‌العاده‌ی بصیرت و بینش او قرار گرفتم. درک این نکته دشوار نیست که چرا بعضی فیلسوفان معتقدند ایده‌های جالب موجود در نوشته‌های شوپنهاور از آثار هر فیلسوف دیگری به‌جز افلاطون بیشتر است. و با وجود این، شکی نیست که شوپنهاور مردی بود بسیار عجیب‌وغریب و دچار مشکلات بسیار عمیق.

اول می‌خواستم رمانی تاریخی درباره‌ی شوپنهاور بنویسم و در آن به تأثیر نوشته‌هایش بر رشته‌ی روان‌درمانی اشاره کنم. ولی بعد این ایده را کنار گذاشتم. یک دلیلش این بود که هرگز نمی‌توانستم بر این مانع غلبه کنم که شوپنهاور در سال ۱۸۶۰ یعنی سی سال پیش از ظهور روان‌درمانی بر صحنه‌ی تاریخ از دنیا رفته است. (من سال ۱۸۹۵ یعنی سال انتشار کتاب *مطالعاتی در هیستری* فروید و بروير را سال زایش روان‌درمانی مدرن می‌دانم. فصل پایانی این کتاب حاوی پیش‌گویی مبهوت‌کننده‌ای‌ست که در آن فروید بسیاری از پیشرفت‌های روان‌درمانی را که در سده‌ی بعد روی داد، پیش‌بینی کرده است.) با همه‌ی این‌ها تأثیر شوپنهاور بر روان‌درمانی شایان توجه است: در دوران تحصیل فروید، او معروف‌ترین فیلسوف آلمانی بود و بسیاری از درون‌بینی‌های او بعدها الهام‌بخش مفاهیمی چون ناخودآگاه، اید (سائق‌های غریزی)، واپس‌رانی، اهمیت امور جنسی و ضرورت خودکاوی بدون اوهام ماورای طبیعی شد.

زندگی شوپنهاور خود مانعی دیگر بود. زندگی‌اش آن طور که خودش گفته نمایشی یک‌نفره بود و نمایش‌های یک‌نفره، رمان‌های خوبی از کار درنمی‌آیند. او یکی از تلخ‌کام‌ترین و تنهاترین افراد تاریخ بود، بدون دوست، فرزند، خانواده یا همکار. من نیازمند شخصیتی دیگر - یک جلوه‌ی داستانی - بودم و هفته‌ها برای آفرینش یک شخصیت بدعت‌گذار فلسفی و دانشمند کوشیدم. ولی نتوانستم طرح داستانی‌ای را که می‌خواستم، بیابم و سرانجام از آن طرح دست کشیدم و به نوشتن کتابی دیگر یعنی هنر *درمان* روی آوردم.

وقتی دو سال بعد دوباره به سراغ جنین رمان شوپنهاور رفتم، خوشحال شدم که زنده یافتمش وخیلی زود به ایده‌ای کاملاً متفاوت رسیدم: رمانی که در زمان حال و در یک گروه‌درمانی بگذرد و در آن یکی از اعضا - یعنی فیلیپ - هم نمونه‌ی زنده‌ی آرتور شوپنهاور باشد و هم امانت‌دار ایده‌های او؛ و بسیاری از افکار او را در بحث درمان گروهی مطرح کند. در عین حال پیوندهایم را با شوپنهاور تاریخی حفظ می‌کنم و یک فصل در میان به زندگینامه‌ی روان‌شناختی شوپنهاور می‌پردازم.

تردیدی نیست که شوپنهاور یک انسان‌گریز تمام‌عیار بود. بدبین، متکبر و پنهانکار بود و با خوار پنداشتن دیگران، آن‌ها را به بازی می‌گرفت («دوپایان» اصطلاحی بود که برای آدم‌ها به‌کار می‌برد)، یکی از ناخوشایندترین شخصیت‌های تاریخی برای پیوستن به یک گروه‌درمانی. ولی فرض کنید این کار را می‌کرد! چه چالشی برای آن گروه‌درمانگر پدید می‌آورد! و حضورش در گروه چه کیفی داشت! و فکرش را بکنید: اگر گروهی بتواند به آرتور شوپنهاور کمک کند، به هرکس دیگری هم می‌تواند!

و بالاخره چند کلمه هم درباره‌ی افق تاریک این رمان یعنی بیماری مهلک جولیوس بگویم. می‌خواستم قهرمان داستانم نه‌تنها با مرگ خویش کنار بیاید، بلکه بتواند به مراجعانش هم کمک کند که با مرگ خویش رودررو شوند. دلایل وارد کردن مرگ به فرایند درمانی ریشه در سال‌هایی دارد که با بیماران مبتلا به سرطان پیشرفته و لاعلاج کار می‌کردم. من به بیماران زیادی برخوردم که در رویارویی با مرگ از پای در نیامدند، برعکس، دگرگونی‌هایی را پشت سر گذاشتند که فقط می‌توان آن را رشد فردی، پختگی یا دستیابی به فرزانگی خواند. آن‌ها اولویت‌هایشان را دوباره طبقه‌بندی کردند، جزئیات را ناچیز شمردند و برای آنچه مهم بود ـ کسانی که دوست داشتند، تغییر فصول، موسیقی و شعر که مدت‌ها نادیده گرفته بودند ـ قدر بیشتری قائل شدند. به‌قول یکی از بیماران «سرطان روان‌نژندی را درمان می‌کند.» ولی افسوس که باید تا پایان و زمانی که سرطان بدنشان را سوراخ‌سوراخ کرده بود، منتظر می‌ماندند تا یاد بگیرند چطور باید زندگی کنند.

کنجکاو بودم بدانم چه می‌شد اگر کسی مرگ را به فرایند درمان وارد می‌کرد؟ اعضا کنار می‌کشیدند؟ به این نتیجه می‌رسیدند که بهترین کار این است که جایی را که نمی‌خارد، نخارانند؟ مرگ چنان در چشمشان بزرگ جلوه می‌کرد که اجازه نمی‌داد به مشکلات روزمره‌ی شخصی‌شان بپردازند؟ یا همه‌چیز برعکس می‌شد؟ آگاهی از مرگ ناگزیر، چشم‌اندازی پرشور، جدیت و نیرویی برای فرایند تغییر به گروه می‌بخشید؟ مطمئن نبودم طرح داستان چطور پیش خواهد رفت. صحنه را آراستم، شخصیت‌ها را به حرکت درآوردم و از نگارش و ثبت‌وضبط آنچه در پی آمد، لذتی گوارا و حظی دلپذیر بردم.

نشرقطره

از اروین د. یالوم منتشر کرده‌ایم:

خلق‌شدگان یک روز، نرگس خوزان

خیره به خورشید نگریستن، اورانوس قطبی‌نژاد آسمانی

دروغ‌گویی روی مبل، بهاره نوبهار

مامان و معنی زندگی، سپیده حبیب

مسئله‌ی اسپینوزا، بهاره نوبهار

وقتی نیچه گریست، سپیده حبیب

هر روز یک قدم نزدیک‌تر، کاملیا نجفی ـ ایمان صحاف‌قانع

هنر درمان، سپیده حبیب

The Schopenhauer Cure

Irvin D. Yalom

Translated by

Sepideh Habib

nashr.ghatreh@yahoo.com